LES DÉTERMINANTS SOCIAUX DE LA SANTÉ : UNE SYNTHÈSE

HACHIMI SANNI YAYA

LES DÉTERMINANTS SOCIAUX DE LA SANTÉ : UNE SYNTHÈSE

4501, rue Drolet
Montréal (Québec) H2T 2G2 Canada
Téléphone : 514-842-3481
Télécopie : 514-842-4923
Internet : http://www.guerin-editeur.qc.ca
Courriel : francel@guerin-editeur.qc.ca

GU 3M
Guérin
universitaire
3e millénaire

Dépôt légal

ISBN 978-2-7601-7143-5

Bibliothèque et Archives nationales du Québec, 2010
Bibliothèque et Archives Canada, 2010

IMPRIMÉ AU CANADA

Révision linguistique   François Germain
Caroline Turgeon

Nous reconnaissons l'aide financière du gouvernement du Canada par l'entremise du Programme
d'aide au développement de l'industrie de l'édition (PADIÉ) pour nos activités d'édition.

Canada

«Gouvernement du Québec – Programme de crédit d'impôt pour l'édition de livres –
Gestion SODEC»

**Société
de développement
des entreprises
culturelles**
Québec

À tous mes étudiants

*Parce que tous les hommes, par nature, désirent
savoir quelque chose. Et si, grâce à cette connaissance
qui exige temps, réflexion et charité, ils trouvent le
moyen de faire les choses autrement, alors ce serait
déjà un bienfait pour l'humanité.*

La santé est la pierre angulaire du progrès social. Dans une nation où la population est en bonne santé, les gens peuvent s'adonner à ce qui fait que la vie vaut la peine d'être vécue, et la possibilité d'être heureux s'accroît parallèlement au niveau de santé.

Marc Lalonde
Ministre de la Santé nationale et du Bien-être social, 1974

Ni la science médicale, ni la génétique ne sont capables d'expliquer pourquoi un pays est plus en santé qu'un autre, ou pourquoi la plupart des pays gagnent deux ou trois ans d'espérance de vie avec chaque décennie qui s'écoule.

Wilkinson Richard
Professeur à l'Université de Nottingham, 1996

Table des matières

Liste des figures

Liste des tableaux

Liste des graphiques

Liste des encadrés

Liste des abréviations, des sigles et des acronymes

ASPC	Agence de la santé publique du Canada
ASPO	Association pour la santé publique de l'Ontario
CLSC	Centre local de services communautaires
CPE	Centre de la petite enfance
CIM	Classification internationale des maladies
FAO	Organisation des Nations Unies pour l'alimentation et l'agriculture
ICIS	Institut canadien d'information sur la santé
IEC	Information, éducation et communication
INRS	Institut national de recherche scientifique
INSPQ	Institut national de santé publique du Québec
OMD	Objectifs du Millénaire pour le Développement
AIIC	Association des infirmières et infirmiers du Canada
OCDE	Organisation de coopération et de développement économiques
OIT	Organisation internationale du travail
OMS	Organisation mondiale de la santé
OPHQ	Office des personnes handicapées du Québec
SIDA	Syndrome d'immunodéficience acquise
SRAS	Syndrome respiratoire aigu sévère
SSP	Soins de santé primaires
UNESCO	Organisation des Nations Unies pour l'éducation, la science et la culture
VIH	Virus de l'immunodéficience humaine
WHOQOL	World Health Organization Quality of Life

Avant-propos

Je n'ai pas la prétention d'offrir aux lecteurs un traité complet sur les déterminants sociaux de la santé. Le but que je poursuis en rédigeant ce manuel est bien plus simple et modeste : offrir aux étudiants en sciences de la santé une synthèse claire et attractive sur les facteurs non médicaux qui ont des répercussions sur le bien-être et partager, bien évidemment, mon enthousiasme pour le sujet. Dans cette vaste thématique, je n'ai retenu que les notions indispensables, celles dont ne saurait se passer tout enseignant qui croit à un idéal de connaissance et de lucidité et qui veut diffuser un savoir qui, dans une culture, mérite d'être transmis et acquis. En réalité, ce n'est pas simplement parce qu'un fait existe qu'il a été inclus dans ce manuel, mais parce qu'il s'agit de choses qu'il faut absolument, de mon point de vue, savoir. Cet ouvrage élague tous les détails superflus, pour se concentrer sur l'essentiel. Les élucubrations théoriques et philosophiques ont été réduites au maximum pour se limiter aux notions les plus claires et les plus pratiques tout en tenant compte du niveau limité des connaissances scientifiques des étudiants auxquels il est destiné. Le style se veut dénudé de pédanterie, mais n'est pas pour autant familier et encore moins dépouillé, de façon à ce que les étudiants n'aient pas le sentiment que le langage utilisé leur donne un sentiment d'infériorité.

C'est pourquoi ce livre est organisé de façon logique et compréhensible, de telle sorte que chaque concept soit intégré dans l'ensemble du sujet. La meilleure des pédagogies, comme la meilleure des logiques, est encore celle qu'on se fait à soi-même par l'étude, l'expérience et la réflexion personnelle. Il ne s'agit surtout pas dans ce manuel de faire apprendre par cœur, de faire réciter un catéchisme pédagogique, comme le commandent encore certains manuels pédagogiques faits de sèches et arides nomenclatures, où l'esprit formaliste règne en souverain. Ce manuel vise avant tout à encourager la réflexion et guider l'expérience de chaque étudiant. C'est pourquoi j'ai voulu qu'il soit rédigé de façon à stimuler la pensée personnelle, en proposant une pédagogie qui se voudrait à la fois simple et vivante. Conçu en vue d'un enseignement introductif général, il ne se contente pas d'énumérer vaguement certains déterminants de la santé. Il les questionne et les interroge dans un esprit critique avec la plus grande des discrétions. Les travaux de mes prédécesseurs ont été largement mis à profit. À mon sens, la meilleure manière de les louer, c'est, comme je le fais, de les citer presque à chaque page. Pourtant, j'ai essayé de ne pas leur ressembler en plusieurs aspects, car le sujet le plus attrayant d'un manuscrit peut devenir rebutant s'il n'est pas bien présenté.

Rédiger un livre qui soit à la fois bien construit et pédagogique exige de nombreuses collaborations. J'ai eu la chance de travailler avec des personnes compétentes et motivées qui ont collectivement rendu cette œuvre possible. En fait, le nombre de collaborateurs ayant contribué à la réalisation de ce projet n'a fait que croître au fil des étapes, et je sais ce que je dois à leurs contributions. Ainsi, pour chaque personne ayant participé à ce projet, il existe sans doute une vingtaine de personnes qui ont travaillé dans l'ombre. Si j'ai omis quelqu'un, et je l'ai sûrement fait, je m'en excuse très sincèrement. Je suis reconnaissant aux nombreux collègues qui m'ont apporté leurs suggestions et critiques constructives pour cette édition. Leurs avis furent très utiles, même si le résultat final n'engage que moi. Mes remerciements les plus chaleureux vont tout particulièrement à l'Université d'Ottawa qui m'a prodigué l'environnement propice à ce type de réflexion et le temps nécessaire

à la conception et à la concrétisation de cette œuvre. Cela fut un réconfort et une source d'inspiration de savoir que plusieurs individus au sein de cette institution ont travaillé efficacement et de tant de façons différentes afin que ce livre soit aussi réussi que possible. Une partie de la matière de ce livre constitue le cours sur les déterminants de la santé donné aux étudiants de l'Université d'Ottawa. C'est la raison pour laquelle je tiens à remercier tous ceux qui ont suivi mes enseignements avec intérêt en relevant les erreurs qu'ils contenaient. Chacun d'entre eux sait que pour certains, cela a été mieux qu'avec d'autres. Grâce à chacun d'eux, j'ai beaucoup appris et j'espère aussi leur avoir appris un peu également. Mon épanouissement n'aurait pas été aussi complet sans mes activités d'enseignements. L'encadrement des étudiants m'a apporté une grande satisfaction et leur contact m'a permis de beaucoup évoluer sur le plan personnel.

Je suis également redevable, pour son travail impeccable et sa contribution exceptionnelle, à mon assistante de recherche Lisandra Lannes qui a travaillé à la composition et à la correction de l'ensemble de ce volume. Sa compétence, son dévouement et son sens de l'autonomie et de la minutie furent très précieux. Grâce à la perspicacité créative de ma maison d'édition, celle-ci a veillé à ce que la disposition du texte soit à la fois plaisante à regarder et chargée de sens. Elle a toujours pris le temps de répondre à mes petits soucis en surveillant de près chaque étape du processus de production alors qu'elle le faisait en même temps pour plusieurs autres livres. Enfin, ce sont mes proches que je dois le plus remercier pour avoir partagé et vécu ce projet en supportant mes humeurs et parfois même mon désordre. Un projet comme celui-ci est une question de résilience, de résistance et de survivance. Je n'aurais probablement pas survécu à cette aventure si je n'avais pu compter en permanence sur leur main tendue, toujours prête à me relever. Plus que n'importe qui, ils ont dû me supporter et surtout endurer mon amour des livres, de l'enseignement et de la recherche en m'aidant à donner un sens à tout cela.

H. Sanni Yaya

Introduction

Depuis la nuit des temps, magie et médecine se sont confondues, tout comme astrologie et astronomie, alchimie et chimie. Dans les cavernes et les grottes, nos ancêtres cherchaient à se prémunir contre les aléas d'une nature hostile et pleine de dangers. Leur souci majeur a d'abord été de se nourrir et de se mettre à l'abri de la faim, des maux, des guerres et des catastrophes naturelles. Face à la maladie, ils ont inventé des rituels magiques, des mots et le sacrifice. Les questions de santé et de maladie étaient alors du ressort des sorciers, des guérisseurs et des magiciens. Ce n'est qu'au 5e siècle avant Jésus-Christ, avec Hippocrate, que les Grecs développeront le premier système médical rationnel en essayant non plus simplement d'appliquer des recettes retransmises par la tradition, mais d'apprendre à connaître le mécanisme de la maladie et le fonctionnement du corps humain[1]. Pourtant, là encore, le cordon ombilical entre le savoir et les connaissances acquises n'était pas coupé: on enseignait la médecine en Grèce dans le temple d'Asclépios. Les prêtres endormaient les malades et, durant ce sommeil provoqué, Asclépios le dieu de la médecine dans la Grèce antique, apparaissait en rêve aux élus et leur indiquait les moyens d'atteindre la guérison. La médecine sera progressivement reconnue comme un art à part entière: un médecin à lui seul, dira Idoménée alors roi de Crète, vaut beaucoup d'hommes. À Rome, c'était au temple d'Esculape que les malades venaient implorer la guérison[2].

Au fil des âges et de notre longue histoire, du Paléolithique jusqu'à l'ère postindustrielle, les sociétés humaines ont vécu un rapport différent à la santé et à la maladie. Depuis, on nous a appris que les origines de la santé et de la maladie tiraient leur sens d'éléments extérieurs sans aucune logique. Grâce aux récentes études en sociologie de la santé et en anthropologie médicale, nous savons désormais qu'il en est tout autrement. Avec l'analyse des représentations de ces deux phénomènes dans le temps, on découvre le jeu d'une série d'oppositions multiséculaires, fortement enracinées dans les cultures, entre le normal et le pathologique, le sain et le malsain et, surtout, on apprend comment notre perception et notre attitude face à la santé et à la maladie ont évolué avec le temps. Sujet populaire fréquemment objet de polémique, la santé a souvent été abordée en référence à la maladie et reste une thématique qui a occupé une place prépondérante dans la pensée philosophique antique et dans les débats sociaux contemporains. Loin d'être de purs esprits, philosophes et penseurs qui ont fait l'expérience de la maladie ou, autrement dit, de la mauvaise santé ont mené quelques réflexions à ce sujet. Le spectre de leurs avis est large, et s'étend d'une méfiance envers le médecin à l'apologie de ce dernier, allant parfois à de vives critiques de l'institution médicale et hospitalière. Mais cet intérêt de la philosophie pour le champ de la santé n'est pas surprenant. La philosophie aborde chaque aspect de notre existence, en particulier la philosophie antique qui s'est particulièrement donné comme but la recherche de la connaissance vraie, de l'action juste et de la beauté. Il serait donc étrange qu'elle éclipse la santé, un aspect fondamental de notre vie, peut-être même l'aspect le plus fondamental dans la mesure où elle se révèle comme l'unique condition de toutes les autres conditions d'exercice de la vie. Platon lui-même s'y était très tôt fait l'écho lorsqu'il affirmait que «le premier bien est la santé, le deuxième la beauté et le

---

1. Annas, Julia (1986). «Classical Greek Philosophy», dans John Boardman, et autres. *The Oxford History of the Classical World*, New York, Oxford University Press.
2. Jouanna, Jacques (1992). *Hippocrate*, Paris, Fayard.

troisième, la richesse[3]». L'absence de maladie était synonyme de santé[4] et être en bonne santé consistait donc à ne pas savoir qu'on a un corps, sauf dans les moments agréables où il devient un instrument de plaisir ou de performance sportive. Bien qu'intéressante, cette formule n'est pas tout à fait juste sur le plan médical puisqu'on sait aujourd'hui que le silence des organes peut masquer une maladie silencieuse.

La perspective adoptée par plusieurs penseurs comme Diderot (1751) et Kant (1798) reste très proche de la notion populaire du concept qui s'est développé autour de trois axes (rétablissement, maintien, amélioration) et de deux niveaux (individuel, collectif). La santé a toujours déployé son champ à la frontière de celui de la maladie et a souvent été perçue comme cette espèce d'équilibre qui conditionne le fonctionnement normal de l'organisme pendant une période appréciable. Selon Diderot, «quand on se porte bien, aucune partie du corps ne nous instruit de son existence. Si quelqu'un nous en avertit par la douleur, c'est à coup sûr que nous nous portons mal. Si c'est par le plaisir, il n'est pas toujours certain que nous nous portions mieux[5]». On sait par exemple que Socrate et Cicéron, qui ont aussi réfléchi sur cette question importante à l'époque, n'ont jamais voulu séparer la santé physique de la santé mentale, voyant l'accomplissement de l'existence humaine comme une marche parallèle du corps et de l'âme, dans une recherche d'harmonie corrélative de l'état du monde.

Cette vision de la santé qui conçoit l'univers comme un tout, un cosmos et un ordre régissant aussi bien la marche des étoiles que les sociétés humaines, a fait beaucoup de chemin. L'individu est lui-même perçu comme un microcosme dans un vaste macrocosme où tous les éléments doivent être à leur place dans un idéal d'harmonie, d'équilibre. Dans ces conditions, le phénomène le plus inquiétant, notamment pour les Grecs dans l'Antiquité, était la maladie. Le corps était très important dans la pensée philosophique, car il n'y a pas de valeur plus haute et encore moins de réalité plus dense dans laquelle nous nous inscrivons en tant qu'être humain. Au même titre, l'esprit ne peut être séparé du corps, dans la mesure où un homme malade ne peut penser comme un homme en pleine santé. Comme le rappelle très bien Nietzsche: «il ne nous appartient pas, à nous autres philosophes, de séparer l'âme du corps, comme le fait le vulgaire, encore moins de séparer l'âme de l'esprit. Nous ne sommes pas des grenouilles pensantes, des appareils d'objectivation et d'enregistrement sans entrailles. Il nous faut constamment enfanter nos pensées du fond de nos douleurs et les pourvoir maternellement de tout ce qu'il y a en nous de sang, de cœur, de désir, de passion, de tourment, de conscience, de destin, de fatalité[6].»

L'évolution des savoirs a conduit les philosophes à reconsidérer et à préciser très souvent les concepts de santé et de maladie, de vie et de mort. La vie est une activité dynamique de débat avec le milieu. C'est une activité à la fois polarisée et normative. Les deux pôles de ce dynamisme vital sont la maladie et la santé. La maladie est une irrégularité constitutionnelle et congénitale et, en raison de son incidence sur la santé de l'homme, elle conduit celui-ci à se dévaloriser et peut devenir une infirmité. En outre, elle peut être liée à un pathos, ce sentiment direct et concret de souffrance, d'impuissance et de vie contrariée[7]. Elle est un état qui exige du sujet vivant une lutte pour la vie; elle réduit la marge de tolérance des variations du milieu qui deviennent alors insupportables pour l'individu malade. De cette réflexion sur la maladie, découle une définition de la santé qui représente, pour plusieurs auteurs, la possibilité de dépasser la norme habituelle, mais aussi de surmonter des crises et de tolérer des infractions aux standards qui nous régissent. La santé est un luxe biologique, une capacité d'adaptation et d'anticipation, bref, le pouvoir de tomber malade et de s'en relever. Ainsi, le corps vécu n'est pas un problème tant qu'il est en bonne santé. C'est la souffrance et la maladie qui posent problème et demandent la médiation du médecin lorsque l'esprit et le corps sont menacés. La santé, quant à elle, confère

---

3. Platon. *Les lois*, Paris, Flammarion, 1997, 456 p.
4. Leriche, René (1879-1955) qui est une importante figure de la chirurgie française dira que «la santé, c'est la vie dans le silence des organes». Il s'est illustré comme l'une des gloires les plus aimées de la chirurgie contemporaine pendant plus de 30 ans. Son héritage est considérable: chirurgie de la douleur, chirurgie vasculaire (artérites, phlébites, embolies pulmonaires), les membres fantômes, l'angine de poitrine, la chirurgie expérimentale, l'organisation de l'enseignement médical en France et la création de l'Ordre des médecins. Il fut président de l'Académie de chirurgie.
5. Diderot, Denis (1996). *Lettre sur les sourds et muets à l'usage de ceux qui entendent et qui parlent*, Œuvres, «Bouquins», Tome IV, Esthétique – Théâtre, Paris, Robert Laffont, p. 43.
6. Nietzsche, Fredrich (2000). *Le gai savoir*, Œuvres II, Paris, Robert Laffont publié en 1882, sous le titre original *Die fröhliche Wissenschaft, la gaya scienza*.
7. Canguilhem, Georges (2002). «La santé: concept vulgaire et question philosophique», *Écrits sur la médecine*, Seuil.

une assurance et une confiance dans la vie avant même d'avoir été mise à l'épreuve. Épreuve de vérité, on peut dire que la santé est la vérité du corps et de l'esprit. Elle n'est rien de positif si ce n'est l'absence de maladie, absence alors vécue comme une plénitude. La santé alors, c'est de vivre sans jamais se rendre compte du temps qui passe, de celui-là même qui nous consomme et nous consume.

Aptitude parfaite du corps pour les uns, état sain de l'esprit pour les autres, la santé apparaît comme cette plénitude des émotions qui rend possibles la qualité de vie et le sentiment de bien-être. C'est grâce à notre bonne santé que nous pouvons jouir pleinement de la vie et vaquer à nos projets et occupations mettant en jeu des forces socioculturelles, non inscrites dans le cadre strict de la génétique. Parce qu'elle est autonomie, elle permet aux individus de s'adapter aux conditions de l'environnement tout en s'engageant dans le changement de ces conditions pour rendre leur adaptation plus agréable ou plus effective[8]. C'est pourquoi la santé est aussi la capacité que possède tout homme de s'affirmer face au milieu ou de prendre la responsabilité de sa transformation. En tant que qualité résultant du fonctionnement intégral de l'individu qui le rend capable d'aspirer à une vie qui le satisfait individuellement et le rend utile à la société, elle est également liberté, libération, équilibre et pouvoir d'user de son corps jusqu'à en abuser. En fait, c'est pouvoir tout se permettre alors que la maladie est une réduction de cette marge de possibilités. L'autonomie et la liberté que procure la bonne santé sont sans pareils dans la mesure où la maladie nous freine dans notre cheminement en nous empêchant de progresser, voire même en nous faisant régresser. On voit très bien ici émerger cette approche fonctionnelle de la santé qui la considère avant tout comme l'assurance et la capacité de pouvoir surmonter les difficultés.

Ce petit détour philosophique permet de constater l'importance qui était accordée à la santé. Aujourd'hui, cette importance s'est d'autant plus accrue avec la transition épidémiologique et sanitaire qui s'accompagne de l'allongement de l'espérance de vie dans plusieurs pays au cours de la première moitié du 20e siècle. Ce phénomène est la conséquence du recul rapide de la mortalité, en particulier de la mortalité maternelle et infantile, et de la mortalité due aux maladies infectieuses. Les progrès spectaculaires réalisés par la médecine, l'accession à de meilleures conditions de logement, d'hygiène et de formation, la réduction de la taille des familles, l'accroissement du revenu et certaines mesures de santé publique telle la vaccination contre les maladies, sont autant de facteurs qui ont largement contribué à cette transition épidémiologique. La santé a toujours été une valeur importante dans les sociétés humaines. Elle a occupé une place centrale à travers les cultures et les âges parce qu'elle est la condition de toutes les autres conditions d'exercice de la vie. Depuis quelques décennies, le champ de la santé connaît un regain d'intérêt au point de devenir une priorité sociale fondamentale pour tous les gouvernements à l'échelle planétaire qui continuent d'y consacrer une part importante de leurs ressources. S'il est indéniable que depuis la «révolution pasteurienne[9]» et la découverte de la pénicilline, la médecine a fait des avancées considérables au chapitre de l'amélioration de la santé des populations, il faut souligner qu'en dépit du progrès biomédical et du développement continu des technosciences des 50 dernières années, et malgré l'élargissement de la protection sanitaire des populations, les inégalités sociales de santé persistent. On peut même dire sans risque de se tromper que celles-ci se sont aggravées de façon relative à travers les groupes sociaux depuis les années 1990 dans l'ensemble des pays développés aussi bien que dans ceux en développement.

Encore aujourd'hui, plusieurs maladies à tendance épidémique comme les cas humains de syndrome respiratoire aigu sévère (SRAS) et de grippe aviaire, les maladies sexuellement transmissibles (ITS), les maladies diarrhéiques et autres compromettent gravement les progrès accomplis dans le passé par l'Organisation mondiale de la santé (OMS) en termes de réduction de la mortalité et de la morbidité. En outre, du fait de l'allongement spectaculaire de l'espérance de vie associé à une transformation complète des

---

8. Coppé, Monique, et Colette Schoonbroodt (1992). *Guide pratique d'éducation pour la santé: réflexion, expérimentation et 50 fiches à l'usage des formateurs*, Bruxelles, De Boeck Université.
9. Louis Pasteur (1822-1895) a été à l'origine de l'essor de la microbiologie. Il fut le premier à isoler les molécules organiques isomères dans une solution contenant des bactéries et des micro-organismes, et à déterminer les deux formes qu'elles pouvaient prendre, c'est-à-dire dextrogyre ou lévogyre selon leur réaction à la lumière. Grâce à ses précédentes découvertes, ses élèves et contemporains ont mis en lumière le rôle des germes (microbes, virus et autres) dans la transmission des maladies infectieuses et contagieuses.

modes d'existence, des épidémies mondiales de cancer et autres affections chroniques comme l'obésité et le surpoids, les maladies cardiovasculaires et rhumatismales, les troubles de l'appareil locomoteur et les troubles mentaux et neurologiques vont conduire à un accroissement des souffrances et des incapacités qui accablent les populations. La forte prévalence de ces diverses maladies ne manquera certainement pas de solliciter davantage, dans de nombreux pays, les ressources de gouvernements déjà menacés de paralysie et s'acheminant inlassablement vers la banqueroute.

Le 21e siècle constitue indéniablement un tournant dans l'histoire de l'humanité et marque ce qui pourrait être l'une des plus importantes révolutions en matière de prévention et de promotion de la santé. La plupart des menaces qui pèsent sur la sécurité sanitaire mondiale sont liées aux modes de vie des hommes et à l'interaction de ceux-ci avec leur environnement, bien au-delà des événements de nature chimique ou radiologique et des accidents industriels ou naturels. L'état de santé et le bien-être des populations ont des répercussions importantes sur l'avenir des collectivités. Au cours des dernières années, la recherche et les enquêtes ont révélé de plus en plus, et de façon constante, une forte corrélation entre le milieu social, l'interaction environnementale et le niveau de santé des individus. C'est particulièrement le cas lorsqu'il s'agit de mortalité, de morbidité, de recours aux soins, de santé perçue/déclarée, ou encore de qualité de vie. On commence par mieux comprendre aujourd'hui le large éventail de facteurs qui ont un effet sur la santé. Les coûts pour les individus d'une mauvaise santé, et plus généralement pour la société dans son ensemble, peuvent être importants lorsque les personnes n'arrivent pas à atteindre leur plein potentiel en raison d'une incapacité, d'un handicap ou encore d'une déficience, et ne deviennent donc pas des individus sains, résistants, engagés et responsables socialement.

Dès le 18e siècle, avec les premiers travaux démographiques qui ont mis en évidence les différences de mortalité entre groupes sociaux et à la suite de l'émergence du mouvement hygiéniste[10] du 19e siècle, un lien a clairement été établi entre la santé et la situation socioéconomique des individus. Dans plusieurs pays, ceci s'exprime en particulier par une inégale exposition aux facteurs de risque, un recours inégal à la prévention et au dépistage ainsi que des trajectoires différenciées dans le système de soins. La santé est un phénomène multifactoriel largement déterminé par et évoluant avec les facteurs sociopolitiques, économiques et environnementaux sur un espace bien déterminé qui, lui aussi, est lié aux conditions du milieu. Certains de ces facteurs se rapportent à l'individu (aspect microscopique) alors que d'autres touchent à la collectivité (dimension macroscopique) et l'environnement dans lequel celle-ci s'insère.

À la base même de notre état de santé, se trouve l'hérédité (biologie), car aucun être humain ne reçoit les mêmes qualités à la naissance et toute personne réagit différemment aux processus de vieillissement. Ensuite, il y a les décisions personnelles prises quotidiennement et le style de vie adopté par les individus. Qu'il s'agisse de nos choix alimentaires ou de nos habitudes en matière de pratique d'activités physiques et sportives, c'est presque un euphémisme que de dire que nos choix personnels exercent une influence déterminante sur l'évolution de notre état de santé. Ces choix personnels sont eux-mêmes conditionnés par des facteurs comme le niveau de scolarité, l'accès à un médecin ou à un logement, le statut social, la configuration de nos villes et quartiers, les trajectoires professionnelles et le niveau de revenu, etc., qui à leur tour sont influencés par les politiques gouvernementales. Enfin, l'environnement physique et social dans lequel les personnes vivent n'est pas à négliger. Il suffit de penser au milieu dans lequel nous évoluons (degré de pollution de l'air, de l'eau, du sol par des contaminants de toutes sortes et autres formes d'agressions nuisibles à la santé comme la pollution sonore) pour s'en rendre compte.

De nombreuses études à caractère épidémiologique ont démontré le lien entre certains comportements (usage du tabac, non usage du préservatif lors d'activités sexuelles à risque, manque d'activité sportive, etc.) et la bonne santé. Ces conclusions éminemment révélatrices ont, depuis, alerté les pouvoirs publics sur l'impérieuse

---

10. Né aux États-Unis dans la première moitié du 19e siècle, le mouvement hygiéniste a énoncé ce qu'il considère être les principes fondamentaux de l'hygiène vitale. Selon ce mouvement, la santé ou la maladie sont liées à l'état toxémique de l'organisme. La doctrine hygiéniste a révolutionné l'ensemble des sociétés occidentales tant ses implications sont variées : médecine, architecture, urbanisme, etc. On peut mettre à son actif les égouts, le ramassage des ordures, les bains publics, les crachoirs contre la tuberculose, etc.

nécessité de mettre en place des programmes de promotion de la santé. La bonne santé n'a jamais été une fin en soi. Il n'y a cependant pas de doute qu'elle constitue le premier socle sur lequel repose une vie active et satisfaite. Symbole d'une démocratie solidaire et indice précieux pour mesurer le degré d'avancement d'une société, la santé se révèle par ailleurs l'expression tangible des principes d'équité, de justice et d'égalité des chances que doivent définir l'ensemble de nos collectivités.

Dans nos sociétés modernes, la santé fait partie pour certains des choses à posséder, au même titre que l'on possède une maison, une voiture ou un ordinateur. Pour d'autres, elle constitue plutôt un idéal à atteindre. Mais peu importe la perspective que nous adoptons, la réalité, c'est que chaque jour, nous faisons face à des événements qui mettent à rude épreuve notre santé physique et mentale. Nous sommes généralement en mesure de les maîtriser, mais parfois la difficulté est telle que notre équilibre s'en trouve affecté. Toutefois, quel que soit le problème, il est possible de prendre des moyens pour améliorer notre bien-être physique et psychologique. L'important n'est pas tant la résolution du problème que le sentiment d'estime de soi que chaque être connaît lorsqu'il fait un pas, si petit soit-il, vers une plus grande maîtrise de sa destinée.

Au cours des prochaines 50 années, l'espérance de vie aura en moyenne augmenté de 6 ans, en raison du vieillissement de la population. Il est difficile de garantir que ces années additionnelles seront vécues par des personnes en meilleure santé qu'auparavant. La seule évidence qui demeure, c'est que nous serons plus en mesure d'aborder les problèmes de santé émergents avec succès et d'augmenter nos chances de mener une vie active et intéressante si nous parvenons à trouver, graduellement, un meilleur rapport avec notre corps ainsi qu'avec notre environnement. Jadis, on pensait que l'intervention des pouvoirs publics ne devait guère dépasser le cadre de la prestation et du financement de soins médicaux. L'intérêt pour les déterminants de la santé n'était alors que l'affaire des universitaires. Cette époque semble aujourd'hui bien révolue.

S'il est indéniable que les soins curatifs peuvent aider à l'amélioration de l'espérance de vie, il est encore plus vrai que le contexte social et économique dans lequel évoluent les individus est la cause profonde de nombreuses maladies. On a qu'à regarder les divergences dans les différents indicateurs de santé dans le monde pour s'en rendre compte : pendant le 20e siècle, l'espérance de vie à la naissance a atteint un peu plus de 80 ans en Amérique du Nord, alors qu'elle n'est que de 70 ans en Asie de l'Est et en Amérique Latine, et seulement de 50 ans en Afrique subsaharienne. L'étude des déterminants sociopolitiques et économiques de la santé semble connaître un regain d'intérêt depuis la création en 2005 de la Commission de l'OMS sur les déterminants sociaux de la santé.

L'analyse corrélée des données sur l'état de santé des populations et les données sociologiques et macroéconomiques démontre que la santé des populations est fortement liée à la richesse individuelle et collective, à l'environnement physique et social, ainsi qu'aux conditions de vie en société. Pour un niveau de prospérité égal, la santé est nettement meilleure dans un pays où la distribution des richesses est plus équitable. Il est fondamental de préciser que les inégalités sociales de santé ne se résument pas seulement à une catégorisation entre riches et pauvres (nous parlons ici de pauvreté absolue), car le risque de décès ne peut à lui seul être expliqué par les conditions matérielles de la vie. Les déterminants de la santé ont une incidence marquée sur la prédisposition des personnes et des groupes à la maladie ainsi que sur la façon dont ceux-ci la vivent et s'en remettent.

Jusqu'à tout récemment, la plupart des études en épidémiologie sociale ont essayé d'expliquer les déterminants de la santé à partir d'une perspective individualiste et réductionniste, dans la lignée d'une longue tradition de l'épidémiologie qui s'est, d'une certaine manière, construite en opposition avec l'utilisation, scientifiquement douteuse et largement critiquée, de données agrégées et d'analyses écologiques. C'est grâce aux nouvelles études multidisciplinaires que s'est développée cette nouvelle vision holistique de la santé, avec le souci de «replacer l'individu dans son contexte», que celui-ci soit économique, politique, social ou environnemental. D'ailleurs, la plupart des études en santé urbaine ou encore en sociologie de la santé se sont construites sur la base de ce postulat. La nouvelle épidémiologie contextuelle qui est en plein essor reconnaît désormais l'importance d'appréhender les déterminants de la santé à partir des caractéristiques individuelles, mais aussi sociales et contextuelles sur la santé.

Bien que plusieurs personnes dans de nombreux pays industrialisés semblent jouir d'une certaine opulence, de nombreuses études ont révélé l'existence d'un gradient socioéconomique de la santé. Cette réalité est d'ailleurs considérée par certains comme l'un des échecs les plus affligeants de nos sociétés postindustrielles. L'observation empirique indique en effet que les individus qui ont un faible statut socioéconomique (mesuré en fonction du revenu, du niveau de scolarité ou des compétences professionnelles) estiment de manière constante et statistiquement significative avoir une incidence plus importante de mauvaise santé. Ils recourent aussi plus souvent aux soins de santé que les personnes qui occupent un rang plus élevé sur l'échelle sociale. Pourtant, depuis cinq décennies, les gouvernements ont abondamment misé sur l'amélioration des systèmes de santé. On pensait que l'assurance maladie universelle, l'augmentation des dépenses en santé et l'investissement massif dans les technologies médicales parviendraient à eux seuls à garantir le mieux-être des populations.

On comprend maintenant qu'il existe plusieurs déterminants de la santé, qui tirent en partie leur origine dans les différences socioéconomiques qu'on observe entre les individus. Même si ce simple fait suggère qu'il est possible de remédier aux inégalités socioéconomiques en matière de santé, il n'en demeure pas moins que la tâche devient compliquée lorsque vient le moment de décider à quels déterminants s'attaquer en priorité et à quels résultats on peut raisonnablement s'attendre. Le rôle des soins médicaux dans les déterminants de la santé a été peu exploré, en raison principalement du fait que l'amélioration générale de la santé des populations est considérée comme assez peu dépendante du niveau de consommation des soins, et que les inégalités de santé subsistent dans des pays où l'accessibilité aux soins est large.

Aucun pays ne peut donc prétendre prendre à cœur la santé physique et mentale de sa population en lui prodiguant exclusivement des soins, même si ceux-ci sont en quantité suffisante et de très grande qualité. Dans la même optique, aucune société ne peut déléguer aux seuls individus l'unique et entière responsabilité de leur mode de vie et, par conséquent, de leur état de santé. Il ne fait l'ombre d'aucun doute que la santé d'une population est la résultante de plusieurs facteurs interreliés et interdépendants dont les effets sont combinés.

Au cours des dernières années, les gouvernements se sont donné comme objectif de promouvoir et de protéger la santé des individus tout au long de leur vie, et de réduire l'incidence des principales maladies et des principaux traumatismes ainsi que les souffrances qui en résultent. C'est un secret de Polichinelle qu'il vaut mieux être riche et en bonne santé, que pauvre et malade. Cette réalité ne nous permet néanmoins pas de comprendre et encore moins d'expliquer pourquoi certains sont en bonne santé alors que d'autres ne le sont pas. Dans un contexte où divers déterminants de la santé semblent défier les politiques de santé ainsi que la communauté scientifique, il est fondamental de comprendre ce qu'on appelle le «gradient social de la santé» afin que les chercheurs et planificateurs réorientent les moyens d'action de façon à ne pas seulement viser la réduction des conséquences des problèmes de santé, mais plutôt leurs sources.

L'expérience nous enseigne qu'à l'exception des morts prématurées dues entre autres aux accidents, homicides ou suicides, la plupart des décès sont la conséquence d'un processus morbide résultant d'une détérioration de notre état de santé. En d'autres termes, la maladie ou la mort est la résultante d'un processus plus ou moins lent et graduel de dégradation de nos forces vitales. Notre corps est bâti pour durer un temps limité et chaque être humain est biologiquement destiné à mourir une fois ce temps épuisé. Toutefois, ce temps varie grandement selon les individus, les contextes et les époques, et l'heure de la mort peut ainsi être retardée ou avancée par des événements extérieurs échappant à tout contrôle, ou encore par le comportement humain. Santé et vie, maladie et mort sont donc fortement dépendantes d'un équilibre à la fois subtil et complexe entre facteurs endogènes et exogènes. L'homme n'est pas seul face à son environnement. En tant qu'animal social, c'est dans et par la société qu'il se définit et existe. Il ne peut exister aucun homme demeurant hors de la société sans connaître son influence, car c'est le contact avec les autres qui lui permet d'être et de survivre. L'environnement de la société pèse sur chaque homme au cours de son développement. Il influence son raisonnement, sa façon d'être et d'agir lesquels exercent un impact crucial sur sa destinée.

Cet ouvrage, qui porte sur les divers déterminants sociopolitiques et économiques de la santé des populations, se situe dans la lignée des manuels sur le sujet destinés aux étudiants en sciences de la santé. L'objectif de l'ouvrage est modeste: fournir aux lecteurs francophones, et plus particulièrement aux étudiants et à leurs enseignants, l'un des rares ouvrages qui parvient à juxtaposer les connaissances des diverses disciplines en matière de santé. Le résultat obtenu est une synthèse d'une vaste littérature, essentiellement anglo-saxonne sur les déterminants sociaux de la santé émanant des grandes études épidémiologiques, et, surtout, un instrument performant pour les étudiants et leurs enseignants. En combinant les résultats des enquêtes longitudinales et les expériences internationales, notre dessein est conjugué d'une façon unique. Pédagogie et données socioépidémiologiques illustrent l'importance de cet ouvrage, mais surtout l'apport possible d'une meilleure compréhension des divers déterminants de la santé à l'élaboration des politiques de santé.

Les 10 chapitres qui suivent présentent les 10 grands déterminants de la santé parmi lesquels le revenu et le statut social, la scolarisation et l'alphabétisme, les conditions d'emploi et de travail, l'environnement social et physique, les habitudes de santé et la capacité de faire face à la vie, le développement de la petite enfance, pour ne citer que ceux-là. Tout en reconnaissant l'importance de ces déterminants, il faut souligner que, dans une certaine mesure, les représentations de la santé des individus, l'attention portée à leur santé et la hiérarchisation des besoins de santé par rapport aux autres besoins fondamentaux (ou jugés comme tels) peuvent également prédisposer ou non une personne à la maladie et ainsi affecter son état de santé. Depuis plusieurs décennies, on assiste à la mise en évidence des déterminants et à l'élaboration d'indicateurs qui ont un rapport avec des dimensions peu mesurées jusqu'alors et dont le lien avec la santé n'est pas clairement précisé. Certaines caractéristiques psychosociales comme l'estime de soi, les capacités d'adaptation, la propension à se projeter dans l'avenir, l'engagement communautaire, l'intériorisation des normes médicales et les expériences antérieures ou familiales de la maladie semblent aussi importantes.

Si les efforts des gouvernements pour promouvoir et protéger la santé des individus ont jadis porté fruit, le modèle sanitaire en santé publique axé sur la prévention se révèle aujourd'hui incapable de faire face aux bouleversements culturels, sociaux, démographiques et épidémiques de notre époque. La santé n'a jamais été une fin en soi. Elle est un état de bien-être physique, mental et social qui fait qu'un individu peut, d'une part, réaliser ses ambitions et satisfaire ses besoins et, d'autre part, évoluer avec son milieu et s'adapter à celui-ci. Elle n'est pas non plus le but de l'existence, mais une ressource de la vie quotidienne qui nous permet de valoriser notre potentiel créateur ainsi que nos aptitudes sociales, individuelles et physiques. C'est pourquoi elle dépasse aujourd'hui le cadre des soins pour viser le bien-être; elle combine des méthodes différentes mais complémentaires afin de susciter une action coordonnée qui puisse soutenir la réflexion et orienter l'action en faveur de l'amélioration de la santé des populations.

Sans prétendre à l'exhaustivité, nous sommes d'avis que les différents déterminants présentés et analysés dans ce livre sauront aider les étudiants à réfléchir sur l'énorme défi que représentent, tant pour les chercheurs que les planificateurs, la santé et le mieux-être de nos collectivités. Nous estimons en outre qu'ils leur permettront de prendre conscience du fait que la santé, c'est bien plus que «l'absence de maladie» et que celle-ci est beaucoup plus que des équipements, des médecins et des hôpitaux. Afin de ne pas être dépassés par la rapidité des connaissances scientifiques, les étudiants en sciences de la santé doivent être en mesure de s'appuyer sur leur compréhension des concepts fondamentaux en matière de promotion de la santé, plutôt que de se rappeler de faits isolés qui risquent d'être rapidement peu éclairants sur les nouveaux enjeux sanitaires contemporains. La particularité de cet ouvrage est que chaque chapitre est consacré à un déterminant spécifique de la santé. Bien que l'ordonnancement des diverses sections ait un fondement logique, il ne s'agit pas de la seule façon de présenter la matière. Chaque chapitre forme un tout, surtout avec les références croisées incluses. Ainsi, chaque professeur peut organiser l'enseignement à sa façon et certains chapitres peuvent être omis selon les besoins et la motivation des étudiants et les contraintes des horaires.

Ce qu'apprend un étudiant dépend non seulement de ce qu'on lui enseigne, mais aussi de la manière dont on le lui enseigne, de son niveau de développement, de ses intérêts et de son vécu. C'est pourquoi nous avons choisi avec beaucoup de soin la façon dont le matériel pédagogique est présenté, et nous espérons pouvoir aider les étudiants à adopter une démarche d'apprentissage qui ne dépend pas seulement de la mémorisation et de la cognition, mais aussi de l'imaginaire. Car pour nous, l'enseignement doit viser l'appropriation d'un savoir de façon critique plutôt que la reproduction d'un discours.

Chapitre 1

Les perceptions de la santé et de la maladie

Comment définir la santé? Peut-elle se réduire exclusivement à sa composante cellulaire ou biologique? Quel a été le destin pathologique de l'espèce humaine des origines jusqu'à nos jours? Pourquoi certains sont en santé alors que d'autres ne le sont pas?

Après avoir terminé l'étude de ce chapitre, vous devriez être en mesure de:

- Comprendre l'évolution des concepts de santé et de maladie à travers les âges et les cultures;
- Définir les concepts de santé et de maladie, de qualité de vie et de bien-être et comprendre leurs différentes perspectives;
- Connaître et comprendre les principaux textes fondateurs sur la santé;
- Cerner la complexité des divers déterminants de la santé et leur interdépendance et appréhender ceux-ci de façon critique.

Depuis la nuit des temps, le souci majeur des hommes a été de se nourrir et de se mettre à l'abri de la faim, des maux, des guerres et des catastrophes naturelles. Au fil des âges, du Paléolithique jusqu'à l'avènement de l'ère postindustrielle, les sociétés humaines ont vécu un rapport différent face à la santé. D'une représentation négative l'associant à l'absence de maladie ou d'infirmité, le concept de santé a connu une profonde mutation et inclut désormais une perception beaucoup plus positive recouvrant les notions de qualité de vie et de bien-être, ainsi que d'adaptation à l'environnement physique et social.

Dans la pensée philosophique de la Grèce antique, la santé est synonyme d'harmonie du corps et de l'esprit. Mais elle reste dans l'ensemble un concept neutre que chacun est appelé à définir selon son bagage culturel et social. De ce fait, il est très difficile de le définir de façon univoque et valable pour tous, en tout lieu et en tout temps. Le Moyen Âge marque l'avènement de préceptes sur l'importance de l'hygiène de vie dans le but de prévenir les maladies. À la fin du 19e siècle, le mariage entre la biologie et la médecine moderne permet de développer l'art de prévenir les maladies, de prolonger la vie et d'améliorer la santé physique et mentale des individus, par des moyens d'actions collectives.

1.1 La santé au Paléolithique

Le Paléolithique correspond à la plus longue période de la Préhistoire. Cette période commence avec l'apparition de l'homme, de l'*Homo erectus* à l'*Homo sapiens*. Elle couvre la fabrication du premier outil de pierre taillée jusqu'à celle des premiers outils de pierre polie. Le Paléolithique revêt un double intérêt en ce qui a trait à la chronologie historique et à l'évolution culturelle. Bien que cette division demeure artificielle, l'évolution de l'espèce humaine permet de mieux comprendre la sociogenèse des maladies.

Le Paléolithique se caractérise par une économie de subsistance fondée sur l'exploitation naturelle des ressources animales (chasse et pêche), vivrières (récolte des baies et cueillette des plantes) et sur le nomadisme. Comme en témoignent leur morphologie et les analyses isotopiques, les hommes étaient tantôt omnivores, tantôt carnivores, selon les ressources disponibles dans la nature. Ils ne se nourrissaient donc pas sur la base d'un même régime alimentaire au quotidien. Les hommes du Paléolithique menaient une vie très rude, ce qui ne les a pourtant pas empêchés d'être en excellente forme. D'après les ossements découverts par les paléontologues, ils n'avaient ni caries, ni tuberculose, ni sclérose en plaques et souffraient encore moins de syphilis ou de rachitisme[1].

Un article publié par le professeur Boyd Eaton[2] en 1985 dans la revue *New England Journal of Medicine* révèle que nos ancêtres auraient pu rivaliser avec des athlètes modernes, en raison de leur alimentation saine et de leur excellent état de santé. De nombreux auteurs[3] ont dès lors déterminé dans leurs études que les fruits et les légumes de la diète paléolithique, dont les effets bénéfiques ont été reconnus scientifiquement, seraient sans doute très utiles aux sociétés modernes, dans la lutte contre certaines maladies dégénératives.

Les recherches suggèrent également que nos ancêtres du paléolithique recevaient de 3 à 10 fois plus de vitamines que nous et se procuraient 30 % de leur apport calorique sous la forme de protéines. En outre, leur alimentation leur apportait significativement plus de calcium et de potassium, sans compter que celle-ci était très faible en matières grasses. Toutefois, les nombreux changements climatiques qui ont marqué le paléolithique n'ont pas été sans conséquences sur la santé humaine. Des décès pouvaient survenir après des accidents traumatiques et une forme chronique d'ostéoarthrose frappait particulièrement les jeunes dont l'espérance de vie ne dépassait guère 30 ans.

Il faut souligner que dans l'Antiquité, les maladies étaient attribuables à une punition de dieux malfaisants ou démons. Même si la connaissance du pouvoir des plantes semblait être acquise, la croyance de forces obscures animant des phénomènes naturels comme la pluie, la foudre, les tremblements de terre, les irruptions volcaniques, etc., régnaient dans l'imaginaire des hommes. Les mauvais dieux devenaient en conséquence l'objet de cultes divers et de rituels destinés à demander le pardon ou la protection de l'homme. Les trépanations étaient régulièrement pratiquées afin de libérer le corps de l'esprit malin et de le délivrer de la maladie.

1.2 La morbidité et la mortalité du Néolithique au Moyen Âge

Le Néolithique est une époque marquée par de profondes mutations techniques, culturelles et sociales[4]. Le concept du Néolithique a été introduit en 1865 par le préhistorien et naturaliste britannique Sir John Lubbock et signifie en grec «âge de la pierre taillée». En 1940, Gordon Childe façonne le modèle de référence de «révolution néolithique» pour faire référence au changement radical et rapide de cette époque.

Les hommes du Néolithique cessent d'être des prédateurs puisant leur subsistance dans la nature pour devenir des producteurs qui renouvellent leur consommation par les semis et l'élevage. Ils abandonnent le nomadisme au profit de la sédentarisation. Ce nouveau mode de vie entraîne des bouleversements sociaux et culturels majeurs: apparition de sociétés agricoles, création des villes, explosion démographique et formation de groupes sociaux, division du travail et hiérarchie sociale, fabrication d'artisanat, développement du commerce, guerre et transformation des croyances.

Ces divers bouleversements ont un impact sur la santé et de nouvelles affections apparaissent graduellement du Néolithique au Moyen Âge. Par exemple, le changement de régime alimentaire, engendré par le développement de l'agriculture de céréales riches en sucres, fait augmenter le nombre

1. Chanlat, Jean-François (1985). «Types de sociétés, types de morbidités: la socio-genèse des maladies», dans Jacques Dufresne, Fernand Dumont et Yves Martin, *Traité d'anthropologie médicale. L'Institution de la santé et de la maladie*, Chapitre 14, p. 293-304, Québec, Les Presses de l'Université du Québec, l'Institut québécois de recherche sur la culture (IQRC), Presses de l'Université de Lyon, 1985, 1245 p.
2. Le professeur Boyd Eaton (Duke University, 1960 et Harvard Medical School, 1964) est un radiologiste et anthropologue médical qui s'est beaucoup intéressé aux hommes du Paléolithique. Il considère notamment que l'alimentation paléolithique ou préagricole peut être considérée comme un modèle pour la nutrition moderne.
3. Voir Cordain, Loren (2002). *The Paleo Diet. Lose Weight and Get Healthy by Eating the Food You Were Designed to Eat*, Wiley, 272 pages, et Seignalet, Jean, et Henri Joyeux (1996). *L'alimentation ou la troisième médecine*, 5e édition, Collection Écologie Humaine, Éditions de l'œil, 660 p.
4. Leclerc, Jean, et Jacques Tarrête (1988). «Néolithique», dans *Dictionnaire de la Préhistoire*, Leroi-Gourhan, A., PUF, p. 773-774.

 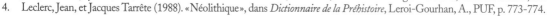

de caries dentaires. En outre, l'élevage d'animaux permet l'introduction du lait, une forme d'aliment qui n'était encore réservé qu'aux enfants, ce qui a fait des ravages avant la pasteurisation. L'explosion démographique, cumulée aux changements alimentaires, a également favorisé l'émergence de certaines maladies comme le paludisme, la tuberculose, le rachitisme et le scorbut[5].

Certaines pathologies comme la rougeole, la peste, la poliomyélite et les maladies diarrhéiques se manifestent à cause de l'explosion démographique, du manque d'hygiène, de l'absence de traitement de l'eau potable et d'assainissement des eaux dans les villages. La proximité de plus en plus étroite entre l'homme et l'animal accélère la transmission de germes des animaux domestiqués (mouton, chèvre, bœuf et porc) à l'homme. Les épidémies de variole, de rougeole et de tuberculose frappent les populations dans les villages et entraînent une grande mortalité. Les maladies infectieuses de l'enfance, notamment la grippe, la lèpre, la diphtérie et la variole, se propagent également durant le Moyen Âge. L'essor du commerce maritime et des grands déplacements caravaniers le long de la route de la soie facilitent les épidémies de tuberculose, de lèpre et surtout de peste noire.

1.3 La morbidité et la mortalité: du Siècle des lumières aux sociétés postindustrielles

Le Siècle des lumières a sans doute été l'époque la plus dense, novatrice et révolutionnaire dans tous les domaines, qu'il s'agisse des sciences, des arts, de l'architecture, de l'économie, etc. L'essor de la révolution industrielle en Angleterre au 19e siècle conduit à trois phénomènes majeurs: 1) l'introduction de la machine à vapeur permettant la mécanisation; 2) le remplacement de la fabrication artisanale dans les villages par les usines de fabrication dans les villes et 3) l'apparition de deux classes sociales distinctes mais interdépendantes, soit la bourgeoisie et la classe ouvrière.

Le travail dans les usines et les mauvaises conditions de travail, l'entassement humain dans les villes et le manque subséquent de salubrité publique ainsi que l'augmentation du chômage génèrent des épidémies de choléra, de tuberculose et de typhus qui mettent en péril la santé humaine. En outre, la mauvaise qualité de l'alimentation de la classe ouvrière engendre le rachitisme. Les accidents de travail, liés à la fatigue et la pénibilité des conditions de travail dans les manufactures, sont relativement fréquents. Après la Seconde Guerre mondiale, les sociétés industrielles connaissent une incroyable croissance économique: les trente glorieuses de 1945 à 1975.

En 1848, les archives indiquent qu'une épidémie de choléra à Londres a fait 14 600 victimes en 2 ans. L'histoire se répète en 1854 avec une autre épidémie causant la mort de 10 600 personnes. La plupart des maladies étaient associées à la contamination de l'eau en raison de l'absence d'égouts adéquats[6]. C'est d'ailleurs ce constat alarmant qui a favorisé à la fois la compréhension de la propagation de certaines maladies et l'amélioration de réseaux d'aqueducs et d'égouts dans les pays développés ainsi que l'utilisation du chlore gazeux comme désinfectant de l'eau à partir de 1910.

La consommation de tabac et d'alcool constitue un problème de santé publique propre aux sociétés industrielles. Les premières mesures de prévention apparaissent notamment à l'école. Les pouvoirs publics prennent conscience que l'alcoolisme n'est plus la cause, mais la conséquence du malaise de certaines populations vivant dans la précarité, et recentrent leur message sur les risques immédiats de l'alcoolisme sur la santé. Au même moment, la présence d'activités économiques à proximité des populations engendre des effets négatifs sur l'environnement et sur la santé des populations. Les phénomènes de pollution environnementale, les nuisances sonores et olfactives provoquent de nombreuses maladies. Les gouvernements tentent pour la première fois de légiférer afin de contrer les facteurs de pollution, en classant les activités économiques et en dressant une liste des entreprises potentiellement dangereuses, insalubres et incommodes afin de les éloigner des populations.

---

5. Sendrail, Marcel (1980). *Histoire culturelle de la maladie*, Toulouse, Privat, 445 p.
6. Ces maladies résultant de la contamination de l'eau sont appelées «maladies hydriques». L'inéluctable raréfaction et l'inégalité croissante de la répartition des ressources en eau, conduisent en effet à une inquiétante dégradation de la qualité de l'eau qui a de lourdes conséquences en matière de santé. Ainsi, dans les pays en développement, 80% des maladies sont dues à l'eau. L'OMS estime qu'un Africain sur deux souffre d'une maladie hydrique.

Les progrès spectaculaires apportés par la révolution industrielle auront finalement permis à l'humanité de se développer et de s'enrichir, même si cette richesse reste inégalement répartie. On ne parle plus de maladie de carence grâce à une nette amélioration de l'alimentation, mais plutôt d'affections comme les cancers, l'asthme, les ulcères et autres qui sont intimement liés aux nouveaux modes de vie. Nous commençons à peine à comprendre, avec les récents développements scientifiques, les conséquences de ces bouleversements sur la santé de nos ancêtres et, indéniablement, sur celle de nos contemporains.

1.4 Les nouveaux défis mondiaux en matière de santé à l'ère postindustrielle

L'ère postindustrielle ou la mondialisation constitue indéniablement l'événement le plus marquant du 21e siècle. La révolution informatique et informationnelle se concrétise dans des potentialités prodigieuses et offre en même temps pour l'être humain de nouvelles possibilités et opportunités. La mondialisation actuelle se caractérise de trois façons : 1) une intense et large circulation de capitaux, de biens et de techniques et, d'un point de vue épidémiologique, d'agents pathogènes et de maladies de toutes sortes ; 2) une déterritorialisation des identités individuelles et collectives, des modes de vie et des imaginaires et 3) une mise en contact de sujets appartenant à des espaces géographiques, culturels et sociaux différents. Bien que la mondialisation offre un certain nombre d'avantages, elle constitue à la fois un défi de taille et un problème, particulièrement en matière de santé des populations. En dépit de l'accroissement de la richesse et des énormes avancées technologiques et scientifiques, il existe de sérieux ratés en matière d'accès égal aux soins de santé, de surveillance épidémiologique et d'affaiblissement du tissu social comme déterminant de la santé des populations.

L'accès aux médicaments, par exemple, offre un avantage éventuel inestimable de la mondialisation, qui ne s'est toujours pas concrétisé. L'OMS estime que le tiers de la population mondiale n'a pas accès à des médicaments essentiels et que plus de 50 % des personnes vivant en Afrique n'y ont pas accès. Les lois favorisant la promotion pour le commerce international et la propriété intellectuelle permettant aux pays pauvres d'accéder aux médicaments constituent une tâche opportune et importante. Par ailleurs, la santé et la sécurité au travail posent problème de nos jours. La capacité des gouvernements à protéger la santé semble pourtant s'affaiblir au fur et à mesure que les multinationales apportent leurs ressources aux pays les moins réglementés. Des zones franches de transformation pour l'exportation prévoient même la dérogation aux lois qui protègent les travailleurs du pays.

L'économie et la vie en société sont dictées par un éventail complexe de lois et de traités sur le commerce international. En dépit du fait que leurs incidences sur la santé demeurent inconnues, il n'y a pas de doute que la fulgurante progression des découvertes technologiques soit susceptible d'améliorer la santé. En revanche, dans une économie de marché fortement axée sur le commerce, plusieurs produits comme le lait pour nourrissons, les boissons sucrées, les aliments à teneur élevée en sel et en gras, l'alcool et le tabac, peuvent constituer des produits nocifs dans les régions où ils n'étaient pas offerts auparavant. Alors que la durée de vie moyenne a déjà doublé au cours du siècle dernier, elle devrait encore fortement s'allonger au cours des prochaines années, grâce aux avancées de la médecine. Vivre jusqu'à l'âge de 100 ans pourrait ainsi devenir, dans un futur relativement proche, chose courante dans plusieurs pays développés. Si on peut se réjouir de cette donnée, il faut souligner que l'allongement de l'espérance de vie et le vieillissement de la population entraînent de nouveaux défis, notamment en matière de santé des populations.

Les risques sanitaires qui pèsent sur les populations tendent à se développer au rythme de l'évolution de nos sociétés. Aujourd'hui, ce sont en général les pauvres, les moins instruits et les plus désavantagés professionnellement qui subissent les effets de la grande majorité des menaces pour la santé. Ces risques se présentent souvent en groupes et s'accumulent avec le temps. On note, entre autres, la malnutrition protéino-énergétique chez l'enfant, les maladies hydriques, les pathologies liées au développement de l'enfance, les maladies sexuellement transmissibles, les maladies chroniques, les affections cardiovasculaires et articulaires, les maladies liées à l'usage des drogues (tabac, alcoolisme, crack, cocaïne, etc.) pour ne citer que les plus courantes. Les recherches présument que la plupart de ces maladies sont liées aux modes de vie des sociétés modernes. Par exemple, seuls 15 % des cas de cancers ont une origine génétique, et de nombreux

malades qui ne sont pas prédisposés génétiquement pourraient probablement éviter la maladie en modifiant leurs habitudes de vie. La sédentarité et l'insuffisance d'activité physique ainsi que la profonde modification de notre alimentation représentent de nouveaux facteurs de risques.

Même si nous vivons aujourd'hui plus longtemps, les sociétés modernes sont affligées par de nombreuses pathologies qui affectent notre qualité de vie. L'allongement de l'espérance de vie conduit naturellement à s'interroger sur la qualité de ces années supplémentaires. C'est sur la base de cette interrogation que les concepts d'espérance de vie sans incapacité et en bonne santé ont été développés, c'est-à-dire sans prendre en compte les années vécues en maison de retraite ou vécues avec une incapacité d'exercer son activité principale.

Tableau 1: Principales causes de morbidité selon le type de société

Époque	Principales causes de morbidité et de mortalité
Paléolithique Principales caractéristiques sociales : faible densité, économie de cueillette, de chasse et de pêche, populations nomades	o Traumatismes (accidents, chutes, combats)
Néolithique Principales caractéristiques sociales : densité plus forte, économie agricole, échanges commerciaux, populations sédentaires, absence d'hygiène publique et privée, sous-alimentation souvent chronique	Maladies de carence (rachitisme, scorbut, caries) Maladies infectieuses : o Transmissions interhumaines sans possibilité de survivance en dehors d'importantes concentrations humaines (poliomyélite, rougeole, rubéole, variole, etc.) o Transmission de l'animal à l'homme, en particulier par les rongeurs (peste, tularémie) o Les maladies diarrhéiques en raison d'un besoin d'eau de plus en plus grand
Du Siècle des lumières aux sociétés industrielles Révolution industrielle : développement du commerce et des manufactures, forte poussée démographique	o Maladies de carence o Maladies infectieuses : recrudescence de la tuberculose et apparition du choléra o Accidents de travail

Sociétés modernes	
Globalisation de l'économie et mondialisation des marchés, avancées scientifiques remarquables et développement de la technoscience, changement dans les modes de vie (sédentarité, alimentation, pollution de l'environnement, etc.), effritement des liens sociaux (individualisme exacerbé, perte du sens de la famille, etc.)	o Maladies cardiovasculaires o Cancers de tous genres o Maladies mentales o Accidents de la route

Source : Chanlat, Jean-François (1985). «Types de sociétés, types de morbidités : la sociogenèse des maladies», dans Jacques Dufresne, Fernand Dumont et Yves Martin. *Traité d'anthropologie médicale. L'Institution de la santé et de la maladie*, Chapitre 14, p. 293-304, Québec, Les Presses de l'Université du Québec, l'Institut québécois de recherche sur la culture (IQRC), Presses de l'Université de Lyon, 1985, 1245 p.

1.5   La santé : une préoccupation sociale et un intérêt scientifique

Nombreuses sont les cultures dans lesquelles on engage ou clôt la conversation en s'enquérant de l'état de santé de son interlocuteur ou en lui souhaitant de bien se porter. «Comment allez-vous?», «Et votre santé?», «Prends soin de toi», dit-on en français. Dans de nombreux pays d'Afrique et d'Asie, il est coutume et de règle, avant d'aborder tout autre sujet, de prendre des nouvelles de la santé de la famille. Même si cela se fait parfois de façon un peu mécanique, cette manière d'entrer en contact avec l'autre met bien en évidence l'importance que la santé occupe dans nos vies. D'ailleurs, parmi les meilleures choses possibles à venir lors du Nouvel An, nous souhaitons à nos proches «Bonne année, bonne santé». L'intérêt pour la santé et les pratiques visant à la préserver ont toujours existé et sont aussi vieilles que le monde. L'entretien du corps et de l'esprit n'est pas l'apanage de l'époque contemporaine. Innombrables sont les pratiques anciennes qui préconisent de bonnes habitudes de vie et la préservation du corps de toute atteinte extérieure.

La volonté d'épurement du corps et de purification de l'âme a donc traversé l'espace et le temps. En effet, les questions de santé et de maladie ont toujours été une préoccupation fondamentale dans l'existence des êtres humains. Tout le monde aspire à la santé lorsqu'il est malade. Longtemps métaphore du salut, c'est-à-dire le fait de résister à la maladie et à la mort, la notion de santé a évolué et s'est modifiée en très peu de temps[7]. La maladie en tant qu'expression de la singularité de l'être humain fait partie de la vie ; elle n'est pas à éviter à tout prix, mais à affronter. Elle est précieuse, puisqu'elle permet de comprendre la santé, c'est-à-dire l'état normal pour reprendre les termes du célèbre psychanalyste Sigmund Freud[8].

La santé ne revêt pas seulement une préoccupation sociale et sociétale, mais également un intérêt scientifique et pédagogique[9]. Hormis les disciplines biomédicales, plusieurs disciplines des sciences humaines et sociales s'intéressent à la santé et à la maladie comme la sociologie, l'anthropologie, la psychologie, l'économie ou encore les sciences administratives. Dans l'ouvrage *Introduction à la sociologie*, Jean-Claude Rabier donne un exemple fictif pour expliquer que chaque discipline porte un regard différent sur les phénomènes observés. Dans le cas de l'augmentation du taux de suicide masculin au Québec, le sociologue étudiera les causes sociales et culturelles reliées à l'éclatement des structures familiales. Le psychologue s'intéressera, quant à lui, au manque d'estime de soi tandis que le médecin axera plutôt ses interventions sur le diagnostic de la dépression de la personne suicidaire[10]. Chaque discipline apporte donc son lot de connaissances sur les questions de santé, de maladie et de médecine.

---

7.   Denis, Claire, et autres (2000). *Individu et société*, Montréal, Chenellière/Mc Graw-Hill.
8.   Freud, Sigmund (1900). *L'interprétation des rêves*, Paris, PUF, 1967, réédité en 1971, p. 517.
9.   Aiach, Pierre, Pierre Arwidson et Bernard Cassou (1996). *La santé. Usages et enjeux d'une définition, Prévenir.*
10.   Rabier, Jean-Claude (1989). *Introduction à la sociologie*, Bruxelles, Érasme.

Contrairement aux disciplines biomédicales, la sociologie n'associe pas uniquement la santé et la maladie à des phénomènes physiques et biologiques, mais les abordent sous l'angle de la construction sociale. Selon Claudine Herzlich, la maladie fait l'objet d'une interprétation sociale: «la maladie constitue bien une forme élémentaire de l'événement, en ce sens que ses manifestations biologiques s'inscrivent sur le corps de l'individu, mais font l'objet, pour la plupart d'entre elles, d'une interprétation sociale[11]».

Marie-Thérèse Lacourse explique que le corps humain n'est pas une entité neutre et sans signification: *Notre corps bat au rythme des rapports sociaux que nous établissons avec les membres de notre société. Ce sont nos groupes d'appartenance, notre famille, notre position dans la société, les rapports inégalitaires entre les groupes de sexes, de classes et d'ethnies qui influent sur le rapport au corps à notre corps[12]*. Les contextes sociaux dans lesquels nous évoluons affectent par conséquent notre état de santé, notre conception de la maladie, notre pratique de la médecine et notre façon d'organiser les systèmes de soins de santé.

Ainsi, la sociologie et l'anthropologie nous intéressent particulièrement pour traiter de la représentation sociale de la santé et de la maladie, qui se situe entre le fait social et le fait culturel. L'anthropologie était autrefois désignée comme l'étude des diverses cultures et des comparaisons et la sociologie comme l'étude des sociétés. La ligne de séparation entre ces deux champs disciplinaires n'est cependant plus aussi scindée qu'auparavant. Les travaux sociologiques et anthropologiques étudient des sujets de société très vastes qui questionnent le corps, le mal et les soins de santé et sont amenés à se recouper. Anne Bergès mentionne quelques sous-champs disciplinaires relatifs à la thématique de la santé. La sociologie de la santé se centre plus spécifiquement sur la perception de la douleur et les rapports entre le médecin et le patient. En parallèle, l'anthropologie médicale s'oriente davantage vers les représentations des causes de la maladie et les différentes manières de les nommer et l'ethnomédecine sur la diversité des pharmacopées[13].

1.6 Les concepts de santé et de maladie

Trois modèles, associés à trois approches différentes de la santé, se juxtaposent habituellement aujourd'hui: celui de la santé positive, en référence au bien-être qu'il importe de préserver, celui de la santé négative, pour lequel la référence est la maladie qu'il convient d'éviter, celui enfin de la santé globale qui fait le constat de la complexité des déterminants biologiques, psychologiques, socioculturels, voire spirituels interférant dans la santé ou dans la maladie[14].

Le concept de santé renvoie à de multiples sens et significations. La valeur qui lui est rattachée varie selon les champs disciplinaires et les façons de penser. En effet, la santé a donné lieu à de nombreuses définitions qui s'inspirent toutes de leur époque. Selon les contextes historiques, les évolutions scientifiques et professionnelles, les représentations sociales de la santé et de la maladie, la définition et l'interprétation des concepts de santé et de maladie se sont parfois transformées de façon radicale. Comme le souligne René Dubos en 1973, les concepts de santé «ne sauraient être définis d'une façon ni universellement, ni définitivement valable. Ils diffèrent d'une culture à l'autre, d'un groupe social à l'autre et de personne à personne; ils changent avec le temps ainsi qu'avec le milieu et le genre de vie[15]».

Au cours des dernières années, la santé s'est retrouvée sous différentes représentations. À la fois notion philosophique et concept vulgaire, elle se retrouve souvent déchirée par les tentatives de dialogue entre les experts et le grand public. Certains sont sensibles à la dimension sociale de la santé, d'autres la considèrent en revanche davantage comme un état[16].

Dans le préambule de la constitution de l'OMS, «la santé est un état de complet bien-être, physique, mental et social et ne consiste pas seulement en une absence de maladie ou d'infirmité[17]». La santé est dans ce cas-ci reliée à la notion de «bien-être». Elle recouvre aussi des paramètres statistiques et quantifiables, mais surtout des données subjectives, ressenties

11.   Herzlich, Claudine, et Marc Augé (1984). *Le sens du mal, Paris*, Éd. des Archives contemporaines.
12.   Lacourse, Marie-Thérèse (2002). *Sociologie de la santé*, Montréal, Chenelière/Mc Graw-Hill
13.   Bergès, Anne (2004). «Anthropologie/sociologie» dans *Abécédaire des sciences humaines en médecine*, Paris, Ellipse, 272 p.
14.   Paul, Patrick (2005). «La santé comme authenticité», conférence prononcée dans le cadre du colloque Pratiques soignantes, éthique et sociétés: impasses, alternatives et aspects interculturels, organisé sur l'initiative du PPF RISES de l'Université Lyon 3 en collaboration avec l'Université Lyon 1 et les Hospices Civils de Lyon, avec la participation de l'Université de Marne La Vallée.
15.   Dubos, René (1973). *L'homme et l'adaptation à son milieu*, Paris, Éditions Payot, 472 p.
16.   Girard, Jean-François (1998). *Quand la santé devient publique*, Paris, Hachette.
17.   Préambule de la constitution de l'Organisation mondiale de la santé tel qu'adopté lors de la conférence internationale sur la santé qui s'est tenue à New York du 19 au 22 juin 1946.

et vécues. On parle d'ailleurs de santé subjective et de santé perçue en opposition à la santé objective et à la santé réelle. Dès lors, comment en venir à une définition de la santé universellement acceptée et qui ne se contente pas uniquement de considérations biophysiologiques chiffrées ? Dans quelles mesures les pouvoirs publics peuvent véritablement parvenir à une éducation sur la santé en conciliant à la fois les dimensions normatives et subjectives ?

Le concept de santé est d'une ambiguïté souvent dénoncée par plusieurs auteurs. La première définition formelle émane du *Dictionnaire de l'Académie française*. La santé y est alors définie comme l'«état de celui qui est sain, qui se porte bien[18]». Inversement, la maladie est définie comme suit: «la pathologie ou physiologie médicale est la partie de la médecine qui étudie les maladies pour elles-mêmes; est dit pathologique (contraire à sain) tout ce qui indique un état morbide, un dérèglement de la finalité vitale par rapport à la santé et qui provoque la souffrance physique ou morale[19]».

Sujet extrêmement complexe dont l'analyse est infinie, le concept de santé est une construction sociale qui varie dans l'espace et le temps. Le progrès médical, la médicalisation de la société et l'évolution des pathologies ont modelé le rapport que les hommes entretiennent avec la santé. Elle est passée d'une valeur absolue en tant que bien à posséder à une valeur instrumentale pour devenir une normalité, un modèle ou un idéal par rapport auxquels sont rattachés des jugements de valeur. Le fait de tomber malade consiste donc à s'écarter d'une norme reconnue et acceptée socialement, voire une anomalie ou une déviance. La santé est devenue plus tardivement un droit fondamental des populations qui figure dans de nombreux instruments juridiques internationaux et législations nationales. Il est désormais question de droit d'être en santé et d'avoir accès à toute la panoplie de soins et de services existants.

Une bascule s'est opérée dans notre conception de la santé. Lié à la mise entre parenthèses du vécu du malade dans l'étude des maladies, le sens existentiel de la santé, sur lequel tant de philosophes et de médecins ont médité au cours des siècles derniers, semble avoir été perdu de vue par les exigences de la société moderne. Il n'a pas manqué de penseurs, de René Descartes à Henri Michaux en passant par Denis Diderot, pour attirer l'attention sur le fait que la santé était l'accomplissement silencieux des fonctions vitales (silence des organes), renvoyant dans le cas de l'homme à une expérience subjective (subjectivité individuelle). Être en santé signifie tout simplement faire courageusement face aux vicissitudes de la vie. De là, la réaction de tous ceux protestant au nom de la nature, qui critiquent vigoureusement le pouvoir médical et se livrent à des campagnes systématiques de démédicalisation de la santé, pour résister à ce qu'ils dénoncent comme la médicalisation croissante de la société.

La santé est la résultante de l'évolution normale de la personne tout au long de sa vie, de la naissance à la mort. C'est un état dynamique qui requiert sa participation par une prise de conscience de son état et de sa volonté d'agir pour l'améliorer. Au cours de l'histoire le terme santé a été synonyme de sécurité, de globalité du corps et d'absence de maladie. La société a progressivement développé des stratégies d'assistance aux personnes malades et le curatif a rapidement pris le dessus sur le préventif. Par la suite, la santé est perçue comme un continuum s'échelonnant de la maladie vers la santé et il est désormais possible d'évaluer des paramètres objectifs (quantifiables) aussi bien que subjectifs (perception de la santé par la personne).

1.7 La perception de la santé et de la maladie: études de cas

La santé soulève la question des perceptions, mais également des représentations sociales qui lui sont associées. Celles-ci se définissent comme la résultante de deux impératifs souvent opposés, liés aux spontanéités individuelles et aux contraintes contextuelles et environnementales. Ces idées sont donc à la fois partagées, car collectives et sociales, mais aussi vécues sur un mode particulier et singulier du fait des différences individuelles. Ces représentations sont, certes, composées d'informations liées par exemple au savoir scientifique, mais elles reposent aussi sur des valeurs, des jugements, des opinions, des croyances liées à la culture[20].

---

18. *Dictionnaire de l'Académie française* (2009).
19. Morfaux, Louis-Marie (1980). *Vocabulaire de la philosophie et des sciences humaines*, Paris, Armand Colin Éditeur, p. 262.
20. Massé, Raymond (2001). «La santé publique comme projet politique et individuel», dans *Systèmes et politiques de santé – De la santé publique à l'anthropologie*, Éd. Karthala, p. 61-64.

Deux enquêtes commandées par le Haut Conseil de la santé publique en France ont été réalisées par le Centre de recherche pour l'étude et l'évaluation des conditions de vie afin de connaître la perception que les Français ont de leur santé[21]. Ces deux enquêtes, menées par Pierre Le Quéau et Christine Olm, visent à recueillir des données dans le but de mieux comprendre l'expérience vécue de la santé auprès du public cible. Les chercheurs ont relevé une certaine variabilité de la perception de la santé, car chacun se fait une idée sur sa propre santé. La norme apparaît comme étant relative en ce sens qu'elle varie en fonction du parcours de vie de chaque individu, de son état de santé actuel, de son sexe, de son âge, de son environnement, etc. Mais la comparaison des deux enquêtes fait ressortir que les conditions socioéconomiques sont sans équivoque, le critère le plus déterminant de cette variabilité du jugement.

En 1992, 70 % des personnes interrogées perçoivent la santé comme une responsabilité individuelle avec l'idée selon laquelle le maintien en bonne santé d'une population dépend d'abord des actions de chacun dans sa vie quotidienne. La surveillance de son alimentation, sa consommation de tabac ou d'alcool, etc., constituent alors des aspects très importants. L'enquête de 1997 observe un changement de perception de la population, qui prend conscience de l'impact d'une certaine dégradation des rapports sociaux sur la santé. Au total, 71 % des personnes interrogées estiment que les conditions de vie défavorables comme le chômage, l'insécurité financière ou l'isolement ont un impact sur la santé. Ce sont les personnes issues du milieu ouvrier qui semblent les moins favorisées: elles sont les moins satisfaites de leur état de santé et le plus souvent gênées pour accomplir certaines tâches au quotidien.

L'examen de la perception de santé selon l'âge révèle que la proportion de ceux qui se disent satisfaits de leur état de santé, même s'ils sont gênés pour effectuer certains gestes au quotidien, augmente paradoxalement avec l'âge. On observe un taux de satisfaction de 15 % chez les jeunes, comparé à 43 % chez les personnes âgées. Les chercheurs ont formulé l'hypothèse que certaines difficultés sont acceptées avec un certain fatalisme avec l'âge, peu importe les catégories sociales.

Les auteurs ont ensuite cherché à mesurer l'adhésion des personnes interrogées à des propositions communes de représentations sociales de la santé. Les premières associations renvoient à des évocations positives: la santé, c'est «prendre plaisir à la vie» (autour de 85 % en 1992 et 1997), «pouvoir faire ce que l'on veut» (autour de 83 % en 1992 et 1997), «vivre vieux» (autour de 53 % en 1992 et 1997), tandis que les secondes relèvent d'un univers beaucoup plus négatif: «ne pas être malade» (63 % en 1992 contre 82 % en 1997), «ne pas souffrir» (57 % en 1992 contre 74 % en 1997), «ne pas avoir besoin de consulter un médecin» (40 % en 1992 contre 45 % en 1997). Les associations négatives de la santé sont souvent corrélées à un passé difficile, marqué par des accidents, des maladies ou des difficultés pour effectuer certains gestes de la vie quotidienne. La représentation sociale de la santé dépend donc du passé médical de la personne, mais également de son âge et de son milieu social. Les personnes qui appartiennent à un ménage aux revenus plus élevés, notamment les cadres, ont tendance à favoriser nettement les associations plus positives. Les chercheurs en déduisent que parmi les couches sociales les plus élevées, la santé renvoie à un élément de confort, voire d'épanouissement personnel, alors que dans les milieux populaires, la maladie est associée à la souffrance.

Dans la même optique, Bovina (2006) a mené une recherche exploratoire, en se basant sur la théorie des représentations sociales, pour évaluer les représentations sociales de la santé et de la maladie chez les jeunes Russes. Elle observe dans son analyse que dans la pensée russe, être en santé signifie être fort et robuste comme un arbre. Quant à la maladie, elle est représentée comme un phénomène très menaçant et est synonyme de douleur et de faiblesse[22].

1.8 Les déterminants de la santé

Le paradigme biomédical a toujours associé la santé à l'absence de maladie. Avec le temps, cette dernière a été appréhendée selon une perspective beaucoup plus holistique et positive comme en témoigne plus particulièrement la définition de l'OMS. Aujourd'hui, les approches biopsychosociales et écologiques se sont progressivement greffées au modèle biomédical de la santé, ce qui permet d'avoir une définition plus

21. Le Quéau, Pierre, et Christine Olm, (1999). «La construction sociale de la perception de la santé», *L'actualité*, n° 26, p. 12-16.
22. Bovina, Inna B. (2006). «Représentations sociales de la santé et de la maladie chez les jeunes Russes: force versus faiblesse», *Peer Reviewed Online Journal*, vol. 15, p. 5-11.

complète de la santé[23]. Il est généralement admis de nos jours que le maintien et l'amélioration de la santé de chaque individu nécessitent que l'on prévienne certaines maladies, en plus d'acquérir un certain niveau de bien-être physique, mental et social. En outre, il est fondamental que les individus soient en mesure de s'adapter de façon adéquate à divers environnements physiques et milieux de vie au cours de leur existence.

L'état de santé d'un individu dans une collectivité donnée est influencé par la combinaison de plusieurs facteurs que nous appelons les déterminants de la santé. Dans son rapport intitulé *Nouvelles perspectives de la santé des Canadiens* paru en 1974, Marc Lalonde identifie quatre principaux facteurs qui jouent un rôle majeur dans le développement et le maintien de la santé: la biologie humaine, l'environnement physique et social, les habitudes de vie et l'organisation des soins de santé[24]. En plus d'améliorer la qualité de vie, ces déterminants peuvent diminuer de façon importante le nombre de décès reliés à certaines maladies, les années potentielles de vie perdues avant 65 ans, ainsi que les coûts sociaux générés par certaines pathologies. Plusieurs études[25] révèlent que près de 90 % des dépenses gouvernementales en santé dans les pays industrialisés sont consacrées au système de santé, même s'il ne permet de réduire à lui seul que près de 11 % de la morbidité. En revanche, seulement 1,5 % des budgets sont attribués à l'amélioration des modes de vie, en dépit du fait que la contribution potentielle de ce facteur à la réduction de la morbidité se situe à 43 %. Les études épidémiologiques et les enquêtes sociologiques ont révélé que les conditions sociales dans lesquelles les populations vivent et travaillent ont une influence décisive sur leur état de santé et de bien-être, voire aussi importante sinon plus que les soins médicaux qu'elles reçoivent.

Les déterminants de la santé désignent les conditions socioéconomiques qui ont des répercussions sur la santé de l'ensemble des personnes et des communautés. Ces déterminants font qu'une personne demeure saine ou est atteinte de maladie, et permettent d'établir également dans quelle mesure une personne possède les ressources physiques, sociales et personnelles nécessaires à l'établissement et à la réalisation de ses aspirations personnelles, à la satisfaction de ses besoins et à sa capacité à faire face à son milieu. Ils concernent la quantité et la qualité d'une série de ressources qu'une société met à la disposition de ses membres[26].

La diversité des déterminants de la santé met en évidence l'importance ainsi que l'impérieuse nécessité de dépasser la dimension individuelle pour analyser la santé des populations. En effet, la modification de l'environnement afin que celui-ci n'entraîne pas des conséquences dommageables pour la santé n'est pas de l'unique ressort des individus. De la même façon, s'il est évident que les personnes doivent faire des choix alimentaires conséquents et responsables, par exemple en matière de santé, encore faut-il que ces aliments soient disponibles et que les moyens financiers pour se les procurer soient à la portée de tous. La connaissance d'un risque n'est malheureusement pas toujours suffisante pour enclencher l'action visant à le minimiser.

La Commission des déterminants de la santé de l'OMS, créée le 18 mars 2005 et regroupant les experts mondiaux de la santé, de l'éducation, du logement et de l'économie, s'est penchée sur les actions à entreprendre pour lutter contre les causes sociales sous-jacentes des problèmes de santé. Elle est chargée de recommander des interventions et des politiques permettant d'améliorer la santé et de réduire les inégalités en matière de santé en agissant sur les déterminants de la santé suivants: le développement de la petite enfance, la mondialisation, les services et soins de santé, l'urbanisation, l'emploi et le niveau du revenu, l'exclusion sociale, l'éducation, les femmes et le genre.

Les trois principales recommandations exposées dans le rapport final de la Commission des déterminants sociaux de la santé de l'OMS sont les suivantes:

– Améliorer les conditions dans lesquelles les gens vivent au quotidien, c'est-à-dire les circonstances dans lesquelles les gens naissent, grandissent, vivent, travaillent et vieillissent;

23. Il existe en médecine trois modèles complémentaires: le modèle biomédical, biopsychosocial et écologique. Le premier procède de l'application en médecine de la méthode analytique des sciences exactes alors que le deuxième tient compte des interrelations entre les aspects biologiques, psychologiques et sociaux de la maladie. Quant au modèle écologique, il est très privilégié en soins infirmiers et est axé sur une perspective systémique et sur l'origine multifactorielle des maladies.
24. Lalonde, Marc (1974). *Nouvelle perspective de la santé des Canadiens*, Ottawa, Ontario.
25. Voir par exemple Dever, Alan (1976). «An Epidemiological Model for Health Policy Analysis», *Social Indicators Research*, 2-465.
26. Dennis, Raphael (2008). *Social Determinants of Health: Canadian Perspectives*, Toronto, Canadian Scholars' Press Inc.

– Lutter contre les inégalités dans la répartition du pouvoir, de l'argent et des ressources;

– Mesurer le problème, évaluer l'action, rehausser la base de connaissances, développer une main-d'œuvre ayant reçu une formation sur les déterminants sociaux de la santé et sensibiliser la population aux déterminants sociaux de la santé.

La santé est une question complexe qui comporte un caractère dynamique, mêlant, de façon inter-dépendante, les dimensions individuelle et collective. Il apparaît très clairement que certains déterminants tirent leur origine dans la génétique et les décisions que prennent les individus. Par ailleurs, les modèles et les styles de vie d'une société influent sur les expectatives et les décisions individuelles. Mais la santé transcende l'individu et se réalise ou se matérialise au sein de son environnement familial, social, professionnel et culturel. Au cours des dernières années, un consensus s'est presque établi quant à l'existence et la force des déterminants sociaux de la santé. Il revient toutefois aux pouvoirs publics de décider quels déterminants sont considérés comme prioritaires et sur quels leviers pousser pour les améliorer.

Figure 1 : Déterminants sociaux de la santé

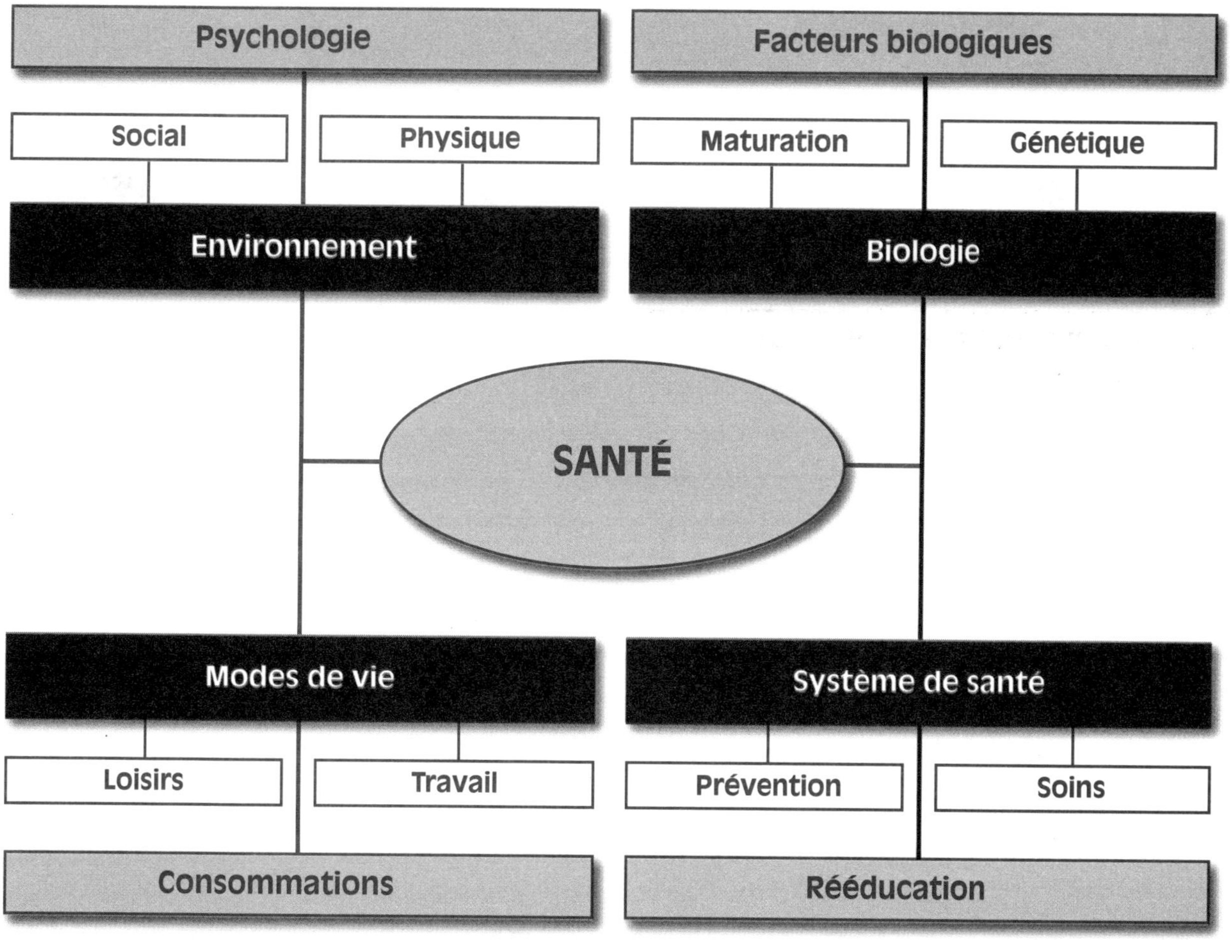

Source : Construit à partir de Velten, Michel, et Florence Binder-Foucard (2001). *Concept de santé. Déterminants. État de santé de la population française*, Université de Strasbourg.

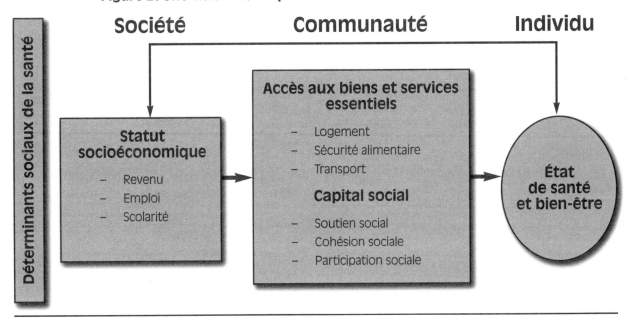

Figure 2: Une vision holistique de la santé et de ses déterminants

Société   Communauté   Individu

Déterminants sociaux de la santé

Statut socioéconomique
– Revenu
– Emploi
– Scolarité

Accès aux biens et services essentiels
– Logement
– Sécurité alimentaire
– Transport

Capital social
– Soutien social
– Cohésion sociale
– Participation sociale

État de santé et bien-être

Source: Inspiré et traduit de: WHO (2005). *Towards a Conceptual Framework for Analysis and Action on the Social Determinants of Health*, Commission on Social Determinants of Health, Geneva.

1.9 La santé comme absence de maladie

La santé, ce n'est pas seulement avoir un corps en santé. La roue de médecine sacrée de nos ancêtres montre quatre parties: l'esprit, le corps, le cœur et l'âme. C'est ce qu'on appelle la santé holistique. La santé a longtemps été abordée en référence à la maladie, de l'époque classique jusqu'au Siècle des lumières. En fait, cette thématique a occupé une place prépondérante dans la pensée philosophique et dans les consciences individuelles. Trois sujets retenaient alors l'attention: 1) la formation de l'esprit, 2) l'éducation morale et 3) la santé du corps. Les réflexions de penseurs à l'époque pour les questions de santé furent d'abord celles des philosophes. C'est ainsi qu'Arthur Schopenhauer dans *Aphorismes* consacra un chapitre aux «Règles pour fortifier et conserver sa santé». L'auteur affirmait qu'«il faut surtout donner au cerveau la pleine mesure de sommeil nécessaire à sa réfection, car le sommeil est pour l'ensemble de l'homme ce que le remontage est à la pendule».

Cet intérêt marqué des philosophes pour le champ de la santé n'est pas surprenant puisque la philosophie traverse chaque aspect de notre existence, en particulier la philosophie antique, qui s'est donné comme but la recherche d'une définition de la connaissance vraie, de l'action juste et de la beauté. Platon, qui fut l'un des plus grands philosophes grecs, s'y était aussi intéressé. Ce dernier estime que la santé est le bien le plus fondamental de l'espèce humaine: «le premier bien est la santé, le deuxième la beauté, le troisième la richesse[27]». L'absence de maladie était synonyme de santé. Comme l'illustre si bien René Leriche[28], «la santé, c'est la vie dans le silence des organes». Être en bonne santé consiste donc à ne pas savoir qu'on a un corps, sauf dans les moments agréables où il devient un instrument de plaisir ou de performance sportive. Cette définition de Leriche s'avère pourtant fausse sur le plan médical puisqu'on

---

27. Platon. *Les lois*, Paris, Flammarion, 1997, 456 p.
28. René Leriche (1879-1955) est une importante figure de la chirurgie française et s'est illustré comme l'une des gloires les plus aimées de la chirurgie contemporaine pendant plus de 30 ans. Son héritage est considérable: chirurgie de la douleur, chirurgie vasculaire (artérites, phlébites, embolies pulmonaires), les membres fantômes, l'angine de poitrine, la chirurgie expérimentale, l'organisation de l'enseignement médical en France et la création de l'Ordre des Médecins. Il fut président de l'Académie de chirurgie.

sait aujourd'hui que le silence des organes peut masquer une maladie silencieuse.

La perspective adoptée par les philosophes Denis Diderot (1751) et Emmanuel Kant (1798) reste très proche de la notion populaire du concept de santé qui s'est développée autour de trois axes principaux, le rétablissement, le maintien et l'amélioration des deux niveaux individuel et collectif. Le champ de la santé s'est toujours déployé à la frontière de la maladie. La santé a longtemps été perçue comme l'équilibre contribuant au fonctionnement régulier de l'organisme humain pendant une période appréciable. Diderot (1751) affirme: «quand on se porte bien, aucune partie du corps ne nous instruit de son existence; si quelqu'une nous en avertit par la douleur c'est à coup sûr, que nous nous portons mal; si c'est par le plaisir, il n'est pas toujours certain que nous nous portions mieux[29]». Socrate et Cicéron, qui ont aussi réfléchi à cette thématique centrale, n'ont jamais séparé la santé physique de la santé mentale. Ils considéraient l'accomplissement de l'existence humaine comme une marche parallèle du corps et de l'âme, voire une recherche d'harmonie corrélative de l'état du monde.

Cette vision de la santé, qui conçoit l'univers comme un tout, un cosmos et un ordre régissant aussi bien la marche des étoiles que les sociétés humaines, a depuis fait beaucoup de chemin. L'individu est lui-même un microcosme dans un vaste macrocosme où tous les éléments doivent être à leur place dans un idéal d'équilibre et d'harmonie. Dans ces conditions, la maladie représente un grand danger dans la Grèce antique. L'expérience que font les hommes de la maladie et les relations qu'ils entretiennent avec elle dictent la représentation qu'ils se font d'eux-mêmes. Le corps occupe une place prépondérante dans la pensée philosophique, car il n'existe pas de valeur plus haute et encore moins de réalité plus dense dans laquelle nous nous inscrivons en tant qu'être humain. Au même titre, l'esprit ne peut être séparé du corps, car un homme malade ne peut penser comme un homme en pleine santé. Comme le rappelle si bien Nietzsche: «il ne nous appartient pas, à nous autres philosophes de séparer l'âme du corps, comme le fait le vulgaire, encore moins de séparer l'âme de l'esprit.

Nous ne sommes pas des grenouilles pensantes, des appareils d'objectivation et d'enregistrement sans entrailles. Il nous faut constamment enfanter nos pensées du fond de nos douleurs et les pourvoir maternellement de tout ce qu'il y a en nous de sang, de cœur, de désir, de passion, de tourment, de conscience, de destin, de fatalité[30]».

À travers les cultures et les âges, la maladie est très souvent associée au mal. Les hommes l'ont invoquée comme une faille ou une césure qui les désarçonne et les dépouille à la fois de leurs certitudes et de leur bien le plus précieux. Ils se sentent démunis devant sa menace et la souffrance qui l'accompagne. Encore aujourd'hui, les hommes sont très préoccupés par la mort et la maladie. La peur caractérise de façon marquante notre approche contemporaine de la santé, dans la mesure où, dans les sociétés modernes, nous sommes pour la plupart frappés par une incapacité à conserver cette santé. Les ouvrages de Canguilhem *Le Normal et le Pathologique* et de Michel Foucault *Naissance de la clinique* restent une référence sur cette question[31]. Canguilhem (1978) soutient que la santé est le pouvoir que détient chaque personne de maîtriser des situations périlleuses et la capacité de conserver, d'instaurer ou de restaurer la normalité qui la caractérise.

L'évolution des savoirs conduit les philosophes à reconsidérer et à préciser très souvent les concepts de santé et de maladie, de vie et de mort. Pour Canguilhem (1978), la vie est une activité dynamique de débat avec le milieu dont les deux pôles sont la maladie et la santé. C'est à la fois une activité polarisée et une activité normative. D'ailleurs, l'auteur s'oppose avec vigueur aux conceptions de ces prédécesseurs, les philosophes Claude Bernard (1813-1878) et Auguste Comte, selon lesquels la maladie et la santé sont une forme du normal et une continuité réelle entre les phénomènes physiologiques et les phénomènes pathologiques correspondants. La maladie correspond à une irrégularité constitutionnelle et congénitale. Elle conduit l'homme à se dévaloriser en raison de son incidence négative sur la santé et peut devenir une infirmité. En outre, elle peut être liée à un pathos, ce sentiment direct et concret de souffrance, d'impuissance et de vie contrariée[32]. En définitive, la

29. Diderot, Denis (1751). «Lettre sur les sourds et muets à l'usage de ceux qui entendent et qui parlent», dans *Œuvres*, «Bouquins», Tome IV, Esthétique – Théâtre, Paris, Robert Laffont, 1996, p. 43.

30. Nietzsche, Friedrich (1882). *Le gai savoir*, Œuvres II, Paris, Robert Laffont publié en 1882, sous le titre original *Die fröhliche Wissenschaft, la gaya scienza*.

31. Canguilhem, Georges (1978). *Le Normal et le Pathologique*, Éditions Presses Universitaires de France, Quadrige (1re édition 1966) et Foucault, Michel (2003). *Naissance de la clinique*, Éditions Presses Universitaires de France, Quadrige (1re édition 1963).

32. Canguilhem, Georges (2002). «La santé: concept vulgaire et question philosophique», dans Canguilhem, Georges, *Écrits sur la médecine*, Seuil.

maladie, par opposition à la santé, est un état qui exige du sujet vivant une lutte pour la vie. Elle réduit la marge de tolérance des variations du milieu qui deviennent alors insupportables pour le sujet malade.

De cette réflexion sur la maladie, découle une définition de la santé qui représente pour plusieurs philosophes la possibilité de dépasser la norme habituelle, mais aussi de surmonter des crises et de tolérer des infractions. La santé est un luxe biologique, une capacité d'adaptation et d'anticipation, le pouvoir de tomber malade et de s'en remettre. Ainsi, le corps vécu ne constitue pas un problème tant qu'il est en bonne santé. C'est la souffrance de la maladie qui nécessite la médiation du médecin lorsque l'esprit et le corps sont en péril, ce qui représente une menace. La santé, quant à elle, confère une assurance et une confiance dans la vie avant même d'avoir été mise à l'épreuve. Épreuve de vérité, on peut dire que la santé est la vérité du corps et de l'esprit. Elle n'est rien de positif si ce n'est l'absence de maladie, absence alors vécue comme une plénitude. En somme, la santé signifie tout simplement vivre sans jamais se rendre compte du temps qui passe, qui nous consomme et nous consume.

1.10 La santé : une vision utopiste

Depuis la fin de la Seconde Guerre mondiale, les pouvoirs publics ont pris conscience que les actions d'hygiènes individuelle et sociale du siècle dernier ne sont plus les seuls facteurs en lice pour promouvoir la santé. Dans le préambule sur les statuts qui ont mené à la création de l'OMS en 1948, la santé est définie comme «un état complet de bien-être physique, mental et social et ne consiste pas seulement en une absence de maladie ou d'infirmité». Cette définition a le mérite de décrire les différentes composantes d'un état de santé et d'avoir contribué à l'évolution du concept de santé vers une représentation positive. Cette approche de la santé se révèle toutefois un peu utopique, difficilement opérationnelle et extrêmement académique, car aucune personne sur la base de ces postulats ne peut se déclarer complètement saine. Que la santé soit ainsi mise en position d'idéal ne nous étonne pas, dès lors que les grands idéaux de société semblent dévalués au profit d'un plus-de-jouir, toujours plus exigeant et ravageant[33]. La définition de l'OMS implique que tous les besoins fondamentaux de la personne soient satisfaits, qu'ils soient affectifs, sanitaires, nutritionnels, sociaux ou culturels. Elle se présente donc plutôt comme un objectif, que certains jugeront utopique puisqu'elle classe, selon le pays étudié, de 70 à 99 % des gens comme n'étant pas en bonne santé ou malades. C'est probablement la raison pour laquelle plusieurs lui ont préféré celle de René Dubos qui la définit comme un «état physique et mental relativement exempt de gênes et de souffrances qui permet à l'individu de fonctionner aussi longtemps que possible dans le milieu où le hasard ou le choix l'ont placé». Cette définition a le mérite de présenter la santé comme la convergence des notions d'autonomie et de bien-être.

La définition de l'OMS a été très controversée puisqu'elle énonce un objectif idéaliste au lieu d'élaborer une proposition réaliste. La santé ne peut

Figure 3 : La roue de la santé holistique

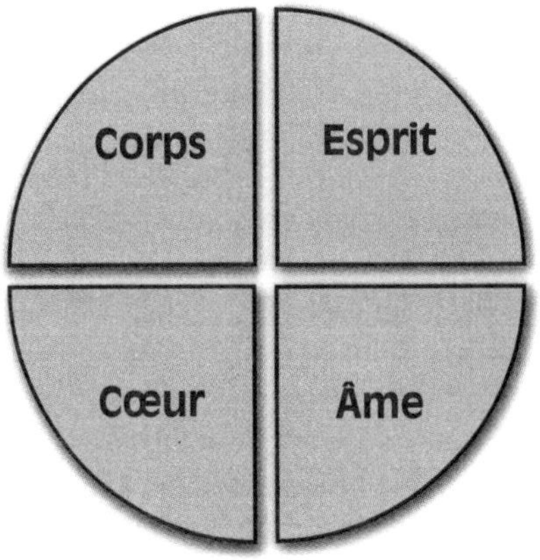

Corps | Esprit

Cœur | Âme

---

33. Sfez, Lucien (1995). *La santé parfaite*, Paris, Le Seuil, p. 21.

être considérée comme un état, mais doit être plutôt appréhendée comme un processus dynamique d'ajustement continu aux contraintes de la vie et aux différents sens que l'on donne à l'existence. Il faut cependant reconnaître qu'avant cette définition, seules les dimensions physiques et psychologiques de la santé étaient considérées, toujours de façon très normative. Pour être en santé, il fallait répondre à certains critères: poids, pression artérielle, température corporelle, capacités visuelles, auditives, respiratoires, etc.

En 1952, l'OMS corrige le tir et affirme que la santé est l'art et la science de prévenir les maladies, de prolonger la vie, d'améliorer la santé physique et mentale des individus par les moyens d'actions collectives pour assainir le milieu, lutter contre les épidémies (maladies contagieuses), enseigner l'hygiène corporelle, organiser les services médicaux et infirmiers, faciliter l'accès aux soins précoces et aux traitements préventifs, et mettre en œuvre des mesures sociales propres à assurer à chaque membre de la collectivité un niveau de vie compatible avec la santé. Cette définition fait référence à la santé de l'être humain vivant en société, avec ses composantes physiques, psychiques et sociales, en tenant compte des implications que peuvent avoir sur sa santé son histoire personnelle et les dimensions sociales, économiques, juridiques et culturelles de ses conditions de vie et de son mode de vie.

1.11 La santé: une approche fonctionnelle

La santé peut également être définie comme le niveau d'efficacité fonctionnelle ou métabolique d'un organisme, à la fois au niveau microscopique (à l'échelle cellulaire) et macroscopique (à l'échelle sociale). Dans le domaine médical, la santé incarne la capacité d'une personne ou d'un organisme à relever des défis, notamment les sources de stress, et à retrouver et conserver un «état d'équilibre» aussi appelé homéostasie. Selon Dubos (1981), la santé est un «état physique et mental, relativement exempt de gênes et de souffrances, qui permet à l'individu de

fonctionner aussi longtemps que possible dans le milieu où le hasard ou le choix l'ont placé[34]». La santé est une ressource pour la vie et non le but de la vie. Il s'agit d'un concept positif mettant l'accent sur les ressources sociales et personnelles ainsi que sur les aptitudes physiques. Le niveau d'autonomie avec lequel les individus adaptent leur état interne aux conditions de l'environnement tout en s'engageant dans le changement rend leur adaptation plus agréable ou plus effective[35]. La santé est aussi la capacité de l'homme de s'affirmer face au milieu ou de prendre la responsabilité de sa transformation. Aptitude parfaite du corps pour les uns, état sain de l'esprit pour les autres, elle représente la plénitude des émotions qui rend possible la plus haute qualité de vie. Être en santé signifie posséder les moyens, les ressources et les capacités pour tracer un cheminement personnel et original vers l'atteinte du bien-être. C'est grâce à notre bonne santé que nous pouvons jouir pleinement de nos sens et vaquer à nos occupations, qui mettent en jeu des forces socioculturelles, non inscrites dans le cadre stricte de la génétique.

Coppé et Schoonbroodt (1992) prétendent que la santé est la qualité qui résulte du fonctionnement intégral de l'individu. Ce dernier est donc en mesure de mener une vie qui le satisfait individuellement, ce qui lui permet de se sentir utile à la société. La santé est synonyme de liberté, de libération et d'équilibre. C'est pouvoir user de son corps jusqu'à en abuser alors que la maladie réduit cette marge de possibilités. L'autonomie et la liberté que procure la bonne santé sont sans pareil. En revanche, la maladie nous freine dans notre cheminement en nous empêchant de progresser, voire en nous faisant même régresser. Cette approche fonctionnelle de la santé la considère avant tout comme l'assurance et la capacité de pouvoir surmonter les difficultés.

Même si l'évolution des sociétés et l'avènement de la modernité se caractérisent par les valeurs maîtresses d'opulence et d'individualisme, on commence à peine à constater que la croissance économique ne s'accompagne pas mécaniquement du bonheur supposé, d'autant plus qu'elle engendre souvent des effets pervers. En dépit des avancées médicales dans de nombreux domaines (thérapie génique, chirurgie

---

34. Dubos, René (1981). «L'homme face à son milieu», dans Bozzini, Luciano, et autres (dir.). *Médecine et Société. Les années 80*, Montréal, Éditions coopératives Albert Saint-Martin, p. 53-79.
35. Coppé, Monique, et Colette Schoonbroodt (1992). *Guide pratique d'éducation pour la santé: réflexion, expérimentation et 50 fiches à l'usage des formateurs*, Bruxelles, De Boeck Université.

cardiaque et autres), les défis sanitaires restent immenses. Par exemple, l'allongement de l'espérance de vie et son corollaire le vieillissement de la population ont fait naître l'idée de la qualité de vie. Cette qualité de vie est bien plus importante que la possibilité offerte par la science de vivre plus longtemps. Dans un contexte où de plus en plus de soins sont prodigués à des malades sans réel espoir de guérison (cas des maladies chroniques), la médecine semble envisager l'existence d'une autre réalité que celle des critères et indicateurs purement objectifs. Cette nouvelle approche de la santé s'intéresse aux bénéfices ressentis par les malades, au-delà de la simple amélioration des signes cliniques et biomédicaux de la maladie.

1.12 Les textes fondateurs sur la santé

Comment est-il possible d'affronter le présent et de faire face aux défis de l'avenir sans connaître le passé? Trois textes fondateurs ont indéniablement influencé la perception des pouvoirs publics aussi bien que l'importance qu'ils ont accordée à la santé au cours des dernières années. Jouant sur la continuité, la *Déclaration d'Alma-Ata* (1978), la *Charte d'Ottawa* (1986) et la *Déclaration de Jakarta* (1997) visent à permettre à chaque individu de réaliser pleinement son potentiel de santé. Les gouvernements s'étaient alors donné comme objectifs de promouvoir et de protéger la santé des individus tout au long de leur vie et de réduire l'incidence des principales maladies, des traumatismes et des souffrances qui en résultent. Grâce à ces trois textes fondateurs, la santé est désormais perçue comme un droit humain fondamental, du moins en théorie. En outre, l'équité en matière de santé, la solidarité entre les pays et dans les pays, ainsi que la participation et la responsabilité des individus, des groupes, des institutions et des communautés pour un développement sanitaire continu, revêtent une importance capitale dans tous les discours officiels des gouvernements.

En premier lieu, la *Déclaration d'Alma-Ata* fut élaborée en 1978 afin de promouvoir la santé de tous les peuples. Le droit fondamental de l'être humain d'être en santé repose sur un objectif social mondial qui requiert une participation active de chaque individu et de tous les secteurs socioéconomiques[36]. Dans cette déclaration, le lexème santé y est défini comme étant «un état de complet bien-être physique, mental et social et ne consiste pas seulement en l'absence de maladie ou d'infirmité». Il est ajouté, dans la *Déclaration de Jakarta*, que la santé est «un droit fondamental de l'être humain et un facteur indispensable au développement économique et social». Chacun a donc une part de responsabilité, qu'elle soit individuelle ou collective, dans le choix et la mise en œuvre des mesures sanitaires. La *Charte d'Ottawa*[37] abonde dans le même sens. La promotion de la santé relève non seulement du système de santé et des pouvoirs publics, mais aussi des individus eux-mêmes. Ces derniers doivent agir, sur une base quotidienne, dans la perspective d'atteindre un mieux-être. Cette quête permanente ne constitue cependant pas un but en tant que tel. Les individus doivent réaliser leurs rêves, mener à terme leurs ambitions personnelles tout en étant capables de vivre dans la société et de s'y conformer. Chaque individu doit être en santé afin que la population le devienne aussi. La santé est donc d'abord individuellement acquise. En revanche, ce sont les communautés et la société qui offrent les outils et les déterminants des progrès de la santé afin que toutes les collectivités bénéficient du même accès à la santé et puissent ainsi accroître leur qualité de vie.

Certaines conditions doivent cependant être réunies afin que les sociétés puissent réaliser pleinement leur potentiel de santé. Il faut connaître une situation de paix, avoir accès à un abri, de la nourriture et un revenu. À ces conditions s'ajoutent, dans la *Déclaration de Jakarta*[38], l'éducation, la sécurité sociale, les relations sociales, la responsabilisation des femmes, un écosystème stable, une utilisation durable des ressources, la justice sociale, le respect des droits de l'homme, et l'équité. Malgré l'évolution, les éléments essentiels demeurent relativement les mêmes. La *Déclaration de Jakarta* mentionne aussi l'incidence des nouvelles tendances démographiques ainsi que l'émergence des nouvelles maladies infectieuses et des facteurs transnationaux sur la promotion de la santé, car ils modifient les habitudes

36. Organisation mondiale de la santé (1978). *Déclaration d'Alma-Ata*, Genève.
37. Organisation mondiale de la santé (1986). «Charte d'Ottawa sur la promotion de la santé», *Revue canadienne de santé publique*, 1986, nᵒ 77, p. 425-430 (voir aussi p. 384-443).
38. Organisation mondiale de la santé (1997). *Déclaration de Jakarta: 4ᵉ conférence internationale sur la promotion de la santé*, Jakarta, Indonésie, 21-25 juillet.

de vie, les croyances et les valeurs. Ainsi, tous les domaines sont interreliés et interdépendants: ils interagissent entre eux, s'influençant mutuellement les uns et les autres. La *Charte d'Ottawa* cherche à maximiser l'influence favorable de ces facteurs par le biais de la promotion de la santé.

L'égalité des chances en matière de santé et l'égalité entre les sexes restent primordiales dans les trois textes fondateurs. Afin que les individus soient en excellente santé, ils doivent tous avoir accès aux soins et services de santé, peu importe leur milieu ou leurs ressources. Cela est possible lorsqu'il existe une réelle collaboration entre les différents secteurs et qu'ils travaillent tous pour l'amélioration du mieux être des collectivités. La création d'une politique sanitaire multisectorielle dépassant le cadre stricte des soins médicaux marquerait un pas en avant. En effet, la santé ne se limite pas à l'offre de soins et de services de qualité. Elle regroupe des domaines d'action beaucoup plus vastes comme la promotion d'une saine alimentation, la taxation sur les produits néfastes à la santé, les campagnes publicitaires contre le tabac, la disponibilité des médicaments en vente libre, etc. Même si la santé se réalise sur le plan individuel, elle devient collective dès l'instauration de systèmes visant une meilleure santé. Il reste qu'aucune action sanitaire ne se fait de façon altruiste, mais dans le but de permettre aux personnes de devenir plus indépendantes. En leur donnant accès à l'information nécessaire afin qu'elles exercent un plus grand contrôle sur leur santé et dans les sphères de leur vie, ou qu'elles prennent soin d'autrui en utilisant les approches holistique et écologique pour élaborer des stratégies de promotion de la santé, les gouvernements peuvent, à travers chacune de ces actions, faire une différence dans la vie des individus.

Dès 1978, la *Déclaration d'Alma-Ata* indique qu'il incombe aux gouvernements d'offrir un niveau de santé acceptable pour tous. Mais cette lourde responsabilité ne peut être acquittée uniquement par des mesures sanitaires. Des soins primaires essentiels, universels et abordables pour tous doivent être offerts afin d'aider le gouvernement et d'impliquer les milieux communautaires, individuels et familiaux. Dans la même veine, la *Déclaration de Jakarta* encourage le secteur privé à s'adjoindre aux acteurs faisant la promotion de la santé.

Les résultats des études sur l'efficacité de la promotion de la santé démontrent que les cinq stratégies énoncées dans la *Charte d'Ottawa* sont adaptées à tous les pays et indispensables pour réussir. De nouveaux dangers menacent actuellement la santé des populations. Il faut alors trouver des solutions et des pistes d'action et formuler de nouvelles priorités pour les contrer. De ce fait, la *Charte d'Ottawa* se veut rassembleuse des différents aspects de la santé en insistant sur l'importance du renforcement de l'action communautaire, le développement des aptitudes personnelles, la création de milieux favorables. Elle désire aussi conférer des moyens, servir de médiateur et promouvoir l'idée d'une santé adéquate en réorientant les services de santé. Dans la *Déclaration de Jakarta*, l'accent est davantage mis sur la responsabilisation sociale, l'accroissement des investissements pour le développement de la santé, le renforcement et l'élargissement des partenariats pour la santé, l'augmentation des capacités de la communauté et des individus ainsi que la mise en place d'infrastructures pour la promotion de la santé.

Enfin, la *Déclaration d'Alma-Ata* avait perçu de façon très optimiste l'avenir en prévoyant que la santé pour tous aurait été possible en l'an 2000 si les ressources mondiales étaient utilisées à bon escient et orientées davantage vers le domaine de la santé. Pour ce faire, tous les pays devaient être solidaires et dispenser des soins de santé primaires. Les prédictions ne se sont pourtant pas complètement réalisées, ce qui a conduit à la rédaction d'une autre charte et d'une déclaration rappelant la quête encore actuelle d'un mieux-être commençant par une santé meilleure.

Encadré 1: La *Déclaration d'Alma-Ata* en 1978

La conférence internationale sur les soins de santé primaires, réunie à *Alma-Ata* ce 12 septembre 1978, soulignant la nécessité d'une action urgente de tous les gouvernements, de tous les personnels de secteurs de santé et du développement, ainsi que de la communauté mondiale pour protéger et promouvoir la santé de tous les peuples du monde, déclare ce qui suit:

1. La conférence réaffirme avec force que la santé, qui est un état de complet bien-être physique, mental et social et ne consiste pas seulement en l'absence de maladie ou d'infirmité, est un droit fondamental de l'être humain, et que l'accession au niveau de santé le plus élevé possible est un objectif social extrêmement important qui intéresse le monde entier et suppose la participation de nombreux secteurs socioéconomiques autres que celui de la santé.

2. Les inégalités flagrantes dans la situation sanitaire des peuples, aussi bien entre pays développés et pays en développement qu'à l'intérieur même des pays, sont politiquement, socialement et économiquement inacceptables et constituent de ce fait un sujet de préoccupation commun à tous les pays.

3. Le développement économique et social, fondé sur un nouvel ordre économique international, revêt une importance fondamentale si l'on veut donner à tous, le niveau de santé le plus élevé possible et combler le fossé qui sépare sur le plan sanitaire les pays en développement et les pays développés. La promotion et la protection de la santé des peuples sont la condition *sine qua non* d'un progrès économique et social soutenu en même temps qu'elles contribuent à une meilleure qualité de la vie et à la paix mondiale.

4. Tout être humain a le droit et le devoir de participer individuellement et collectivement à la planification et à la mise en œuvre des mesures de protection sanitaire qui lui sont destinées.

5. Les gouvernements ont vis-à-vis de la santé des populations une responsabilité dont ils ne peuvent s'acquitter qu'en assurant des prestations sociales adéquates. L'un des principaux objectifs sociaux des gouvernements, des organisations internationales et de la communauté internationale tout entière au cours des prochaines décennies doit être de donner à tous les peuples du monde, d'ici l'an 2000, un niveau de santé qui leur permette de mener une vie socialement et économiquement productive. Les soins de santé primaires sont le moyen qui permettra d'atteindre cet objectif dans le cadre d'un développement conforme à la justice sociale.

6. Les soins de santé primaires sont des soins de santé essentiels fondés sur des méthodes et une technologie pratiques, scientifiquement valables et socialement acceptables, rendus universellement accessibles aux individus et aux familles dans la communauté par leur pleine participation et à un coût que la communauté et le pays puissent assumer à tous les stades de leur développement dans un esprit d'autoresponsabilité et d'autodétermination. Ils font partie intégrante tant du système de santé national, dont ils sont la cheville ouvrière et le foyer principal, que du développement économique et social d'ensemble de la communauté. Ils sont le premier niveau de contact des individus, de la famille et de la communauté avec le système national de santé, rapprochant le plus possible les soins de santé des lieux où les gens vivent et travaillent, et ils constituent le premier élément d'un processus ininterrompu de protection sanitaire.

7. Les soins de santé primaires:

    1. reflètent les conditions économiques et les caractéristiques socioculturelles et politiques du pays et des communautés dont ils émanent et sont fondés sur l'application des résultats pertinents de la recherche sociale et biomédicale et de la recherche sur les services de santé, ainsi que sur l'expérience de la santé publique;

    2. visent à résoudre les principaux problèmes de santé de la communauté, en assurant les services de promotion, de prévention, de soins et de réadaptation nécessaires à cet effet;

    3. comprennent au minimum: une éducation concernant les problèmes de santé qui se posent ainsi que les méthodes de prévention et de lutte qui leur sont applicables, la promotion de bonnes conditions alimentaires et nutritionnelles, un approvisionnement suffisant en eau saine et des mesures d'assainissement de base, la protection maternelle et infantile y compris la planification familiale, la vaccination contre les grandes maladies infectieuses, la prévention et le contrôle des endémies locales, le traitement des maladies et lésions courantes et la fourniture de médicaments essentiels;

    4. font intervenir, outre le secteur de la santé, tous les secteurs et domaines connexes du développement national et communautaire, en particulier l'agriculture, l'élevage, la production alimentaire, l'industrie, l'éducation, le logement, les travaux publics et les communications, et requièrent l'action coordonnée de tous ces secteurs;

Les déterminants sociaux de la santé: une synthèse

5. exigent et favorisent au maximum l'autoresponsabilité de la collectivité et des individus et leur participation à la planification, à l'organisation, au fonctionnement et au contrôle des soins de santé primaires, en tirant le plus large parti possible des ressources locales, nationales et autres, et favorisent à cette fin, par une éducation appropriée, l'aptitude des collectivités à participer;

6. doivent être soutenus par des systèmes d'orientation/recours intégrés, fonctionnels et se soutenant mutuellement, afin de parvenir à l'amélioration progressive de services médico-sanitaires complets accessibles à tous et accordant la priorité aux plus démunis;

7. font appel tant à l'échelon local qu'à celui des services de recours aux personnels de santé – médecins, infirmières, sages-femmes, auxiliaires et agents communautaires, selon le cas, ainsi que s'il y a lieu, praticiens traditionnels – tous préparés socialement et techniquement à travailler en équipe et à répondre aux besoins de santé exprimés par la collectivité.

8. Tous les gouvernements se doivent d'élaborer au plan national des politiques, des stratégies et des plans d'action visant à introduire et à maintenir les soins de santé primaires dans un système national de santé complet et à les coordonner avec l'action d'autres secteurs. À cette fin, il sera nécessaire que s'affirme la volonté politique de mobiliser les ressources du pays et d'utiliser rationnellement les ressources extérieures disponibles.

9. Tous les pays se doivent de coopérer dans un esprit de solidarité et de service en vue de faire bénéficier des soins de santé primaires l'ensemble de leur population, puisque l'accession de la population d'un pays donné à un niveau de santé satisfaisant intéresse directement tous les autres pays et leur profite à tous. Dans ce contexte, le rapport conjoint FISE/OMS sur les soins de santé primaires constitue une base solide pour l'avenir du développement de la mise en œuvre des soins de santé primaires dans le monde entier.

10. L'humanité tout entière pourra accéder à un niveau acceptable de santé en l'an 2000 si l'on utilise de façon plus complète et plus efficace les ressources mondiales dont une part considérable est actuellement dépensée en armements et en conflits armés. Une politique authentique d'indépendance, de paix, de détente et de désarmement pourrait et devrait permettre de dégager des ressources supplémentaires qui pourraient très utilement être consacrées à des fins pacifiques et en particulier à l'accélération du développement économique et social dont les soins en santé primaires, qui en sont un élément essentiel, devraient recevoir la part qui leur revient.

Source: Organisation mondiale de la santé.

Encadré 2: Résumé de la *Charte d'Ottawa* en 1986

La première conférence internationale pour la promotion de la santé, réunie à Ottawa en ce 21e jour de novembre 1986, émet la présente CHARTE pour l'action, visant la santé pour tous d'ici l'an 2000 et au-delà. Cette conférence était avant tout une réaction à l'attente, de plus en plus manifeste, d'un nouveau mouvement de santé publique dans le monde. Les discussions se sont concentrées sur les besoins des pays industrialisés, tout en tenant compte des problèmes de toutes les autres régions.

Promotion de la santé: la promotion de la santé est le processus qui confère aux populations les moyens d'assurer un plus grand contrôle sur leur propre santé, et d'améliorer celle-ci.

Conditions préalables à la santé: les conditions et ressources préalables sont, en matière de santé: la paix, un abri, de la nourriture et un revenu. Toute amélioration du niveau de santé est nécessairement solidement ancrée dans ces éléments de base.

Promouvoir l'idée: une bonne santé est une ressource majeure pour le progrès social, économique et individuel, tout en constituant un aspect important de la qualité de la vie. Les facteurs politiques, économiques, sociaux, culturels, environnementaux, comportementaux et biologiques peuvent tous intervenir en faveur ou au détriment de la santé.

Conférer les moyens : la promotion de la santé vise l'égalité en matière de santé. Ses interventions ont pour but de réduire les écarts actuels caractérisant l'état de santé, et d'offrir à tous les individus les mêmes ressources et possibilités pour réaliser pleinement leur potentiel santé.

Servir de médiateur : seul, le secteur sanitaire ne saurait offrir ces conditions préalables et ces perspectives favorables à la santé. Fait encore plus important, la promotion de la santé exige l'action concertée de tous les intervenants : les gouvernements, le secteur de la santé et les domaines sociaux et économiques connexes, les organismes bénévoles, les autorités régionales et locales, l'industrie et les médias.

L'intervention en promotion de la santé signifie que l'on doit :

Élaborer une politique publique saine : la promotion de la santé va bien au-delà des soins. Elle inscrit la santé à l'ordre du jour des responsables politiques des divers secteurs en les éclairant sur les conséquences que leurs décisions peuvent avoir sur la santé, et en leur faisant admettre leur responsabilité à cet égard.

Créer des milieux favorables : nos sociétés sont complexes et interreliées, et l'on ne peut séparer la santé des autres objectifs. Le lien qui unit de façon inextricable les individus et leur milieu constitue la base d'une approche socioécologique de la santé.

Renforcer l'action communautaire : la promotion de la santé procède de la participation effective et concrète de la communauté à la fixation des priorités, à la prise des décisions et à l'élaboration des stratégies de planification, pour atteindre un meilleur niveau de santé.

Acquérir des aptitudes individuelles : la promotion de la santé soutient le développement individuel et social en offrant des informations, en assurant l'éducation pour la santé et en perfectionnant les aptitudes indispensables à la vie.

Réorienter les services de santé : dans le cadre des services de santé, la tâche de promotion est partagée entre les particuliers, les groupes communautaires, les professionnels de la santé, les institutions offrant les services, et les gouvernements. Tous doivent œuvrer ensemble à la création d'un système de soins servant les intérêts de la santé.

Entrer dans l'avenir : la santé est engendrée et vécue dans les divers cadres de la vie quotidienne : là où l'on apprend, où l'on travaille, où l'on joue et où l'on aime. Elle résulte des soins que l'on s'accorde et que l'on dispense aux autres, de l'aptitude à prendre des décisions et à contrôler ses conditions de vie, et de l'assurance que la société dans laquelle on vit offre à tous ses membres la possibilité de jouir d'un bon état de santé.

L'engagement face à la promotion de la santé :

Les participants de cette conférence s'engagent :

- à intervenir dans le domaine des politiques publiques saines et à plaider en faveur d'un engagement politique clair en ce qui concerne la santé et l'égalité dans tous les secteurs ;
- à contrer les pressions exercées en faveur des produits dangereux, des milieux et conditions de vie malsains ou d'une nutrition inadéquate ; ils s'engagent également à attirer l'attention sur les questions de santé publique telles que la pollution, les risques professionnels, le logement et les peuplements ;
- à combler les écarts de niveau de santé dans les sociétés et à lutter contre les inégalités produites dans ce domaine par les règles et pratiques des sociétés ;
- à reconnaître que les individus constituent la principale ressource sanitaire, à les soutenir et à leur donner les moyens de demeurer en bonne santé, eux, leurs familles et leurs amis ; ils s'engagent également à accepter la communauté comme le principal porte-parole en matière de santé, de conditions de vie et de bien-être ;
- à réorienter les services de santé et leurs ressources au profit de la promotion de la santé, et à partager leur pouvoir avec d'autres secteurs, d'autres disciplines et, ce qui est encore plus important, avec la population elle-même ;
- à reconnaître que la santé et son maintien constituent un investissement social majeur, et à traiter la question écologique globale que représentent nos modes de vie.

Source : Organisation mondiale de la santé.

Encadré 3 : Résumé de la *Déclaration de Jakarta* sur la promotion de la santé au 21ᵉ siècle

Préambule : la 4ᵉ conférence internationale sur la promotion de la santé : «À ère nouvelle, acteurs nouveaux : adapter la promotion de la santé au 21ᵉ siècle» a eu lieu à Jakarta du 21 au 25 juillet 1997, à un moment crucial de l'élaboration de stratégies internationales de santé. Il y a bientôt 20 ans que les États membres de l'Organisation mondiale de la santé ont pris l'engagement ambitieux d'instaurer la Stratégie mondiale de la santé pour tous et ont souscrit aux principes des soins de santé primaires à travers la *Déclaration d'Alma-Ata*. Onze années se sont écoulées depuis la première conférence internationale sur la promotion de la santé à Ottawa, au Canada.

La promotion de la santé est un investissement capital : la santé est un droit fondamental de l'être humain et un facteur indispensable au développement économique et social. De plus en plus, on considère la promotion de la santé comme un élément essentiel du développement sanitaire.

Les déterminants de la santé : de nouveaux défis : les conditions préalables à l'instauration de la santé sont la paix, un logement, l'éducation, la sécurité sociale, les relations sociales, l'alimentation, un revenu, la responsabilisation des femmes, un écosystème stable, une utilisation durable des ressources, la justice sociale, le respect des droits de l'homme, et l'équité. Par dessus tout, la pauvreté reste la plus grave menace pour la santé.

La promotion de la santé change quelque chose : les travaux de recherche et les études de cas effectués un peu partout dans le monde fournissent des éléments attestant que la promotion de la santé a une réelle efficacité. Les stratégies de promotion de la santé peuvent créer et modifier les modes de vie, ainsi que les conditions sociales, économiques et de l'environnement, qui déterminent la santé. La promotion de la santé est une approche concrète pour instaurer plus d'équité en matière de santé.

Les cinq stratégies de la *Charte d'Ottawa* sont indispensables pour réussir :

- établir une politique publique saine ;
- créer des milieux favorables ;
- renforcer l'action communautaire ;
- développer les aptitudes personnelles ;
- réorienter les services de santé.

De nouvelles solutions s'imposent : pour faire face aux nouveaux dangers qui menacent la santé, de nouvelles formes d'action sont nécessaires. Dans les années à venir, le défi consistera à mobiliser le potentiel de la promotion de la santé qui existe dans de nombreux secteurs de la société, dans les communautés locales et au sein des familles.

Priorités pour la promotion de la santé au 21ᵉ siècle :

1) Promouvoir la responsabilité sociale en faveur de la santé : les décideurs doivent être résolument attachés au principe de responsabilité sociale. Tant le secteur public que le secteur privé doivent promouvoir la santé en menant des politiques et des pratiques qui :

- ne soient pas préjudiciables à la santé d'autres personnes ;
- protègent l'environnement et assurent une utilisation durable des ressources ;
- restreignent la production et le commerce de produits et substances nocifs par nature, comme le tabac et les armes, et dissuadent les pratiques de marketing nuisibles à la santé ;
- protègent à la fois le citoyen sur le marché et l'individu sur son lieu de travail ;
- incluent les évaluations d'impact sur la santé, comme une partie intégrante du développement des politiques en ayant constamment à l'esprit le principe d'équité.

2) Accroître les investissements pour développer la santé : dans de nombreux pays, la part des ressources allouées à la santé est inadéquate et souvent inefficace. Accroître les investissements pour développer la santé exige une approche véritablement multisectorielle prévoyant l'allocation de ressources aussi bien aux secteurs de l'éducation et du logement qu'à celui de la santé.

3) Renforcer et élargir les partenariats pour la santé : la promotion de la santé exige la mise en place de partenariats en faveur du développement sanitaire et social entre les différents secteurs à tous les niveaux de la gestion des affaires publiques. Il convient de renforcer les partenariats existants et d'explorer les possibilités d'en établir de nouveaux. Le partenariat augmente le potentiel de réussite des projets par une mise en commun de l'expérience, des compétences et des ressources.

4) Accroître les capacités de la communauté et donner à l'individu les moyens d'agir : la promotion de la santé est mise en œuvre par et avec les personnes et ne leur est pas imposée. Elle améliore à la fois la capacité d'agir des individus et celle des groupes, organisations ou communautés, d'influer sur les déterminants de la santé. Pour cela, il est nécessaire d'éduquer, de former à l'animation et au leadership et de bénéficier de ressources et de moyens.

5) Mettre en place une infrastructure pour la promotion de la santé : de nouveaux mécanismes de financement doivent être recherchés aux niveaux local, national, et mondial. Des mesures d'incitation doivent être proposées afin d'influencer l'action des pouvoirs publics, des organisations non gouvernementales, des établissements d'enseignement et du secteur privé et accroître ainsi la mobilisation des ressources en faveur de la promotion de la santé

Source : Organisation mondiale de la santé.

1.13 Au-delà de la santé : la qualité de vie reliée à la santé

Depuis quelques années, en complément des traditionnels indicateurs de santé comme la morbidité, la mortalité, l'espérance de vie, etc., de nouveaux instruments de mesure de l'état de santé ont été développés. L'une des applications de ces mesures nouvelles est l'évaluation par les individus eux-mêmes de leur état de santé. La notion de qualité de vie paraît donc à cet égard très utile. Concept fourre-tout pour les uns, mot-valise pour les autres, les origines de la notion de qualité de vie remontent aux années 1930 aux États-Unis. Ce n'est que trois décennies plus tard que le concept retrouvera ses lettres de noblesse, avec le boom économique survenu en Amérique. Plusieurs enquêtes sociologiques de grande envergure essayaient à l'époque de déterminer le niveau de satisfaction des Américains par rapport à leur vie quotidienne. Avec l'apparition du mouvement de désinstitutionnalisation des années 1970-1980, de nombreux chercheurs se sont basés sur les questionnaires des enquêtes précédentes pour déterminer cette fois-ci dans quelles mesures les personnes qui sont sorties des hôpitaux psychiatriques étaient satisfaites de leur vie.

Aujourd'hui, la qualité de vie exerce une influence considérable sur la santé et le bien-être des personnes et s'impose comme l'un des indicateurs les plus importants de santé physique et mentale. Le nombre croissant d'instruments de mesure de la qualité de vie utilisés dans toutes les disciplines, y compris la santé mentale, atteste de son importance. Dans le domaine des sciences sociales, la qualité de vie est examinée en lien avec les affects : le bien-être, les réactions cognitives et émotionnelles, les réalisations et les attentes personnelles. Elle fait aussi référence dans une certaine mesure à l'idée d'une vie agréable qui inclut les dimensions du travail et du revenu, un réseau social, etc. La qualité de vie est aussi très proche de la conception de la «bonne santé». Plusieurs études ont révélé que les personnes souffrant de troubles ou handicaps au niveau physique, social ou mental considèrent plus important l'utilité ou la nécessité d'une bonne santé que celles en bonne santé[39].

Le concept de qualité de vie varie en fonction des changements sociaux, des diverses attentes et priorités des individus selon leur âge et expériences. Il s'agit d'un concept très dynamique et complexe comprenant plusieurs dimensions : économique, psychologique, physique, et sociale. La qualité de vie répond à un souci de prise en compte de la globalité d'une personne et traduit une étroite relation entre les aspirations d'un individu et sa réalité phénoménologique. L'OMS la conçoit comme la perception par

39. Renwick, Rebecca, Ivan Brown et Mark Nagler (1996). *Quality of Life in Health Promotion and Rehabilitation: Conceptual Approaches, Issues, and Applications*, Thousand Oaks, Sage Publications, p. 39-50.

un individu de sa position dans la vie en fonction de sa culture, ses valeurs, ses buts, ses attentes et ses préoccupations. Les notions de culture et de valeurs ainsi que la vision personnelle sont ici introduites. Calman (1984) considère la qualité de vie comme un indice mesurant, à un moment particulier, la différence entre les espoirs et les attentes d'un individu et son expérience actuelle. On remarque très bien ici l'apparition des notions de manque et de désir.

Selon Edlund *et al.* (1993), la qualité de vie fait référence aux objectifs personnels que poursuit une personne dans le but de mener une existence normale et d'avoir une vie socialement utile. La plupart des spécialistes (anthropologues, sociologues, philosophes et historiens des sciences) qui ont étudié le concept de qualité de vie l'ont clairement distingué de celui de la santé, à l'exception des médecins. Pour Launois *et al.* (1995), «en général, le terme qualité de vie est utilisé pour désigner les retentissements physiques, psychologiques et sociaux d'une pathologie sur la vie d'un patient[40]». En fait, la majorité des échelles utilisées pour la mesurer sont des échelles de santé. Fitzpatrick *et al.* (1992) allèguent au contraire que l'expression qualité de vie est abstraite et philosophique. La plupart des instruments tendent toutefois à se concentrer sur les aspects de l'expérience personnelle qui peuvent être reliés à la santé.

Il n'existe actuellement aucune homogénéité conceptuelle quant à la définition de la qualité de vie; celle-ci peut s'appréhender de différentes façons. À travers la qualité de vie, les uns expriment le ressentiment de leur maladie vécue au quotidien, tandis que les autres la perçoivent comme l'état de santé d'un individu, ses capacités fonctionnelles, son état psychologique ou encore ses interactions sociales pour ne citer que les principales approches. Dans un contexte où la vie d'un nombre croissant de patients est affectée de façon négative par la maladie, la notion de qualité de vie fournit une mesure de qualité de vie négative[41]. Le concept ne recouvre pourtant pas seulement les répercussions des maladies, mais aussi le versant de la santé perçue par le malade. La notion de santé perçue ou «santé perceptuelle» fait référence à la qualité de vie liée à la santé du point de vue de la personne interrogée. On parle donc ici de santé subjective, car l'état de santé d'un individu déborde largement les mesures normatives (poids, pression artérielle, température, etc.) sur lesquelles se fient habituellement les spécialistes de la santé[42].

En définitive, la notion de qualité de vie s'est construite sur les approches du bien-être subjectif et de la satisfaction de vie qui offrent des visions différentes. Le concept de bien-être subjectif reste général et difficile à cerner car il renvoie à la perception intime de la personne. En parallèle, la satisfaction de vie regroupe différents domaines comme le logement, le revenu, les loisirs, etc., qui sont par contre beaucoup plus faciles à mesurer. Elle comprend des composantes psychologiques (émotions et états affectifs), physiques (aspects de la santé physique et des capacités fonctionnelles) et sociales (loisirs, vie sociale, participation citoyenne, réseau social et activités professionnelles).

Le concept de bien-être demeure subjectif et varie considérablement selon les individus et les époques. Le bien-être prend ses origines dans les études socioéconomiques anglo-saxonnes des années 1960 et apparaît comme le nouvel «indicateur social» du bonheur. Ce concept reste dans la sphère psychologique et fait donc appel au jugement que porte un sujet sur sa vie et sur son équilibre psychique tel qu'il le ressent. Les auteurs considèrent que le bien-être revêt une composante cognitive, alors que la qualité de vie comporte une composante affective. Centrées au départ sur les personnes âgées, les recherches sur le bien-être développent des aspects théoriques et méthodologiques, principalement dans des revues de psychologie[43].

On sait pertinemment que dans la vie d'un individu, des petits détails futiles, indescriptibles, parfois même incompréhensibles, peuvent le faire basculer de l'enthousiasme à la morosité. La physiologie, le vécu des individus, leurs sensibilités, leurs échelles de valeurs sont autant de paramètres qui jouent sur l'humeur et la sensation de bien-être ou de mal-être. Le bien-être est un concept qui touche à la santé, au plaisir, à la réalisation de soi, à l'harmonie avec soi et les autres.

40. Launois, Robert, et Jeanne Reboul-Marty (1995). «La qualité de vie: approche psychométrique et approche utilité-préférence», *Cardioscopies*, n° 34, p. 673-678.
41. Guillemin, Francis (1993). «Mesures de qualité de vie génériques ou spécifiques: quel instrument choisir?», dans *Évaluation de la qualité de vie*, Hérisson et Simon (eds), Masson, Paris.
42. Abbey, Antonia, et Franck Andrews (1985). «Modeling the Psychosocial Determinants of Life Quality», *Social Indicators Research*, 16.1, p. 1-34.
43. Guillemin, Francis (1995). «Le concept de qualité de vie liée à la santé», *Rev. Rhum.*, 62(5bis), 3s-5s.

Dans cette optique, la santé serait donc la convergence des notions d'autonomie et de bien-être. Les auteurs utilitaristes définissent le bien-être comme la combinaison de plaisirs et l'absence de peine.

Le bien-être est une notion qui intègre à la fois des processus cognitifs (satisfaction de vie) et émotionnels (affectivité positive et négative). D'une part, il est subjectif, car il repose sur une autoévaluation n'ayant rien à voir avec les conditions de vie objectives (bien-être matériel). D'autre part, il correspond à l'évaluation positive globale de la vie du sujet (satisfaction de vie). Enfin, c'est un concept qui ne se réduit pas seulement à l'absence d'émotions négatives, comme dans les échelles d'anxiété, de dépression ou d'hostilité, car il correspond à la présence d'affects agréables (affectivité positive). En fait, le bien-être subjectif fait l'expérience globale des réactions positives d'un individu sur sa propre vie et inclut en même temps toutes les composantes d'ordre inférieur telles que la satisfaction de vie et le niveau hédonique (bonheur)[44].

Tableau 2: Modèles de la qualité de vie et facteurs mesurant la perception de la qualité de vie de la personne

Modèles	Facteurs
Bortwick-Duffy (1991)	- Satisfaction - Conditions de vie
Brown, Bayer et MacFarlane (1989)	- Facteurs objectifs: revenu, environnement, santé, croissance et maîtrise des habiletés - Facteurs subjectifs: satisfaction avec la vie, bien-être psychologique, perception des besoins et des habiletés
Goode (1991)	- Relations interactives: adaptation entre les exigences de l'environnement et les caractéristiques personnelles - Perception des besoins de la personne et ressources de l'environnement social
Halpern, Nave, Close et Nelson (1986)	- Satisfaction du client - Occupation - Environnement résidentiel - Support social/sécurité
Parmenter (1988)	- Perception personnelle de soi - Les comportements de la personne en réponse aux domaines écologiques
Schalock, Keith et Hoffman (1990)	- Autonomie - Productivité - Intégration à la communauté - Satisfaction

Source: Schalock, Robert L. (1993). «La qualité de vie: conceptualisation, mesure et application», *Revue francophone de la déficience intellectuelle*, vol. 4, n° 2, p. 137-151.

44. Beaufils, Béatrice (1996). «Qualité de vie et bien-être en psychologie», *Gérontologie et Société*, n° 78, p. 39-50.

En bref

La santé

La santé est un concept complexe qui, au fil du temps, a été défini de nombreuses façons par différents auteurs et différentes organisations et écoles de pensée. C'est l'Organisation mondiale de la santé qui marque une rupture dans notre façon de définir la santé. Dans le préambule de sa Constitution adoptée par la conférence internationale de la santé, tenue à New York du 19 juin au 22 juillet 1946, l'OMS y définit la santé comme un «état de complet bien-être physique, mental et social, et ne consiste pas seulement en une absence de maladie ou d'incapacité». Cette approche de la santé, qui va au-delà de l'absence de maladie, revêt une connotation plus positive, car elle met en exergue l'importance des ressources sociales et individuelles, ainsi que des capacités physiques, même si elle reste trop idéaliste. Une bonne condition de santé dépend du maintien en équilibre des éléments physique, mental, affectif et spirituel. La santé sera considérée tantôt comme une capacité, tantôt comme une ressource. L'approche axée sur la santé de la population met l'emphase sur le large éventail de facteurs socioéconomiques et environnementaux qui ont une incidence sur la santé.

La maladie

Contrairement aux croyances de nos prédécesseurs, aucune société humaine n'est à l'abri des maladies. Ceci dit, les types de maladie et leur fréquence au sein des collectivités varient d'une société à l'autre. Ce phénomène a pu être observé depuis le Paléolithique jusqu'aux sociétés postindustrielles. La maladie se répartit souvent de façon inégale entre les classes sociales, les groupes sociaux les moins favorisés étant habituellement les premiers à en pâtir. La maladie est perçue comme un trouble des équilibres et des substances naturelles, correspondant à une tentative de réaction contre une agression pathogène. Mais cette définition a été affinée quelques années plus tard. La maladie est désormais considérée comme reliée à la santé physique ou mentale, qui n'est pas due à un accident et qui exige un examen ou un traitement ou provoque une incapacité, un handicap ou une dépendance quelconque.

Les représentations sociales

Les représentations sociales peuvent être perçues comme des systèmes d'interprétation régissant notre relation au monde extérieur qui orientent et organisent nos conduites. Dans une société donnée, la représentation d'un phénomène correspond à un ensemble d'informations, d'opinions et de croyances relatives à cet objet. La sociologie et l'anthropologie permettent d'expliquer les représentations sociales de la santé, de la maladie et de la médecine qui sont à l'image de notre société et de notre culture. Nous avons vu par exemple comment les représentations sociales de la santé et de la maladie ont évolué dans le temps.

Les déterminants de la santé

Les déterminants de la santé regroupent les facteurs personnels, sociaux, économiques et environnementaux qui déterminent l'état de santé des individus ou des populations. Ils désignent l'ensemble des conditions économiques et sociales qui influent sur leur état de santé. Au Canada, le *Rapport Lalonde* identifie quatre principaux déterminants : la biologie humaine, l'environnement physique et social, les habitudes de vie et l'organisation des soins de santé. À l'échelle internationale, la commission sur les déterminants de la santé de l'Organisation mondiale de la santé répertorie le développement de la petite enfance, la mondialisation, les services et soins de santé, l'urbanisation, l'emploi et le niveau de revenu, l'exclusion sociale, l'éducation et le genre parmi tant d'autres.

La *Déclaration d'Alma-Ata* (1978)

La *Déclaration d'Alma-Ata* définit les éléments clés d'un système de santé intégré qui fonctionne avec et pour les populations. Celles-ci sont amenées à participer activement à la planification et à la mise en œuvre des mesures de protection sanitaires qui leur sont destinées afin d'augmenter l'efficacité des actions en santé. Cette déclaration intègre les concepts de participation et d'action intersectorielles. Les soins de santé primaires (SSP) sont également intégrés au système de santé et sont devenus, en 1978, l'une des politiques clés de l'OMS lors de l'adoption de la *Déclaration d'Alma-Ata* et de la stratégie de la Santé pour tous en l'an 2000.

La *Charte d'Ottawa* (1986)

Dans la *Charte d'Ottawa*, «la promotion de la santé est le processus qui permet aux populations d'améliorer leur propre santé en leur donnant les moyens d'un plus grand contrôle sur celle-ci». Elle considère les facteurs politiques, économiques, sociaux, culturels, environnementaux et comportementaux. Les cinq axes stratégiques de la promotion de la santé sont les suivants: l'élaboration d'une politique publique favorisant la santé, la création de milieux favorables, le développement des aptitudes personnelles, la réorientation des services de santé et le renforcement de l'action communautaire.

La *Déclaration de Jakarta* (1997)

La *Déclaration de Jakarta* propose des orientations et des stratégies pour relever les défis de promotion de la santé à l'ère de la mondialisation. La santé est au cœur du développement économique et social: «en investissant dans la promotion de la santé, en intervenant en promotion de la santé, on agit sur les déterminants de la santé et on contribue au progrès de la santé, à la réduction considérable des inégalités en matière de santé, à la promotion des droits fondamentaux de l'être humain, et au développement social». Les cinq priorités sont les suivantes: promouvoir la responsabilité sociale en faveur de la santé, accroître les investissements pour développer la santé, renforcer et élargir les partenariats pour la santé, accroître les capacités de la communauté et donner à l'individu les moyens d'agir ainsi que mettre en place une infrastructure pour la promotion de la santé.

La qualité de vie

La préoccupation pour la qualité de vie n'est pas nouvelle et cette question a traversé toutes les époques de l'histoire humaine. Aujourd'hui cependant, la notion de qualité de vie tend à s'imposer comme un nouveau critère important en matière de santé. Il n'existe pas de définition consensuelle de la qualité de vie, en raison de son caractère global. Elle est synonyme de bonheur pour les uns, de bien-être et de satisfaction de vie pour les autres, selon l'approche privilégiée et la perspective d'analyse retenue. La qualité de vie dans le domaine de la santé s'intéresse essentiellement à rendre compte du point de vue du patient sur son état de santé, notamment en ce qui a trait à ses capacités fonctionnelles, son état psychologique, ses interactions sociales. On parle de santé perçue et de santé subjective.

Bibliographie

ABBEY, Antonia, et Franck ANDREWS (1985). «Modeling the Psychosocial Determinants of Life Quality», *Social Indicators Research*, 16.1, p. 1-34.

AIACH, Pierre, Pierre ARWIDSON et Bernard CASSOU (1996). *La santé. Usages et enjeux d'une définition*, Prévenir.

BEAUFILS, Béatrice (1996). «Qualité de vie et bien-être en psychologie», *Gérontologie et Société*, n° 78, p. 39-50.

BERGES, Anne (2004). «Anthropologie/sociologie» dans *Abécédaire des sciences humaines en médecine*, Paris, Ellipse, 272 p.

BOVINA, Inna B. (2006). «Représentations sociales de la santé et de la maladie chez les jeunes Russes: force versus faiblesse», *Peer Reviewed Online Journal*, vol. 15, p. 5-11.

CANGUILHEM, Georges (1978). *Le Normal et le Pathologique*, Éditions Presses Universitaires de France, Quadrige (1re édition 1966).

CANGUILHEM, Georges (2002). «La santé: concept vulgaire et question philosophique», *Écrits sur la médecine*, Seuil.

CHANLAT, Jean-François (1985). «Types de sociétés, types de morbidités: la socio-genèse des maladies», dans Jacques Dufresne, Fernand Dumont et Yves Martin. *Traité d'anthropologie médicale. L'Institution de la santé et de la maladie*, Chapitre 14, p. 293-304, Québec, Les Presses de l'Université du Québec, l'Institut québécois de recherche sur la culture (IQRC), Presses de l'Université de Lyon, 1985, 1245 p.

COPPÉ, Monique, et Colette SCHOONBROODT (1992). *Guide pratique d'éducation pour la santé: réflexion, expérimentation et 50 fiches à l'usage des formateurs*, Bruxelles, De Boeck Université.

CORDAIN, Loren (2002). *The Paleo Diet. Lose Weight and Get Healthy by Eating the Food You Were Designed to Eat*, Wiley, 272 p.

DENIS, Claire, et autres (2000). *Individu et société*, Montréal, Chenellière/Mc-Graw-Hill.

DENNIS, Raphael (2004). *Social Determinants of Health: Canadian Perspectives*, Toronto, Canadian Scholars' Press Inc.

DEVER, Alan (1976). «An Epidemiological Model for Health Policy Analysis», *Social Indicators Research*, 2-465.

DIDEROT, Denis (1751). «Lettre sur les sourds et muets à l'usage de ceux qui entendent et qui parlent» dans *Œuvres*, «Bouquins», Tome IV: Esthétique – Théâtre, Paris, Robert Laffont, 1996.

DUBOS, René (1981). «L'homme face à son milieu», dans Bozzini, Luciano, et autres. *Médecine et Société. Les années 80*, Montréal, Éditions coopératives Albert Saint-Martin.

DUBOS, René (1973). *L'homme et l'adaptation à son milieu*, Paris, Éditions Payot, 472 p.

FOUCAULT, Michel (2003). *Naissance de la clinique*, Éditions Presses Universitaires de France, Quadrige (1re édition 1963).

FREUD, Sigmund (1900). *L'interprétation des rêves*, Paris, PUF, 1967, réédité en 1971.

GIRARD, Jean-François (1998). *Quand la santé devient publique*, Paris, Hachette.

GUILLEMIN, Francis (1993). «Mesures de qualité de vie génériques ou spécifiques: quel instrument choisir?», dans Hérisson et Simon (eds), *Évaluation de la qualité de vie*, Masson, Paris.

GUILLEMIN, Francis (1995). «Le concept de qualité de vie liée à la santé», *Rev. Rhum.*, 1995, 62(5bis), 3s-5s.

HERZLICH, Claudine, et Marc AUGÉ (1984). *Le sens du mal*, Paris, Éd. des Archives contemporaines.

LACOURSE, Marie-Thérèse (2002). *Sociologie de la santé*, Montréal, Chenelière/Mc Graw-Hill.

LALONDE, Marc (1974). *Nouvelle perspective de la santé des Canadiens*, Ottawa, Ontario.

LAUNOIS, Robert, et Jeanne REBOUL-MARTY (1995). «La qualité de vie: approche psychométrique et approche utilité-préférence», *Cardioscopies*, n° 34, p. 673-678.

LE QUEAU, Pierre, et Christine OLM (1999). «La construction sociale de la perception de la santé», *L'actualité*, n° 26, p. 12-16.

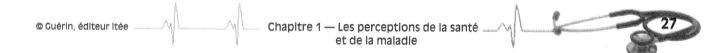

LECLERC, Jean, et Jacques TARRETE (1988). «Néolithique», dans *Dictionnaire de la Préhistoire*, Leroi-Gourhan, A., Éd. PUF.

MASSÉ, Raymond (2001). «La santé publique comme projet politique et individuel», dans *Systèmes et politiques de santé – De la santé publique à l'anthropologie*, Éd. Karthala.

MORFAUX, Louis-Marie (1980). *Vocabulaire de la philosophie et des sciences humaines*, Paris, Armand Colin Éditeur.

NIETZSCHE, Friedrich (1882). *Le gai savoir*, Œuvres II, Paris, Robert Laffont, publié en 1882, sous le titre original *Die fröhliche Wissenschaft, la gaya scienza*.

OMS (1986). «*Charte d'Ottawa* sur la promotion de la santé», *Revue canadienne de santé publique*, 1986, n° 77, p. 425-430 (voir aussi p. 384-443).

OMS (1997). *Déclaration de Jakarta: 4ᵉ conférence internationale sur la promotion de la santé*, Jakarta, Indonésie, 21-25 juillet.

PAUL, Patrick (2005). «La santé comme authenticité», conférence prononcée dans le cadre du colloque *Pratiques soignantes, éthique et sociétés: impasses, alternatives et aspects interculturels*, organisé sur l'initiative du PPF RISES de l'Université Lyon 3 en collaboration avec l'Université Lyon 1 et les Hospices Civils de Lyon, avec la participation de l'Université de Marne La Vallée.

PLATON. *Les lois*, Paris, Flammarion, 1997, 456 p.

RABIER, Jean-Claude (1989). *Introduction à la sociologie*, Bruxelles, Érasme.

RENWICK, Rebecca, Ivan BROWN et Mark NAGLER (1996). *Quality of Life in Health Promotion and Rehabilitation: Conceptual Approaches, Issues, and Applications*, Thousand Oaks, Sage Publications

SEIGNALET, Jean, et Henri JOYEUX (1996). *L'alimentation ou la troisième médecine*, 5ᵉ édition, Collection Écologie Humaine, Éditions de l'œil, 660 p.

SFEZ, Lucien (1995). *La santé parfaite*, Paris, Le Seuil.

SENDRAIL, Marcel (1980). *Histoire culturelle de la maladie*, Toulouse, Privat 1980, 445 p.

Chapitre

Guérir ou prévenir : de l'étude des maladies à la promotion de la santé

Quel est le cadre conceptuel des modèles d'études de la maladie dans lequel s'inscrivent les déterminants de la santé ? De quelle façon peut-on envisager une problématique de santé ? Dans quelles mesures notre perception des causes de la santé et de la maladie influence-t-elle le choix de nos actions et comportements ?

Après avoir terminé l'étude de ce chapitre, vous devriez être en mesure de :

- Connaître et comprendre les différents modèles d'étude de la maladie et leur évolution dans le temps ;
- Apprécier les différentes façons de considérer la santé ainsi que les causes de la santé et de la maladie ;
- Expliquer comment la perception des individus influence les choix des stratégies utilisées afin de régler les questions de santé ;
- Pouvoir appliquer les différents modèles et les différentes approches à des phénomènes de société.

Ce chapitre offre une synthèse de plusieurs modèles et approches complémentaires en médecine. Les déterminants de la santé s'inscrivent dans les cadres conceptuels des modèles biomédical, biopsychosocial et écologique. Dès le 19e siècle, le modèle biomédical s'est imposé comme paradigme dominant d'étude de la maladie. Il a cependant fait l'objet de nombreuses critiques parce qu'il ne s'intéressait qu'aux facteurs biologiques et physiologiques. C'est ce que certains ont appelé l'étiologie spécifique[1]. Or, plusieurs évidences suggèrent qu'il faut, dans le domaine de la santé, prendre en considération les multiples facteurs reliés à la maladie du patient et s'orienter vers l'étiologie sociale[2]. Les modèles biopsychosocial et écologique ont alors émergé respectivement dans les années 1970 et 1980, sans pour autant remettre en cause le modèle biomédical, afin de répondre à la complexité de l'être humain et des relations humaines.

Un retour historique sur l'ère hygiéniste permet de comprendre dans quels contextes sont nées les diverses approches de promotion de la santé. La révolution pasteurienne et la découverte des microbes modifient dès le 19e siècle l'approche des risques de la vie. L'hygiène individuelle et les actions sociales contre la diffusion de microbes permettent d'entrevoir une vie sans maladie physique (tétanos, tuberculose, typhoïde, etc.). La mise en évidence des risques sanitaires liés à l'environnement marque un tournant décisif en matière d'éducation sanitaire. À partir des années 1950, un certain nombre de mesures portant sur les eaux d'alimentation, l'habitat insalubre et les établissements dangereux et incommodes se mettent en place dans le but de réduire les épidémies fréquentes et le taux de mortalité élevé. Dès les années 1960, les pays de tradition anglo-saxonne font la promotion de l'éducation pour la santé, centrée avant tout sur la personne. Le mariage de la science et de la pédagogie se révèle un puissant moyen pour modifier les comportements et les attitudes des individus en matière de santé, en raison des limites

---

1. L'étiologie spécifique est inspirée de l'approche positiviste qui suppose que pour chaque maladie spécifique, il existe un agent pathogène (virus, bactérie, etc.) à rechercher.
2. L'étiologie sociale est l'étude des causes sociales des maladies.

du seul apport des connaissances, pour prévenir les risques sanitaires. En 1970, la santé communautaire remplace l'éducation pour la santé. L'approche communautaire de la santé, axée sur la prévention, suppose une réelle participation des individus et de l'ensemble de la communauté pour améliorer l'état de santé des populations. L'apparition de nouvelles épidémies au 21e siècle (SRAS, grippe aviaire, etc.) oblige les gouvernements à réorienter leurs stratégies d'action et à développer des programmes de gestion des grands risques sanitaires.

2.1 L'approche biomédicale comme paradigme d'étude de la maladie

«La médecine, sous l'emprise biologique, a pu réaliser des progrès qui ont des incidences tant sur l'individu que sur la société. La généralisation croissante de ses techniques se manifeste à travers le contrôle des infections microbiennes, les transplantations ou greffes d'organes, le clonage. Il en est de même de toutes les formes de prolongation de la durée de vie, notamment à l'aide des pratiques de réanimation et de survie artificielles sur des personnes dont les fonctions cérébrales sont éteintes, de la tentative d'application de la thérapeutique génétique à des maladies spécifiques, en particulier à l'anomalie d'un seul gène. Parallèlement à ce développement, l'apport pharmacologique est lui aussi non négligeable. Ceci, dans la mesure où les sulfamides, les antibiotiques, l'insuline et la cortisone, les médicaments du psychisme et la pilule en témoignent de manière palpable. Il y a lieu de signaler également le fait que la biomédecine prend appui sur la théorie du germe et de la localisation étiologique. Malgré tous ces succès, la médecine ne cesse d'être décriée, à cause de son orientation essentiellement organiciste et anatomique[3]. »

La médecine moderne a fait de grands progrès au 20e siècle dans plusieurs domaines comme celui de l'épidémiologie, la chirurgie, le traitement des infections, la réanimation et les soins intensifs. Mais elle s'est essentiellement attardée à donner une explication strictement biologique aux maladies en cherchant à comprendre comment les organes, les cellules, les gènes fonctionnent et se détériorent, et

comment y remédier par le développement d'une pharmacopée appropriée et d'interventions curatives susceptibles de réparer les corps malades. Cette approche très biomédicale est demeurée dominante dans l'enseignement des facultés de médecine et les médecins semblent privilégier la place qui revient à la démarche proprement scientifique dans leur travail quotidien.

Les découvertes en santé et les progrès des techniques curatives ont fait chuter considérablement l'incidence des maladies infectieuses dans les pays industrialisés et, en moindre proportion, dans les pays en voie de développement. Cette approche biomédicale de la santé repose sur des méthodes de diagnostic et de traitement de pathologies spécifiques : un pathogène = une maladie. Par contre, ce modèle ne tient pas suffisamment compte des liens entre la maladie et les facteurs socioéconomiques comme la pauvreté et la malnutrition et encore moins des liens entre la maladie et l'environnement dans lequel évolue le malade. Quant à l'influence des facteurs culturels sur les comportements à risques et la vulnérabilité particulière de certains groupes, le monde de la santé ne s'en soucie encore que trop peu.

Construit au 19e siècle en Occident, le modèle biomédical s'impose comme le modèle dominant et devient un paradigme incontournable dans l'étude des maladies. Le paradigme biomédical repose essentiellement sur une conception positiviste de la maladie, ce qui donne naissance à l'étiologie spécifique des maladies, qui puise son cadre conceptuel de la théorie microbienne. À l'origine de chaque maladie particulière, il existe un agent pathogène, soit un virus, une bactérie ou un gène. L'étiologie spécifique s'intéresse donc à déterminer les causes spécifiques d'une maladie particulière ou des problèmes de santé en se tournant vers la recherche de l'agent pathogène. Les travaux de recherche en médecine s'orientent dans un premier temps sur les maladies infectieuses aux 19e et 20e siècles pour ensuite se concentrer sur les maladies chroniques et héréditaires[4].

La théorie des humeurs, élaborée par Hippocrate dans l'Antiquité grecque, bouleverse la conception positiviste de la maladie au profit d'une conception psychologique. Au lieu d'isoler le patient dans l'étude des causes de la maladie, celui-ci est plutôt considéré comme une composante de la maladie. Il est

---

3. Ewane, Etame (1994). «L'approche biomédicale et les perspectives de contribution de la sociologie médicale à la réhabilitation psychosociale», *Santé mentale au Québec*, vol. 19, n° 1, p. 225-229.
4. Lacourse, Marie-Thérèse (2002). *Sociologie de la santé*, Montréal, Chenelière/Mc Graw-Hill, p. 15.

démontré que les maladies peuvent être expliquées à l'aide de différents systèmes spéculatifs. Encore aujourd'hui, le paradigme biomédical demeure dominant dans l'enseignement des facultés de médecine. Les chercheurs en médecine semblent privilégier la démarche scientifique dans leur travail quotidien, notamment dans la recherche bio-génétique. La découverte d'un nouveau gène de la rétine impliqué dans la cécité, d'un gène suppresseur lié au cancer du poumon ou d'un gène responsable de la schizophrénie permettant d'envisager de nouveaux traitements et de produire des médi-caments, se trouve au fondement du paradigme biomédical.

Dans l'ouvrage *Manuel de psychiatrie*, Julien-Daniel Guelfi et Frédéric Rouillon mentionnent que le modèle neurochimique[5] d'inspiration biomédicale reste celui qui domine toute la médecine contem-poraine en se fondant surtout sur la biologie moléculaire, devenue véritablement sa principale science fondamentale. Les auteurs témoignent, dans une certaine mesure, des succès de la psycho-pharmacologie puisque des médicaments ont réellement amélioré la qualité de vie de nombreux malades et les conditions de leur prise en charge thérapeutique. Ils relèvent toutefois que le modèle neurochimique se révèle un véritable échec sur le plan théorique, car il n'a pas réussi à expliquer l'étiologie générale des maladies[6]. Dans un même ordre d'idées, la Société canadienne de psychologie accuse le déséquilibre relatif entre le domaine biomédical et celui de la santé mentale. Elle dénonce le *Rapport final de la Commission sur l'avenir des soins de santé au Canada* rédigé par Roy Romanow en 2002 et qui fait totalement abstraction des problèmes de santé mentale[7].

Il reste que les sciences biomédicales et la méthode scientifique classique se résument à la compré-hension des causes et au traitement de la maladie et évacuent totalement d'autres aspects touchant au malade. Il s'avère d'ailleurs possible de relever un

certain nombre de limites inhérentes au modèle biomédical qui procède de l'application en médecine de la méthode analytique réductionniste des sciences exactes. Marco Vannotti du Centre de Recherches Familiales et Systémiques soutient que la réduction de la maladie en tant qu'entité morbide à l'intérieur de l'organisme implique en outre une profonde modification de l'appréhension du corps lui-même, celui-ci «étant réduit à un objet, un agrégat d'organes et de fonctions, et se trouvant amputé par là de son rapport constitutif au monde et aux modalités concrètes de la vie[8]». George Libman Engel, le père de la médecine psychosomatique, relève que l'erreur qui fait de ce modèle un modèle estropié réside dans le fait qu'il n'inclut pas le patient et ses attributs en tant que personne et en tant qu'être humain. Ce dernier souligne la nécessité de passer du modèle biomédical au modèle biopsychosocial dans *The Need for a New Medical Model: a Challenge for Biomedicine*.

Le modèle biomédical ne prend pas en considération le malaise éprouvé par le patient et, parfois même, par le médecin lorsqu'il se retrouve dans des situations face auxquelles la science ne peut à elle seule tout expliquer. Le concept de malaise renvoie à l'expérience personnelle de la maladie[9]. Comme le suggère d'ailleurs Paul Deep, cette mesure subjective de la maladie se distingue des indices strictement objectifs comme la température du corps ou le niveau de cholestérol. En effet, un malaise n'est pas dicté uniquement par un déséquilibre biologique, car les facteurs psychologiques et sociaux sont aussi susceptibles d'influer sur la réaction d'un patient à son état[10].

Comme nous le verrons dans les pages qui suivent, le concept de malaise reflète plus précisément les complexités du modèle biopsychosocial de la maladie. Paul Deep présente un cas de figure de deux individus affectés par un même problème biologique, une lésion carieuse profonde, qui le vivent différemment pour des raisons psycho-logiques et sociales. Le patient A, insensible à la

---

5. Le modèle neurochimique est un des trois grands modèles explicatifs de la pathologie mentale. Les deux autres sont les modèles psychanalytique et psychosocial.

6. Guelfi, Julien-Daniel, et Frédéric Rouillon (2007). *Manuel de psychiatrie*, Issy-Les-Moulineux, Elsevier Masson, p. 9.

7. Société canadienne de psychologie (2003). *Hygiène mentale, maladie mentale et toxicomanie*, mémoire présenté au Comité sénatorial permanent des affaires sociales, des sciences et de la technologie, Ottawa.

8. Onnis (1998) dans par Vannoti, Marco (2009). *Modèle biomédical et modèle biopsychosocial*, Centre de Recherches Familiales et Systémiques.

9. Mechanic, David (1968). *Medical Sociology*, New York, Free Press.

10. Deep, Paul (1999). «Les modèles biologiques et biopsychosociaux de la santé et de maladie en dentisterie», *Journal de l'Association dentaire canadienne*, vol. 65, n° 9, p. 496-497.

cavité, supporte si bien la douleur que son état psychologique reste inchangé et qu'il continue ses activités sociales. En revanche, le patient B, incommodé par la cavité et la douleur, cesse toute activité. L'un s'estime en bonne santé, tandis que l'autre se juge en mauvaise santé.

L'approche de l'homme malade exige une révision critique du paradigme scientifique en médecine. Par définition, un paradigme scientifique doit définir à la fois le champ du savoir et la méthode suivant laquelle s'y rapporter. Il faut donc savoir comment délimiter le *champ* propre de la médecine et quelle *méthode* élaborer pour le connaître et pouvoir le modifier. Les divers modèles et approches en médecine ont orienté leurs recherches en fonction de leur objet d'étude principal: l'organe ou la fonction perturbée, le fonctionnement corporel dans son ensemble, l'homme comme individu psychosocial, l'homme dans son milieu de vie, etc. Les méthodes impliquées reflètent, quant à elles, la manière d'aborder cet objet d'étude spécifique, de traiter et de soigner les patients. Le fait de repenser la médecine en tant que discipline plus humaine ne se réduit toutefois pas à l'ajout d'éléments de psychologie, de sociologie ou d'autres sciences humaines aux connaissances issues des sciences exactes, mais à renouveler dans sa globalité le paradigme scientifique qui fonde la formation des savoirs et des pratiques en médecine[11].

2.2 L'émergence d'une approche systémique: le modèle biopsychosocial

À partir des années 1970, le modèle biopsychosocial tente de surmonter les limites internes au modèle biomédical en dépassant la conception mécanique de la maladie. Ce modèle explicatif plus global, s'inscrivant dans le prolongement de la vision globale de la santé, se base sur une approche systémique et introduit les dimensions psychologique et sociale de la maladie. Il prend en considération de nouveaux facteurs dans l'étiologie de la maladie, de nouveaux déterminants de la santé, sans remettre fondamentalement en question le modèle classique. L'environnement et les habitudes de vie sont désormais considérés comme facteurs explicatifs de la maladie et mènent à l'émergence de l'étiologie sociale[12]. Contrairement au modèle biomédical, le modèle biopsychosocial s'intéresse au comportement du malade en prenant en compte des facteurs exogènes dans la genèse de la maladie. Il est question de santé individuelle puisque l'accent est mis sur les habitudes de vie. Dans la foulée, les gouvernements élaborent et mettent en œuvre des politiques sanitaires pour enrayer les habitudes de vie néfastes pour la santé[13].

La conceptualisation d'un triple paradigme intégrant les dimensions biologique, psychologique (avec une approche à la fois psychodynamique et comportementaliste) et sociale a déjà été à l'ordre du jour. Pour mieux saisir les facteurs entourant l'état de santé et le malaise du patient, une approche intégrée doit être adoptée. Cette approche systémique de la maladie conduit les gouvernements à mettre en œuvre des stratégies de soins et des mesures sociales plus adaptées et moins coûteuses. Dans la même veine, les traitements et les soins infirmiers doivent également inclure les trois dimensions biologique, psychologique et sociologique entourant le malade ainsi que le manque de connaissances du patient et non se limiter au corps malade[14]. Telle que formalisée par certains auteurs, la planification des soins doit se baser sur un système intégré et personnalisé et les soins infirmiers doivent reposer sur un modèle centré sur les besoins de la personne[15].

Le modèle biopsychosocial a également influencé Marc Renaud qui en a fait un modèle intégrant. Cette intégration oblige à tenir compte de la très grande complexité de l'activité psychique de l'homme et à ne plus se contenter d'explications

11. Engel, George L. (1977). «The Need for a New Medical Model: A Challenge for Biomedicine», *Science*, New Series, vol. 196, nº 4286, p. 129-136.
12. McLaren, Naill (2002). «The myth of the Biopsychosocial Model», *Australian and New Zealand Journal of Psychiatry*, 36 (5), p. 701–703.
13. Lacourse, Marie-Thérèse (2002). *Sociologie de la santé*, Montréal, Chenelière/Mc Graw-Hill, p. 15.
14. Halligan, Peter W., et Mansel Aylward (Eds.) (2006). *The Power of Belief: Psychosocial Influence on Illness, Disability and Medicine*, UK, Oxford University Press.
15. Ordre des infirmières et infirmiers du Québec (2004). *Perspectives de l'exercice de la profession infirmière*, Montréal, OIIQ; Riopelle, Lise, et autres (1984). *Soins infirmiers: un modèle centré sur les besoins de la personne*, Montréal, Mc Graw-Hill, p. 3-4; Phaneuf, Margot (1996). *La planification des soins: un système intégré et personnalisé*, Montréal, Chenelière/Mc Graw-Hill, p. 4-5, 70.

étiologiques de la maladie mentale reposant sur des causalités simplement linéaires. Dans un système particulièrement complexe d'interactions, la causalité est forcément multifactorielle et toute tentative réductionniste visant à privilégier un seul déterminant ne peut conduire qu'à un échec [16].

George Libman Engel explique de quelle façon s'articulent les unes aux autres les dimensions biologique, psychologique et sociale de la maladie. Il fait référence au premier niveau d'élaboration du problème qui consiste à investiguer et à analyser les différents types d'effets qui se produisent par l'interaction de ces dimensions. Pour illustrer ce propos, il donne une description synchronique d'une séquence d'événements de l'apparition des symptômes jusqu'à la mise en place d'un système complexe de soins. L'auteur décrit comment les dimensions psychologique et sociale évoluent au rythme des modifications biologiques liées à la maladie. Ces modifications biologiques sont analysées à partir des particules subatomiques en commençant par les molécules, suivies des cellules et des organes, pour terminer avec les systèmes. Bien que le modèle biopsychosocial que propose l'auteur s'inspire d'un paradigme systémique en médecine, les modalités qui amènent le fonctionnement biologique à avoir une influence sur les dimensions psychologique et sociale du patient tout comme les influences possibles de ces deux dimensions sur la vie biologique du sujet n'ont guère retenu l'attention de l'auteur.

Pour mieux comprendre les interrelations entre chaque dimension, le paradigme systémique étudie l'importance du modèle biopsychosocial en médecine en utilisant une approche épistémologique différente. D'après le postulat de base du paradigme systémique appliqué aux sciences de la vie, rien dans le règne du vivant n'existe à l'état isolé[17]. Pour résumer les propos de l'auteur, toute unité vivante (cellule, organe ou personne) fait partie d'un système complexe intégrant des sous-systèmes. Chaque unité représente en outre la composante d'unités plus larges constituant son environnement. Tout niveau de la réalité vivante comporte donc une identité et une organisation propre, spécifiées par la nature de ses composantes (molécules, cellules, tissus, etc.), et par les modalités de leurs règles d'échange. Il faut aussi savoir que chaque niveau entretient dans son fonctionnement d'ensemble une articulation dynamique avec les suprasystèmes qui forment l'ensemble de son environnement (système nerveux, personne, dyade, famille, communauté, etc.).

Une approche systémique en médecine exige donc que nous prenions en considération l'articulation des différents niveaux constitutifs du sujet vivant. En médecine, le «niveau de système» qui sert de point de référence est le patient, c'est-à-dire le sujet humain. Le paradigme biopsychosocial a précisément été conçu par Engel comme un modèle scientifique destiné à comprendre les interrelations complexes qui existent entre les différentes dimensions de la vie et à pouvoir ainsi, dans le soin du patient et le traitement de sa maladie, tenir compte des effets stabilisants ou déstabilisants que ces différents niveaux d'organisation exercent les uns sur les autres.

Le modèle biopsychosocial accorde autant d'importance aux aspects personnels, interpersonnels et sociaux que les phénomènes biologiques. En revanche, le modèle biomédical fait abstraction des données relatives à l'environnement humain du patient; elles restent donc en dehors du champ de la science. Le modèle biopsychosocial de Engel signifie que dans la pratique, le médecin identifie et évalue le potentiel stabilisant ou déstabilisant des événements et des relations appartenant à l'environnement social du patient.

Comme le souligne Marie-Thérèse Lacourse, les dimensions biologique, psychologique et sociale de la personne, comme facteurs explicatifs de l'état de santé, ont été envisagées séparément dans la plupart des milieux institutionnels. La reconnaissance de «la présence de différents facteurs [ne fait pas l'ombre d'un doute], mais leur traitement a été réparti entre plusieurs intervenants de la santé, chacun étant spécialiste d'un facteur. Ainsi, le social revenait aux travailleuses sociales, le biologique aux médecins et infirmières, et le psychologique aux psychiatres et aux psychologues[18]». En d'autres termes, la parcellisation des services et soins de santé empêche d'avoir une approche réellement intégrée de la maladie et de la santé.

16. Reynaud, Michel (1989). *Soigner la folie*, Paris, Frison Roche.
17. Pilgrim, David (2002). «The Biopsychosocial Model in Anglo-American Psychiatry: Past, Present and Future», *Journal of Mental Health*, Volume 11, Issue 6, December, p. 585-594.
18. Lacourse, Marie-Thérèse (2002). *Sociologie de la santé*, Montréal, Chenelière/Mc Graw-Hill, p. 18.

2.3 L'approche écologique en santé : un modèle holistique

À partir du milieu des années 1980, le modèle écologique apparaît pour répondre aux besoins exprimés des populations d'avoir une santé sociale. Ce modèle vise à rendre compte des relations et des interactions entre les dimensions biologique, environnementale et culturelle dans la santé afin de palier aux lacunes du modèle biopsychosocia[19]. Tout comme le modèle biopsychosocial, le modèle écologique préconise une approche systémique ou holistique. Il se centre sur les interrelations complexes des facteurs personnels et environnementaux. Par ailleurs, les nombreux échecs des programmes de santé publique développés par les planificateurs occidentaux dans les pays en développement démontrent que le système de santé occidental ne fonctionne pas nécessairement à l'étranger.

L'apport du modèle écologique se reflète dans les recherches en sociologie et en anthropologie qui intègrent les dimensions sociale et culturelle dans la construction de la santé et de la maladie. Ce modèle permet de comprendre leur incidence sur l'observance de la maladie et plus précisément sur leur sociogenèse. Les contributions de l'étude de l'anthropologie de la santé, à la définition des problèmes de santé, ainsi qu'à l'élaboration des programmes de prévention et de promotion de la santé, ont fait l'objet d'un ouvrage de synthèse par Raymond Massé[20]. L'auteur défend dans son ouvrage l'idée selon laquelle les comportements à risque pour la santé sont profondément ancrés dans les pratiques sociales et dans la culture des populations ciblées par les programmes de santé publique. Il suggère une collaboration réelle entre les sciences sociales et la santé publique puisque la santé des populations est clairement influencée par la culture et les rapports sociaux. L'anthropologie est la discipline la plus apte à décoder les déterminants socioculturels et permet en même temps d'aborder les problématiques des populations autochtones et immigrantes[21].

Fidèle au modèle écologique, l'anthropologie de la santé propose un certain nombre de concepts théoriques et d'approches méthodologiques qui, dans la pratique, interviennent sur le plan de la prévention et du traitement en visant les habitudes de vie et les changements dans l'environnement. Le modèle écologique est par exemple celui qui s'adapte le mieux aux actions de prévention en violence conjugale, car il permet d'inclure les facteurs culturels et sociaux tels que les normes de masculinité et les rapports sociaux de sexe. Les actions de prévention divergent selon que l'on définit la violence en tant que phénomène individuel, interactionnel ou basé sur des relations de pouvoir. Comme nous le savons, le modèle biomédical mettrait de l'avant les facteurs biologiques, au détriment des facteurs socioenvironnementaux, et ne permettrait d'expliquer que de façon partielle le phénomène de violence conjugale. En dépit de toutes ces avancées théoriques inscrites dans les politiques et programmes gouvernementaux, des actions concrètes n'ont pas nécessairement suivies. L'approche préventive à adopter pour régler certains problèmes sociaux doit être à la fois globale et individualisée. Elle garantit ultérieurement l'importance de fonder la prévention sur une connaissance et une compréhension commune des phénomènes à régler. Même si le modèle de soins infirmiers dans plusieurs pays tend vers une vision holistique de la personne, le modèle écologique pose le défi de l'adaptation des programmes de santé publique aux femmes, aux populations autochtones et immigrantes, en continuant les efforts de prévention pour ne pas tomber dans le piège des mécanismes de surmédicalisation et la prédominance du curatif sur le préventif.

19. McLeroy, Kenneth R., et autres (1988). « An Ecological Perspective on Health Promotion Programs », *Health Education Quarterly*, 15, p. 351-377.
20. Massé, Raymond (1995). *Culture et santé publique. Les contributions de l'anthropologie à la prévention et à la promotion de la santé*, Montréal, Gaétan Morin, p. 499.
21. Saillant, Francine, et Serge Genest (2005). « Anthropologie médicale. Ancrages locaux, défis globaux », dans Massé, Raymond (2005). *L'anthropologie de la santé au Québec : pour une conjugaison des approches et des méthodes*, Québec, Les Presses de l'Université Laval, p. 62-91.

Tableau 3 : Synthèse des trois modèles d'étude de la maladie

Modèles	Particularités
Modèle biomédical	– Modèle dominant depuis le 19e siècle – Conception positiviste de la maladie – Recherche de l'agent pathogène qui cause la maladie (étiologie) – Paradigme biomédical déterminant l'orientation des recherches sur les causes des maladies – Modèle privilégié par la médecine courante
Modèle biopsychosocial	– À partir des années 1970 – Élargissement des causes de la maladie (étiologie sociale) – Inclusion de l'environnement social et des habitudes de vie – Inclusion des composantes psychologiques (médecine et approche clinique psychosomatiques) – Approche holistique de la personne malade – Application dans les domaines des soins infirmiers et de la médecine familiale
Modèle écologique	– À partir du milieu des années 1980 – Interaction entre les différents facteurs – Origine multifactorielle des maladies – Intégration des facteurs culturels, sociaux, politiques et économiques aux paramètres biologiques : vision systémique – Changements éventuels dans l'environnement social – Modèle privilégié dans le domaine de la santé publique

Source : Lacourse, Marie-Thérèse (2002). *Sociologie de la santé*, Montréal, Chenelière/Mc Graw-Hill.

2.4 De l'ère hygiéniste à l'éducation sanitaire

La santé publique comme institution a été marquée au cours de notre longue histoire à la fois par les découvertes scientifiques et par les conditions économiques et sociales des sociétés. Ce parcours a été marqué par des périodes particulières et des événements marquants : la quarantaine, le mouvement hygiéniste,

la médecine préventive (qui avec les pratiques de dépistage, de vaccination et d'éducation sanitaire ont donné lieu au développement de la santé publique), au virage épidémiologique, à la santé communautaire et à la promotion de la santé.

Le mouvement hygiéniste a pris sa source dans la mythologie grecque chez la déesse Hygie, fille d'Asclépios (dieu de la médecine) et d'Épione, la

déesse de la santé, de la propreté et de l'hygiène. Le mot hygiène vient d'ailleurs de son nom. L'hygiénisme deviendra à la fois un art et une science dont l'objectif est de préserver et de restaurer la santé en utilisant les facteurs vitaux : l'air, l'eau, le soleil, les aliments, le sommeil, etc. C'est grâce à ses pionniers comme les docteurs Isaac Jennings, Sylvester Graham, Russel Trall et les autres que les idées hygiénistes vont se propager à partir des années 1820 d'abord aux États-Unis. La politique de santé publique s'est d'abord manifestée au travers du mouvement hygiéniste et du traitement des grands fléaux qu'il s'agissait d'éradiquer. La maladie a très longtemps été considérée comme une fatalité. La propagation de maladies infectieuses ne touchait seulement que certains membres de la population, laissant les autres indemnes. Pendant des générations, des fléaux étranges et terrifiants se sont abattus sur des populations entières, hantées par la peur et le désarroi, les conduisant parfois jusqu'à la mort. Les causes et les conséquences de ces grandes épidémies ont largement influencé la pensée sociale et médicale de l'époque et d'aujourd'hui. La reconnaissance du rôle des bactéries et des microbes dans les maladies infectieuses, grâce aux découvertes de Louis Pasteur, a mené à la formalisation de la théorie des microbes et à l'apparition de l'ère hygiéniste au 19e siècle. Les travaux de Louis Pasteur ont marqué un tournant décisif dans le domaine de la prévention par la stérilisation, la pasteurisation et la vaccination. L'ère hygiéniste a rapidement pris la forme d'une propagande destinée à prodiguer des conseils à des populations considérées plutôt comme ignorantes : l'éducation sanitaire[22].

L'éducation sanitaire se caractérise par la transmission de connaissances sur la manière de vivre et la prescription de comportements à suivre fondés sur de nombreuses interdictions et obligations. Dès 1945, les actions de protections maternelle et infantile se développent et les premiers organismes de lutte contre les maladies graves, véritables fléaux sociaux, comme la tuberculose, l'alcoolisme, les maladies vénériennes, etc., se mettent en place. Jacqueline Gassier et Colette de Saint-Sauveur expliquent par exemple que la création en 1972 du Comité français d'éducation pour la santé axe ses interventions sur la prévention, sans remettre en question la médecine curative. La prévention est considérée comme l'élément moteur d'une nouvelle politique de santé, les soins ne constituant qu'un aspect de la protection de la santé[23].

À cette époque, l'éducation sanitaire est conçue selon une approche normative. Il s'agit d'amener un changement des mœurs, de créer un nouveau style de vie, voire presque une nouvelle morale sociale. L'éducation sanitaire repose avant tout sur une approche volontariste et persuasive qui se donne pour objectif de produire, par des actions adaptées, un changement de comportement conforme à l'avis de l'expert professionnel de santé. Le médecin a le

Le lavage des mains, une mesure simple et efficace d'hygiène destinée à prévenir les infections

Photographie : iStockPhoto.

22.   Chastel, Claude (1997). *Histoire des virus : de la variole au sida*, Paris, Éd. Boubée.
23.   Gassier, Jacqueline, et Colette de Saint-Sauveur (2008). *Le guide de la puéricultrice. Prendre soin de l'enfant de la naissance à l'adolescence*, Issy-Les-Moulineux, Elsevier Masson, p. 852.

sentiment de posséder la vérité et le devoir d'en informer autrui, le pouvoir de s'immiscer dans tous les domaines de la vie.

2.5 L'éducation pour la santé : une approche pédagogique et scientifique

À partir des années 1950, les pouvoirs publics commencèrent à parler d'éducation pour la santé. Cette approche centrée sur la personne vise à prendre en compte son vécu (croyances, attitudes, comportements) afin de lui permettre d'améliorer sa santé, à partir de nouvelles connaissances. Elle s'appuie sur le développement personnel et la réalisation de soi en favorisant la responsabilité individuelle dans le choix de comportements favorables à la santé. En fait, le processus d'éducation demeure une composante essentielle de la promotion de la santé dans la mesure où il intervient dans l'acquisition des aptitudes individuelles. Grâce à des campagnes de communication, les gouvernements veulent sensibiliser les collectivités à de grandes causes sanitaires. Ces campagnes de sensibilisation contribuent à modifier progressivement les représentations et les normes sociales en mettant à la disposition des individus des informations scientifiques sur les moyens de prévention, les maladies et les services de santé. En parallèle, les actions éducatives et l'accompagnement individuel permettent aux individus de s'approprier des informations et d'acquérir des aptitudes pour agir dans un sens favorable à leur santé.

L'évolution terminologique de l'éducation sanitaire à l'éducation pour la santé marque un certain degré d'ouverture dans la nouvelle approche. Jacqueline Gassier et Colette de Saint-Sauveur soulignent que la dimension normative de l'éducation sanitaire est beaucoup moins prégnante et que l'aspect informatif constitue le fondement de l'éducation pour la santé. L'information a une visée éducative : elle fournit aux parents et aux enfants les éléments de compréhension des enjeux pour la santé et des moyens qu'ils pourraient mettre en place pour améliorer, voire éviter, un certain nombre de problèmes de santé. L'éducation pour la santé permet ainsi de s'exprimer sur les initiatives que les individus souhaiteraient mettre en œuvre, contrairement à l'éducation sanitaire où seul le professionnel de la santé avait le droit de donner son avis. L'éducation pour la santé repose donc sur un processus d'apprentissage volontaire, individuel ou collectif. Elle vise une prise de conscience d'un problème de santé, de ses causes et conséquences et peut aller de la sensibilisation à la participation[24].

En résumé, l'éducation pour la santé comme un ensemble organisé d'actions d'information et de communication, vise à modifier dans un sens favorable, les connaissances et les croyances, les attitudes, les comportements, les compétences des individus ou d'une population. Elle produit des effets pouvant amener les individus à exprimer des désirs de changements de comportements assortis d'une élévation du niveau des aptitudes et du niveau de vie. Parce qu'elle facilite la rencontre entre les compétences des professionnels de la santé et les compétences de la population, elle concourt à l'émergence de nouvelles compétences qui contribuent à rendre plus autonomes les partenaires de l'action éducative. La connaissance scientifique de l'être humain ne trouve son sens qu'en étant confrontée à la connaissance que les gens ont d'eux-mêmes et de leur réalité de vie. C'est pourquoi l'éducation pour la santé vise en réalité l'amélioration des relations humaines plutôt que la modification des comportements.

Cette définition de l'éducation pour la santé laisse indéniablement une plus grande autonomie d'action à l'individu, mais nous sommes encore loin de la santé communautaire, car le savoir du professionnel de la santé occupe toujours une place centrale dans l'éducation pour la santé.

---

24. Gassier, Jacqueline, et Colette de Saint-Sauveur (2008). *Le guide de la puéricultrice. Prendre soin de l'enfant de la naissance à l'adolescence*, Issy-Les-Moulineux, Elsevier Masson, p. 852.

Tableau 4: L'éducation sanitaire dans l'exercice de la puéricultrice

Objectifs	Moyens	Évolution des missions de la puéricultrice
À l'après-guerre, pour les enfants, il faut: – garantir la sécurité alimentaire; – lutter contre les infections; – faire chuter la mortalité infantile et maternelle.	Information et prescription de comportements à suivre: – démonstration à la mère de gestes précis en déshabillant l'enfant, en le lavant, en démontrant, en confectionnant biberons et bouillies; – incitation, injonction, persuasion; – imitation, instruction.	– En 1947, la puéricultrice «participe» à la lutte contre la forte ignorance de la population. – En 1962, le mot d'ordre était «c'est à domicile qu'il convient d'améliorer les conditions d'élevage de chaque enfant... la puéricultrice est capable, mieux que la mère, d'alerter le médecin. Voilà son rôle en médecine préventive». – Aujourd'hui, le programme d'éducation pour la santé à donner aux mères devrait permettre à celles-ci de réduire la mortalité infantile et maternelle.

Source: Gassier, Jacqueline, et Colette de Saint-Sauveur (2008). *Le guide de la puéricultrice. Prendre soin de l'enfant de la naissance à l'adolescence*, Elsevier Masson, p. 852.

2.6 L'époque de l'approche communautaire de la santé

Les années 1970 sont marquées par une prise de conscience des limites d'une approche exclusivement centrée sur l'individu. La société civile se mobilise pour une plus grande prise en charge de sa santé. On se dirige alors progressivement vers une approche communautaire de la santé, axée sur une démarche participative. La collectivité est amenée à réfléchir sur ses besoins et ses priorités en matière de santé, en participant activement à la mise en place des activités les plus aptes à répondre à leurs besoins. Selon Michel Velten et Florence Binder-Foucard, la prévention communautaire cherche à impliquer tous les groupes de la société dans le processus de l'intervention (participation), à recourir aux ressources disponibles dans la communauté (mobilisation), à insérer des actions d'éducation pour la santé dans les structures existantes (intégration) et à mettre en évidence des aspects positifs en remplaçant la crainte de la maladie par la satisfaction d'être en bonne santé[25].

La prévention est d'abord sociale, car c'est à ce niveau que les conditions de vie et les risques quotidiens mettent notre santé en péril. Toute politique de prévention doit par conséquent chercher à améliorer l'environnement et les conditions sociales de la vie des collectivités[26]. La prévention vise ainsi à

25. Velten, Michel, et Florence Binder-Foucard (2001). *Concept de santé. Déterminants. État de santé de la population française*, Université de Strasbourg.
26. Birch, Stephen, Greg Stoddart et François Befand (1988). «Modeling the Community as a Determinant of Health», *Canadian Journal of Public Health*, 89(6), p. 402-405.

promouvoir la santé en faisant appel à des moyens d'actions qui tendent à rapprocher les leaders-experts de la santé et les usagers-citoyens. Le concept de promotion de la santé répond à cette intention, évoluant de la prévention sanitaire médicale vers une prévention ouverte sur le social et l'approche globale des milieux de vie[27]. L'approche communautaire de la santé tire ses origines et sa légitimité de la première conférence internationale sur la promotion de la santé qui s'est tenue le 21 novembre 1986 à Ottawa, en réaction à un nouveau mouvement de santé publique. Les pouvoirs publics développent le concept de «promotion de la santé» dans la charte intitulée *Pour l'action visant la santé pour tous en l'an 2000 et au-delà ou Charte d'Ottawa*. Ce concept est repris dans la *Déclaration de Djakarta* en 1987. L'idée d'une plus grande responsabilité sociale en faveur de la santé et l'importance d'une approche écologique de la santé sont mis en exergue. La promotion de la santé a pour but d'améliorer l'état de santé des populations en évitant l'apparition, le développement ou l'aggravation des maladies, des accidents, des dépendances ou des incapacités et en favorisant des comportements individuels et collectifs pouvant contribuer à réduire le risque de maladie et de mortalité.

En outre, la promotion de la santé vise l'égalité en matière de santé. Ses interventions ont pour but de réduire les écarts caractérisant l'état de santé et d'offrir, à tous les individus, les mêmes ressources et possibilités pour réaliser pleinement leur potentiel de santé. Cette notion vient renforcer l'action communautaire, car la promotion de la santé est un processus qui confère aux populations les moyens d'assurer un plus grand contrôle sur leur propre santé. Par le truchement de la promotion de la santé, chacun possède les moyens de se protéger et d'améliorer sa propre santé. Un groupe ou un individu peut réaliser ses ambitions et satisfaire ses besoins, évoluer avec le milieu ou s'adapter à celui-ci. Par ailleurs, la *Charte d'Ottawa* présente la santé comme un concept positif, mettant en valeur les ressources sociales et individuelles, ainsi que les capacités physiques. Même si nous sommes aujourd'hui conscients de l'importance des grands déterminants de la santé, il est regrettable de constater que même dans les pays

les plus avancés, une frange de plus en plus importante de la population se paupérise. En dépit de l'accroissement du niveau de vie, un certain nombre de personnes éprouve encore des difficultés pour accéder à un logement, à de l'éducation, aux services et soins de santé, en raison de l'existence de barrières économiques. Toutefois, les coûts des soins de santé sont au cœur des débats publics actuels sur la santé et les prestations curatives semblent étendues à l'infini[28] dans de nombreux pays. Une véritable politique de promotion de la santé, intégrant les inégalités économiques et sociales, reste encore à être développée.

L'intervention en promotion de la santé ne relève pas seulement du secteur sanitaire, mais doit impliquer tous les secteurs de la société, ce qui entraîne des conséquences sur le plan politique[29]. La promotion de la santé dépasse les modes de vie sains pour viser le bien-être des populations. Elle exige une action concertée et coordonnée de tous les intervenants en faveur de la santé, notamment les groupes sociaux et le personnel de santé, afin d'élaborer une politique publique conforme aux impératifs de santé. La promotion de la santé s'appuie sur une méthode de diagnostic communautaire et sur une organisation qui permet la participation démocratique, la promotion des idées, la constitution de réseaux d'entraide, le soutien et l'intersectorialité.

En reprenant les piliers de la *Charte d'Ottawa*, Jacqueline Gassier et Colette de Saint-Sauveur estiment qu'une politique de promotion de la santé doit reposer sur cinq axes fondamentaux:

1. L'*élaboration d'une politique saine* permet de mettre la promotion de la santé à l'agenda des décideurs politiques des divers secteurs, pour les éclairer sur les conséquences que peuvent avoir leurs décisions sur la santé en les responsabilisant. Une politique de promotion de la santé combine souvent plusieurs stratégies comme les mesures législatives et fiscales ainsi que les changements organisationnels.

2. La *création de milieux favorables* permet de renforcer l'action commune et de garantir l'offre de meilleurs biens et services, notamment des

---

27. CART Project Team (1997). «Community Action for Health Promotion: A Review of Methods and Outcomes 1990-1995», *American Journal of Preventive Medicine*, 13(4), p. 229-239.
28. Foucault, Michel (2001). *L'extension sociale de la norme. Dits et Écrits*, T2, Paris, Gallimard Quarto, p. 76.
29. Edwards, Nancy, Judy Mill et Anita Kothari R. (2004). «Multiple Intervention Research Programs in Community Health», *Canadian Journal of Nursing Research*, 36(1), p. 40-55.

services publics favorisant davantage la santé et des milieux plus hygiéniques et plus attrayants, la protection des milieux naturels, la protection des ressources.

3. Le *renforcement de l'action communautaire* se situe au cœur de la promotion de la santé qui procède de la participation effective et concrète de la communauté à la définition des priorités, à l'élaboration des stratégies de planification et à la prise de décisions, pour atteindre un meilleur état de santé. Elle puise dans les ressources humaines et physiques de la communauté pour stimuler l'indépendance de l'individu et le soutien social, instaurer des systèmes souples susceptibles de renforcer la participation et le contrôle du public dans les questions sanitaires. Ceci requiert un accès illimité et permanent à l'information sur la santé, aux possibilités et opportunités de santé, ainsi qu'à l'aide financière.

4. La promotion de la santé vise l'*acquisition des aptitudes individuelles*. Elle soutient le développement individuel et social en offrant des informations, en assurant l'éducation pour la santé et en perfectionnant les aptitudes indispensables à la vie. Elle permet donc non seulement aux populations d'exercer un plus grand contrôle sur leur propre santé et de faire des choix favorables, mais également d'apprendre de façon continue et de se préparer à affronter les diverses étapes tout au long de leur vie. En d'autres termes, la promotion de la santé est mise en œuvre par et pour les personnes et ne peut leur être imposée.

5. La promotion de la santé implique nécessairement une *réorientation des services de santé*. En effet, le rôle des professionnels de la santé est d'abonder de plus en plus dans le sens de cette approche au-delà de la prestation de soins médicaux. Dans cette optique, le secteur de la santé doit se doter d'un nouveau mandat comprenant le plaidoyer pour une politique sanitaire multisectorielle, et le soutien des individus et des groupes dans l'expression de leurs besoins de santé et dans l'adoption de modes de vie sains. Ceci doit mener à un changement d'attitude et d'organisation au sein des services de santé, recentrés sur l'ensemble des besoins de l'individu perçu globalement.

Une politique publique conforme aux impératifs de santé doit prendre en compte les points suivants: l'aménagement de l'environnement et les conditions de vie, des mesures sociales en faveur de la politique de santé, des orientations générales favorisant la tolérance, la solidarité et l'assistance mutuelle, des mesures visant à remédier aux inégalités sociales, de bonnes conditions de travail, des politiques en matière de logement, d'environnement et d'éducation. Les priorités suivantes doivent donc être intégrées: la réduction des inégalités sociales, la protection de la population contre les effets néfastes de l'environnement, la création de milieux favorables, la participation des populations au débat public et l'accès de tous aux ressources déterminantes pour la santé[30].

Depuis la *Charte d'Ottawa* (1986), le champ de la promotion de la santé a profondément influencé l'évolution des systèmes de santé dans le monde. De Bruyn estime que la promotion de la santé est le processus qui consiste à habiliter les personnes à accroître leur contrôle sur leur santé et à améliorer celle-ci. La pratique en matière de promotion de la santé englobe la santé dans son sens le plus large et est le produit du comportement, du profil génétique, du milieu et des rapports sociaux des gens. Les individus peuvent s'en remettre aux collectivités et aux populations, pas uniquement aux individus. Il est important de comprendre que les déterminants de la santé comme l'éducation, l'environnement, les facteurs culturels et économiques ont une incidence significative sur ce processus habilitant[31]. Une approche axée sur la promotion de la santé dépasse la transmission de l'information et l'offre de programmes d'éducation visant à modifier le style de vie. Elle combine plusieurs stratégies pour amener les personnes et les groupes à prendre eux-mêmes le contrôle de leur santé. Elle vise à bâtir des environnements sociaux, physiques et politiques qui transforment les choix sains en choix faciles.

Il existe des pratiques de promotion de la santé et des approches complémentaires et parallèles qui partagent des éléments communs. Les efforts axés sur l'amélioration du bien-être physique, social, mental, émotif et spirituel et de la participation active du consommateur en sont un exemple. Les

30. Merzel, Cheryl, et Joanna D'Afflitti (2003). «Reconsidering Community-based Health Promotion: Promise, Performance, and Potential», *American Journal of Public Health*, 93(4), p. 557-574.

31. De Bruyn, Theodore (2003). *Concepts de promotion de la santé: les produits de santé naturels et les approches complémentaires et parallèles en santé*, Document préparé pour la Direction des Médicaments et produits de santé, Santé Canada.

approches de promotion de la santé, tout comme les approches complémentaires et parallèles, impliquent que plusieurs personnes regardent au-delà du système conventionnel de soins de santé pour obtenir des renseignements et des conseils sur la façon de demeurer en santé. Elles apprécient la valeur de diverses formes de savoir, notamment celles fondées sur la science, l'expérience et les sources culturelles ou traditionnelles.

À titre d'exemple, la Direction générale des produits de santé et des aliments de Santé Canada travaille à l'amélioration de la santé de la population canadienne en y intégrant des activités de promotion et de protection de la santé. Les activités de promotion de la santé sont fondées sur un ensemble de valeurs et de principes qui soutiennent huit stratégies clés, lesquelles prennent appui sur quatre documents qui ont servi de fer de lance au développement de la promotion de la santé au Canada et à l'échelle internationale : *Nouvelle perspective de la santé des Canadiens* (1974), *La santé pour tous : Plan d'ensemble pour la promotion de la santé* (1986), la *Charte d'Ottawa pour la promotion de la santé* (1986), et *l'Énoncé d'action pour la promotion de la santé au Canada* (1996). Les travaux de Santé Canada sur la santé de la population ont permis d'accroître les connaissances sur les motifs justifiant une approche axée sur la promotion de la santé pour réduire les iniquités et inégalités en matière de santé.

2.7 La gestion des grands risques sanitaires et les nouveaux défis en matière de santé

Au cours des dernières années, les gouvernements se sont donné comme objectifs de promouvoir et de protéger la santé des individus tout au long de leur vie et de réduire l'incidence des principales maladies, traumatismes et souffrances qui en résultent. Bien que ces efforts aient permis de résoudre certains problèmes de santé, le modèle sanitaire axé sur la prévention se révèle aujourd'hui incapable de faire face aux bouleversements culturels, sociaux, démographiques et épidémiques actuels.

Le développement des technosciences et la forte intervention médicale, qui caractérisent les sociétés contemporaines, se sont accompagnés d'un changement de paradigme. D'une médecine sociale et collective misant sur une approche écologique de la santé par la prise en compte de ses principaux déterminants, nous sommes passés à une nouvelle définition de la santé comme supercatégorie normative. Cette approche, principalement centrée sur une idéologie de la guérison, au détriment de la promotion sanitaire, fait abstraction des facteurs non médicaux qui ont pourtant des répercussions sur le bien-être des individus.

Plusieurs maladies épidémiques comme les cas humains de SRAS et de grippe aviaire, les ITS, les maladies diarrhéiques et autres, compromettent gravement les progrès accomplis par l'OMS en termes de réduction de la mortalité et de la morbidité. En outre, l'allongement spectaculaire de l'espérance de vie, associé à une transformation complète des modes de vie, n'est pas sans conséquences. Des épidémies mondiales de cancer et d'autres affections chroniques comme l'obésité et le surpoids, les maladies cardio-vasculaires et rhumatismales, les troubles de l'appareil locomoteur ainsi que les troubles mentaux et neurologiques vont conduire à un accroissement des souffrances et des incapacités[32]. La forte prévalence de ces diverses maladies ne manquera certainement pas de solliciter davantage de ressources de la part des gouvernements, menacés de paralysie et s'acheminant vers la banqueroute[33]. Dans la plupart des pays développés, la santé publique se centre sur les grands thèmes prioritaires suivants : les consommations à risque (drogues, tabac et alcool, etc.), les maladies infectieuses (VIH/SIDA, ITS, hépatites, etc.), les accidents de la vie courante et du travail, la nutrition et l'activité physique, la santé mentale, la violence conjugale ainsi que la santé et l'environnement (qualité de l'air, crises sanitaires, logement et habitat, bruit, risques liés aux produits ménagers, etc.).

Le 21e siècle constitue indéniablement un tournant dans l'histoire de l'humanité et marque une importante révolution en matière de prévention et de promotion de la santé. La plupart des menaces qui pèsent sur la sécurité sanitaire mondiale sont liées aux modes de vie des hommes et à leur

---

32. Yaya, Sanni H. (2006). «Origins and Developments of Public-Private Partnerships in the Health Care Systems in Developed Countries : Principles, Stakes, and Institutional Challenges», *Public Sector Innovation Journal*, 10(4), p. 1-18.
33. Bloom, David, David Canning et Jamison Dean (2004). «Health, Wealth, and Welfare», *Finance and Development*, (31), p. 10-15.

interaction avec l'environnement, bien au-delà des événements de nature chimique ou radiologique et des accidents industriels ou naturels. L'état de santé et le bien-être des populations ont des répercussions importantes sur l'avenir des collectivités. Au cours des dernières années, de nombreuses recherches et enquêtes ont démontré la très forte corrélation existant entre le milieu social, l'interaction environnementale et le niveau de santé des individus. Ceci est particulièrement frappant lorsqu'il s'agit d'expliquer les cas de mortalité et de morbidité déclarés, le recours aux soins, la santé perçue/déclarée, ou encore la qualité de vie. Il existe un large éventail de facteurs qui ont des effets sur la santé. Les coûts d'une mauvaise santé, pour les individus et pour la société dans son ensemble, peuvent être relativement importants lorsque les personnes n'arrivent pas à atteindre leur plein potentiel. Une incapacité, un handicap ou encore une déficience physique ou intellectuelle empêchent les personnes de devenir saines, épanouies, engagées et socialement responsables[34].

Dans les sociétés modernes, la santé fait partie pour certains des choses à posséder, au même titre que l'on possède une maison, une voiture ou un ordinateur. Pour d'autres, elle constitue plutôt un idéal à atteindre. Peu importe la perspective que nous adoptons, nous devons quotidiennement faire face à des événements qui mettent à rude épreuve notre santé physique et mentale. Nous sommes généralement en mesure de les maîtriser, mais de lourdes difficultés peuvent parfois affecter notre équilibre. Quel que soit le problème rencontré, il s'avère toutefois possible de prendre des moyens pour améliorer notre bien-être physique et psychologique. Le sentiment d'estime de soi dans la réussite d'une épreuve importe davantage que la résolution du problème en tant que tel, car il permet une plus grande maîtrise de sa destinée.

Au 21e siècle, plusieurs pays ont vu régresser de façon spectaculaire les épidémies qui décimaient autrefois des populations entières. Ce recul est à la fois dû à la découverte des vaccins et à la démocratisation de l'hygiène, fruit de réformes sanitaires et sociales sans précédent[35]. La santé est le produit de l'interaction entre différents facteurs économiques, sociaux, politiques, biologiques, environnementaux, culturels et d'assistance sanitaire. Les pouvoirs publics ont compris que son caractère dynamique place les dimensions individuelle et collective dans une situation d'interdépendance. Afin d'atteindre les objectifs de santé publique, il est nécessaire d'agir dans les secteurs de la promotion, de la prévention, de la rééducation et de la réhabilitation.

Alors que de nombreux pays d'Occident vivent une transition épidémiologique et sanitaire marquée par le recul massif des maladies infectieuses et l'allongement de l'espérance de vie, l'existence d'un gradient social de santé perdure. Les disparités sanitaires se creusent et affectent de plus en plus les groupes vulnérables ou marginalisés socialement et économiquement. La majeure partie des structures de santé s'est basée sur les progrès biomédicaux, ce qui se répercute au niveau de l'offre de services. Les besoins exprimés par les populations et les conditions biopsychosociales ont été souvent évacués, ce qui entrave la légitimité des politiques sanitaires. Bien que l'éducation sanitaire, l'approche communautaire en santé et la promotion de la santé aient été formalisées sur le plan théorique, il est regrettable de constater que le modèle sanitaire privilégié aujourd'hui est principalement centré sur le processus de guérison, au détriment de la promotion et de la prévention sanitaire, et sur le domaine hospitalier, au détriment de la médecine générale plus proche des gens[36].

Depuis quelques décennies, le champ de la santé connaît un regain d'intérêt au point de devenir une priorité sociale fondamentale pour tous les gouvernements à l'échelle planétaire qui y consacrent une part importante de leurs ressources. Les enjeux et les défis sur les questions sanitaires se sont démultipliés. Cette démultiplication s'est opérée à la périphérie de la médecine moderne et des médecines douces, traditionnelles et alternatives. Les sociétés postindustrielles ont graduellement réussi à faire de leurs membres des hypocondriaques prêts à risquer leur propre vie afin de tout «contrôler», «régler», «normaliser» et «optimiser». La santé est devenue non plus une ressource pour la vie, mais le but de la vie. Au fur et à mesure que les progrès de la biologie, de l'hygiène et des technosciences assurent de meilleures conditions de vie, les êtres humains

34. Massé, Raymond (2007). «Les sciences sociales au défi de la santé publique», *Sciences sociales et santé*, 25 (1), p. 5-24.
35. Illich, Ivan (1975). *Némésis médicale. L'expropriation de la santé*, Paris, Éditions du Seuil, p. 77.
36. Ratier, Francis (2007). «L'ordre médical comme art de gouverner les hommes», *Vecteur Santé*, (2), p. 3-5.
37. Foucault, Michel (2001). *L'extension sociale de la norme. Dits et Écrits*, T2, Paris, Gallimard Quarto, p. 76.

tendent à vivre et à se réaliser au rythme d'une science reine[37] qui suscite les espoirs les plus inédits et transforme en profondeur la fonction sociale de la vie. Aujourd'hui plus que jamais, les vicissitudes de la vie et les caractéristiques les plus banales et élémentaires du comportement humain sont irrésistiblement entraînées dans le champ de la pathologie[38].

Thomas Lewis, dans son ouvrage *The Medusa and the Snail*, estime que «le réel danger qui menace le devenir de nos sociétés, c'est de créer une communauté d'hypocondriaques en santé, vivant avec moult précautions et inquiets d'eux-mêmes comme des semi-mourants». Les critiques médicales se partagent entre deux courants de pensée. D'une part, les «scientistes» qui croient à l'idéologie médicale et à ses vertus veulent utiliser la science moderne pour soigner, réadapter et rééduquer. D'autre part, ceux qui sont effrayés par l'idée d'une société thérapeutique refusent la domination de la science et réclament le droit pour chacun de faire ce qu'il entend de son corps et de sa vie. L'importance des concepts de santé et de sécurité semble proportionnelle aux messages d'insécurité et de peur collective transmis par les médias. La seule valeur sûre reste la santé, et le discours ambiant essentiellement basé sur la notion de risque fait en sorte que les promesses de la médecine rassurent et réconfortent[39]. Il s'avère dans ce contexte impérieux d'essayer de réhumaniser la santé face à l'utopie scientifico-technique dominante, trop souvent appréhendée sous le seul prisme biomédical. La santé devrait plutôt être examinée sous l'angle des sciences humaines et des sciences de la vie afin de répondre aux besoins des populations.

La construction et l'appréhension de notre réalité sociale en termes de dangers, de risques, de dérives et de dysfonctionnements sont étroitement liées au discours du risque omniprésent et minent toutes possibilités de développement, d'engagement personnel et collectif. La prévention de la maladie, la modification des comportements à risque et la promotion de saines habitudes de vie sont au cœur des mandats des institutions de santé publique. Bien que les champs d'intervention soient ancrés dans une logique préventive et non curative, il faut reconnaître qu'ils reposent sur des savoirs experts (biomédicaux, épidémiologiques, communication publique) au sein d'une nouvelle médecine qui se dit sociale et préventive[40]. Face au plafonnement de la performance des interventions d'éducation à la santé, la santé publique est tentée de mettre en œuvre des interventions relevant d'une moralisation médicale de plus en plus invasive. L'explosion de la consommation médicale et des consultations auprès de spécialistes et de non-spécialistes ainsi que la médicalisation sociale font partie des conséquences immédiates de ce modèle sanitaire. En effet, ce modèle présente un certain nombre de failles organisationnelles, des limitations dans la participation publique et une augmentation des coûts qui suscitent l'insatisfaction de plus en plus grandissante de la population[41].

L'amélioration de l'état de santé des populations ne passe pas seulement par des changements cosmétiques qui font la promotion d'une moralisation des habitudes de vie. La santé doit impérativement couvrir les aspects curatif, préventif, éducatif et social. Elle transcende l'individu et se matérialise au sein de son environnement familial, professionnel, social et culturel et met en jeu les domaines bio-psychosociaux et environnementaux. Les résultats en matière de santé restent fortement déterminés par les niveaux de développement des autres secteurs de la société[42]. En dépit des beaux discours politiques et des vœux pieux, les inégalités sociales de santé persistent dans plusieurs pays et entravent l'avenir des prochaines générations. La bonne santé n'a jamais été une fin en soi. Il n'y a cependant pas de doute qu'elle constitue le premier socle sur lequel repose une vie active et satisfaite. En fait, la santé demeure un indice précieux pour mesurer le degré d'avancement d'une société, car elle est l'expression tangible des principes d'équité et d'égalité des

38. Zarifian, Édouard (1994). *Des paradis plein la tête*, Paris, Odile Jacob, p. 83.
39. Zappalà, Annick (1997). «La médecine médiatisée: entre la médicalisation du social et la socialisation de la science», *Hermès*, 21 (1), p. 87-92.
40. Chapman, Simon (2000). «Public Health Should not be a Popularity Contest: A Reply to Gavin Mooney», *Australian and New Zeland Journal of Public Health*, 24(3), p. 337-339.
41. Moynihan, Ray, et autres (2002). «Selling Sickness: The Pharmaceutical Industry and Disease Mongering», *British Medical Journal*, (324), p. 886-891.
42. Rose, Nikolas (1994). «Medicine, History and the Present» dans Roy P., editor, *Reassessing Foucault: Power, Medicine and the Body*, London and New York, Mc Graw-Hill, 1994, p. 48-72.

chances qui doivent définir l'ensemble de nos collectivités[43].

Il reste encore beaucoup à faire du côté de l'élaboration d'un nouveau modèle sanitaire davantage centré sur les individus et basé sur le respect de la dignité des personnes, la responsabilité de tous les acteurs du système, l'exercice de la citoyenneté (droits et devoirs), l'équité (dépassement des inégalités) et la participation. En dépit de l'évolution des approches en matière de santé des populations, les sociétés postindustrielles demeurent dépourvues de modèles adaptés aux bouleversements culturels, sociaux, démographiques et épidémiques de notre époque. Depuis l'ère hygiéniste jusqu'à l'époque de la promotion de la santé, la prévention est devenue une croyance, voire une idéologie, qui tire sa principale raison d'être dans la place qu'occupe la santé dans l'échelle des valeurs de la société. La vie est la valeur la plus chère à laquelle les humains tiennent. C'est la raison pour laquelle ils tiennent à préserver leur santé et celle de leurs proches afin d'éviter tout risque de mort prématurée. La médecine est aussi là pour promettre et, souvent, permettre d'y arriver.

Même si de plus en plus de personnes semblent jouir d'une certaine opulence, plusieurs études ont révélé l'existence d'un gradient socioéconomique de la santé. Cette réalité est d'ailleurs considérée par certains comme l'un des échecs les plus affligeants des sociétés postindustrielles. L'observation empirique indique, en effet, que les individus qui ont un faible statut socioéconomique (mesuré en fonction du revenu, du niveau de scolarité ou des compétences professionnelles) souffrent de problèmes de santé et de maladies chroniques et recourent plus fréquemment aux soins de santé que les personnes qui occupent un rang social plus élevé. Si les gouvernements ont fait de la promotion de la santé leur cheval de bataille, ils ont abondamment misé sur l'amélioration des systèmes de soins en pensant que l'augmentation des dépenses en santé et l'investissement massif dans les technologies médicales parviendraient par eux seuls à garantir le mieux-être des populations.

La connaissance de l'incidence des déterminants de la santé ne suffit pas pour améliorer l'état de santé des populations. Les gouvernements doivent témoigner d'une réelle volonté politique pour remédier aux inégalités socioéconomiques en matière de santé. La tâche se complique au moment de décider à quels déterminants s'attaquer en priorité et à quels résultats s'attendre. L'extrême médicalisation de la santé a empêché de porter un regard général sur l'être humain. Le modèle sanitaire qui prévaut aujourd'hui plonge ses racines dans une pensée sociopolitique et scientifique, influencée par le cartésianisme et le positivisme, et qui a pour conséquence une simplification de la complexité humaine.

---

43. Metzl, Jonathan, et Rebecca Herzig (2007). «Medicalisation in the 21st Century: Introduction», *The Lancet*, 369 (9562), p. 697-698.

Graphique 1: Estimation du nombre de personnes vivant avec le VIH et prévalence du VIH chez les adultes dans le monde et en Afrique subsaharienne, 1990-2007

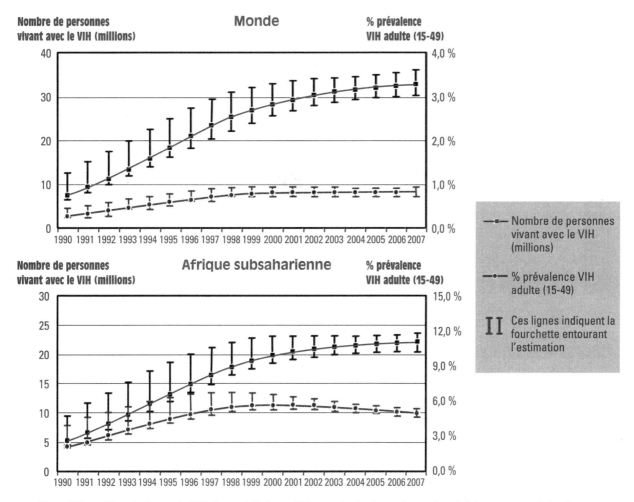

Note: Même si la prévalence du VIH s'est stabilisée en Afrique subsaharienne, le nombre réel des personnes infectées poursuit sa hausse en raison de la croissance démographique.

Source: ONUSIDA (2008). *Rapport sur l'épidémie mondiale du sida*, Genève.

Graphique 2 : Infection au VIH 2007 : Un aperçu mondial

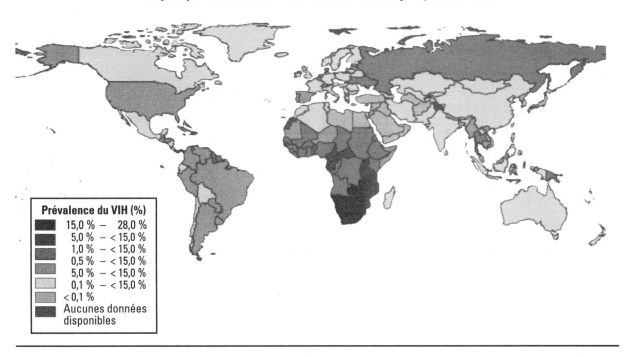

Prévalence du VIH (%)

■	15,0 % − 28,0 %
■	5,0 % − < 15,0 %
■	1,0 % − < 15,0 %
■	0,5 % − < 15,0 %
■	5,0 % − < 15,0 %
■	0,1 % − < 15,0 %
■	< 0,1 %
■	Aucunes données disponibles

Source : ONUSIDA (2008). *Rapport sur l'épidémie mondiale du sida*, Genève.

Figure 4 : Décès dus au VIH chez les enfants

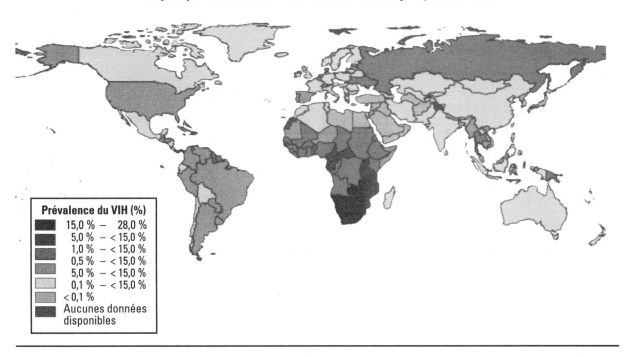

Ⅰ Ce trait indique la fourchette entourant l'estimation

Source : ONUSIDA (2008). *Rapport sur l'épidémie mondiale du sida*, Genève.

Les déterminants sociaux de la santé : une synthèse

En bref

Le modèle biomédical

Le modèle biomédical procède de l'application en médecine de la méthode analytique réductionniste des sciences classiques de la nature. Paradigme dominant dans l'étude des causes des maladies, ce modèle suppose que l'agent pathogène est la principale cause de la maladie. Ce modèle s'intéresse principalement aux facteurs biologiques à l'origine des problèmes de santé et est centré sur la pathologie et la guérison.

Le modèle biopsychosocial

Le modèle biopsychosocial cherche à élucider les causes des maladies en s'intéressant aux facteurs biologiques, psychologiques et sociaux. La promotion de saines habitudes de vie est au cœur de ses actions. L'étiologie sociale élargit la conception de l'étiologie spécifique qui est propre au modèle biomédical. Ce modèle est utilisé dans les soins infirmiers, la médecine familiale et les approches cliniques psychosomatiques.

Le modèle écologique

Le modèle écologique intègre les facteurs biologiques, culturels, sociaux, politiques et économiques pour comprendre les origines multifactorielles des maladies. Ce modèle, orienté vers l'interaction de multiples facteurs, est utilisé dans le domaine de la santé publique.

L'éducation sanitaire

L'éducation sanitaire vise à fournir aux populations de l'information sanitaire pour les amener à adopter des habitudes de vie plus saines, à utiliser les services sanitaires disponibles et à prendre des initiatives susceptibles d'améliorer leur état de santé et la salubrité de leur milieu. Elle se propose d'aider les populations à acquérir une meilleure santé par leur comportement et leurs efforts personnels.

L'éducation pour la santé

L'éducation pour la santé met en œuvre une démarche qui implique les populations en leur fournissant des éléments d'information sanitaire et de réflexion pour renforcer leurs capacités à prendre des décisions concernant leur santé. Elle leur permet d'adopter un mode de vie favorable à leur santé ou à celle des autres.

La santé communautaire

La santé communautaire est une démarche qui repose sur les principes de décloisonnement, de l'implication des populations dans l'identification des problèmes de santé, de la mobilisation de leurs capacités d'adaptation et de la participation de l'ensemble des membres de la société. La santé communautaire est un domaine de pratique et de recherche dont l'objet concerne les interventions qui portent sur les déterminants de la santé. Elle a comme objet le maintien et l'amélioration de l'état de santé au moyen de mesures préventives, curatives et de réadaptation, couplées à des mesures d'ordre social et politique par des équipes pluridisciplinaires travaillant en réseau, et faisant largement appel à la participation active de la population.

Bibliographie

BIRCH, Stephen, Greg STODDART et François BEFAND (1988). «Modeling the Community as a Determinant of Health», *Canadian Journal Public Health*, 89(6), p. 402-405.

BLOOM, David, David CANNING et Dean JAMISON (2004). «Health, Wealth, and Welfare», *Finance and Development*, (31), p. 10-15.

CART Project Team (1997). «Community Action for Health Promotion: A Review of Methods and Outcomes 1990-1995», *American Journal of Preventive Medecine*, 13(4), p. 229-239.

CHAPMAN, Simon (2000). «Public Health Should not be a Popularity Contest: A Reply to Gavin Mooney», *Australian and New Zeland Journal of Public Health*, 24(3), p. 337-339.

CHASTEL, Claude (1997). *Histoire des virus: de la variole au sida*, Paris, Éd. Boubée.

DE BRUYN, Theodore (2003). *Concepts de promotion de la santé: les produits de santé naturels et les approches complémentaires et parallèles en santé*, Document préparé pour la Direction des Médicaments et produits de Santé Canada.

DEEP, Paul (1999). «Les modèles biologiques et biopsychosociaux de la santé et de maladie en dentisterie», *Journal de l'Association dentaire canadienne*, vol. 65, n° 9, p. 496-497.

EDWARDS, Nancy, Judy MILL et Anita KOTHARI R. (2004). «Multiple Intervention Research Programs in Community Health», *Canadian Journal of Nursing Research*, 36(1), p. 40-55.

EWANE, Etame (1994). «L'approche biomédicale et les perspectives de contribution de la sociologie médicale à la réhabilitation psychosociale», *Santé mentale au Québec*, vol. 19, n° 1, p. 225-229.

FOUCAULT, Michel (2001). *L'extension sociale de la norme. Dits et Écrits*, T2, Paris, Gallimard Quarto.

GASSIER, Jacqueline, et Colette de SAINT-SAUVEUR (2008). *Le guide de la puéricultrice. Prendre soin de l'enfant de la naissance à l'adolescence*, Issy-Les-Moulineux, Elsevier Masson.

GUELFI, Julien-Daniel, et Frédéric ROUILLON (2007). *Manuel de psychiatrie*, Issy-Les-Moulineux, Elsevier Masson.

HALLIGAN, Peter W., et Mansel AYLWARD (Eds.) (2006). *The Power of Belief. Psychosocial Influence on Illness, Disability and Medicine*, UK, Oxford University Press.

ILLICH, Ivan (1975). *Némésis médicale. L'expropriation de la santé*, Paris, Éditions du Seuil.

LACOURSE, Marie-Thérèse (2002). *Sociologie de la santé*, Montréal, Chenelière/Mc Graw-Hill.

MASSÉ, Raymond (2007). «Les sciences sociales au défi de la santé publique», *Sciences sociales et santé*, 25 (1), p. 5-24.

MASSÉ, Raymond (1995). *Culture et santé publique. Les contributions de l'anthropologie à la prévention et à la promotion de la santé*, Montréal, Gaétan Morin.

MCLAREN, Naill (2002). «The Myth of the Biopsychosocial Model», *Australian and New Zealand Journal of Psychiatry*, 36 (5), p. 701-703.

MCLEROY, Kenneth R., et autres (1988). «An Ecological Perspective on Health Promotion Programs», *Health Education Quarterly*, 15, p. 351-377.

MECHANIC, David (1968). *Medical Sociology*, New York, Free Press.

MERZEL, Cheryl, et Joanna D'AFFLITTI (2003). «Reconsidering Community-based Health Promotion: Promise, Performance, and Potential», *American Journal of Public Health*, 93(4), p. 557-574.

METZL, Jonathan, et Rebecca HERZIG (2007). «Medicalisation in the 21st Century: Introduction», *The Lancet*, 369 (9562), p. 697-698.

MORFAUX, Louis-Marie (1980). *Vocabulaire de la philosophie et des sciences humaines*, Paris, Armand Colin Éditeur.

MOYNIHAN, Ray, et autres (2002). «Selling Sickness: The Pharmaceutical Industry and Disease Mongering», *British Medical Journal*, (324), p. 886-891.

ONUSIDA (2008). *Rapport sur l'épidémie mondiale du sida*, Genève.

Ordre des infirmières et infirmiers du Québec (2004). *Perspectives de l'exercice de la profession infirmière*, Montréal, OIIQ.

PHANEUF, Margot (1996). *La planification des soins: un système intégré et personnalisé*, Montréal, Chenelière/Mc Graw-Hill.

PIETTE, Danielle (1994). «Éducation pour la santé, un changement d'actions insoupçonné pour les acteurs sociaux», *Dossier de l'aide sociale*, n° 52.

PILGRIM David (2002). «The Biopsychosocial Model in Anglo-American Psychiatry: Past, Present and Future», *Journal of Mental Health*, Volume 11, Issue 6, December, p. 585-594.

RATIER, Francis (2007). «L'ordre médical comme art de gouverner les hommes», *Vecteur Santé*, (2), p. 3-5.

REYNAUD, Michel (1989). *Soigner la folie*, Paris, Frison Roche.

RIOPELLE, Lise, et autres (1999), *Soins infirmiers: un modèle centré sur les besoins de la personne*, Montréal, Mc Graw-Hill.

ROSE, Nikolas (1994). «Medicine, History and the Present» dans Roy P., editor, *Reassessing Foucault: Power, Medicine and the Body*, London and New York, Mc Graw-Hill, 1994.

SAILLANT Francine, et Serge GENEST (2005). «Anthropologie médicale. Ancrages locaux, défis globaux», dans Massé, Raymond. *L'anthropologie de la santé au Québec: pour une conjugaison des approches et des méthodes*, Québec, Les Presses de l'Université Laval, p. 62-91.

SANNI YAYA, H. (2006). «Origins and Developments of Public-Private Partnerships in the Health Care Systems in Developed Countries: Principles, Stakes, and Institutional challenges», *Public Sector Innovation Journal*, 10(4), p. 1-18.

VELTEN, Michel, et Florence BINDER-FOUCARD (2001). *Concept de santé. Déterminants. État de santé de la population française*, Université de Strasbourg.

ZAPPALÀ, Annick (1997). «La médecine médiatisée: entre la médicalisation du social et la socialisation de la science», *Hermès*, 21 (1), p. 87-92.

ZARIFIAN, Édouard (1994). *Des paradis plein la tête*, Paris, Odile Jacob.

Chapitre 3

Habitudes de vie et santé : tendances, faits saillants et bilans

Dans quelles mesures les habitudes de vie sont-elles déterminantes pour la santé des individus? Qu'entend-on par mode de vie sain? Quels sont les choix susceptibles de nuire ou d'améliorer l'état de santé des populations?

Après avoir terminé l'étude de ce chapitre, vous devriez être en mesure de:

- Connaître et comprendre la notion d'habitudes de vie et ses déterminants;
- Connaître le concept de mode de vie sain et les différentes approches pour favoriser l'adoption de modes de vie sains;
- Comprendre l'interrelation entre les phénomènes de sédentarité et d'obésité, d'alimentation et d'activité physique afin de prévenir les risques pour la santé;
- Différencier la consommation de drogues licites et illicites et connaître leurs impacts potentiels sur la santé;
- Développer une sensibilité aux principales maladies mentales et aux comportements suicidaires en tant que phénomène nouveau et épidémique dans les pays développés.

Selon l'âge et le sexe, il existe des différences significatives dans les habitudes de vie et les comportements des individus. Dans ce chapitre, la notion d'habitudes de vie est abordée sous l'angle des déterminants de la santé. Les déterminants sont en interaction constante les uns avec les autres et s'influencent mutuellement. Dans ce contexte, il importe de développer des approches globales pour prendre en compte les dimensions de l'environnement interne et externe aux collectivités, et ainsi favoriser l'adoption de modes de vie sains[1]. Le fait de définir les comportements individuels en relation avec la sédentarité, l'alimentation et l'activité physique ou encore la consommation de drogues dures, de tabac ou d'alcool permet de faire un état de la situation sur les divers modes de consommation des populations au Canada et ailleurs en fonction du sexe et de l'âge. Par exemple, la sédentarité est un facteur explicatif de l'obésité. Une stratégie de prévention et de promotion de la santé encouragerait l'activité physique et la saine alimentation pour remédier au problème de l'obésité en ciblant les personnes les plus affectées. Pour lutter contre la hausse du tabagisme, le gouvernement du Canada a mis en place des campagnes de sensibilisation à l'échelle nationale.

Les choix d'habitudes de vie sont cruciaux et déterminants pour la santé des populations. De mauvaises habitudes de vie représentent des coûts directs et indirects non seulement pour la personne concernée, mais également pour le système de soins de santé et l'ensemble de la collectivité[2]. L'identification des causes inhérentes à certains comportements

1. Bunton, Robin, Sarah Nettleton et Roger Burrows (1995). *The Sociology of Health Promotion: Critical Analyses of Consumption, Lifestyle and Risk*, Routledge.
2. Freudenberg, Nicholas (2007). « From Lifestyle to Social Determinants: New Directions for Community Health Promotion Research and Practice », *Prev Chronic*, Jul. 4 (3), p. A47.

individuels permet d'envisager de nouvelles stratégies de prévention et de promotion de la santé. On observe cependant un phénomène nouveau et épidémique qui vient menacer les acquis en matière de santé de même que la qualité de vie globale des individus[3]. Les maladies mentales et le comportement suicidaire touchent actuellement la vie de l'ensemble des populations des pays développés. De nouveaux programmes d'entraide et de prévention doivent être mis en œuvre afin de maintenir et d'améliorer l'état de santé en luttant contre toute forme de stigmatisation.

L'analyse des théories du changement organisationnel permet de mieux comprendre les facteurs qui influencent les individus, les communautés et les organisations dans le but de modifier efficacement les habitudes de vie. Par exemple, le modèle des stades du changement et le modèle des croyances relatives à la santé ainsi que la théorie de l'apprentissage social expliquent les comportements de santé et les changements de comportement en se focalisant sur les individus. La théorie de la mobilisation communautaire s'intéresse, quant à elle, aux changements dans les communautés et dans les actions communautaires. Enfin, les théories organisationnelles, notamment la théorie du développement organisationnel, s'orientent vers les changements dans les organisations par la mise en place de pratiques promotrices de santé.

3.1 La notion d'habitudes de vie : dépasser les ambiguïtés du concept

Le concept d'habitudes de vie est l'un des quatre déterminants de santé référencé dans le *Rapport Lalonde*, les autres étant la biologie humaine, l'environnement et l'organisation des soins de santé. Les habitudes de vie, au même titre que les autres déterminants, font partie des causes et des facteurs inhérents à la morbidité et la mortalité au Canada et exercent une influence sur le niveau de santé des Canadiens[4].

On peut définir les habitudes de vie comme l'ensemble des décisions que prennent les individus et qui ont des répercussions sur leur santé. Il s'agit en définitive des facteurs sur lesquels l'homme peut exercer un certain contrôle. Le comportement et les habitudes de vie qui nuisent à la santé créent des risques auxquels la personne s'expose délibérément. Lorsque les risques provoquent la maladie ou la mort, on peut dire que le mode de vie d'une personne est en cause, directement ou indirectement, de sa propre maladie ou de son décès.

C'est pourquoi une attention particulière doit être accordée aux habitudes de vie afin de réduire le nombre d'invalidités et de décès prématurés. La conception globale de la santé donne autant d'importance à l'ensemble des déterminants de la santé qu'à l'organisation des soins de santé, ce qui représente un changement radical par rapport au modèle biomédical. Puisque les habitudes de vie sont un déterminant de la santé, il faut observer lesquelles contribuent au maintien de l'état de santé et exercent une influence sur le mieux-être. Dans cette optique, les questions de santé doivent pouvoir être examinées à la lumière des habitudes de vie en interaction avec d'autres déterminants de la santé[5]. Par exemple, les causes d'accident de la route et de décès qui s'y rapportent sont attribuables aux risques auxquels les individus s'exposent, la qualité des véhicules et des routes, de même que la disponibilité des soins d'urgence dans une moindre mesure. Dans ce cas-ci, la biologie humaine ne fait pas partie des déterminants en cause. Les décès par accident sont imputables aux comportements à risque, à l'environnement et à l'organisation des soins de santé à 75 %, 20 % et 5 %[6]. Bien que ces données datent de plusieurs années, on peut, sans risque de se tromper, affirmer qu'elles n'ont pas beaucoup changé avec le temps.

Les habitudes de vie ou les comportements individuels sont définis en relation avec les dimensions des modes de vie tels que l'alimentation, l'activité physique, la consommation de drogues et autres comportements à risque. Certaines habitudes de vie portent préjudice à la santé comme la sédentarité, la consommation élevée d'aliments gras, sucrés et salés,

3. Celentano, David D. (1991). *Epidemiologic Perspectives on Life-style Modification and Health Promotion in Cancer Research*, J.B. Lippincott Company.
4. Lalonde, Marc (1981). *Nouvelles perspectives de santé des Canadiens*, document de travail, ministère de la Santé nationale et du Bien-être social, p. 33.
5. Fahey, Thomas, Paul Insel et Roth Walton (1999). *En forme et en santé*, Mont-Royal, Modulo Éditeur.
6. Lalonde, Marc (1981). *Nouvelles perspectives de santé des Canadiens*, document de travail, ministère de la Santé nationale et du Bien-être social, p. 35.

la consommation de drogues dures, d'alcool et de tabac, etc. D'autres facteurs comme l'obésité et le vieillissement sont susceptibles d'avoir un effet négatif sur la santé[7] tout comme le soutien social constitue une variable importante et un facteur de protection face à la maladie et aux problèmes sociaux[8].

Dans le cas des décès par accident, les comportements à risque peuvent être fragmentés en sous-facteurs de risque comme la conduite d'un véhicule en état d'ébriété, l'excès de vitesse, l'imprudence au volant, la ceinture de sécurité non attachée, etc. La conception globale de la santé permet de mieux comprendre les liens existants entre les maladies ou accidents et leurs causes sous-jacentes, notamment l'importance des facteurs en cause. La conception globale de la santé fait ressortir l'importance des déterminants de la santé dans les causes de maladies et de décès et permet d'entrevoir une nouvelle façon de mettre au point des mesures pour améliorer la situation de santé de nos collectivités[9].

L'OMS identifie 10 facteurs de risque principaux afin de prévenir les maladies et les décès dans le monde : poids insuffisant chez la mère et l'enfant à la naissance, rapports sexuels non protégés, hypertension artérielle, consommation de tabac, consommation d'alcool, eau insalubre, manque d'assainissement de base et d'hygiène, taux de cholestérol élevé, intoxication au monoxyde de carbone dans les foyers, déficience en fer et indice de masse corporelle élevé ou surpoids. D'après l'OMS, 40 % des décès dans le monde sont attribuables à ces 10 facteurs de risque. L'espérance de vie pourrait facilement être augmentée de 5 à 10 ans si les individus et les communautés modifiaient leurs choix de comportements sanitaires et que les gouvernements mettaient en place un système de prévention et de promotion de la santé adéquat.

Tableau 5 : Principaux facteurs de risque et principales sources de maladies, d'incapacité ou de décès

Pays en développement	Pays développés
1. Poids insuffisant	1. Consommation de tabac
2. Rapports sexuels non protégés	2. Hypertension artérielle
3. Eau insalubre, manque d'assainissement de base et d'hygiène	3. Consommation d'alcool
4. Intoxication au monoxyde de carbone (dans les foyers)	4. Cholestérol élevé
5. Déficience en zinc	5. Indice de masse corporelle élevé ou surpoids
6. Déficience en fer	6. Faible consommation de fruits et de légumes
7. Déficience en vitamine A	7. Inactivité physique
8. Hypertension artérielle	8. Consommation de drogues illicites
9. Consommation de tabac	9. Rapports sexuels non protégés
10. Cholestérol élevé	10. Déficience en fer

Source : Ezzati, Majid, et autres (2002). « Selected Major Risk Factors and Global and Regional Burden of Disease », *The Lancet*, 360, n° 9343.

7. Lacourse, Marie-Thérèse (2002). *Sociologie de la santé*, Montréal, Chenelière/Mc Graw-Hill, p. 12.
8. Clarkson, May (2000). *Les habitudes de vie et les comportements individuels*, Direction de la planification stratégique et de l'évaluation, ministère de la Santé et des Services sociaux.
9. Demers, Pierre (1991). *Pour vivre mieux : une nouvelle éducation corporelle*, Ottawa, Les Presses de l'Université d'Ottawa.

Tableau 6 : Principales maladies, incapacités ou causes de décès

Pays en développement	Pays développés
1. Poids insuffisant	1. Consommation de tabac
2. VIH/SIDA	2. Maladies cardiovasculaires
3. Infections respiratoires basses	3. Dépression unipolaire et maladies cérébro-vasculaires
4. Conditions périnatales défavorables et diarrhée	4. Maladies liées à la consommation d'alcool
5. Paludisme	5. Surdité à l'âge adulte
6. Conditions maternelles	6. Maladies pulmonaires obstructives chroniques
7. Dépression unipolaire	7. Accidents de la route
8. Maladies cardiovasculaires	8. Cancers de la trachée, des bronches et du poumon
9. Muscles	9. Alzheimer et autres démences
10. Tuberculose	10. Automutilation

Source : World Health Organization (2003). *Global Burden of Disease in 2002*, Geneva.

Si de nombreuses études ont reconnu le rôle déterminant qu'elles jouent dans l'apparition et la prévalence de plusieurs problèmes de santé, les habitudes de vie restent difficiles à changer, surtout avec l'âge. C'est d'ailleurs pour cette raison que de plus en plus de campagnes de sensibilisation visent aujourd'hui les jeunes, très tôt dans les écoles et les milieux scolaires[10]. En effet, les habitudes de vie sont des comportements de nature durable, fondés sur un ensemble d'éléments incorporant l'héritage culturel, les relations sociales, les circonstances géographiques et socioéconomiques, et la personnalité[11]. La modification des habitudes de vie peut être facilitée par une combinaison d'efforts pour stimuler la prise de conscience, la modification du comportement et créer un environnement favorable pour faciliter les pratiques de bonne santé[12].

En dépit du fait que les disparités en matière de santé soient le résultat de l'interaction multiple entre divers facteurs, les habitudes de vie et les comportements reliés à la santé pèsent lourd dans l'apparition des maladies, notamment en ce qui a trait aux maladies chroniques. C'est pourquoi les pouvoirs publics doivent déployer des efforts considérables pour surveiller la prévalence des comportements à risque, les attitudes et normes sociales relatives à ces comportements et les facteurs environnementaux associés à l'adoption de ces comportements. C'est seulement de cette façon que les planificateurs du réseau de la santé peuvent disposer d'informations appropriées afin d'orienter leurs actions préventives et programmes d'intervention et évaluer leurs impacts[13].

Par exemple, l'usage du tabac par une frange encore importante de la population implique qu'il faut essayer de mieux comprendre les comportements tabagiques et les attitudes sociales. En matière de pratique d'activité physique aussi, les gouvernements

10. *Guide canadien pour l'évaluation de la condition physique et des habitudes de vie* (1999). 2e édition, Ottawa, Société canadienne de physiologie de l'exercice, p. 11-19.
11. Green, Lawrence W., et Marshall Kreuter (1991). *Health Promotion Planning: an Educational Approach*, 2nd edition, Mountain View, Mayfield Publishing Company.
12. O'Donnell, Michael P. (1989). «Definition of Health Promotion: Part III: Expanding the Definition», *American Journal of Health Promotion*, 3, p. 5.
13. Haynes, Charlotte N. (2008). «Health Promotion Services for Lifestyle Development within a UK hospital – Patients' Experiences and Views», *BMC Public Health*, 8:284doi.

doivent pouvoir valider, sur le plan méthodologique, la mesure de la pratique de l'activité physique dans les sports (intensité, durée, etc.) et non seulement le niveau de la pratique. Les déterminants de l'usage du tabac ou de la pratique du sport doivent être mieux compris parce qu'ils permettent de mieux surveiller l'alimentation, la sédentarité et l'obésité.

De mauvaises habitudes de vie comme une alimentation riche en gras et en sucre ainsi qu'une trop grande sédentarité hypothèquent les chances de demeurer en santé de dizaines de milliers de personnes. En retour, leur mauvaise santé hypothèque les chances de développement économique de nos collectivités, réduisant à une peau de chagrin la marge de manœuvre des gouvernements à cause des coûts énormes du système de santé. C'est ainsi qu'en tout temps, la moitié des personnes hospitalisées le sont parce qu'elles ont de mauvaises habitudes de vie et que cette façon de vivre a engendré la maladie. Si on ajoute à ce triste constat les personnes dont la santé est affectée négativement par des facteurs environnementaux sur lesquels nous pouvons également agir, cette proportion peut atteindre même les trois quarts. On peut donc réduire considérablement le coût des soins de santé simplement en persuadant la population d'adopter de meilleures habitudes de vie.

Dans la même veine, de nombreuses personnes ayant de mauvaises habitudes de vie sont des parents, et ceux-ci auront à jouer un rôle de modèle durant des années auprès de leurs enfants, notamment en ce qui concerne les habitudes de vie. Des parents qui ne font pas d'exercice et qui ne jouent pas dehors avec leurs enfants ne peuvent pas s'attendre à ce que ceux-ci bougent beaucoup et aient le goût d'être actifs. Pour atteindre les enfants et préparer des générations futures en meilleure santé, il faut donc d'abord convaincre leurs parents. Ceux-ci, bien que souvent conscients de ces problèmes, ne savent pas comment réagir. Et surtout ils se demandent où trouver l'information qui pourrait les remettre sur la voie des saines habitudes de vie[14].

Il existe un lien étroit entre les habitudes de vie et la capacité d'adaptation personnelle des individus.

Les habitudes de vie et les compétences d'adaptation personnelle touchent aux mesures que l'on peut prendre pour se protéger des maladies et favoriser l'autogestion de sa santé, faire face aux défis, acquérir de la confiance en soi, résoudre des problèmes et faire des choix qui améliorent la santé. Lorsqu'on parle de mode de vie, on fait référence non seulement aux choix personnels, mais aussi à l'influence des facteurs sociaux, économiques et environnementaux sur les décisions que prennent les personnes à propos de leur santé. On reconnaît de plus en plus que nos choix individuels sont grandement influencés par les conditions socio-économiques dans lesquelles les personnes vivent, apprennent, travaillent et se réalisent.

Le milieu social joue aussi un rôle déterminant sur l'état de santé d'un individu. Le soutien social atténue les effets du stress et aide à faire face aux situations difficiles et aux problèmes de santé. En revanche, le manque de réseau social peut représenter une menace au bien-être physique et psychologique. Dans bien des cas, les études ont démontré que l'isolement social est parfois en cause dans la détresse psychologique et les comportements suicidaires[15].

3.2 Approches pour favoriser l'adoption de modes de vie sains

D'après René Lyons et Lynn Langille, les premières définitions du concept de mode de vie mettaient essentiellement l'accent sur l'alimentation, l'activité physique, la consommation de tabac et d'alcool. Ce n'est que récemment qu'elles ont commencé à tenir compte de l'incidence des facteurs sociaux, économiques et environnementaux. Au Canada, les définitions varient considérablement selon le sexe, l'étape de la vie, la culture, la géographie et les ressources[16].

Il n'existe pas une seule forme de mode de vie sain, mais plusieurs façons de vivre sainement, car une

---

14. Sauvageau, Chantal, et autres (2008). «Les médecins discutent-ils des habitudes de vie avec leurs patients?», *Canadian Journal of Public Health*, January/February, vol. 99, nº 1, p. 31-35.
15. Camirand, Jocelyne, Raymond Massé et Michel Tousignant (1995). «Milieu social», dans *Santé Québec*, Bellerose, Carmen, et autres (1995). «Et la santé, ça va en 1992-1993?», *Rapport de l'Enquête sociale et de santé 1992-1993*, vol. 1, ministère de la Santé et des Services sociaux, Chapitre 8.
16. Lyons, René, et Lynn Langille (2000). *Mode de vie sain: rehausser l'efficacité des approches axées sur le mode de vie pour améliorer la santé*, Ottawa, Santé Canada.

multitude de comportements entrent en ligne de compte, comme l'adaptation aux différentes étapes de la vie, l'apprentissage continu, les mesures de sécurité et la prévention, l'interaction sociale, le bénévolat, l'éducation des enfants, la spiritualité, l'équilibre entre le travail et la famille ainsi qu'une bonne alimentation, l'activité physique, les pratiques sexuelles sécuritaires et la non consommation de drogues. Dans le contexte actuel, les approches pour favoriser l'adoption de modes de vie sains comprennent à la fois des facteurs individuels et sociaux et reconnaissent l'interdépendance de ces facteurs. On peut parler de mode de vie sain lorsqu'un certain équilibre entre l'amélioration de son propre état de santé, la santé d'autrui et de la communauté est atteint ou du moins est recherché.

En ce qui a trait aux déterminants des choix des modes de vie, Frohlich et Potvin estiment que «les choix de mode de vie ne sont pas des comportements aléatoires, détachés de toute structure et de tout contexte. Il s'agit plutôt de choix déterminés par les chances de la vie». Certains facteurs sont déterminants dans le choix des modes de vie, notamment les compétences individuelles, le stress, la culture, les relations sociales et le sentiment de contrôle.

Plusieurs approches ont été utilisées pour favoriser l'adoption de modes de vie sains; certaines d'entre elles sont plus efficaces que d'autres. Elles visent à modifier le comportement de l'individu, certains aspects de la communauté ou la relation qui existe entre les deux. Parmi les stratégies développées, la connaissance de comportements favorables à la santé ou de facteurs de risque n'est pas suffisante pour enclencher un changement d'attitudes et de comportements. Les stratégies à court terme semblent avoir un effet limité. Le marketing social, axé sur la santé, une des stratégies les plus prisées par les gouvernements, n'a fait que creuser les écarts entre les classes sociales les plus aisées et les plus pauvres. Les messages véhiculés lors des campagnes de sensibilisation ont été uniquement efficaces auprès des personnes les plus éduquées et mieux nanties, car leurs ressources financières font en sorte qu'elles jouissent d'un plus grand contrôle sur leur vie et, en conséquence, d'une plus grande liberté de choix.

Par contre, les messages qui présentent l'utilité d'un mode de vie sain sont susceptibles d'avoir des retombées positives. Les stratégies à long terme qui créent des environnements favorables à la santé, comme des pistes cyclables et des espaces verts ou récréatifs, ont aussi un effet positif puisqu'elles ne requièrent aucun effort soutenu de la part de l'individu. La combinaison de stratégies de promotion de la santé, comme le marketing social, les environnements favorables, les initiatives sociales et communautaires, qui suscitent l'adhésion de l'ensemble de la communauté constituent des facteurs de succès.

En outre, les processus sociaux et communautaires peuvent favoriser l'adoption de modes de vie sains. L'intervention communautaire est reconnue comme un levier pour promouvoir la santé en créant un réseau social et un capital social. Plus ces réseaux et ces liens sont solides, plus les membres d'une communauté sont susceptibles de collaborer pour le bien de tous. De cette façon, le capital social influe sur la santé et peut accroître les dividendes des investissements à cet égard. Un mode de vie sain repose avant tout sur l'équilibre entre l'autonomie individuelle et la contribution de la communauté. En d'autres termes, les aptitudes individuelles doivent permettre d'accroître le capital social[17].

Les approches issues de l'écologie sociale qui visent à modifier la relation entre l'individu et l'environnement, renforcent la capacité des collectivités et la prise en charge personnelle des citoyens et sont des stratégies très prometteuses. La notion d'interdépendance entre l'ensemble des membres de la communauté nécessite l'exploitation de toutes les ressources disponibles afin de mettre en œuvre une action collective pour résoudre efficacement les problèmes. Dans cette optique, un mode de vie sain nécessite une grande capacité d'adaptation qui demande d'accumuler suffisamment de ressources, voire de développer des stratégies sous l'angle de l'interdépendance.

Les approches écologiques visent à changer les comportements sanitaires des individus en proposant différentes interventions aux niveaux personnel, interpersonnel, institutionnel, communautaire et politique[18].

17. Wainwright, Nicholas W.J., et autres (2007). «Healthy Lifestyle Choices: Could Sense of Coherence Aid Health Promotion?», *Journal of Epidemiology and Community Health*, 61, p. 871-876.
18. Murphy, Elaine (2005). «Promoting Healthy Behavior», *Health Bulletin*, n° 2, Washington DC, Population Reference Bureau.

Tableau 7: Une perspective écologique

Facteurs	Caractéristiques
Facteurs individuels	Caractéristiques individuelles qui influencent le comportement comme les connaissances, les attitudes, les croyances et les traits de personnalité.
Facteurs interpersonnels	Processus interpersonnels et groupes primaires comme la famille, les amis et les pairs qui jouent un rôle essentiel dans la socialisation (identité, support et rôle).
Facteurs institutionnels	Règles, régulations, politiques et structures informelles qui sont susceptibles de menacer ou de promouvoir les comportements responsables.
Facteurs communautaires	Réseaux, normes ou standards sociaux qui existent de façon formelle ou informelle parmi les individus, les groupes et les organisations.
Facteurs politiques	Politiques municipales, provinciales et fédérales et lois qui régulent ou encouragent les actions et pratiques sanitaires pour prévenir les maladies, le diagnostic précoce, le contrôle et la gestion.

Source: Adapté de Glanz, Karen, et Barbara Rimer K. (2005). *Theory at a Glance: A Guide for Health Promotion Practice*, National Cancer Institute, US National Institutes of Health.

3.3 Les habitudes de vie: sédentarité, obésité, activité physique et alimentation

Comme le souligne l'OMS dans son rapport *Obésité: prévention et prise en charge de l'épidémie mondiale*, le surpoids et l'obésité représentent une menace grandissante et un problème de santé globale dans les pays développés. En effet, la prévalence de l'embonpoint et de l'obésité augmente dans pratiquement tous les pays, tant chez les enfants que chez les adultes. Un certain nombre de données de taille et de poids indiquent que le Canada n'échappe pas à cette tendance actuelle[19]. En effet, la proportion de Canadiens qui font de l'embonpoint ou considérés comme obèses a augmenté de façon spectaculaire au cours de la dernière décennie, phénomène qui suit la tendance mondiale observée dans plusieurs pays.

Les conséquences de l'excès pondéral sur la santé sont bien connues et abondamment documentées. Le surpoids est un facteur important de risque de diabète de type 2, de maladie cardiovasculaire, d'hypertension, d'arthrose, de coronaropathie, d'apnée du sommeil et autres problèmes respiratoires, de certaines formes de cancer (cancer du sein, du côlon et de l'endomètre) et de maladie de la vésicule biliaire. Des problèmes psychosociaux, des limitations

---

19. Tjepkema, Michael (2005). «Obésité chez les adultes au Canada: poids et grandeur mesurés», Statistique Canada, numéro du catalogue 82-620-MWF2005001.

fonctionnelles et des incapacités sont également associés au surpoids. Globalement, l'obésité engendre des coûts de société importants en termes d'augmentation du risque de maladies graves et de mortalité, de coûts de soins de santé associés à des comorbidités médicales, psychologiques et psy-chiatriques, de réduction du statut social et d'accessibilité à l'emploi. Le fardeau économique attribuable à l'obésité n'est pas non plus à négliger. Il est estimé, selon les données de 2001, à 4,3 milliards de dollars, dont des coûts directs de 1,6 milliards et des coûts indirects de 2,7 milliards[20].

Figure 5 : Coûts de l'excès de poids et de l'obésité

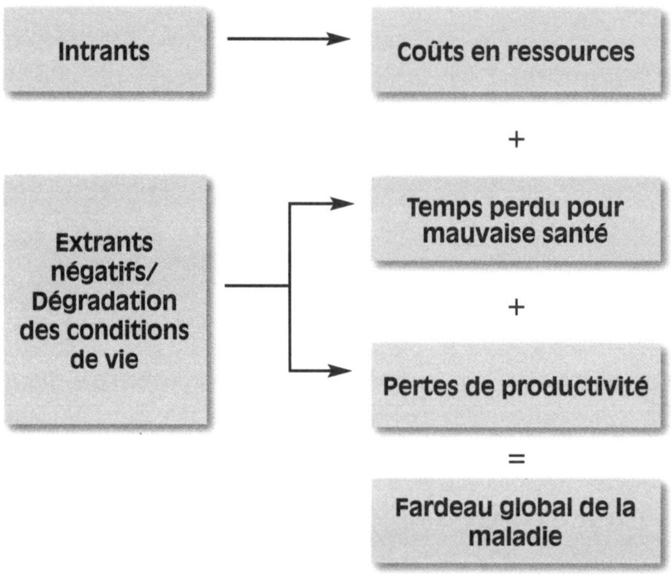

```
┌──────────┐        ┌────────────────────┐
│ Intrants │───────▶│ Coûts en ressources│
└──────────┘        └────────────────────┘
                              +
                    ┌────────────────────┐
                    │  Temps perdu pour  │
┌──────────┐        │  mauvaise santé    │
│ Extrants │───────▶└────────────────────┘
│ négatifs/│                  +
│Dégradation│       ┌────────────────────┐
│des conditions│───▶│Pertes de productivité│
│ de vie   │        └────────────────────┘
└──────────┘                  =
                    ┌────────────────────┐
                    │ Fardeau global de la│
                    │     maladie        │
                    └────────────────────┘
```

Source : Roux, Larissa, et Cam Donaldson (2004). «Economics and Obesity: Costing the Problem or Evaluating Solutions ?», *Obesity Research*, vol. 12, n° 2, février, p. 173-179.

Tableau 8 : Comparaison d'études sur les coûts de l'obésité et de l'inactivité physique au Canada

Référence	Coûts inclus	Conséquences pour la santé	Définitions employées	Estimation
Birmingham, et autres (1999)	Les coûts directs de l'obésité comprennent le coût des soins hospitaliers, des services de médecins et d'autres professionnels de la santé, des médicaments, d'autres soins de santé, et des recherches sur la santé.	Coronaropathie, ACV, hypertension, cancer colorectal, cancer du sein postménopausique, diabète de type 2, maladies de la vésicule biliaire, cancer de l'endomètre, hyperlipidémie et embolie pulmonaire (10)	Obésité = IMC = 27	1,8 milliard $ (1997)

20. Katzmarzyk, Peter T., et Ian Janssen (2004). «The Economic Costs Associated with Physical Inactivity and Obesity in Canada: An Update», *Canadian Journal of Applied Physiology*, 29(1), p. 90-115.

Référence	Coûts inclus	Conséquences pour la santé	Définitions employées	Estimation
Katzmarzyk, et autres (2000)	Les coûts directs de l'inactivité physique comprennent les coûts des soins hospitaliers, des soins de médecins, des médicaments et de la recherche.	Coronaropathie, ACV, hypertension, cancer du côlon, cancer du sein, diabète de type 2 et ostéoporose (7)	Inactivité physique = dépense < 12,6 kJ par kilogramme de poids corporel par jour	2,1 milliards $ (1999)
Katzmarzyk et Janssen (2004)	Les coûts directs de l'obésité comprennent le coût des soins hospitaliers, les médicaments, les soins de médecins, les soins dans d'autres institutions, et les dépenses directes additionnelles en soins de santé. Les coûts indirects sont mesurés en fonction de la valeur des années de vie perdues en raison d'un décès prématuré et de la valeur des jours d'activité perdus en raison d'une incapacité à court ou à long terme.	Coronaropathie, ACV, hypertension, cancer du côlon, cancer du sein postménopausique, diabète de type 2, maladies de la vésicule biliaire, et ostéoarthrose (8)	Obésité = IMC = 30	4,3 milliards $ (2001) 1,6 milliard $ en coûts directs 2,7 milliards $ en coûts indirects
	Les coûts directs et indirects de l'inactivité physique comportent les mêmes éléments que dans la section sur l'obésité.	Coronaropathie, ACV, hypertension, cancer du côlon, cancer du sein, diabète de type 2 et ostéoporose (7)	Inactivité physique = dépense < 6,3 kJ par kilogramme de poids corporel par jour Pour une personne moyenne, ce niveau d'activité physique correspond à une marche d'environ 1,6 km par jour	5,3 milliards $ (2001) 1,6 milliard $ en coûts directs 3,7 milliards $ en coûts indirects

Sources: C. Laird Birmingham, et autres (1999). «The Cost of Obesity in Canada», *Journal de l'Association médicale canadienne*, vol. 160, n° 4, février, p. 483-488; Peter T. Katzmarzyk, Norman Gledhill et Roy J. Shephard (2000). «The Economic Burden of Physical Inactivity in Canada», *Journal de l'Associationmédicale canadienne*, vol. 163, n° 11, novembre 2000, p. 1435-1440; et Katzmarzyk et Janssen (2004), p. 90-115.

C'est chez les jeunes canadiens que la situation est la plus alarmante : la prévalence de l'obésité chez les jeunes de 2 à 17 ans est passée de 3 % en 1978-1979, à 8 % en 2004. Sauf quelques exceptions, les données sur l'obésité ne semblent pas varier fortement à l'échelle canadienne selon les provinces. La moyenne nationale s'établit à 22,9 % en 2004, sauf au Manitoba et à Terre-Neuve où ce taux était respectivement de 30,4 % et 33,3 %. L'indice de masse corporelle (IMC) moyen des adultes est passé de 25,1 entre 1978-1979 à 27,0 en 2004, et la répartition de la population adulte en fonction de l'IMC s'est déplacée vers l'extrémité lourde du continuum. Tant pour les hommes que pour les femmes, les taux d'obésité étaient les plus faibles chez les 18 à 24 ans (10,7 % chez les hommes et 12,1 % chez les femmes) et culminait autour de 30 % chez les 45 à 64 ans.

Graphique 3 : Taux d'obésité, selon le groupe d'âge et le sexe, population à domicile âgée de 18 ans et plus, Canada, territoires non compris, 2004

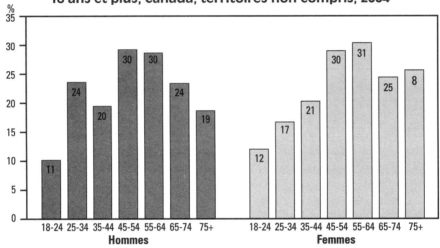

Source : Statistique Canada (2004). *Enquête sur la santé des collectivités canadiennes*, Ottawa.

Graphique 4 : Taux d'obésité, selon la situation matrimoniale et le sexe, population à domicile de 25 ans et plus, Canada, territoires non compris, 2004

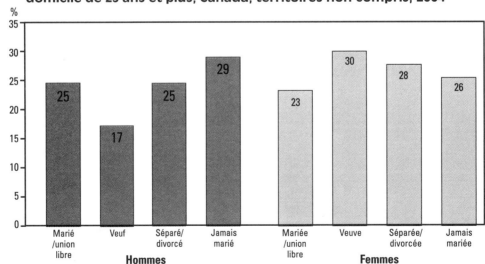

Source : Statistique Canada (2004). *Enquête sur la santé des collectivités canadiennes*, Ottawa.

Les déterminants sociaux de la santé : une synthèse

Tableau 9: Classification du poids chez les adultes

Indice de masse corporelle	Classification	Risque de développer des problèmes de santé
<18,5	Poids insuffisant	Accru
18,5 à 24,9	Poids normal	Moindre
25,0 à 29,9	Excès de poids	Accru
≥ 30,0: 30,0 à 34,9 35,0 à 39,9 ≥ 40,0	Obèse: Obèse classe I Obèse classe II Obèse classe III	 Élevé Très élevé Extrêmement élevé

Source: Santé Canada (2003). *Lignes directrices pour la classification du poids chez les adultes*, Ottawa, p. 3.

Tableau 10: Prévalence d'un excès de poids et d'obésité chez les adultes canadiens (%)

	Personnes souffrant d'un excès de poids, y compris les obèses			Obèses		
	2000-2001	2003	2004	2000-2001	2003	2004
Total	47,4	48,5	58,8	14,9	15,4	23,4
Hommes	55,6	58,1	65,2	16,0	16,6	23,7
Femmes	39,0	38,6	52,4	13,8	14,1	23,2

Source: Statistique Canada. *Enquête sur la santé des collectivités canadiennes*, 2000-2001, 2003, et *Enquête sur la santé des collectivités canadiennes*, 2004.

Figure 6 : Toile causale des facteurs influençant la problématique du poids

Facteurs internationaux	Facteurs nationaux/régionaux	Facteurs de la communauté	Facteurs individuels	Population

Globalisation des marchés

Industrialisation

Médias et marketing

Politiques d'éducation
Politiques de transport
Politiques d'urbanisation
Politiques de santé
Politiques alimentaires
Politiques familiales
Politiques culturelles
Politiques économiques

Transport public
Sécurité
Aménagement urbain
Disponibilité et accessibilité alimentaires
Publicité et médias
Revenus

Occupation
Déplacements
Loisirs
Activités sportives
Alimentation
Image corporelle

Génétique
Dépense d'énergie
Apport alimentaire

Prévalence des problèmes reliés au poids : obésité et préoccupation excessive à l'égard du poids

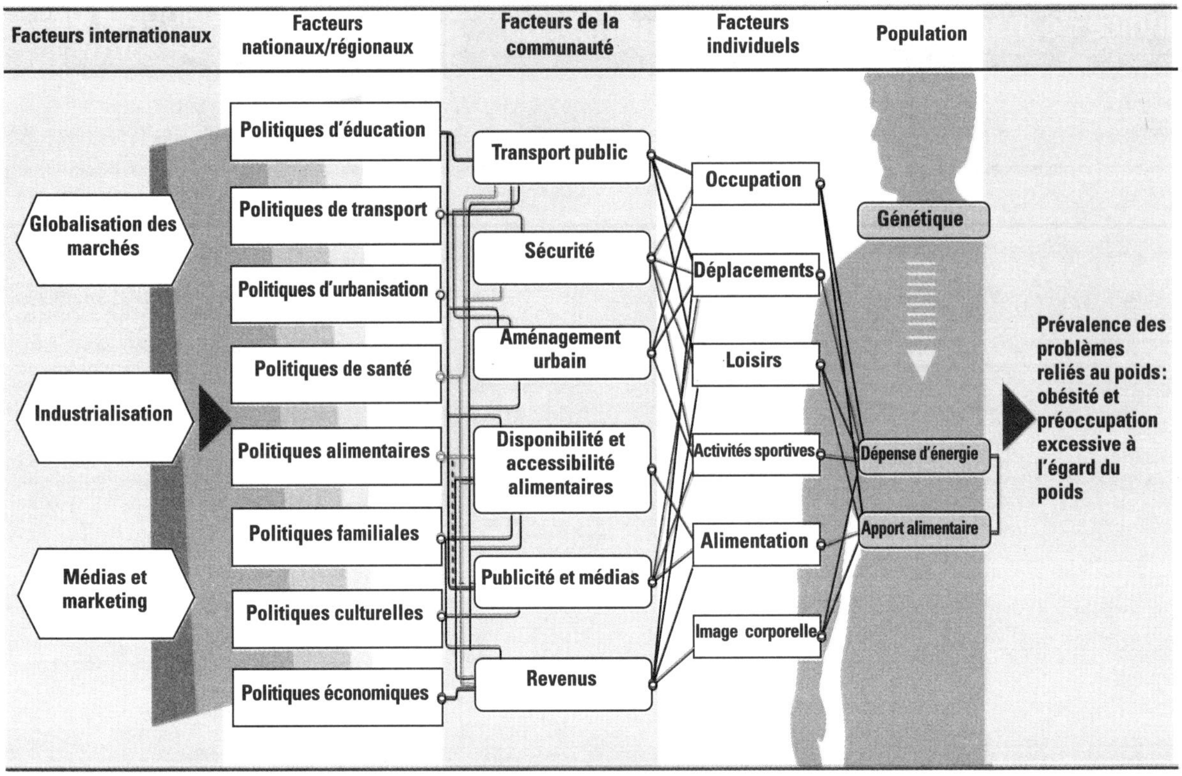

Source : *Les problèmes reliés au poids au Québec : Appel à la mobilisation*, groupe de travail provincial sur la problématique du poids, octobre 2004, p. 12.

Le problème de l'obésité s'explique, en partie, par la tendance à la hausse de la sédentarité. D'après James O. Hill, l'augmentation de la prévalence de l'obésité dans la population au cours des dernières années illustre clairement que les facteurs liés aux modes de vie, notamment l'activité physique et l'alimentation, jouent un rôle crucial sur l'état de santé des populations[21]. Les enfants et les adolescents sont d'ailleurs beaucoup plus sédentaires que leurs parents et grands-parents. Parmi les facteurs explicatifs de la sédentarité, nous pouvons mentionner la hausse de la consommation de loisirs passifs chez les jeunes d'aujourd'hui. Plusieurs de ces loisirs, particulièrement les distractions que procurent Internet, les jeux vidéo et la télévision, constituent des obstacles à la pratique régulière d'activités physique et sportive. Les habitudes alimentaires des jeunes se sont aussi transformées ces dernières années. L'embonpoint est souvent associé à la faible consommation de fruits et de légumes[22] et à la consommation excessive d'aliments de restauration rapide, d'aliments gras et salés[23]. D'après les résultats d'une enquête menée auprès des enfants et adolescents canadiens de 6 à 16 ans, 22 % des aliments consommés quotidiennement ne font pas partie d'un des quatre groupes du *Guide alimentaire canadien*. En outre, au moins 34 % des enfants consomment des grignotines, des bonbons ou des boissons gazeuses chaque jour, ce qui favorise la prise de poids. Cette

21. Hill, James, et Frederick Trowbridge (1998). « Childhood Obesity : Future Directions and Research Priorities », *Pediatrics*, 101 (3), p. 570-574.
22. Newmark-Sztainer, Dianne, et autres (1996). « Correlates of Inadequate Fruit and Vegetable Consumption Among Adolescents », *Preventive Medicine*, 25 (5), p. 497-505.
23. Ludwig, Daniel, Eric Peterson et Steven Gortmaker (2001). « Relation Between Consumption of Sugar-Sweetened Drinks and Childhood Obesity : a Prospective, Observational Analysis », *The Lancet*, 357 (9255), p. 505-508.

proportion augmente avec l'âge et atteint 44 % chez les jeunes de 15 à 16 ans[24].

Il est également reconnu que les facteurs environnementaux jouent un rôle prépondérant dans les habitudes de vie. Les comportements reliés à l'alimentation et à l'activité physique, ainsi que les attitudes que les gens entretiennent à l'égard de leurs corps ne sont pas vraiment le fruit du libre choix des personnes, mais plutôt une réponse à des environnements où s'entremêlent de puissantes forces économiques, culturelles et politiques. L'ensemble des changements observés dans les habitudes de vie, que ce soit au niveau de la pratique d'activités physiques ou de la consommation alimentaire, a des répercussions considérables sur la prise de poids, voire des conséquences sur le bien-être, l'épanouissement social et personnel des jeunes. Même s'il existe relativement peu d'études établissant clairement un lien entre l'activité physique, l'alimentation et la réussite scolaire, certaines d'entre elles ont toutefois démontré que les jeunes qui s'entraînent régulièrement ont une plus grande capacité d'adaptation à l'école et obtiennent le plus souvent de meilleurs résultats scolaires. Il s'avère donc primordial, pour la santé globale des jeunes, de se préoccuper de leurs habitudes de vie.

Les canadiens bougent davantage, mais pas encore assez, et trop peu ne font pas suffisamment d'activités physiques dans leur temps libre pour en retirer les bénéfices nécessaires à la santé. En se basant sur quelques données statistiques, un adulte canadien sur quatre (26 %) est sédentaire durant ses loisirs. Au Canada, plus d'une adolescente sur trois (36 %) et presque un adolescent sur quatre (24 %) sont peu, moyennement ou pas actifs, c'est-à-dire qu'ils n'atteignent pas le volume recommandé d'activité physique. Plus de la moitié des adultes (55 %) marchent moins d'une heure par semaine pour se déplacer[25].

L'augmentation de la prévalence de l'excès de poids au Canada, comme dans la plupart des pays développés, est due à une diminution de l'activité physique ou à une augmentation de l'apport calorique par l'alimentation, voire une combinaison des deux dans certains cas. Bien qu'il demeure difficile de quantifier précisément l'importance de chacune de ces causes potentielles, il existe une corrélation évidente entre l'augmentation de la prévalence de l'excès de poids chez les jeunes et le contexte social ne favorisant guère l'activité physique. Par exemple, la conciliation des obligations familiales et professionnelles laisse souvent moins de temps pour les loisirs sportifs. Depuis une quinzaine d'années, les jeunes consomment plus de loisirs passifs qu'ils ne font d'activités physiques, ce qui les amène à devenir sédentaires. Ce type de loisirs n'exige aucune forme d'organisation particulière et convient aussi à de nombreux parents. Les parents semblent aussi moins enclins à laisser leurs enfants jouer dans les parcs sans surveillance à cause de la montée de l'insécurité dans certains quartiers. Par ailleurs, la configuration des centres urbains n'est pas propice aux déplacements actifs, car le temps de déplacement réduit le temps libre pour pratiquer les activités physiques. Il faut aussi relever que le nombre d'heures consacré à l'éducation physique dans les écoles n'atteint pas les quotas recommandés par les autorités gouvernementales. Les installations sportives ne répondent pas non plus toujours au besoin des sports et des activités physiques.

Le gouvernement du Canada accuse le contrecoup de la sédentarité. Les coûts de soins de santé liés à la sédentarité étaient de l'ordre de plusieurs milliards de dollars, soit 2,6 % des coûts totaux de soins de santé. En 1995, près de 21 000 décès prématurés au Canada pouvaient être attribués à la sédentarité. Entre 1985 et 2000, au Canada, le nombre de décès reliés à l'obésité est passé de 2 514 à 4 321. En 2000, ce chiffre représentait presque 10 % des décès prématurés chez les adultes de 20 à 64 ans[26]. Il a pourtant été démontré qu'un plus grand volume d'activité physique offre une protection contre de nombreux problèmes de santé associés au surpoids. Ainsi, les personnes obèses ont avantage à s'entraîner régulièrement pour avoir un bilan énergétique négatif, mais aussi pour réduire le risque des maladies associées à l'obésité et la mort prématurée, de même que pour améliorer leur condition physique.

24. Lavallée, Claudette (2004). *Enquête sociale et de santé auprès des enfants et adolescents au Canada. Rapport sur la santé*, 17 (3), p. 24-27, Statistique Canada, n° 82-003.
25. *Ibid.*
26. Katzmarzyk, Peter T., et Ian Janssen (2004). « The Economic Costs Associated with Physical Inactivity and Obesity in Canada: An Update », *Canadian Journal of Applied Physiology*, 29(1), p. 90-115.

Tableau 11 : Quelques problèmes de santé pour lesquels l'activité physique a des effets salutaires

Maladies coronariennes, angine, infarctus, insuffisance cardiaque
Athérosclérose, artériosclérose, maladie vasculaire périphérique, claudication intermittente
Accident vasculaire cérébral
Diabète de type 2 (résistance à insuline, tolérance au glucose)
Dyslipidémie
Hypertension
Cancer (sein, côlon), effets secondaires du traitement du cancer (chimiothérapie)
Ostéoporose
Arthrite, arthrose
Dépression, anxiété
Problèmes digestifs
Calculs biliaires
Problèmes chroniques au dos
Problèmes et maladies respiratoires
Apnée du sommeil
Risques de chute
Symptômes de la ménopause
Fibromyalgie

Source : Gouvernement du Québec (2006). *L'activité physique et le poids corporel*, ministère de l'Éducation, du Loisir et du Sport, p. 23.

La pratique régulière d'activités physiques, sous formes de sports ou d'activités moins encadrées, en plus de favoriser le maintien ou l'amélioration de la condition physique des enfants et des adolescents, est associée à une meilleure santé mentale (meilleur contrôle des effets de stress et de l'anxiété, réduction des symptômes de la dépression) et à un effet positif sur plusieurs aspects de la santé physique : masse et densité osseuse, masse corporelle (réduction de l'embonpoint et de l'obésité), profil lipidique, pression artérielle et santé cardiovasculaire.

L'activité physique effectuée au cours de l'adolescence produit un effet favorable sur la masse et la densité osseuses dans le cas où un stress important est imposé aux os. Les bienfaits se prolongent jusqu'à l'âge adulte et contribuent à prévenir l'ostéoporose. Les bienfaits des effets cardiovasculaires de l'activité physique des jeunes ne sont observables à l'âge adulte que si la pratique se poursuit. Le fait de demeurer actif lors du passage à l'âge adulte retarde le développement de l'athérosclérose.

Tableau 12 : Effets documentés de l'activité physique sur les jeunes

Condition physique	L'activité physique nécessaire pour améliorer la condition physique est supérieure à celle nécessaire pour susciter des effets positifs sur la santé. Par ailleurs, une bonne condition physique permet d'effectuer plus rapidement le volume d'activité physique nécessaire pour la santé.
Croissance et maturation	L'activité physique assure une croissance normale, mais on ignore quelle quantité est nécessaire pour obtenir des résultats optimaux.
Masse et densité osseuses	L'activité physique qui impose un stress mécanique important a un effet favorable sur la masse et la densité osseuses qui semblent se maintenir à l'âge adulte, même après une diminution d'activités.
Masse corporelle	L'activité physique participe au contrôle de la masse corporelle et peut donc prévenir l'embonpoint et l'obésité.
Profil lipidique	L'activité physique améliore la concentration plasmatique des HDL et diminue le taux de triglycérides dans le sang, surtout lorsque l'activité physique s'accompagne d'une perte de poids.
Pression artérielle, santé cardiovasculaire	L'activité physique améliore la pression artérielle, si elle est pratiquée régulièrement ; elle diminue les risques de maladies cardiovasculaires si l'adolescent en maintient la pratique jusqu'à l'âge adulte.
Santé mentale	L'activité physique est associée à une meilleure estime de soi et réduit l'anxiété et les symptômes de la dépression, sauf si celle-ci est sévère.

Source : Gouvernement du Québec (2000). *L'activité physique, déterminant de la santé des jeunes*, Secrétariat au loisir et au sport, ministère de la Santé et des Services sociaux, p. 3.

Tableau 13: Quelques risques majeurs pour la santé: autres facteurs de risque d'origine alimentaire et sédentarité

Facteurs de risque	Exposition minimum théorique	Issues défavorables de l'exposition
Hypertension artérielle	115 mmHg; écart type de 11 mmHg	Accident vasculaire cérébral, cardiopathie ischémique, troubles de tension et autres maladies cardiaques
Hypercholestérolémie	3,8; écart type de 1 mmol/l (147; écart type de 39 mg/dl)	Accident vasculaire cérébral, cardiopathie ischémique
Surcharge pondérale	21; écart type de 1	Accident vasculaire cérébral, cardiopathie ischémique, diabète, arthrose, cancer de l'endomètre, cancer du sein postménopausique
Apport insuffisant en fruits et en légumes	600 g par jour pour les adultes; écart type de 50 g	Accident vasculaire cérébral, cardiopathie ischémique, cancer colorectal, cancer de l'estomac, cancer du poumon, cancer de l'œsophage
Sédentarité	Au moins 2,5 heures d'exercice physique modéré ou une heure d'exercice intense par semaine	Accident vasculaire cérébral, cardiopathie ischémique, cancer du sein, cancer du côlon, diabète

Source: Organisation mondiale de la santé (2002). «Quantification de certains risques majeurs pour la santé», dans *Rapport sur la santé dans le monde* (2002), *Réduire les risques et promouvoir une vie saine*, p. 57.

Les déterminants sociaux de la santé: une synthèse

Tableau 14: Indicateurs principaux de santé dans quelques pays

Pays	Taux de mortalité chez les enfants de moins de 5 ans atteints de sida	Espérance de vie en santé à la naissance (deux sexes)	Taux d'obésité chez les enfants de moins de 5 ans habitants	Nombre de médecins dentistes pour 10,000
Afghanistan	0,3 (2000)	36,0 (2003)	4,6 (2004)	<1 (2005)
Australie	0,0 (2000)	73,0 (2003)	8,0 (2001)	11,00 (2001)
Burkina Faso	4,0 (2000)	36,0 (2003)	5,4 (2003)	<1 (2004)
Canada	0,0 (2000)	72,0 (2003)	6,2 (2004)	12,00 (2006)
Chili	0,1 (2000)	67,0 (2003)	5,8 (2004)	4,00 (2003)
Éthiopie	3,8 (2000)	41,0 (2003)	5,1 (2005)	<1 (2003)
Haïti	8,3 (2000)	44,0 (2003)	3,9 (2006)	<1 (1998)
Luxembourg	0,0 (2000)	72,0 (2003)	6,2 (2005)	8,00 (2004)
Nouvelle-Zélande	0,0 (2000)	71,0 (2003)	8,0 (2001)	4,00 (2002)
États-Unis	0,1 (2000)	69,0 (2003)	7,0 (2002)	16,00 (2000)

Source : Données agrégées provenant de multiples sources.

L'activité physique est un déterminant de la qualité de vie dans la mesure où elle se répercute sur d'autres comportements sains. Quelques études suggèrent que les jeunes physiquement actifs ont généralement tendance à avoir de bonnes habitudes de vie et un mode de vie plus sain comparé à ceux qui ne pratiquent aucune activité physique. Ils semblent aussi mieux s'alimenter et avoir de bonnes habitudes de sommeil[27]. Au cours de l'adolescence, la baisse de la pratique d'activité physique est étroitement associée à l'acquisition d'habitudes pouvant nuire à la santé, comme la consommation de drogues, de tabac ou d'alcool ainsi que les pratiques sexuelles non sécuritaires. Les jeunes qui ne fument pas participent davantage aux activités physiques que ceux qui fument occasionnellement ou régulièrement[28].

La reconnaissance de l'alimentation comme déterminant de la santé a amplement été démontrée dans plusieurs énoncés de politiques gouvernementaux. Par exemple, les habitudes et les comportements alimentaires jouent un rôle majeur dans la prévention des maladies cardiovasculaires. L'insécurité alimentaire, en termes d'accessibilité à des aliments suffisants et

27. Blair, Steven N. (1985). « Relationships Between Exercise or Physical Acitivity and other Health Behaviors », Public Health Reports, *Workshop on Epidemiologic and Public Health Aspects of Physical Activity and Exercise*, Atlanta, 100 (2), p. 172-180.
28. Condition physique et sport amateur (1983). *L'activité physique et les jeunes au Canada*, Ottawa, 70 p.

nutritionnellement adéquats, reste cependant un problème actuel à cause du manque de ressources financières[29].

À la lumière des bienfaits de saines habitudes de vie, les pouvoirs publics ont élaboré des stratégies de promotion de ces dernières. L'objectif est d'encourager les populations à pratiquer une activité physique et à conserver un mode de vie physiquement actif, et de les éduquer sur la saine alimentation tout au long de la chaîne alimentaire afin de prévenir les risques pour la santé. Ainsi, les besoins en soins de santé pourront être réduits.

3.4 La consommation de drogues licites et illicites : une tendance inquiétante

L'usage de drogues illicites et la toxicomanie sont de graves problèmes de plus en plus présents dans plusieurs pays à l'échelle planétaire, selon les experts en santé publique, et il semble que très peu de personnes n'en aient pas encore, d'une façon ou d'une autre, déjà fait usage. Il est aussi fort probable que plusieurs personnes interrogées aient nié leur consommation de drogue par gêne ou par honte. Ceci dit, toutes les consommations de drogues ne mènent pas inévitablement à la dépendance. On commence à parler de dépendance lorsqu'on observe chez quelqu'un le besoin compulsif et irrépressible pour une substance psychoactive.

> Le risque que l'on prend en consommant des drogues se compare un peu à la situation de canoteurs s'approchant d'une chute d'eau gigantesque. La plupart rebroussent chemin. Un certain nombre expérimente les premiers petits rapides tout en éprouvant le plaisir d'un risque réfléchi. Un très petit groupe s'aventure sur les remous dangereux pour vivre des sensations fortes mais en sachant encore comment s'en échapper, s'ils se sentent perdre le contrôle. Enfin, quelques-uns ne peuvent s'empêcher d'être attirés par la chute[30].

Le mot drogue désigne toute substance, autre que des aliments, que l'on absorbe pour modifier la façon dont le corps ou l'esprit fonctionnent. Les psychotropes, aussi appelés substances psychoactives, sont des drogues qui peuvent modifier ou altérer la pensée, les sensations ou le comportement d'une personne. Elles ont généralement aussi des effets physiques, mais ce qui les distingue des autres drogues est le fait qu'elles influent sur l'esprit et les sens. Les effets qu'ont les drogues dépendent aussi de la façon dont on les prend, ainsi que de l'âge et du sexe des consommateurs.

Les drogues peuvent s'acquérir et être utilisées de façon légale ou illégale. La distinction entre les drogues licites ou illicites s'établit souvent sur la base de la possession, de la confection, de la culture et de la vente qui peuvent être légales ou non. Les drogues utilisées à des fins médicales, soit sur ordonnance, soit en pharmacie, s'obtiennent légalement. Au Canada, les médicaments prescrits par des médecins sont souvent des psychotropes qui servent à soulager la douleur, calmer les nerfs ou favoriser le sommeil. Les drogues qui ne servent pas à des fins médicales comprennent l'alcool et le tabac qui peuvent être achetés dans les points de vente et être consommés par les personnes majeures en toute légalité. Certaines drogues dures comme le cannabis, la cocaïne, l'héroïne et le LSD (diéthylamide de l'acide lysergique) sont généralement produites dans des laboratoires illicites pour être vendues sur le marché noir. La vente et la possession de médicaments prescrits sur ordonnance est aussi illégale lorsque les médicaments n'ont pas été obtenus sur ordonnance valide dans des conditions légales. Par exemple, le Ritalin® ou le Percodan® peuvent être achetés sur le marché noir.

L'Enquête de surveillance canadienne de la consommation d'alcool et de drogues (ESCCAD) lancée en 2008 par Santé Canada a permis d'obtenir des données fiables sur la consommation d'alcool et de drogues et des problèmes qui y sont liés. Les résultats suggèrent que la prévalence de la consommation de cocaïne chez les personnes âgées de 15 ans et plus est 1,6 %, celles d'ecstasy et de speed sont respectivement de 1,4 % et 1,1 % et de

29. Dubois, Lise, et autres (2000). *Alimentation : perceptions, pratiques et insécurité alimentaire*, Daveluy, C., et autres. *Enquête sociale et de santé 1998*, Québec, Institut social et de la statistique du Québec, Chapitre 6.
30. Institut des neurosciences, de la santé mentale et des toxicomanies du Canada, 2009.

méthamphétamine de 0,2 % au cours des 12 derniers mois. Le plus surprenant et inquiétant, c'est que ces données de 2008 sont similaires aux taux rapportés en 2004, ce qui présume que les campagnes de sensibilisation et de promotion n'ont pas tout à fait porté leurs fruits. Le taux de consommation de drogue chez les jeunes de 15 à 24 ans demeure beaucoup plus élevé que celui déclaré par les adultes de 25 ans et plus : 4 fois plus élevé pour la consommation de cannabis (32,7 % contre 7,3 %), et 9 fois plus élevé pour la consommation d'au moins une autres drogue illicite au cours de 12 derniers mois (15,4 % contre 1,7 %). Les jeunes adultes, âgés de 15 à 24 ans représentent à eux seuls presque la moitié de tous les consommateurs de drogues illicites.

La consommation d'intoxicants peut frapper n'importe quelle personne, peu importe son sexe, son âge, son origine ethnique, son degré d'instruction ou sa situation professionnelle, mais il semble que certains groupes soient exposés à de plus grands risques. En général, les hommes sont plus portés que les femmes à consommer des drogues illicites, tandis que les femmes sont plus enclines à utiliser des médicaments prescrits qui peuvent entraîner une forme de dépendance. Il est aussi relevé dans la littérature que les jeunes adultes risquent davantage que les personnes plus âgées de consommer des drogues illicites. Il arrive cependant que les personnes vieillissantes consomment de nombreux médicaments prescrits. Les jeunes de la rue et certains autochtones figurent parmi les groupes les plus vulnérables à la consommation de drogues. Dans les prisons fédérales, près de 7 détenus sur 10 ont un problème d'alcoolisme ou de toxicomanie suffisamment grave pour justifier une intervention. La consommation de drogues est susceptible d'avoir des répercussions négatives tant sur le plan physique que social et peut causer des dommages profonds pour le consommateur, sa famille et son entourage[31].

Les effets bénéfiques ou nuisibles de certaines substances, en l'occurrence l'alcool et le cannabis, continuent de faire l'objet de nombreux débats. Il appert que certaines maladies cardiaques seraient moins courantes chez les buveurs modérés que chez les abstinents ou les gros consommateurs d'alcool. L'alcool, consommé avec modération, pourrait donc être bénéfique pour la santé, même s'il comporte en même temps des risques à long terme chez certains buveurs. Hormis les effets nocifs du cannabis sur les systèmes neurologique, respiratoire et immunologique, il semblerait que sa valeur thérapeutique et sa toxicité limitée aient été démontrées pour soulager différentes affections. Ces renseignements contradictoires placent devant un dilemme les gouvernements qui cherchent à élaborer une politique en matière de santé publique.

Santé Canada a élaboré un cadre de travail sur le continuum de risques de la consommation de drogues afin de comprendre ses répercussions. Les consommateurs de drogues peuvent se trouver à différents points du continuum de risques pour différents types de drogues. Par exemple, une personne peut consommer une quantité d'une drogue qui risque de nuire à sa santé, tout en consommant une autre drogue de façon occasionnelle ou sociale, ou prendre des médicaments selon l'ordonnance de son médecin. Le continuum passe de l'abstinence totale à la dépendance

---

31.   Miller Chenier, Nancy (2001). *La consommation de drogues et d'alcool et la politique d'intérêt public*, Division des affaires politiques et sociales, gouvernement du Canada.

Tableau 15 : Continuum de risques

L'abstinence totale	La personne ne consomme ni alcool, ni drogues.
Usage expérimental	La personne essaie une drogue par curiosité. Elle pourra opter d'en consommer de nouveau ou de ne jamais y retoucher.
Consommation sociale ou occasionnelle	La personne consomme une drogue à un niveau et à une fréquence qui ne lui nuisent pas (par exemple, un verre d'alcool à l'occasion d'une fête).
Médicaments consommés en respectant l'ordonnance du médecin	La personne utilise une drogue sur ordonnance et sous surveillance du médecin. Elle court ainsi le moins de risques possible.
Consommation nuisible	La personne consomme une drogue et en subit des effets négatifs, comme des troubles de santé, des problèmes en famille, à l'école ou au travail, ou vit des ennuis juridiques.
Dépendance	La personne consomme une drogue de façon excessive et s'en trouve dépendante psychologiquement ou physiquement. Elle continue à consommer cette drogue malgré les problèmes graves que celle-ci lui cause.

Source : Santé Canada (2000). *Les drogues : Faits et méfaits*, Division de la Stratégie canadienne antidrogue, 70 p.

D'après le continuum des risques, la consommation de drogues devient problématique lorsqu'elle nuit à l'utilisateur et à son entourage. Les torts peuvent être d'ordre physique, mental, social, émotionnel, juridique, économique et environnemental. La consommation de drogues entraîne parfois des méfaits comme l'«abus», la «dépendance» ou la «toxicomanie». Selon les systèmes de classification officiels, «l'abus d'alcool ou d'autres drogues» est utilisé pour décrire des problèmes moins graves ou moins durables ou qui se produisent, par mégarde, en ne respectant pas les instructions d'une prescription, par exemple. Dans le langage populaire, on parle de «dépendance» physique ou psychologique pour indiquer que l'utilisateur est incapable de vivre sans consommer une drogue, malgré les torts qu'elle lui cause, les symptômes de tolérance et de sevrage. Le terme «toxicomanie» désigne une série de comportements compulsifs, comme la consommation excessive d'alcool ou d'autres drogues et la dépendance au jeu. Le gouvernement du Canada l'utilise souvent pour décrire des initiatives, des politiques et des services sociaux destinés aux personnes qui souffrent d'abus d'alcool ou d'autres drogues.

L'abus de drogues comporte plusieurs effets négatifs sur les plans individuel et social qui ont été répertoriés. Le risque de troubles médicaux, comme la maladie, les blessures, la perte d'intégrité physique ou même la mort prématurée sont susceptibles de s'accroître. Des problèmes personnels comme une perte de motivation, une dépendance physique et psychologique, des problèmes au travail ou à l'école peuvent aussi se manifester. L'abus de drogues peut aussi engendrer des problèmes relationnels au sein de la famille et du couple, voire même une rupture, ou des troubles de la société en accroissant les taux de criminalité et des accidents de la route. La

consommation de drogues représente donc un coût relativement élevé pour la société dans son ensemble, car elle fait augmenter les besoins en services de santé et de lutte contre la criminalité en plus de provoquer une perte de productivité.

Tout comme l'obésité et la malbouffe, l'usage des drogues génère des coûts économiques immenses. La perte de productivité imputable aux maladies et aux décès prématurés et le nombre de décès causés par la toxicomanie et l'alcoolisme constituent une source de préoccupation permanente pour les gouvernements. Les coûts liés à l'usage des drogues comprennent à la fois des dépenses directes et indirectes. Les dépenses directes comprennent les soins médicaux, les honoraires professionnels, les services d'ambulance et les médicaments sur ordonnance, les coûts des programmes d'aide aux employés et de dépistage de toxicomanes, l'administration des paiements de transfert comme l'aide sociale, l'indemnisation des travailleurs et d'autres assurances, la prévention et la recherche, l'application des lois par les policiers, les tribunaux, les services correctionnels et Section des douanes et de l'accise et d'autres coûts dus aux incendies, aux accidents de la circulation et à la dépréciation des propriétés dans les quartiers où se concentre la drogue. En parallèle, les dépenses indirectes englobent les pertes de productivité entraînées par l'absentéisme, la mortalité et la criminalité.

Tableau 16 : Les coûts de la consommation de drogues et d'alcool

Nature du coût	Caractéristiques
Médical	Outre les problèmes à long terme liés à la consommation de ces produits, des crises immédiates peuvent survenir si la dose consommée est mal évaluée, si la drogue est contaminée ou trop forte, ou encore si plusieurs produits sont consommés ensemble.
Social	La consommation de drogues et d'alcool peut briser des familles lorsque leurs membres ne peuvent rester en relations étroites ou modifier leur comportement pour s'adapter aux autres. Les jeunes des collectivités autochtones, les plus pauvres parmi les pauvres au Canada, peuvent sombrer dans un désespoir qui les pousse à se réfugier dans la drogue ou l'alcool et peuvent même parfois se suicider.
Professionnel	Les retards, les absences constantes et l'incapacité de travailler peuvent être les conséquences de la toxicomanie ou d'une apathie provoquée par les drogues. La baisse de productivité peut conduire au chômage et à son cortège de coûts sociaux et médicaux. Les consommateurs de drogues et d'alcool connaissent un taux de chômage plus élevé que la moyenne, et les chômeurs disent consommer plus de drogues, alcool compris, que l'ensemble de la population.
Policier	Il faut davantage de surveillance pour garantir le respect des lois régissant la fabrication et la distribution de certains médicaments, car certaines substances provoquent des comportements extrêmement violents, en actes ou en paroles. Selon la Commission albertaine de l'alcool et des drogues, l'alcool est en cause dans environ 80 % des cas de violence conjugale dans la province. Il a également été souligné que plus de la moitié des personnes condamnées à la prison depuis 1990 avaient consommé des drogues ou de l'alcool le jour du délit.

Source : Miller Chenier, Nancy (2001). *La consommation de drogues et d'alcool et la politique d'intérêt public*, Division des affaires politiques et sociales, gouvernement du Canada.

Afin de réduire les coûts associés à l'alcool et aux autres drogues, la Stratégie canadienne antidrogue s'est donné pour objectifs de réduire la demande, de réduire la mortalité et la morbidité liées à la drogue, d'améliorer l'efficacité et la disponibilité des renseignements sur les drogues et de réduire les drogues illicites ainsi que la rentabilité du trafic dans le but de réduire les coûts de l'abus de drogues à la société canadienne. Ces objectifs ne peuvent se concrétiser qu'en sollicitant la participation et l'engagement de tous les acteurs concernés, soit les gouvernements fédéral, provinciaux et territoriaux, des organismes non gouvernementaux, des associations professionnelles, des organismes d'application de la loi, des représentants du secteur privé et des groupes communautaires.

La Stratégie canadienne antidrogue prétend reposer sur un cadre complet qui reconnaît l'importance et l'interdépendance des composantes suivantes: le développement de la recherche et la diffusion des connaissances, les programmes d'éducation et de prévention, les programmes de traitement et réadaptation, l'application de la loi et le contrôle, la coordination nationale et la coopération internationale. L'efficacité de chaque intervention dépend de l'attention portée aux questions de sexe, de culture et d'étapes de la vie; aux besoins des consommateurs de drogues; aux causes sous-jacentes de la consommation excessive de drogues; au besoin d'un cadre législatif adéquat et au fait de considérer la prévention comme la méthode la plus rentable[32].

La consommation de tabac constitue aussi une grave menace pour la santé publique. Même si les mesures pour la contrecarrer ont donné des résultats non négligeables, il faut souligner que celles-ci sont encore loin d'être totalement efficaces. Le Canada a mis en place en 1999 une stratégie de lutte contre le tabagisme intitulée *Nouvelles orientations pour le contrôle du tabac au Canada: une stratégie nationale*. Fondée sur une approche qui prend en considération les facteurs sociaux, économiques et environnementaux influant sur les tendances en matière de tabagisme, les pratiques personnelles en santé et les capacités personnelles d'adaptation ainsi que sur l'accessibilité aux services, le modèle d'action mis en place par le gouvernement fédéral, de concert avec les provinces, veut mettre l'emphase sur le principe de responsabilité partagée et contribuer à réduire, d'ici 2011, le tabagisme à 20 %.

À l'instar de plusieurs autres drogues, le tabac est responsable d'une dépendance puissante. Les spécialistes classent la nicotine (la drogue contenue dans le tabac) avant l'alcool, la cocaïne et l'héroïne en ce qui concerne la gravité de la dépendance créée par son usage. De nombreux organes et systèmes du corps humain sont affectés par la fumée de tabac, les conséquences physiopathologiques sont innombrables et leur dangerosité redoutable. Le tabagisme est la cause de plus de la moitié des décès d'origine cardiovasculaire et il est aussi responsable de plus de 30 % de tous les décès causés par un cancer. Il est reconnu par ailleurs comme la cause principale des cancers du poumon, de la bouche, du pharynx, du larynx, de l'œsophage, du pancréas, des reins, de la vessie et du col de l'utérus. Des découvertes récentes établissent aussi un lien entre le tabagisme et le cancer du gros intestin et certaines formes de leucémie. L'arrêt du tabac, quel que soit l'âge du fumeur, augmente l'espérance de vie. Par exemple, le risque de mortalité pour un ancien fumeur ayant abandonné l'usage du tabac 10 à 15 ans plus tôt est à peu près le même que pour une personne n'ayant jamais fumé[33].

Les campagnes de prévention et de sensibilisation et les mesures réglementaires et législatives (interdiction de fumer dans certains lieux publics, taxation des produits du tabac, nouvelles normes d'étiquetage, etc.) semblent avoir contribué à réduire le nombre de fumeurs au pays, comme l'indiquent les schémas ci-après.

---

32. Santé Canada (2000). *Les drogues. Faits et méfaits*, Division de la Stratégie canadienne antidrogue, 70 p.
33. Santé Canada (2006). *La stratégie nationale: Aller vers l'avant – Rapport d'étape 2006 sur la lutte contre le tabagisme*, Ottawa.

Figure 7 : Prévalence des fumeurs canadiens âgés de 15 ans ou plus, 1999 à 2005

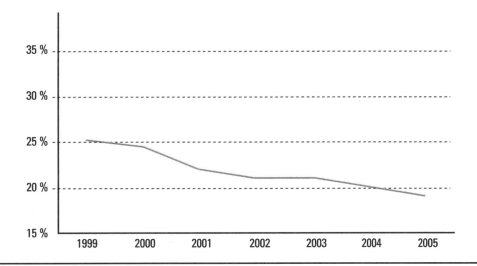

Source : Enquête de surveillance de l'usage du tabac au Canada (annuelle), 1999 à 2005.

Figure 8 : Prévalence des fumeurs canadiens âgés de 15 ans ou plus, par sexe, 1999 à 2005

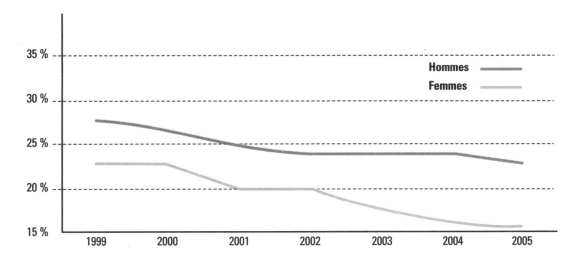

Source : Enquête de surveillance de l'usage du tabac au Canada (annuelle), 1999 à 2005.

Figure 9 : Prévalence des fumeurs canadiens, par province, 1991 et 2005

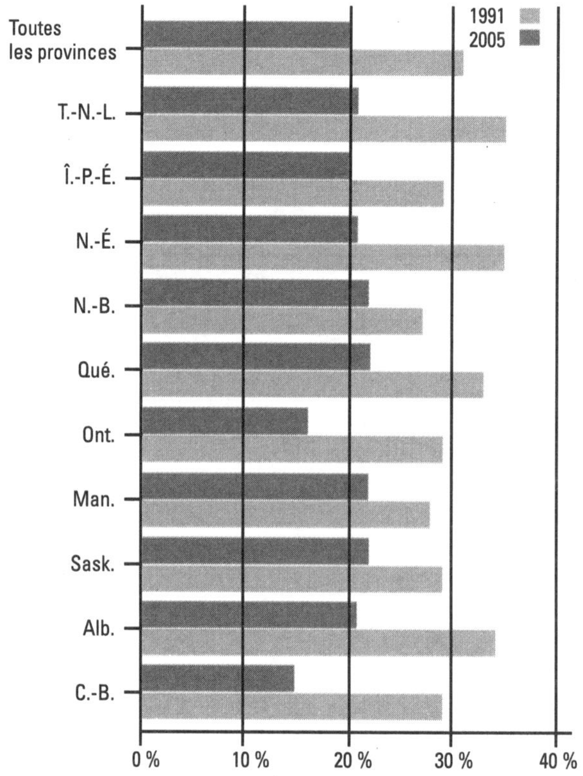

Source : Enquête de surveillance de l'usage du tabac au Canada (annuelle), 1999 à 2005.

Tableau 17 : Tendances à long terme de la prévalence du tabagisme chez les fumeurs actuels

Les deux sexes	Total	15-19 ans	20-24 ans
1999 (%)	25	28	35
2000 (%)	24	25	32
2001 (%)	22	22,5	32
2002 (%)	21	22	31
2003 (%)	21	18	30
2004 (%)	20	18	28
2005 (%)	19	18	26
2006 (%)	19	15	27
2007 (%)	19	15	25
2008 Phase 1 (%)	18	15	28

Source : 1999-2008 Phase 1 – Enquête de surveillance de l'usage du tabac au Canada.

Les déterminants sociaux de la santé : une synthèse

Il faut souligner qu'au milieu des années 1960, environ 50 % des adultes canadiens fumaient la cigarette, alors qu'ils n'étaient plus que de 23 % 5 décennies plus tard. Ceci dit, le tabac continue encore de faire des ravages, en particulier chez les femmes. En effet, celui-ci a un effet direct sur la croissance du fœtus. Plus la mère fume pendant sa grossesse, plus faible sera le poids du nouveau-né. Fumer accroît significativement le danger que le poids du bébé à la naissance soit de moins de 2 500 grammes. Ces nouveau-nés à faible poids de naissance sont plus exposés aux problèmes tels que la mort à la naissance, le besoin de traitement spécial dans une unité obstétrique de soins intensifs et le décès pendant la petite enfance.

Selon les études, la fumée du tabac contient quelques 4 000 substances chimiques dont près d'une cinquantaine sont cancérigènes. Outre divers composés toxiques comme le monoxyde de carbone, le benzène, le formaldéhyde et l'acide cyanhydrique qui proviennent de la combustion du tabac, de nombreux autres tout aussi dangereux viennent s'ajouter à la liste comme le montre le tableau ci-après.

Tableau 18 : Quelques substances chimiques produites lors de toute combustion d'un produit du tabac

Goudron

Le goudron présent dans la fumée du tabac est un résidu noir et collant composé de centaines de substances chimiques, dont plusieurs sont considérées comme carcinogènes ou classées parmi les déchets dangereux. Parmi celles-ci, on trouve notamment les hydrocarbures aromatiques polycycliques (HAP), les amines aromatiques et les composés inorganiques.

Nicotine

La nicotine est la substance contenue naturellement dans le plant de tabac. Elle est responsable de la dépendance au tabac. Elle affecte les systèmes cardiovasculaire et endocrinien.

Monoxyde de carbone

Le monoxyde de carbone (CO) se retrouve dans la fumée du tabac en raison d'une combustion incomplète. Il réduit la capacité des globules rouges de transporter de l'oxygène aux tissus ; le cœur, le cerveau et les muscles squelettiques, soit les tissus qui nécessitent le plus d'oxygène, sont les plus sensibles aux effets du monoxyde de carbone.

Formaldéhyde

L'Environmental Protection Agency (agence de protection environnementale) des États-Unis a classé le formaldéhyde comme un élément qui peut présenter un danger modéré de cancer pour l'être humain. Au Canada, il est inscrit comme un pesticide. Le formaldéhyde peut avoir des effets sévères sur la santé des fumeurs et des personnes exposées à la fumée de tabac. L'irritation des yeux, du nez et de la gorge, ainsi que des troubles respiratoires, ne sont que quelques exemples de ces effets.

Acide cyanhydrique

L'acide cyanhydrique est considéré comme l'un des agents les plus toxiques qu'on trouve dans la fumée du tabac. De nombreux effets toxiques à court et à long termes de la fumée de cigarette sont attribués à cette substance. Une exposition fréquente à de faibles concentrations d'acide cyanhydrique entraîne une faiblesse générale, des maux de tête, des nausées, des vomissements, une augmentation du rythme respiratoire, ainsi qu'une irritation des yeux et de la peau.

Benzène

Considéré comme toxique en vertu de la *Loi canadienne sur la protection de l'environnement*, le benzène peut avoir des effets néfastes, quel que soit le niveau d'exposition. Le Centre international de recherche sur le cancer a classé le benzène comme carcinogène du groupe 1.

Source: Santé Canada (2004). *Constituants et émissions des cigarettes vendues au Canada*, Ottawa.

3.5 Les maladies mentales et le suicide: un phénomène nouveau et épidémique

Les maladies mentales touchent la vie de l'ensemble de la population canadienne et ont un effet considérable sur les relations, l'éducation, la productivité et la qualité de vie globale. Environ 20 % des Canadiens souffriront d'une maladie mentale au cours de leur vie; 80 % seront affectés par une maladie mentale chez une personne de leur entourage. Le *Rapport sur les maladies mentales au Canada* relève cinq principales maladies mentales: les troubles de l'humeur, la schizophrénie, les troubles anxieux, les troubles de la personnalité et les troubles de l'alimentation. Ces maladies ont des taux de prévalence relativement élevés ou un impact considérable sur les secteurs de la santé, sociaux et économiques. Bien que le comportement suicidaire ne fasse pas partie des maladies mentales, il soulève de nombreuses questions semblables[34].

Les maladies mentales sont caractérisées par des altérations de la pensée, de l'humeur ou du comportement (ou une combinaison des trois) associées à une importante détresse et à un dysfonctionnement de longue durée. Les symptômes de la maladie mentale varient de légers à graves, selon le type, la personne, la famille et l'environnement sociopolitique. Au cours de sa vie, chaque personne éprouve une

forme de détresse émotionnelle en réaction à des situations difficiles et apprend par la même occasion à développer des mécanismes d'adaptation et de protection. Il peut cependant arriver que les habiletés ordinaires d'adaptation à l'environnement ne suffisent plus et que la détresse psychologique devienne insurmontable et dégénère en maladie mentale. La santé mentale est aussi importante que la santé physique dans la vie quotidienne; les deux sont interreliées. Les personnes souffrant de problèmes de santé physique éprouvent souvent de l'anxiété ou une forme de dépression pouvant affecter leur réaction à la maladie physique. Inversement, les personnes souffrant d'une maladie mentale peuvent développer des symptômes et des maladies physiques: une perte de poids et un déséquilibre biochimique sanguin sont associés aux troubles de l'alimentation chez les anorexiques.

Notre culture, notre manière de voir les choses et nos modes de pensée peuvent fortement influencer notre état de santé et avoir un effet sur l'évolution d'une maladie et l'efficacité de son traitement. Plusieurs maladies mentales peuvent se manifester simultanément. Par exemple, une personne peut éprouver une dépression et un trouble anxieux en même temps. Certaines personnes peuvent aussi tomber dans la toxicomanie en essayant d'apaiser les symptômes de l'alcool ou de drogues. Dans une étude américaine,

---

34. Santé Canada (2002). *Rapport sur les maladies mentales au Canada*, Ottawa, Canada.

54 % des personnes avec des antécédents d'au moins une maladie mentale souffraient d'une autre maladie mentale ou de toxicomanie[35].

Les maladies mentales touchent les personnes de tous âges et milieux culturels, de différents niveaux d'instruction et niveaux de revenu. Selon quelques données sur les hospitalisations, elles se manifestent le plus souvent à l'adolescence et au début de l'âge adulte. Ces pathologies affectent profondément le potentiel de la personne, notamment la réussite scolaire, les possibilités et les succès professionnels, ainsi que les relations interpersonnelles. Plus la fréquence de la maladie est élevée, plus sa durée est longue. L'effet dure parfois toute la vie. Un traitement efficace auquel le patient se conforme ne suffit pas toujours à enrayer la maladie. Il existe d'autres éléments essentiels garantissant la sécurité, comme un soutien social solide, un revenu et un logement adéquats et des possibilités éducatives pour minimiser l'impact de la maladie mentale. Dans les pays développés, la dépression majeure, le trouble bipolaire, la schizophrénie et le trouble obsessionnel-compulsif représentent 4 des 10 principales causes d'invalidité[36]. Le suicide présente en outre un facteur de risque important pour les personnes souffrant de l'une ou l'autre de ces maladies.

Les maladies mentales représentent des coûts importants pour la personne, la famille, le système de soins de santé et la collectivité. Les retombées sur la famille peuvent être lourdes lorsque celle-ci a des décisions difficiles à prendre concernant le traitement, l'hospitalisation, le logement, etc. La personne et la famille vivent des situations de stress en ce qui a trait à une invalidité grave ou limitative. Le coût des soins et des traitements, l'absence du travail et le soutien supplémentaire peuvent créer à la fois un épuisement et un lourd fardeau financier pour la famille. Par ailleurs, la stigmatisation accompagnant la maladie mentale conduit souvent à l'isolement social et peut même contribuer au suicide d'un membre de la famille. L'économie canadienne accuse le contrecoup des maladies mentales : la perte de productivité et les dépenses relatives aux soins de santé. Il reste néanmoins difficile de mesurer l'impact économique au Canada à cause du manque de données complètes sur l'utilisation et le coût des services et la perte de productivité. Une étude de Santé Canada estime les coûts des maladies mentales à environ 7,331 milliards de dollars en 1993[37].

La recherche indique que l'interaction complexe entre les facteurs génétiques, biologiques, de personnalité et d'environnement sont bien souvent à l'origine des maladies mentales. Le cerveau reste toutefois le lieu commun final du contrôle du comportement, de la cognition, de l'humeur et de l'anxiété, même si les liens entre des dysfonctions cérébrales spécifiques et des maladies mentales spécifiques ne sont pas encore entièrement compris[38].

Les maladies mentales peuvent être traitées efficacement si on tient compte des déterminants psychologiques et sociaux dans la prévention et la guérison. Certains facteurs internes et externes, tels un réseau et un soutien social, un emploi et un revenu suffisant, les responsabilités familiales et professionnelles, l'activité physique et un contrôle des émotions renforcent la santé mentale et réduisent en conséquence l'incidence de certains problèmes de santé mentale. Des stratégies qui établissent des environnements soutenants par le renforcement de l'action communautaire, mettent en valeur les compétences personnelles et réorientent les services de santé, et peuvent aider les personnes à exercer un certain contrôle sur les déterminants psychologiques et sociaux de la santé mentale. Pour ce qui est du traitement, il doit refléter les origines complexes des maladies mentales. La personne malade doit être traitée dans sa globalité afin d'être en mesure de lui offrir un accès complet aux services dont elle a besoin. Diverses formes d'interventions comme la psychothérapie, la thérapie cognitivo-comportementale, la médication, l'ergothérapie et le travail social peuvent améliorer le fonctionnement et la qualité de vie d'une personne. La médication, notamment les anti-dépresseurs, demeurent une composante importante du traitement, car les maladies mentales découlent de troubles des fonctions cérébrales[39].

35. Kessler, Ronald, et autres (1999). « The Prevalence of Mental Illness », dans Horwitz AV, et Sheid TL. éd., *A Handbook for the Study of Mental Health – Social Context, Theories and Systems*, Cambridge University Press.

36. Murray, Christopher, et Alan Lopez (1996). *The Global Burden of Disease: a Comprehensive-Assessment of Mortality and Disability from Diseases, Injuries and Risk factors in 1990 and Projected to 2020*, Cambridge MA Harvard School of Public Health on behalf of the World Health Organization and the World Bank, Harvard University Press.

37. Moore, Rachel, et autres (1997). *Economic Burden of Illness in Canada*, Ottawa, Health Canada.

38. Schwartz, Sharon (1999). « Biological Approaches to Psychiatric Disorders », In A.V. Horwitz & T.L. Scheid (Eds.). *A Handbook for the Study of Mental Health*, Cambridge University Press, Cambridge, p. 79-103.

39. *Ibid.*

Parmi les stratégies de prévention en santé mentale figurent les programmes d'éducation communautaire afin de réduire la stigmatisation et l'éducation des médecins aux soins primaires et aux soins spécialisés pour reconnaître, diagnostiquer et traiter correctement les maladies mentales. Les groupes d'entraide et les programmes d'assistance permettent de renforcer l'autonomie individuelle et d'apporter un soutien aux familles. Le soutien en milieu de travail permet aussi de sensibiliser les employeurs sur les problèmes de santé mentale et d'encourager la réinsertion et la réadaptation professionnelles. Pour les interventions en cas de crise, les salles d'urgence des hôpitaux sont le recours principal pour la gestion des crises. L'idéal serait de mettre en place un système plus complet de réponse aux situations de crise, car il n'est pas toujours évident d'assurer un suivi approprié pour la personne malade, de recourir à la prévention ou à une intervention précoce en milieu hospitalier.

3.6 Les facteurs influençant les habitudes de vie des individus

Le modèle des stades du changement (*Stages of Change*) et le modèle des croyances relatives à la santé (*Health Belief Model*) ainsi que la théorie de l'apprentissage social (*Social Learning Theory*) expliquent les comportements de santé et les changements de comportement en se focalisant sur les individus.

Le modèle des croyances relatives à la santé est le premier modèle à avoir été utilisé pour expliquer les comportements de santé. Il se base sur la théorie de l'utilité subjective attendue, et considère qu'une personne décide d'avoir un comportement de santé après avoir identifié les options d'actions possibles et évalué l'importance et la probabilité d'occurrence de chacune des conséquences. Tout au long du processus de changement, ces informations permettent à l'individu de prendre une décision rationnelle. Ce modèle considère aussi que la santé est une valeur importante et que les moyens d'action sont acceptés par l'individu[40]. Dans ce modèle, cinq variables influencent les comportements de santé: 1) la vulnérabilité perçue; 2) la sévérité perçue; 3) les bénéfices perçus; 4) les barrières perçues; 5) les pistes pour l'action ou les indicateurs d'actions[41].

Tableau 19: Variables du modèle des croyances relatives à la santé

Vulnérabilité perçue	Sévérité perçue	Bénéfices perçus	Barrières perçues	Pistes pour l'action ou indicateurs d'actions
Perception subjective du risque d'avoir un problème de santé.	Sentiments concernant la gravité de la maladie si elle est contractée ou non traitée.	Croyances envers l'efficacité des actions disponibles pour réduire la menace de la maladie.	Aspects physiques, psychologiques et financiers liés à l'action de santé analysée.	Rappels pour un problème de santé donné. Ces moyens peuvent être internes (symptômes de la maladie, etc.) ou externes (recommandation d'un médecin ou d'une infirmière, publicité, etc.). Dans le cas des actions préventives, il n'existe normalement pas de symptômes, donc les pistes pour l'action sont souvent externes à l'individu.

Source: Werle, Carolina, et autres (2003). *Les déterminants du comportement de santé préventive: Revue de la littérature, perspectives de recherche et étude exploratoire*, Université Pierre-Mendès, France.

---

40. Janz, Nancy K., et Marshall Becker H. (1984). «The Health Belief Model: a Decade Later», *Health Education Quaterly*, 11, Nov., p. 1-47.
41. Werle, Carolina, Danilo C. Dantas et Sabine Boesen Mariani (2003). *Les déterminants du comportement de santé préventive: Revue de la littérature, perspectives de recherche et étude exploratoire*, Université Pierre-Mendès, France.

Le modèle des stades du changement a été originellement élaboré pour analyser le comportement de dépendance vis-à-vis certaines substances nocives pour la santé. Par la suite, il a été appliqué à l'analyse du processus de changement dans de nombreux programmes de santé comme le traitement des troubles liés à la consommation d'alcool, l'arrêt du tabac, la réhabilitation, le contrôle du poids, l'activité physique, la mammographie, l'usage des préservatifs, etc. Ce modèle circulaire considère qu'une personne décide d'agir selon un processus divisé en cinq phases: 1) la précontemplation; 2) la contemplation; 3) la préparation; 4) l'action; 5) le maintien. L'individu n'a pas forcément à passer par toutes les étapes de changement de comportement.

Tableau 20: Le modèle des stades du changement

Précontemplation	Contemplation	Préparation	Action	Maintien
Les sujets ne sont pas conscients ou intéressés par les conséquences de leur comportement, et il n'y a aucune volonté de changer à court terme.	L'individu déclare avoir envisagé de modifier son comportement, mais n'a encore rien fait de concret dans ce sens. Analyse des avantages du comportement versus des inconvénients.	L'individu a l'intention d'agir dans un futur proche et il manifeste la volonté d'essayer de modifier son comportement passé.	Modification du comportement pendant une certaine période.	Comportement se prolonge plus longtemps.

Source: Werle, Carolina, et autres (2003). *Les déterminants du comportement de santé préventive: Revue de la littérature, perspectives de recherche et étude exploratoire*, Université Pierre-Mendès, France.

La théorie de l'apprentissage social fait partie des théories des comportements interpersonnels et a donné naissance à la théorie sociale cognitive. Cette théorie provient de la psychologie et tire ses origines du behaviorisme et de la psychologie sociale. Mais contrairement aux behavioristes, la cognition joue un rôle prépondérant dans cette approche, car il existe un médiateur entre le stimulus et la réponse. Les facteurs cognitifs influent à la fois sur le comportement et la perception de l'environnement. Dans ce contexte, l'être humain possède un système de contrôle prévalant sur une réponse comportementale face à un stimulus. Il réagit donc à l'environnement externe au lieu d'être passif[42].

La théorie de l'apprentissage social repose sur trois principes de base essentiels. Premièrement, la conséquence de la réponse (récompense ou punition) influence la probabilité de la reproduction du même comportement dans une situation donnée, ce que partage le behaviorisme. Deuxièmement, les individus apprennent par observation et imitation et ils peuvent le faire en participant personnellement à cet apprentissage. Ce type de comportement porte le nom d'apprentissage vicariant, ce qu'aucun behavioriste classique n'aurait accepté. Troisièmement, les individus ont tendance à modeler leurs comportements en observant certaines personnes auxquelles ils peuvent facilement s'identifier. Cette indentification se fait en fonction de l'évaluation du niveau de similarité qu'une personne a envers une autre, ainsi que du degré d'attachement. Plus une personne a des points communs avec une autre, plus elle lui est attachée, et plus elle aura tendance à imiter ses comportements.

La théorie de l'apprentissage social a été utilisée dans le cadre de programmes de prévention contre le

42. François, Pierre-Henri, et André Botteman (2000). «Théorie sociale cognitive de Bandura et bilan de compétences: applications, recherches et perspectives critiques», *Carrierologie*, vol. 8.

paludisme grâce aux moustiquaires de lit traitées qui peuvent réduire les risques de contracter la maladie. Les individus peuvent en outre faire des pressions auprès des gouvernements et des organisations internationales afin qu'ils développent des pratiques de gestion de l'environnement pour éliminer les sites de reproduction des moustiques[43]. Cette théorie a également été appliquée dans des domaines aussi variés que la santé, la psychologie clinique et pathologique, l'éducation, le travail ou l'activité physique.

La théorie de mobilisation communautaire (*Community Mobilization*) s'intéresse, quant à elle, aux changements dans les communautés et dans les actions communautaires. Elle permet de concevoir des interventions dans le domaine de la santé afin de rejoindre l'ensemble des communautés ou des groupes spécifiques, plutôt que d'influencer les individus un par un, conformément au but ultime de la santé publique. La santé des communautés peut être améliorée grâce à des politiques publiques comme l'assurance santé universelle, des programmes de visites prénatales destinés aux femmes enceintes pauvres et, par le biais d'actions communautaires, pour avoir de meilleurs services et soins de santé. Les problèmes sociaux comme l'inégalité de genre peuvent faire l'objet de revendications auprès des gouvernements.

La mobilisation communautaire est le processus par lequel les groupes communautaires sont amenés à identifier des problèmes et des objectifs communs, à mobiliser des ressources, à développer et mettre en œuvre des stratégies pour atteindre ces objectifs. L'établissement d'un consensus autour d'une évaluation des risques pour la santé est une condition préalable à la mobilisation de tous les acteurs sociaux qui sont susceptibles d'exercer une influence dans le processus de changement. La prise en charge des communautés, en sollicitant la participation et l'engagement d'autres groupes sociaux, créée un climat propice au changement et au développement d'actions pour la santé comme la construction de latrines.

Enfin, la théorie du changement organisationnel *(Theory of Organizational Change)* et la théorie du développement organisationnel (*Organizational Development Theory*) s'orientent vers les changements dans les organisations, notamment le système de santé et des services sociaux, par la mise en place de pratiques promotrices de santé.

À l'instar des individus, les organisations passent par différents stades du changement. Le processus commence par la définition de problèmes et l'identification de solutions. L'étape suivante consiste à initier une action pour contrer les problèmes et à allouer les ressources nécessaires à la mise en œuvre du changement. Le personnel de l'organisation peut manifester une certaine résistance au changement. Il importe donc de l'accompagner en encourageant le développement de nouvelles compétences afin d'assurer le succès de la transition. La dernière étape, et non la moindre, est celle de l'institutionnalisation en formalisant l'adoption de politiques et de programmes de promotion de la santé au sein des organisations.

La théorie du développement organisationnel s'intéresse à la façon dont les structures et processus organisationnels influencent la motivation et le comportement du personnel des organisations. Cette théorie se concentre sur l'analyse des problèmes, notamment les problèmes relationnels entre les gestionnaires et le personnel de santé ou les difficultés de coordination de travail, qui entrave la performance des organisations. La résolution de problèmes donne lieu à la recherche de solutions et à l'élaboration de plans d'action. Les organisations participent activement à l'évaluation du succès des mesures pour résoudre les problèmes et institutionnalisent ensuite le changement.

---

43. Murphy, Elaine (2005). «Promoting Healthy Behavior», *Health Bulletin*, n° 2, Washington DC, Population Reference Bureau.

Les déterminants sociaux de la santé: une synthèse

Tableau 21 : Théories du changement de comportement

Niveau	Théorie	But	Concepts clés
Individuel	Modèle des stades du changement	Décrit la volonté ou les tentatives de changement des individus pour adopter des comportements de santé.	• Contemplation • Préparation • Action • Maintien
	Modèle des croyances relatives à la santé	Évalue la perception des individus sur la menace d'un problème de santé et leurs évaluations des comportements recommandés pour prévenir ou gérer ce problème.	• Vulnérabilité perçue • Sévérité perçue • Bénéfices perçus • Barrières perçues • Pistes pour l'action ou indicateurs d'actions
Interpersonnel	Théorie de l'apprentissage social	Explique le comportement selon une dynamique de structuration réciproque dans laquelle les facteurs personnels, environnementaux et les comportements sont en interaction constante.	• Capacité de comportement • Déterminisme réciproque • Expectatives • Efficacité personnelle • Apprentissage vicariant • Renforcement
Communautaire	Théories de mobilisation communautaire	Met l'accent sur la participation active et le développement des communautés qui sont plus susceptibles d'évaluer et de résoudre les problèmes de santé.	• Prise en charge • Compétence communautaire • Participation • Sélection des enjeux • Prise de conscience
	Théorie du changement organisationnel	Concerne les processus et les stratégies pour augmenter les chances d'adoption et assurer le maintien de politiques et de programmes de santé au sein des organisations.	• Définition des problèmes (sensibilisation) • Action (adoption) • Changement (mise en œuvre) • Institution-nalisation du changement

Niveau	Théorie	But	Concepts clés
Communautaire	Modèle des stades du changement Théorie de la diffusion et de l'innovation	S'intéresse à la diffusion des nouvelles idées et pratiques sociales et des nouveaux produits dans la société et d'une société à l'autre.	• Avantage relatif • Compatibilité • Complexité • Testabilité • Observabilité

Source : Murphy, Elaine (2005). «Promoting Healthy Behavior», *Health Bulletin*, n° 2, Washington DC, Population Reference Bureau.

En bref

Les habitudes de vie

Les habitudes de vie sont considérées comme des comportements de nature durable qui tirent leur origine de l'héritage culturel, des relations sociales, des circonstances géographiques et socioéconomiques ainsi que de la personnalité d'un individu. Les habitudes de vie font partie des principaux déterminants sociaux de la santé. Ce sont les habitudes relatives au mode de vie des individus qui induisent des comportements sains ou malsains. Plusieurs facteurs de risque ont été répertoriés : la sédentarité, la consommation excessive de tabac, d'alcool, de drogues, d'aliments gras, sucrés ou salés, etc. Il existe en revanche des comportements sains : la pratique régulière d'une activité physique, une alimentation saine et équilibrée, etc. Grâce à ses capacités d'adaptation personnelle, l'individu peut exercer un contrôle sur les habitudes de vie préjudiciables à sa santé. Il peut en l'occurrence modifier ses comportements de santé en décidant d'adopter un mode de vie plus sain. L'environnement social influe sur les habitudes de vie. Les réseaux sociaux et le soutien social sont des facteurs de protection.

Les maladies mentales

Les maladies mentales désignent l'ensemble des problèmes affectant l'esprit qui se manifestent par un dysfonctionnement psychologique et biologique. Elles peuvent engendrer une sensation de malaise et des bouleversements émotifs, voire des troubles du comportement. De nombreuses personnes souffrent ou souffriront de maladies mentales au cours des prochaines années. En raison de la stigmatisation associée à ces maladies, très peu de personnes atteintes consultent un médecin. Les causes des maladies mentales restent encore à approfondir. Des facteurs déclencheurs (événements douloureux) peuvent toutefois favoriser leur apparition. Les maladies mentales résultent d'une interaction complexe de facteurs génétiques, biologiques, de traits de caractère et de l'environnement social. Il est possible de réduire leur incidence en agissant, avant leur apparition, sur ces facteurs. Il existe un lien entre les maladies mentales et certaines autres problématiques comme les comportements suicidaires ou le suicide, la toxicomanie et les phénomènes de violence.

Les théories du changement organisationnel

Les théories du changement organisationnel reconnaissent l'importance des différentes étapes dans le processus de changement, que ce soit au niveau de l'adoption de comportements de santé plus sains ou de la mise en place d'une réforme du système de santé. Elles permettent de mieux comprendre les comportements individuels et collectifs en amenant les individus et les communautés à modifier leurs attitudes et leurs comportements en faveur d'une meilleure santé. Les théories du changement organisationnel visent la transformation des pratiques organisationnelles.

Bibliographie

BERGER, François (2000). « La hausse de la consommation de drogues au Québec », *La Presse*, Samedi 30 décembre.

BLAIR, Steven N. (1985). « Relationships between Exercise or Physical Activity and other Health Behaviors », *Public Health Reports* (*Workshop on Epidemiologic and Public Health Aspects of Physical Activity and Exercise*, 1984, Atlanta), 100 (2), p. 172-180.

BUNTON, Robin, Sarah NETTLETON et Roger BURROWS (1995). *The Sociology of Health Promotion: Critical Analyses of Consumption, Lifestyle and Risk*, Routledge.

CAMIRAND, Jocelyne, Raymond MASSÉ et Michel TOUSIGNANT (1995). « Milieu social », dans Bellerose, Carmen, et autres. « Et la santé, ça va en 1992-1993 ? », *Rapport de l'Enquête sociale et de santé 1992-1993*, vol. 1, ministère de la Santé et des Services sociaux.

CELENTANO, David D. (1991). *Epidemiologic Perspectives on Life-style Modification and Health Promotion in Cancer Research*, J.B. Lippincott Company.

CLARKSON, May (2000). *Les habitudes de vie et les comportements individuels*, Direction de la planification stratégique et de l'évaluation, ministère de la Santé et des Services sociaux.

Condition physique et sport amateur (1983). *L'activité physique et les jeunes au Canada*, Enquête Condition Physique Canada, Ottawa, 70 p.

CORVIN, Charles B., et autres (2004). *Actif & en santé*, traduction et adaptation française de Paul Godbout et Marielle Tousignant, 5e éd., Repentigny, R. Goulet.

DEMERS, Pierre (1991). *Pour vivre mieux : une nouvelle éducation corporelle*, Ottawa, Les Presses de l'Université d'Ottawa.

DUBOIS, Lise, et autres (2000). « Alimentation : perceptions, pratiques et insécurité alimentaire », dans Daveluy, C., et autres. *Enquête sociale et de santé 1998*, Québec, Institut social et de la statistique du Québec.

EZZATTI, Majid, et autres (2002). « Selected Major Risk Factors and Global and Regional Burden of Disease », *The Lancet*, 360, n° 9343.

FAHEY, Thomas, Paul INSEL et Roth WALTON (1999). *En forme et en santé*, Mont-Royal, Modulo Éditeur.

FREUDENBERG, Nicholas (2007). « From Lifestyle to Social Determinants: New Directions for Community Health Promotion Research and Practice », *Prev Chronic*, Jul., 4 (3), p. A47.

Gouvernement du Québec (2006). *L'activité physique et le poids corporel*, ministère de l'Éducation, du Loisir et du Sport, p. 23.

Guide canadien pour l'évaluation de la condition physique et des habitudes de vie (1999). 2e édition, Ottawa, Société canadienne de physiologie de l'exercice.

HAYNES, Charlotte N. (2008). « Health Promotion Services for Lifestyle Development within a UK Hospital – Patients' Experiences and Views », *BMC Public Health*, 8:284doi.

HILL, James, et Frederick TROWBRIDGE (1998). « Childhood Obesity: Future Directions and Research Priorities », *Pediatrics*, 101 (3), p. 570-574.

JANZ, Nancy K., et Marshall BECKER H. (1984). « The Health Belief Model: a Decade Later », *Health Education Quaterly*, 11, Nov., p. 1-47.

KAWACHI, Ichiro, et Bruce KENNEDY (1997). « Health and Social Cohesion: Why Care about Income Inequality ? », *British Medical Journal*, 314, p. 1037-1040.

KAWACHI, Ichiro, et autres (1997). « Social Capital, Income Inequality and Mortality », *American Journal of Public Health*, 50, p. 245-251.

KESSLER, Ronald, et autres (1999). « The prevalence of mental illness », dans Horwitz AV, Sheid TL, ed., *A Handbook for the Study of Mental Health – Social Context, Theories and Systems*, Cambridge University Press.

Kino-Québec (2008). *L'activité physique et le poids corporel*, gouvernement du Québec, ministère de l'Éducation, du Loisir et du Sport.

LACOURSE, Marie-Thérèse (2002). *Sociologie de la santé*, Montréal, Chenelière/Mc Graw-Hill.

LALONDE, Marc (1981). *Nouvelles perspectives de santé des Canadiens*, document de travail, ministère de la Santé nationale et du Bien-être social.

LAVALLÉE, Claudette (2004). *Enquête sociale et de santé auprès des enfants et adolescents au Canada. Rapport sur la santé*, 17 (3), (Statistique Canada, n° 82-003).

LUDWIG, Daniel, Eric PETERSON et Steven GORTMAKER (2001). «Relation between Consumption of Sugar-Sweetened Drinks and Childhood Obesity: a Prospective, Observational Analysis», *The Lancet*, 357 (9255), p. 505-508.

LYONS, René, et Lynn LANGILLE (2000). *Mode de vie sain: rehausser l'efficacité des approches axées sur le mode de vie pour améliorer la santé*, Santé Canada.

MILLER Chenier, Nancy (2001). *La consommation de drogues et d'alcool et la politique d'intérêt public*, Division des affaires politiques et sociales, gouvernement du Canada.

Ministère de l'Éducation, du Loisir et du Sport (2007). *Pour un virage santé à l'enseignement supérieur. Politique-cadre pour une saine alimentation et un mode de vie physiquement actif*, gouvernement du Québec.

MOORE, Rachel, et autres (1997). *Economic Burden of Illness in Canada*, Ottawa. Health Canada.

MURPHY, Elaine (2005). «Promoting Healthy Behavior», *Health Bulletin*, n° 2, Washington DC, Population Reference Bureau.

MURRAY, Christopher, et Alan LOPEZ (1996). *The Global Burden of Disease: a Comprehensive-Assessment of Mortality and Disability from Diseases, Injuries and Risk Factors in 1990 and Projected to 2020*, Cambridge MA Harvard School of Public Health on behalf of the World Health Organization and the World Bank, Harvard University Press.

NEWMARK-SZTAINER, Dianne, et autres (1996). «Correlates of Inadequate Fruit and Vegetable Consumption among Adolescents», *Preventive Medicine*, 25 (5), p. 497-505.

OMS (2002). «Quantification de certains risques majeurs pour la santé», dans *Rapport sur la santé dans le Monde* (2002), Réduire les risques et promouvoir une vie saine, Genève.

ROUX, Larissa, et Cam DONALDSON (2004). «Economics and Obesity: Costing the Problem or Evaluating Solutions?», *Obesity Research*, vol. 12, n° 2, février, p. 173 à 179.

Santé Canada (2002). *Rapport sur les maladies mentales au Canada*, Ottawa.

Santé Canada (2000). *Les drogues: Faits et méfaits*, Division de la Stratégie canadienne antidrogue, 70 p.

SAUVAGEAU, Chantal, et autres (2008). «Les médecins discutent-ils des habitudes de vie avec leurs patients?», *Canadian Journal of Public Health*, janvier/février, vol. 99, n° 1, p. 31-35.

SCHWARTZ, Sharon (1999). «Biological Approaches to Psychiatric Disorders» dans A.V. Horwitz and T.L. Scheid (Eds.). *A Handbook for the Study of Mental Health*, Cambridge, Cambridge University Press, p. 79-103.

WAINWRIGHT, Nicholas W.J., et autres (2007). «Healthy lifestyle choices: could sense of coherence aid health promotion?», *Journal of Epidemiology and Community Health*, 61, p. 871-876.

WERLE, Carolina, et autres (2003). *Les déterminants du comportement de santé préventive: Revue de la littérature, perspectives de recherche et étude exploratoire*, Université Pierre-Mendès, France.

WHO (1998). *Health Promotion Glossary*, Geneva, Switzerland.

Chapitre  4

Les grands indicateurs transversaux de santé : facteurs d'évolution et essai de prospective

Quels sont les indicateurs de l'état de santé des populations? De façon générale, ces indicateurs permettent de mesurer l'état de santé, les déterminants non médicaux de la santé, le rendement du système de santé et, enfin, les caractéristiques de la collectivité et du système de santé.

Après avoir terminé l'étude de ce chapitre, vous devriez être en mesure de:

- Distinguer les concepts d'espérance de vie à la naissance et d'espérance de vie en bonne santé;
- Connaître et comprendre le phénomène de mortalité et ses principales causes médicales, notamment les indicateurs de mortalité prématurée et de mortalité évitable;
- Connaître les mesures de qualité de vie les plus utilisées;
- Connaître certains indicateurs de soins de santé primaires.

La santé publique couvre de nombreux domaines d'activité différents et la santé, de façon générale, est le résultat de plusieurs facteurs conjugués, le plus souvent interdépendants. Afin de prendre des décisions éclairées en matière de santé publique, les gouvernements et les professionnels de la santé ont besoin d'avoir des données fiables qui leur permettraient de faire la lumière sur la santé des collectivités, notamment en ce qui a trait à leur bien-être, leur capacité fonctionnelle (état de santé), mais aussi sur certains facteurs extérieurs aux systèmes de santé, mais qui ont un impact sur la santé des populations (déterminants non médicaux de la santé) et sur la qualité des services de santé, notamment l'accessibilité, la pertinence, l'efficacité et la sécurité des patients (rendement du système de santé).

Traditionnellement, les autorités en santé publique se sont intéressées à quatre indicateurs transversaux de santé : la santé perçue, la santé physique, la santé mentale et les limitations de l'activité. Jadis, les données sur l'état de santé se limitaient aux indicateurs de morbidité et de mortalité, de santé fonctionnelle ainsi qu'à l'incidence et à la prévalence des maladies transmissibles. Il reste que la prédominance actuelle des conséquences des maladies non transmissibles, notamment les cas de maladies chroniques et les traumatismes, obligent les gouvernements à reconsidérer les indicateurs de santé dans leur ensemble.

En effet, l'évolution de l'état de santé doit être mesurée en tenant compte de nombreux aspects. Dans cette optique, les indicateurs de santé doivent appréhender l'ensemble des composantes de la santé conformément à la définition de l'OMS: «un état de bien-être physique, mental et social». Afin de répondre à cette définition large de la santé, les indicateurs de morbidité et de santé fonctionnelle, les indicateurs de mortalité ainsi que les indicateurs de qualité de vie et de soins de santé primaires doivent être pris en compte.

Dans ce chapitre, les concepts d'espérance de vie à la naissance et d'espérance de vie en bonne santé, combinant les termes génériques de morbidité et de mortalité, seront abordés. Ensuite, le phénomène de mortalité et ses principales causes médicales,

notamment la mortalité prématurée et la mortalité évitable, seront explicités. Les indicateurs intégrant la morbidité et la santé fonctionnelle comme l'incapacité, la dépendance et le handicap permettront de mesurer le type et le degré de sévérité de la maladie en introduisant la notion de qualité de vie. L'inclusion de la qualité de vie dans le domaine de la santé sollicite de plus en plus l'intérêt des gouvernements. Cette notion a évolué d'un modèle essentiellement orienté sur la maladie (santé négative) à un modèle ayant trait au bien-être (santé positive), qui permet de mesurer la façon dont les patients perçoivent leur état de santé. Par ailleurs, les indicateurs de soins de santé primaires (SSP) cherchent à suivre la progression de l'état de santé des populations et le rendement du système de santé selon l'accès, les soins recommandés ainsi que l'organisation et la prestation de services.

4.1 Les indicateurs de santé : outils de surveillance

Le recours par les chercheurs et les autorités en santé publique à l'observation et à l'analyse des données dans le but d'éclairer les décisions en matière de santé est un concept qui remonte à plusieurs décennies dans la mesure où il existait déjà à l'époque d'Hippocrate. Toutefois, il faudra attendre jusqu'au 17e siècle avant que l'on ne commence à faire appel aux données numériques sur la population pour décrire et comprendre les tendances relatives aux maladies et aux décès au sein d'une population donnée. En fait, le terme français de surveillance sanitaire a été introduit dans le vocabulaire anglais en même temps que les guerres napoléoniennes et signifiait alors : surveiller de près un individu ou un groupe d'individus de façon à déceler toute tendance subversive[1]. Certains ont évoqué le concept de veille sanitaire comme nouvelle approche de surveillance. Mais il faut souligner que la veille sanitaire vise essentiellement à détecter dans les délais les plus brefs possibles, la survenue de tout événement de santé inhabituel : maladie émergente, épidémie, impact inhabituel d'un phénomène environnemental[2].

À l'origine, les activités de surveillance de la santé publique visaient d'abord la maladie et servaient surtout en cas de maladies infectieuses à propagation rapide. De nos jours, la surveillance de la santé publique ne se limite plus aux maladies transmissibles. Selon la définition qu'en donne l'Organisation mondiale de la santé, les activités de surveillance actuelles sont davantage axées sur la santé que sur la maladie, puisqu'elles permettent de mesurer de façon systématique les paramètres de l'environnement et de la santé, de consigner et de transmettre les données et de comparer et d'interpréter les données pour déceler les changements susceptibles d'affecter l'état de santé et les conditions environnementales des populations[3].

Les systèmes de surveillance de la santé publique fournissent des renseignements sur les indicateurs de la santé, que l'OMS définit comme des variables qui aident à mesurer les changements. On peut dire, plus précisément, qu'un indicateur est une mesure qui, lorsqu'on la compare à une norme ou à un résultat escompté, fournit des renseignements sur un phénomène de santé ou un important déterminant de la santé. Les indicateurs permettent de vérifier et de communiquer les progrès accomplis dans le sens des buts et des objectifs fixés en santé et de comparer l'état de santé d'une province à l'autre. Les indicateurs choisis avec soin peuvent contribuer pour beaucoup à mobiliser l'attention des responsables des politiques. Même si les indicateurs sont considérés comme des mesures simplifiées, ils doivent être rigoureusement scientifiques. En ce sens, les indicateurs doivent être : valides, c'est-à-dire mesurer ce qu'ils sont censés mesurer ; fiables, c'est-à-dire rester les mêmes si les mesures sont reprises dans des conditions identiques ; sensibles, en rendant compte des véritables changements survenus dans le problème de santé étudié, et spécifiques au sens où ils doivent rendre compte uniquement des changements survenus dans le problème de santé étudié. En réalité, il existe peu d'indicateurs de la santé qui peuvent satisfaire à tous les critères ci-dessus. Dans certains cas, il faut faire des compromis.

La surveillance en matière de santé publique, grâce aux indicateurs sanitaires, est cruciale, car elle permet

1. Eylenbosch, Willy J., et Norman Noah D. (1988). *Surveillance in Health and Disease*, Oxford, Oxford University Press.
2. Organisation mondiale de la santé (1981). *Élaboration d'indicateurs pour la surveillance continue des progrès réalisés dans la voie de la santé pour tous d'ici l'an 2000*, Genève.
3. Santé Canada (1999). *Plan d'entreprise quinquennal de l'Agence de la santé publique du Canada 1999*, Ottawa, Agence de la santé publique du Canada, rapport inédit.

d'interpréter des données portant sur des enjeux de santé de haute importance. L'information ainsi collectée permet aux pouvoirs publics d'élaborer et d'évaluer les interventions visant à réduire les inégalités sur le plan de la santé et à promouvoir la santé. Certaines caractéristiques des systèmes de surveillance peuvent varier selon la nature de la maladie ou du problème étudié, ou selon le pays ou la région où se déroulent les activités de surveillance, mais leurs éléments de base restent les mêmes.

Figure 10: Cadre conceptuel du cycle de la surveillance en matière de santé

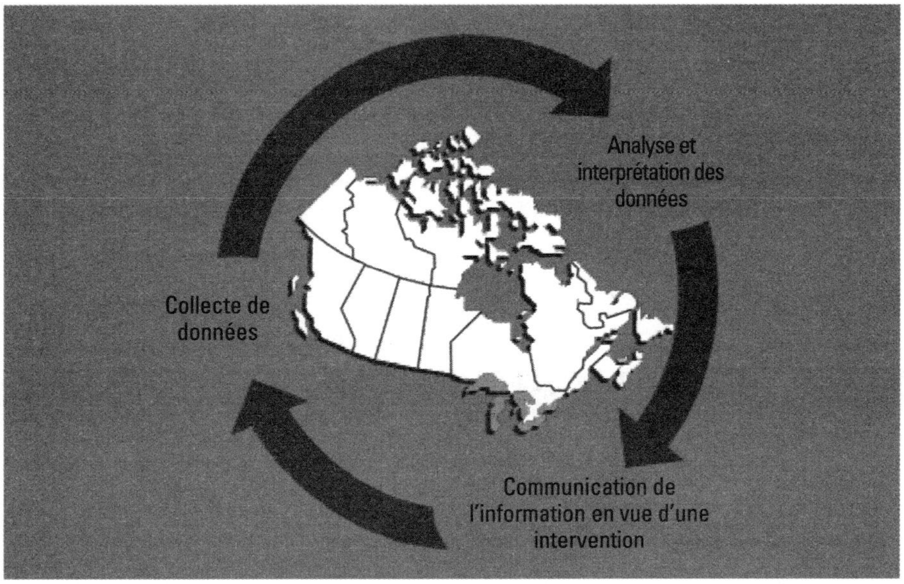

Source: *Centers for Disease Control and Prevention.*

4.2 L'espérance de vie à la naissance et l'espérance de vie en bonne santé

Considérée comme la donnée statistique la plus utilisée au monde par les experts en santé publique, l'espérance de vie d'une population permet de prendre la mesure non seulement de l'état de santé de la collectivité, mais rend également compte du niveau de développement d'un pays ou d'une région et, *in extenso*, permet de mesurer la qualité de vie de ses habitants.

L'espérance de vie est utilisée pour caractériser la mortalité indépendamment de la structure par âge. Elle est calculée à partir d'une table de mortalité et se calcule séparément pour les hommes et les femmes. L'écart d'espérance de vie traduit une différence de longévité des hommes et des femmes. Dans les pays développés, les femmes vivent plus longtemps que les hommes alors que la tendance contraire est observée dans certains pays pauvres ou en développement.

Théoriquement, l'espérance de vie à l'âge x est le nombre moyen d'années restant à vivre aux personnes d'une génération fictive, soumises aux conditions de mortalité de l'époque considérée et ayant atteint l'âge x. Quant à l'espérance de vie à la naissance, elle est la moyenne des âges au moment du décès d'une génération fictive, soumise aux conditions de mortalité de l'époque considérée. Elle est souvent appelée : durée moyenne de vie[5]. L'espérance de vie à la naissance est un indicateur universel de l'état de santé général de la population. L'espérance de vie à la naissance est souvent comparée à l'espérance de vie ajustée en fonction de la santé (EVAS) à la naissance afin de déterminer si les années de vie supplémentaires sont vécues en bonne santé.

Au Canada, l'espérance de vie à la naissance n'a cessé de s'allonger de 1979 à 2005. Elle est passée de

---

5. Institut de recherche et documentation en économie de la santé (2008). *Données de cadrage. Indicateurs de santé : définitions*, Paris.

74,9 ans à 80,4 ans. En 2005, l'espérance de vie à la naissance est de 78,0 ans pour les hommes en comparaison à 82,7 ans pour les femmes. En 1979, les femmes pouvaient s'attendre à vivre 7,4 ans de plus que les hommes, mais cet écart s'est amoindri au fil des années et correspond à 4,7 ans en 2005[6]. En fait, il apparaît très clairement que les femmes sont en train de perdre une partie du différentiel de longévité qu'elles avaient par rapport aux hommes.

L'hypothèse la plus sérieuse pour expliquer ce phénomène est que le féminisme et les mouvements d'émancipation de la femme qui s'en sont suivis ont conduit les femmes à travailler dans les manufactures aussi bien que dans les administrations publiques et privées et à vivre comme les hommes. Avec le principe de parité qui est une bonne chose en soi,

elles se sont graduellement exposées aux aléas et aux risques du travail sur la santé, en particulier le stress. En outre, il faut souligner que certaines habitudes de vie qui étaient jadis l'apanage des hommes ont tranquillement mais sûrement été adoptées par les femmes. La cigarette, par exemple, qui pendant les premières décennies du 20e siècle tuait beaucoup d'hommes par le cancer du poumon et épargnait les femmes a, à partir des années 1970, commencé par faire des ravages auprès de la gente féminine parce qu'elles se retrouvaient, de fait, exposées de la même manière et dans la même proportion à ce même poison. Cela dit, il continue encore d'avoir plus de veuves que de veufs, mais cette tendance est peut-être appelée à changer tant et aussi longtemps que la parité des femmes avec les hommes au chapitre de l'exposition au risque sanitaire n'aura pas changé.

Tableau 22 : Espérance de vie à la naissance selon le sexe (1990-2006)

Années	Hommes	Femmes
1990	X	X
1991	74,6	80,9
1992	74,8	81,2
1993	74,8	80,9
1994	75,0	81,0
1995	75,1	81,1
1996	75,5	81,2
1997	75,7	81,3
1998	76,0	81,5
1999	76,2	81,7
2000	76,7	81,9
2001	77,0	82,1
2002	77,2	82,1
2003	77,4	82,4
2004	77,8	82,6
2005	78,0	82,7
2006	78,4	83,0

x : confidentiel en vertu des dispositions de la loi sur la statistique.

Note : L'espérance de vie est le nombre d'années que devrait vivre en principe une personne à compter de la naissance, si les taux de mortalité selon l'âge et le sexe pour la période d'observation donnée (comme l'année civile) demeuraient constants sur la durée de vie estimée.

Source : Statistique Canada, CANSIM, tableau 102-0511 et produit n° 82-537-XIE au catalogue.

6. De 1979 à 1990, Statistique Canada. *Espérance de vie, table de mortalité abrégée, à la naissance et à 65 ans, selon le sexe, Canada, provinces et territoires (indicateurs comparables), données annuelles (années)* (tableau CANSIM 102-0025), Ottawa, 2008. De 1991 à 2005, Statistique Canada. (tableau *Espérance de vie, table de mortalité abrégée, à la naissance et à 65 ans, selon le sexe, Canada, provinces et territoires, données annuelles (années)* CANSIM 102-0511). Ottawa, 2008.

En 2006 au Canada, l'espérance de vie à la naissance varie entre 76,3 ans dans les territoires du Yukon, du Nord-Ouest et du Nunavut, et 81,2 ans en Colombie-Britannique. L'espérance de vie à la naissance est supérieure à la moyenne nationale en Ontario et en Colombie-Britannique[7]. Entre 1980 et 2001, les données du ministère des Affaires indiennes et du Nord Canada indiquent que l'espérance de vie à la naissance des Amérindiens inscrits est passée de 60,9 à 70,4 ans pour les hommes et de 68,0 à 75,5 ans pour les femmes. Malgré cette nette amélioration, l'espérance de vie des Amérindiens inscrits accuse toujours un retard par rapport à celle de l'ensemble de la population canadienne[8].

Pour ce qui est de la place du Canada parmi les pays du G7, il occupe le quatrième rang avec une espérance de vie à la naissance de 80,4 ans. Le Japon affiche l'espérance de vie à la naissance la plus longue (82 ans) et les États-Unis la plus courte (77,9 ans)[9].

Graphique 5 : Espérance de vie à la naissance, pays du G7 (2005)

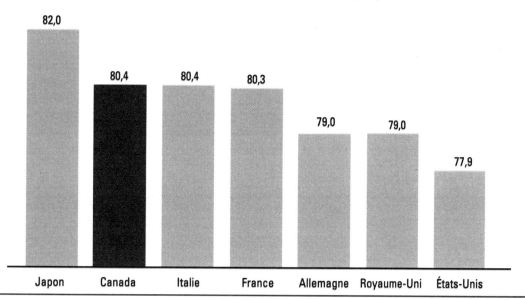

Source : Organisation de coopération et de développement économiques (2007). *Éco-Santé 2007*, Statistique de l'OCDE.

Tableau 23 : Espérance de vie dans quelques pays industrialisés

Pays	Hommes	Femmes
Japon	78,9	86,1
Hong-Kong	79,1	85
Islande	79,3	83
Suisse	78,1	83,6
Australie	78,3	83,3

Source : Fonds des Nations Unies pour la population (2006). *Perspectives Démographiques Mondiales : La Révision 2006*, Département des affaires économiques et sociales du Secrétariat de l'Organisation des Nations Unies, Division de la Population. Dans les pays développés, l'espérance de vie est élevée et les femmes vivent plus longtemps que les hommes.

7. Statistique Canada (2006). *Espérance de vie, table de mortalité abrégée, à la naissance et à 65 ans, selon le sexe, Canada, provinces et territoires, données annuelles (années)* (tableau CANSIM 102-0511). Ottawa.
8. Affaires indiennes et du Nord Canada (2005). *Données ministérielles de base 2004*, Ottawa, AINC.
9. Organisation de coopération et de développement économiques (2007). *Éco-Santé 2007*, Statistique de l'OCDE.

Dans les pays les moins développés, c'est l'inverse et les femmes meurent généralement plus jeunes que les hommes.

Tableau 24 : Espérance de vie dans quelques pays sous-développés

Pays	Hommes	Femmes
Swaziland	30,5	29,4
Bostwana	34,3	32,8
Lesotho	33,6	34,5
Zimbabwe	37,5	35,8
Zambie	38,9	37,8

Source : Fonds des Nations Unies pour la Population (2006). *Perspectives Démographiques Mondiales : La Révision 2006*, Département des affaires économiques et sociales du Secrétariat de l'Organisation des Nations Unies, Division de la Population.

Tableau 25 : Espérance de vie à la naissance en années par régions du monde (données de 2007)

Régions	Années
Pays en développement	65,5
Pays les moins avancés	52,7
États arabes	66,7
Asie de l'Est et Pacifique	71,1
Amérique latine et Caraïbes	72,2
Asie du Sud	62,9
Afrique subsaharienne	49,1
Europe centrale et orientale	68,2
OCDE	77,8
Pays de l'OCDE à revenu élevé	78,9

Source : Programme des Nations Unies pour le Développement (2007). *Rapport sur le développement humain*, New York.

Les déterminants sociaux de la santé : une synthèse

Statistiquement, ces enfants vivront jusqu'à...

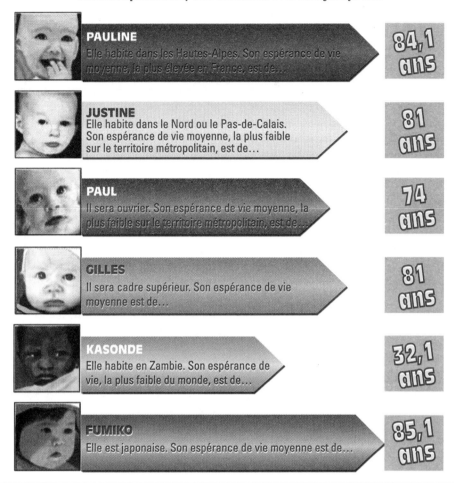

PAULINE
Elle habite dans les Hautes-Alpes. Son espérance de vie moyenne, la plus élevée en France, est de... — **84,1 ans**

JUSTINE
Elle habite dans le Nord ou le Pas-de-Calais. Son espérance de vie moyenne, la plus faible sur le territoire métropolitain, est de... — **81 ans**

PAUL
Il sera ouvrier. Son espérance de vie moyenne, la plus faible sur le territoire métropolitain, est de... — **74 ans**

GILLES
Il sera cadre supérieur. Son espérance de vie moyenne est de... — **81 ans**

KASONDE
Elle habite en Zambie. Son espérance de vie, la plus faible du monde, est de... — **32,1 ans**

FUMIKO
Elle est japonaise. Son espérance de vie moyenne est de... — **85,1 ans**

Source : *Viva magazine* (2007). n° 222 de mai.

En 2001, les hommes peuvent, dans les pays développés, s'attendre à vivre 88,8 % de leur vie (68,3 ans) en bonne santé, comparativement à 86,3 % (70,8 ans) pour les femmes. Il reste que même si l'espérance de vie des femmes est plus longue, les hommes vivent plus longtemps en bonne santé que les femmes[10].

Le concept d'espérance de vie en bonne santé est apparu ces dernières années en réponse aux critiques selon lesquelles l'espérance de vie tout court est un indice peu fiable et trompeur. Non pas que le calcul de l'espérance de vie soit remis en cause sur le plan scientifique et mathématique, mais sur le plan philosophique. En effet, n'est-il pas vrai que tous cherchent à vivre le mieux possible et non pas le plus possible ? Du coup, la quantité devient moins importante que la notion de qualité.

Le Japon qui est réputé pour abriter le plus grand nombre de centenaires et qui s'illustre comme la deuxième puissance économique mondiale cache pourtant une triste réalité. Le taux de certaines maladies chroniques comme le cancer, l'arthrite, le diabète, l'hypertension, les maladies cardiaques, les maladies pulmonaires obstructives chroniques et les troubles de l'humeur comme la dépression, le trouble bipolaire (d'ailleurs, les taux de suicide au Japon défient l'imaginaire) force plusieurs personnes à vivre une vieillesse « sénilisante » qui les prive de leur indépendance, parfois même de leur dignité.

---

10. Statistique Canada (2006). *Espérance de vie en fonction de la santé, à la naissance et à 65 ans, selon le sexe et le groupe de revenu, Canada et provinces, données occasionnelles (années)* (tableau CANSIM 102-0121), Ottawa.

C'est pourquoi on a pensé au terme plus générique d'espérance de vie en bonne santé qui est en fait un élargissement du concept d'espérance de vie et peut recouvrir plusieurs nuances. Cet indicateur, reconnu au niveau international, remplace plus précisément la notion d'espérance de vie corrigée de l'incapacité. Il tient compte à la fois de l'espérance de vie en tant que mesure composite de la mortalité et d'une estimation des années passées en bonne santé, soit sans incapacité (*disability-free life expectancy*). Selon Nathalie Bossuyt et Herman Van Oyen[11], cette notion englobe tous les éléments relatifs à la santé d'une population et pas uniquement l'aspect de la mortalité. Le rapport de l'OMS souligne que l'utilisation universelle de l'espérance de vie en bonne santé marque une avancée majeure pour l'organisation. Cet indicateur emploie une méthodologie standard et un calcul centralisé qui font appel à des estimations des niveaux de santé. En parallèle, d'autres recherches spécifiques sont menées afin d'estimer les périodes d'existence pendant lesquelles une personne peut s'attendre à vivre en parfaite santé ou le contraire[12].

L'espérance de vie en bonne santé revêt d'immenses avantages par rapport à d'autres indicateurs de santé composite. Par exemple, sa présentation visuelle résume plusieurs informations sociodémographiques sur la mortalité et la morbidité en un seul et même indicateur. La simplicité de sa méthode de calcul et la disponibilité de données de base donnent rapidement un aperçu de l'état de santé globale des populations, notamment des différents groupes socioéconomiques, indépendamment de la structure d'âge de la population. Les prévalences spécifiques pour l'âge sont aussi disponibles à grande échelle, contrairement aux données sur l'incidence. Par ailleurs, les statistiques dérivées telles que le nombre d'années en bonne ou mauvaise santé, l'espérance de vie perdue et l'espérance de vie en bonne santé perdue peuvent élargir la compréhension de l'état de santé des populations.

Parmi ses inconvénients, il faut souligner que les statistiques de l'espérance de vie en bonne santé se fondent sur des données auto déclarées et ne sont pas toujours comparables d'un pays à l'autre. Afin de résoudre cette problématique méthodologique, l'OMS a mis en œuvre une stratégie de collecte de données par enquête à deux niveaux. D'une part, des enquêtes générales seront conduites auprès des ménages sur des échantillons représentatifs de la population dans plusieurs pays et, d'autre part, des enquêtes spécifiques seront réalisées dans les mêmes zones géographiques auprès de personnes détenant un niveau de scolarité élevé.

Le graphique ci-après illustre très bien la nuance à laquelle nous faisons référence. Lorsqu'on examine l'espérance de vie en bonne santé, on se rend compte que celle-ci est toujours inférieure à l'espérance de vie à la naissance, car la durée de vie ne garantit pas sa qualité et c'est précisément ce que permet de mesurer la première.

Graphique 6: Espérance de vie ajustée en fonction de la santé et espérance de vie selon les sexes

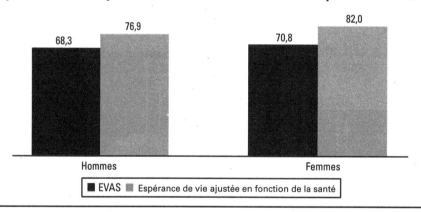

Source: Statistique Canada (2006). *Espérance de vie en fonction de la santé, à la naissance et à 65 ans, selon le sexe et le groupe de revenu, Canada et provinces, données occasionnelles (années)* (tableau CANSIM 102-0121), Ottawa.

11. Bossuyt, Nathalie, et Herman Van Oyen (2000). *Espérance de vie en bonne santé selon le statut socio-économique en Belgique*, Institut Scientifique de la santé publique, Louis Pasteur.
12. Frendo, Lise, et de Bruyn, Tom (2005). *Les inégalités socioéconomiques de la santé: quels indicateurs pour en rendre compte?* Notes exploratoires de travail. Platform Indicators for Sustainable Development, Science Policy Interface.

L'espérance de vie en bonne santé utilise différents indicateurs comme les risques de décès et les prévalences des problèmes de santé dans sa méthode de calcul (méthode Sullivan). Elle peut être calculée par année de vie ou par groupe d'âge. Sur le plan du développement durable, l'utilisation d'autres indicateurs tels que le taux de suicide des jeunes, le taux de consommation responsable de drogues licites, le taux d'obésité ou encore la prévalence de maladies professionnelles semblent pertinents.

Statistique Canada utilise le concept d'espérance de vie sans limitation d'activité afin de faire ressortir la notion de qualité de vie, contrairement à l'espérance de vie qui correspond davantage à une mesure de quantité plutôt que de qualité de vie. L'espérance de vie sans limitation d'activité est un indicateur plus large que celui de l'espérance de vie, qui introduit le concept de qualité de vie. Il permet de distinguer les années de vie libres de toute limitation d'activité, des années vécues avec au moins une limitation d'activité. Pour ce faire, l'espérance de vie sans limitation d'activité définit un seuil basé sur la nature de ces limitations. Les années de vie vécues dans des conditions supérieures à ce seuil sont comptées pleinement. Celles qui sont vécues dans des conditions inférieures ne sont pas comptabilisées. Ainsi, l'accent n'est pas mis exclusivement sur la durée de vie, comme c'est le cas pour l'espérance de vie, mais également sur la qualité de vie.

4.3 La mortalité et ses principales causes médicales

La mortalité et ses causes médicales ont longtemps représenté la principale mesure d'évaluation de l'état de santé des populations. Les données rapportées figurent la plupart du temps dans des bases de données exhaustives et correspondent aux informations médicales fournies par les médecins à l'occasion de chaque décès survenu. Elles peuvent être basées soit sur une cause unique par décès, la cause initiale, soit sur une cause ayant également contribué au décès, soit la cause associée. Les données disponibles permettent toutefois de conduire des analyses plus approfondies pour évaluer les causes multiples, ce qui permet de compléter les informations à l'origine de la cause initiale du décès avec celles basées sur la cause associée[13].

La codification des causes de décès s'opère en fonction des règles de la 10e division de la Classification internationale des maladies (CIM) et des problèmes de santé connexes, une norme internationale pour présenter l'information sur les diagnostics cliniques mise au point par l'OMS. L'Institut canadien d'information sur la santé (ICIS) a élaboré une version élargie de la CIM-10 pour la classification de la morbidité et les applications relatives à la mortalité au Canada : la CIM-10-CA. La CIM-10-CA classifie les maladies, les blessures et les causes de décès ainsi que les causes externes des traumatismes et des empoisonnements. Elle englobe aussi des problèmes et des situations qui représentent des risques pour la santé, comme les facteurs professionnels et environnementaux, le mode de vie et les circonstances psychosociales. En d'autres termes, la CIM-10-CA offre un champ d'application beaucoup plus vaste que toutes les versions antérieures et ne se limite pas aux soins de courte durée en milieu hospitalier. Elle est plus complète et plus précise que les normes actuelles et va bien au-delà des causes conventionnelles de décès et d'hospitalisations. La CIM-10-CA est également plus facile à adapter que les versions précédentes et permet l'ajout de codes dès que de nouvelles maladies font leur apparition. L'ICIS et Statistique Canada sont représentés au comité de mise à jour et de révision, un sous-comité des classifications internationales de l'OMS. Le Canada participe pleinement au processus de mise à jour en donnant son avis sur les décisions pour la collecte de données sur la mortalité et la morbidité[14].

Parmi les indicateurs de l'état de santé figurent les indicateurs de mortalité, notamment celui de la mortalité prématurée et celui de la mortalité évitable. La mortalité prématurée et le nombre d'années potentielles de vie perdues peuvent se définir comme suit : si l'espérance de vie dans un pays est de 80 ans pour les femmes et de 78 ans pour les hommes, toute mortalité avant 65 ans est considérée comme prématurée. L'analyse des principales causes de mortalité prématurée démontre que ces décès pourraient être évités. On parle alors de mortalité « évitable » soit par des campagnes de dépistage, soit

---

13. Cases, Chantal, Eric Jougla et Sandrine Dane (2008). « Indicateurs synthétiques de santé », *ADSP*, n° 64, septembre, p. 5-10.
14. Institut canadien d'information sur la santé (2002). *Classification internationale des maladies*, Ottawa.

par des changements de comportement. Le nombre d'années potentielles de vie perdues (APVP) est un indicateur synthétique de la mortalité prématurée qui rend compte des décès survenant à un âge précoce, et qui sont donc a priori évitables[15].

4.4 Les indicateurs de morbidité et de santé fonctionnelle

La morbidité permet d'apporter des informations sur le nombre d'individus malades et sur l'importance des maladies qui n'aboutissent pas forcément à un décès. Généralement, la morbidité s'apprécie par l'incidence et la prévalence formulées sous forme de taux. Trois importantes dimensions sont utilisées pour définir la santé d'un individu: une dimension perceptuelle, une dimension fonctionnelle et une dimension qui touche à la capacité d'adaptation de la personne. La morbidité peut être appréhendée de diverses façons. On parle de morbidité objective, déclarée, ressenti, diagnostiquée, etc. La morbidité diagnostiquée correspond aux affections diagnostiquées et traitées par le corps médical, chez des individus ayant eu recours à des médecins. Quant à la morbidité dite ressentie, elle recouvre l'ensemble des affections, des troubles réels tels que les individus les ressentent et les interprètent, dont un sous-ensemble constitue la morbidité déclarée. Il existe dans certains cas des affections ou maladies dont le corps médical ne peut déceler l'existence, faute de signes cliniques ou de moyens d'investigation suffisamment sensibles. On parle dans ce cas de morbidité infraclinique. L'ensemble de ces catégories de morbidité présentes chez un individu, qu'elles soient connues de lui ou non, diagnostiquées ou pas, représentent la morbidité réelle.

Figure 11: Une typologie de la morbidité

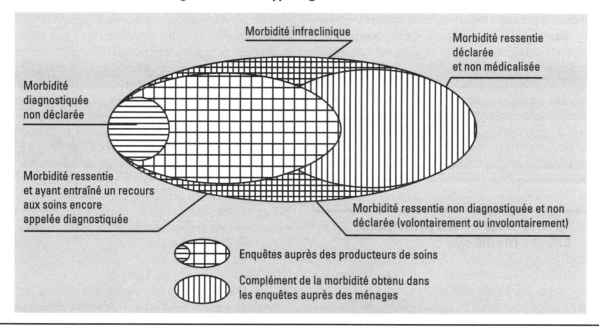

Source: Jammal, Amal, Robert Allard et Geneviève Loslier (1998). *Dictionnaire d'épidémiologie*, Edisem/Maloine.

La notion de santé fonctionnelle est utilisée pour désigner une personne non handicapée qui peut, avec un corps le plus sain possible (fonctions organiques et structures anatomiques) et avec autant de compétence que possible (activités), participer à des situations de vie aussi normalisées que possible. L'autodétermination et l'autonomie constituent des éléments fondamentaux du concept de santé fonctionnelle. Dans certains cas, la santé fonctionnelle est souvent assimilée à la notion d'incapacité.

---

15. Institut de recherche et documentation en économie de la santé (2008). *Données de cadrage. Indicateurs de santé: définitions*, Paris.

Un examen de la littérature en sciences de la santé révèle un terrible amalgame dans l'utilisation des termes tels mauvaise santé (*illness*), maladie (*sickness*), déficience (*impairment*), incapacité (*disability*) et handicap (*handicap*)[16]. La mauvaise santé est un état subjectif, la conscience pathologique d'un dysfonctionnement. Quant à la maladie, c'est l'état d'un dysfonctionnement social, né de l'interruption d'un processus physiologique normal. La déficience est, en ce qui la concerne, un défaut mental ou physique persistant alors que l'incapacité est l'inaptitude ou les limitations dans l'exécution des tâches quotidiennes et des rôles sociaux en relation avec le travail, la famille et une vie indépendante. Le processus d'incapacité suit habituellement un continuum qui va de la pathologie à la déficience, en passant les limitations fonctionnelles. L'incapacité physiologique permanente (IPP) peut être perçue comme l'atteinte d'une ou de plusieurs fonctions organiques intellectuelles ou psychiques, avec son corollaire, la diminution partielle ou totale des performances de l'individu dans le domaine physique, intellectuel ou mental (comprendre, penser, juger, concevoir, agir, communiquer, se déplacer, se servir de ses mains, etc.)[17].

En se basant sur cette définition, l'incapacité physiologique permanente peut comprendre aussi bien l'amputation de plusieurs doigts (atteinte aux fonctions physiques, plus particulièrement à la fonction de préhension), les troubles de la mémoire et de l'attention (atteinte aux fonctions intellectuelles) et les troubles de la pensée, du jugement et du comportement (atteinte aux fonctions psychiques). Elle ne fait en aucun cas référence à l'incapacité professionnelle ou à l'incapacité de gains.

L'Enquête sur la participation et les limitations d'activités, réalisée en 2006 par Statistique Canada, s'intéresse aux adultes et enfants dont les activités quotidiennes sont limitées en raison de leur état de santé. D'après la définition de Statistique Canada, une incapacité constitue une limitation d'activités ou une restriction rattachée à un état physique ou mental ou à un problème de santé[18]. L'enquête a construit un indice permettant de mesurer la sévérité de l'incapacité chez l'adulte et l'enfant en prenant en compte 10 types d'incapacité: 1) l'ouïe; 2) la vue; 3) la communication; 4) les déplacements; 5) l'agilité; 6) les douleurs et malaises; 7) les problèmes d'apprentissage; 8) les problèmes de mémoire; 9) la déficience intellectuelle et 10) les troubles psychologiques. Afin de répondre aux besoins des personnes souffrant d'incapacité, plusieurs paramètres doivent être considérés: les personnes ayant des limitations d'activités; la nature et la gravité des limitations d'activités; les difficultés et les obstacles rencontrés; les coûts de la technologie d'aide, de l'aide humaine et des médicaments nécessaires; l'accès à l'aide pour les aménagements structurels nécessaires à la maison, au travail, à l'école ou pour les loisirs; les aides et la technologie d'aide nécessaires aux personnes ayant des incapacités, mais auxquelles elles n'ont pas accès et la discrimination en raison d'une incapacité.

Cette enquête utilise le cadre de l'OMS fourni par la Classification internationale du fonctionnement qui définit l'incapacité en rapport avec la relation qui s'établit entre les structures et les fonctions corporelles, les activités de la vie quotidienne et la participation sociale tout en tenant compte du rôle des facteurs du milieu. La classification englobe un modèle d'incapacité à la fois médical et social et permet d'offrir diverses applications en tant qu'outil statistique, outil de recherche, outil clinique, outil de politique sociale et outil pédagogique.

En définitive, les résultats de l'enquête démontrent que les personnes atteintes d'une incapacité sont celles qui affirment éprouver de la difficulté à vaquer à leurs occupations quotidiennes ou qui signalent qu'une condition physique ou mentale ou un problème de santé limite le type et le nombre d'activités qu'elles peuvent réaliser. Les réponses aux questions sur l'incapacité reflètent la perception des répondants sur leur situation et les données recueillies restent donc subjectives. Il reste que les données de l'enquête demeurent utiles pour les gouvernements afin de planifier des programmes et des services pour les personnes ayant une incapacité et prévoir les taux probables de participation aux programmes selon différents critères d'admissibilité.

16. Association internationale des démographes de langue française (1998). *Morbidité, mortalité: problème de mesure, facteurs d'évolution, essai de prospective*, Paris, Presses Universitaires de France, p. 65.
17. Mélennec, Louis (2000). «Évaluation du handicap et du dommage corporel», dans *Théorie unifiée et actualisée de l'incapacité et du handicap. Évaluation du handicap par la mesure du taux d'incapacité physique et physiologique*, Elsevier Masson, p. 1.
18. Statistique Canada (2007). *Enquête sur la participation et les limitations d'activités de 2006: rapport technique et méthodologique*, Ottawa, 50 p.

L'Office des personnes handicapées du Québec (OPHQ) établit une définition des types d'incapacité qui peuvent être de l'ordre de l'audition, de la vision, de la parole, de la mobilité, de l'agilité, des activités intellectuelles ou de la santé mentale ainsi que de l'incapacité physique de nature non précisée.

Tableau 26 : Définition des types d'incapacité

Audition	Difficulté à entendre une conversation avec une autre personne ou dans un groupe d'au moins trois autres personnes.
Vision	Difficulté à voir les caractères d'un journal ou à voir clairement le visage de quelqu'un à quatre mètres de soi, même avec des lunettes ou des verres de contact.
Parole	Difficulté à parler ou à se faire comprendre.
Mobilité	Difficulté à marcher sur une distance de 400 mètres sans se reposer, à monter et à descendre un escalier, à transporter un objet de 5 kilogrammes sur une distance de 10 mètres, à se tenir debout pendant plus de 20 minutes ou à se déplacer d'une pièce à l'autre.
Agilité	Difficulté à se mettre au lit et à en sortir, à s'habiller ou à se déshabiller, à se pencher et à ramasser un objet, à se couper les ongles d'orteils, à saisir ou à manier un objet avec les doigts, à tendre les bras dans toutes les directions ou à couper ses aliments.
Activités intellectuelles/santé mentale	Problèmes permanents de mémoire, troubles d'apprentissage ou de perception, difficultés d'attention ou hyperactivité, déficience intellectuelle ou limitation en raison d'un problème de santé mentale de plus de six mois ou d'une déficience intellectuelle. N. B. Ce regroupement a été réalisé afin de permettre la comparaison avec les enquêtes précédentes (ESLA 1986 et 1991) qui utilisaient ce même regroupement. Toutefois, il faut mentionner que l'évaluation de ces incapacités repose sur la perception de la personne qui répond à l'enquête et est donc de nature subjective. Cette façon de procéder rend ainsi très problématique l'estimation de la prévalence réelle des incapacités liées aux activités intellectuelles ou à la santé mentale dans la population; il s'agit d'ailleurs d'un problème majeur qui affecte les principales enquêtes portant sur les limitations d'activités et pour lequel aucune solution n'a encore été trouvée.
Incapacité physique de nature non précisée	Personne ayant déclaré être limitée dans le genre ou la quantité d'activités qu'elle peut faire à la maison, à l'école, au travail ou dans d'autres activités en raison d'un état ou d'un problème de santé physique dont la durée est de plus de six mois et qui ne se retrouve dans aucun des types d'incapacité susmentionnés.

Source : Office des personnes handicapées du Québec (2008).

Certains individus souffrant d'une incapacité peuvent cumuler des «désavantages» dans plusieurs domaines d'activités à la fois. Il existe un indice de désavantage lié à l'incapacité qui permet d'illustrer cette situation. Il s'agit d'un indice hiérarchique qui classe les individus dans une catégorie particulière selon une échelle de sévérité déterminée en fonction de leur degré d'incapacité. L'indice prend également en compte les désavantages d'indépendance physique ou de mobilité de même que ceux liés à l'occupation principale (au travail, à l'école ou à la maison) et à d'autres activités, tels les loisirs et les sports.

Tableau 27 : Indice de désavantage lié à l'incapacité

Dépendance forte	Personnes dépendantes des autres pour les soins personnels (comme se laver, faire sa toilette, s'habiller ou manger) ou pour se déplacer dans la maison.
Dépendance modérée	Personnes dépendantes des autres pour les sorties (courts trajets), pour l'exécution des tâches ménagères quotidiennes (le ménage, l'époussetage) ou pour la préparation des repas.
Dépendance légère	Personnes dépendantes (totalement ou partiellement) des autres pour les travaux ménagers lourds ou pour faire les courses, ou partiellement dépendantes pour les tâches ménagères quotidiennes ou la préparation des repas.
Limitations des activités sans dépendance	*Limitations dans l'activité principale sans dépendance* (pour les personnes de 15 à 64 ans uniquement) : personnes incapables de faire l'activité principale (à l'école, au travail ou à la maison) ou restreintes dans celle-ci. *Limitations dans d'autres activités sans dépendance* : personnes incapables de faire d'autres activités (loisirs, sports, à la maison ou déplacements sur de longs trajets) ou restreintes dans celles-ci.
Sans désavantage (avec incapacité)	Personnes ayant une incapacité, mais ne présentant pas de limitations ou de dépendance dans les domaines susmentionnés.

Source : Office des personnes handicapées du Québec.

Dans la Classification internationale du fonctionnement, de l'handicap et de la santé, l'OMS suggère que la notion de handicap soit le terme générique pour désigner les déficiences, les limitations d'activité et les restrictions de participation. Cette définition s'est construite sur d'autres définitions, notamment les concepts de déficience, d'activité et de participation. La déficience désigne les altérations de la fonction organique ou de la structure anatomique, par un écart ou une perte importante. L'activité correspond, quant à elle, à l'exécution d'une tâche ou d'une action par une personne. La participation marque l'implication d'une personne dans une situation de vie réelle. Le fonctionnement décrit le versant positif des composantes d'activité et de participation tandis que le concept de handicap désigne le versant négatif. Ces termes remplacent ceux de l'incapacité et du désavantage social jugés trop négatifs (CIDH : Classification des déficiences, incapacités et handicaps, OMS ou modèle de Wood).

Il s'avère essentiel de reconnaître l'influence des facteurs contextuels sur la participation et les activités. La classification internationale du fonctionnement fait en particulier référence aux facteurs environnementaux comprenant les facteurs individuels (environnement immédiat: domicile, lieu de travail ou école), les facteurs sociétaux (structures sociales: services, règles de conduite, etc.) et les facteurs personnels (caractéristiques sociodémographiques de la personne: âge, sexe, condition physique, etc.). Selon cette approche, le handicap n'est pas uniquement identifié comme la conséquence d'une maladie ou d'un traumatisme, mais peut aussi dépendre de facteurs environnementaux. La réduction des handicaps est une tâche qui incombe à la fois à la médecine et à la société. Il existe deux approches complémentaires, notamment le modèle intégratif où la réduction des handicaps implique une action sur l'individu et le modèle participatif qui passe par une adaptation de la société.

4.5   Les indicateurs de qualité de vie

Depuis son émergence en 1964, le concept de qualité de vie s'est imposé dans les discours politiques, économiques, scientifiques et médiatiques. Il complète ou se substitue à celui plus ancien de bien-être[19]. La plupart des experts ne s'accordent pas sur la structure conceptuelle et la nature des dimensions de la qualité de vie. Il existe plus de 40 outils génériques qui ont été répertoriés parmi lesquels le SF-36, le SF-12, le Profil de Duke, le WHOQOL et l'EUROQOL. Ces outils génériques explorent les grandes dimensions de la santé, soit la santé physique et les capacités fonctionnelles, la santé psychologique et le bien-être, la vie sociale et spirituelle ainsi que le bien-être strictement matériel[20].

En considérant la définition de la santé de l'OMS qui ne se limite pas à l'absence de maladie ou d'infirmité, mais fait référence à un «état de bien-être complet», les indicateurs de qualité de vie répondent à cette vision positive de la santé en couvrant les dimensions physiques, psychologiques et sociales. Un groupe de travail de l'OMS spécialisé

dans la mise au point d'instruments de mesure de qualité de vie, le World Health Organization Quality of Life (WHOQOL), définit la qualité de vie comme:

> *La perception qu'a un individu de sa place dans l'existence, dans le contexte de la culture et du système de valeurs dans lesquels il vit, en relation avec ses objectifs, ses attentes, ses normes et ses inquiétudes. C'est un concept très large influencé de manière complexe par la santé physique de l'individu, son état psychologique, son niveau d'indépendance, ses relations sociales ainsi que sa relation aux éléments essentiels à son environnement* [traduction libre][21].

La définition de la qualité de vie suscite encore de nombreux débats et de nombreuses controverses. Il y a un consensus sur les quatre propriétés de la qualité de vie dont: 1) son aspect multifactoriel (état de santé physique et habiletés fonctionnelles, état de santé psychologique et bien-être, état social et interactions sociales, conditions économiques); 2) sa variabilité (situation à un moment donné et non un état stable); 3) sa non-normativité (pas de normes de référence, le sujet est son propre contrôle); et 4) sa subjectivité (perception et autoévaluation par le sujet). La qualité de vie est un terme utilisé pour mesurer le bien-être. Cette notion décrit ce que les gens pensent de leur milieu, et l'ensemble de ces perceptions peut représenter la qualité de vie[22].

Pour évaluer la qualité de vie, les chercheurs ont retenu des indicateurs qui représentent les aspects les plus importants de la vie d'une personne (appelés domaines) comme par exemple le logement, l'éducation, l'emploi et les finances du ménage. Les indicateurs servent à mesurer des phénomènes complexes (comme la qualité de vie) et ne fournissent qu'une indication relativement à la qualité de vie réelle. Aujourd'hui, la qualité de vie est entrée dans le langage populaire[23]. Cependant, à y regarder de plus près, les contours de la définition de cette notion restent flous, et aucun référentiel international ne vient étayer la multitude de critères

19. Ylieff, Michel, David Di Notte et Ovide Fontaine (2008). *Définition opérationnelle de la qualité de vie*. Note de synthèse et proposition d'un instrument, Service de Psychologie de la Santé Unité de Psychologie clinique du Vieillissement, Université de Liège.
20. Cases, Chantal, Eric Jougla et Sandrine Danet (2008). «Indicateurs synthétiques de santé», *ADSP*, n° 64, septembre, p. 9.
21. World Health Organization (1998). *Health Promotion Glossary*, Geneva, Switerland, 36 p.
22. Rapley, Mark (2003). *Quality of Life Research: a Critical Introduction London*, Thousand Oaks, SAGE Publications. 286 p.
23. Organisation Mondiale de la Santé (1988). *Classification internationale des handicaps: déficiences, incapacités et désavantages. Un manuel de classification des conséquences des maladies*, Paris, CTNERHI-INSERM.

établis pour la mesurer. Afin de combler ce manque, le développement d'indicateurs de qualité de vie est une nécessité absolue. Il faut pouvoir déterminer un certain nombre de critères précis, représentatifs de la qualité de vie pour servir d'outil d'évaluation et de base de comparaison entre les politiques des pouvoirs publics[24].

Issue du domaine médical, la notion de qualité de vie à évolué vers différents domaines, pour faire finalement son apparition dans le domaine des politiques sociales et économiques. Le problème fondamental avec le concept de qualité de vie est de le définir en plus d'identifier des indicateurs pour l'évaluer. La qualité de vie comprend des éléments objectifs, qui relèvent du cadre de vie et qui sont quantifiables par des sondages et des statistiques (air, logement, bruit, mobilité, travail, revenu, participation citoyenne, etc.), mais également des éléments subjectifs (satisfaction, sentiment de pouvoir se réaliser, sentiment de sécurité, bien-être, etc.) intrinsèquement beaucoup plus difficiles à quantifier.

La qualité de vie fait ici référence aux objectifs personnels que poursuit une personne dans le but de mener une existence normale et d'avoir une vie socialement utile. Elle exerce une influence considérable sur la santé et le bien-être des personnes et s'est imposée aujourd'hui comme l'un des indicateurs les plus importants en matière de santé autant physique que mentale. Le nombre de plus en plus grand d'instruments de mesure de la qualité de vie utilisés dans toutes les disciplines, y compris la santé mentale, reflète d'ailleurs de façon éloquente cet intérêt croissant. Dans le domaine des sciences sociales, la qualité de vie a été examinée en lien avec les affects : elle est l'équivalent du bien-être, des réactions cognitives et émotionnelles, des réalisations et des attentes personnelles. Elle fait aussi référence dans une certaine mesure à l'idée d'une vie agréable qui inclut les dimensions du travail, des amis et du réseau social, du revenu, etc. Cette conception a le mérite de disposer d'une relative objectivité[25].

La qualité de vie se rapproche de la conception de la bonne santé. Plusieurs études ont révélé que les personnes souffrant de troubles ou de handicaps sur le plan physique, social ou mental, considéraient plus importante l'utilité ou la nécessité d'une bonne santé que celles en bonne santé. Le concept de bien-être est particulièrement subjectif et varie considérablement selon les individus et les époques. Le bien-être tire ses origines dans les études socioéconomiques anglo-saxonnes des années 1960 et apparaît alors comme le nouvel «indicateur social» du bonheur. C'est un concept qui reste profondément ancré dans la sphère psychologique et dans le jugement que porte un sujet sur sa vie et son équilibre psychique tel qu'il le ressent. Le bien-être est une notion qui intègre des processus cognitifs (satisfaction de vie) et émotionnels (affectivité positive et négative). D'une part, il est subjectif, car il repose sur une autoévaluation qui n'a rien à voir avec les conditions de vie objectives (bien-être matériel). D'autre part, il correspond à l'évaluation positive globale de la vie du sujet (satisfaction de vie). Enfin, le bonheur ne se réduit pas seulement à l'absence d'émotions négatives, telles qu'explorées par les échelles d'anxiété, de dépression ou d'hostilité, car il correspond à la présence d'affects agréables (affectivité positive).

Pour le WHOQOL, la qualité de vie est un concept très large influencé de manière complexe par la santé physique, l'état psychologique, le niveau d'indépendance, les relations sociales et les relations avec l'environnement. La perception ou la subjectivité de la personne occupe une place centrale dans cette définition. La santé perçue peut donner lieu à la fois à des interprétations très larges et restreintes au champ de la santé en fonction des dimensions explorées. Dans le domaine de la santé, la qualité de vie signifie avant tout la capacité du patient à réaliser toutes les activités sur les plans physique, mental et social. Le WHOQOL a conçu un questionnaire générique court : le WHOQOL-Bref qui reconnaît quatre dimensions, soit la santé physique, la santé psychique, les relations sociales et l'environnement[26].

Plusieurs instruments de mesure de qualité de vie ont été développés depuis les années 1960. Le contexte clinique se penche sur la mesure de qualité de vie dans le domaine de la santé en cherchant à évaluer l'effet de certaines maladies et des soins

24. Sirgy, Joseph, Don R. Rahtz et Lee Dong-Jin (2004). *Community Quality-of-life Indicators: Best Cases*, Dordrecht, Boston, Kluwer Academic Publishers, 251 p.
25. WHOQOL group (1993). «Study Protocol for the World Health Organization Project to Develop a Quality of Life Assessment Instrument (WHOQOL)», *Quality of Life Research*, 2, p. 153-159.
26. Leplège, Alain, et autres (2007). «La mesure de la qualité de vie des patients atteints de cancer», *Bulletin du Cancer*, vol. 94, n° 5, p. 495-498.

offerts. Un contexte plus généraliste évalue la qualité de vie dans son ensemble au moyen des réponses à des questionnaires. Les termes de mesure de qualité de vie, de statut de santé, de bien-être ou encore de santé perçue sont souvent employés indifféremment, car il s'agit d'un domaine relativement récent dont le vocabulaire n'est pas encore complètement standardisé. Les variations conceptuelles dépendent entre autres de ce qu'on souhaite exactement mesurer[27].

Les évaluations de la qualité de vie peuvent se faire à l'aide d'indicateurs de nature subjective et objective. Les mesures objectives renvoient aux aspects qui visent à déterminer le nombre ou l'intensité d'expériences observables dans la vie d'une personne. L'hypothèse ici est que certains types d'expériences (par exemple le fonctionnement physique, les conditions de logement, la situation financière, le soutien social) font nécessairement partie de la qualité de vie, et que des mesures de telles expériences sont des indicateurs directs de la qualité de vie des patients. Quant aux mesures subjectives, elles renvoient aux aspects qui ont pour objet de déterminer comment l'individu évalue les répercussions de la maladie sur son fonctionnement physique, social ou affectif, ou dans quelle mesure il est satisfait de ses diverses expériences de vie[28]. Cette démarche diffère de l'évaluation objective puisqu'il s'agit d'une appréciation de l'aspect subjectif des expériences et non d'une quantification des expériences vécues[29].

Les mesures de santé perçue servent à quantifier l'impact des maladies ou des interventions médicales sur le vécu du patient selon son point de vue[30]. Il est généralement admis, dans le milieu médical, que pour mieux soigner le malade et la maladie, le médecin doit se mettre à la place du malade. Ce type de mesure est construit à partir des réponses des patients malades à un questionnaire développé selon une méthode psychométrique. Ce type de questionnaire est souvent administré dans le cadre d'études de recherche clinique, d'évaluation de services de santé ou d'enquêtes épidémiologiques. Les mesures de santé perçue permettent de contribuer à l'amélioration des conditions de vie des patients en particulier, et à la satisfaction de la population des services de santé[31].

Il existe plusieurs instruments pour mesurer la qualité de vie en relation avec les capacités fonctionnelles. Le questionnaire SF-36, issu de la *Medical Outcome Study* (*MOS*), est devenu le standard de la mesure de qualité de vie. Ce questionnaire générique comprend 36 questions dont les réponses permettent de calculer les scores de 8 dimensions : l'activité physique, les limitations dues à l'état physique, la douleur physique, la vie relationnelle avec les autres, la santé psychique, les limitations dues à l'état psychologique, la vitalité et la santé perçue. Les deux scores calculés sont le score composite physique (*PCS*) et le score composite mental (*MCS*). Le questionnaire SF-36 peut être administré à des personnes souffrant de problèmes de santé variés, voire des personnes en excellente santé, ce qui permet l'établissement de nombreuses comparaisons. Il reste que l'accent est mis sur les capacités fonctionnelles à remplir les tâches quotidiennes ainsi que les rôles sociaux et professionnels dans une perspective fonctionnaliste chère au modèle médical. Les variations interculturelles, prenant en compte la diversité des valeurs dans la réalisation des tâches et des rôles, sont ignorées. Par ailleurs, le questionnaire SF-36 s'adapte mal aux personnes ayant une incapacité fonctionnelle puisque les questions portant sur l'activité physique sont loin de refléter leur réalité[32].

---

27. Jerusalem Institute for Israel Studies (1992). «Systemic Quality of Life and SQOL Index», *Statistical Yearbook: Jerusalem*, p. 104-1-5;122.
28. Pavot, William et Ed Deiner (1993). «Review of the Satisfaction with Life Scale», *Psychological Assessment*, 5, p. 164-172.
29. Adams, David L. (1969). «Analysis of a Life Satisfaction Index», *Journal of Gerontology*, 24(4), p. 470-474.
30. Shye, Samuel (1998). «The Systemic Life Quality Model: a Comparative Analysis of Concepts and Scales», *Megamot*, 39 (1-2), p. 149-169.
31. Elizur, Dov (1990). «Quality Circles and Quality of Work Life», *International Journal of Manpower*, 11 (6), p. 3-7.
32. La mesure de la qualité de vie des patients atteints de cancer.

Tableau 28: Domaines mesurés par certains instruments d'évaluation de la qualité de vie

Instrument de mesure de la qualité de vie++	Santé	Symptômes psych.	Sit. fin.	Conditions de vie	Famille	Rapports sociaux/ amoureux	Loisirs/	Participation créativité communautaire	Religion à la vie	Estime de soi/ bien-être
Comprehensive QoL Scale	*	*	*	*	*	*	*	*		*
Questionnaire sur l'état de santé général*		*								*
Goteborg QoL Instrument	*	*	*	*	*	*	*	*		*
Health Measurement Questionnaire	*					*		*		*
Lancashire QoL Profile	*			*	*	*	*	*	*	*
Lehmans QoL Interview	*	*		*	*	*	*	*	*	
Life-as-a-Whole Index	*									*
Life Experiences Checklist			*	*		*	*			
Life Satisfaction Index	*	*	*							
MOS Short Form 36	*				*	*	*	*		*
Multifaceted Lifestyle Satisfaction Scale				*		*	*	*		*
Nottingham Health Profile	*					*				*
QoL in Depression Scale	*			*	*	*	*	*		*
QoL Enjoyment & Satisfaction Questionnaire	*			*		*	*	*		*

Instrument de mesure de la qualité de vie++	Santé	Symptômes psych.	Sit. fin.	Conditions de vie	Famille	Rapports sociaux/amoureux	Loisirs/	Participation créativité communautaire	Religion à la vie	Estime de soi/bien-être
CQoL Index	*	*				*	*			*
QoL Index for Mental Health	*	*	*	*		*	*	*	*	*
QoL Interview Schedule	*	*	*	*		*	*			*
QoL Inventory	*		*		*	*	*	*	*	*
QoL Questionnaire (Shalock)	*	*	*	*		*		*		*
QoL Questionnaire / Interview (Bigelow)				*		*	*	*		*
QoL Scale	*	*				*	*	*		*
QoL Self-Assessment Inventory			*	*		*	*	*	*	*
Inventaire systémique de la qualité de vie	*				*		*	*		
Quality of Well-Being Scale	*	*				*		*		*
Satisfaction With Life Scale										
Sickness Impact Profile	*			*		*	*	*		*
SmithKline Beecham QoL Scale	*		*			*	*	*	*	

Source : Atkinson, Mark J., et Sharon Zibin (1996). *Évaluation de la qualité de vie des personnes atteintes de troubles mentaux chroniques : Analyse critique des mesures et des méthodes*, Ottawa, Direction générale de la promotion et des programmes de santé, Santé Canada.

Les déterminants sociaux de la santé :
une synthèse

Tableau 29 : Dimensions évaluatives des instruments de mesure de la qualité de vie

Instrument de mesure de la qualité de vie	Importance accordée au domaine	Accomplissement /satisfaction	Incidence sur le plan physique/fonctionnel	Incidence sur le plan social/affectif	Estime de soi/ bien-être
Comprehensive QoL Scale	*	*			*
General Health Questionnaire			*		*
Gottenberg QoL Instrument		*			*
Health Measurement Questionnaire			*	*	*
Lancashire QoL Profile		*			*
Lehmans QoL Interview		*			
Life-As-A-Whole Index (échelle unidimensionnelle)		*			*
Life Satisfaction Index		*			
Medical Outcomes Study (MOS) SF-36		*	*	*	*
Multifaceted Lifestyle Satisfaction Scale		*			*
Nottingham Health Profile			*		
QoL in Depression Scale		*			*
QoL Enjoyment & Satisfaction Questionnaire					*
QoL Index for Mental Health	*	*			*
QoL Inventory	*	*			*
QoL Questionnaire (Shalock)		*			*
QoL Scale				*	*
QoL Self Assessment Inventory		*			*

Instrument de mesure de la qualité de vie	Importance accordée au domaine	Accomplissement /satisfaction	Incidence sur le plan physique/fonctionnel	Incidence sur le plan social/affectif	Estime de soi/ bien-être
Inventaire systémique de la qualité de vie	*	*			
Satisfaction with Life Scale		*			*
Schedule for the Evaluation of Individual QoL	*				
Sickness Impact Profile			*	*	*
SmithKline Beecham QoL Scale			*	*	*

Source : Atkinson, Mark J., et Sharon Zibin (1996). *Évaluation de la qualité de vie des personnes atteintes de troubles mentaux chroniques : Analyse critique des mesures et des méthodes*, Ottawa, Direction générale de la promotion et des programmes de santé, Santé Canada.

Les déterminants sociaux de la santé : une synthèse

Tableau 30: Évaluation psychométrique des instruments de mesure de la qualité de vie

Instrument de mesure de la qualité de vie	Utilisé auprès d'une population psychiatrique	Fiabilité	Validité	Observations
ComQoL Scale	Non	Passable	Passable	Renferme un test sur les aptitudes des patients à faire preuve de jugement. Est utilisé auprès de personnes atteintes de déficience intellectuelle.
Questionnaire sur l'état de santé	Oui	Passable à bonne	Passable à bonne	Instrument le plus couramment utilisé dans le domaine de la santé mentale. Accent mis sur l'évaluation de la détresse et de l'angoisse névrotiques.
Gottenberg QoL Instrument	Non	Passable à bonne	Passable à bonne	Accent mis sur la symptomatologie, mesure de l'anxiété, de la concentration, de la dépression et de la fatigue.
Health Measurement Question	Oui	Passable à bonne	Passable à bonne	Utile dans un contexte de psychiatrie de liaison, auprès de malades mentaux aigus et chroniques, hospitalisés ou consultants externes.
Lancashire QoL Profile	Oui	Passable à bonne	Passable à bonne	Comprend une mesure des erreurs dues aux répondants — une opinion professionnelle au sujet de la fiabilité des réponses données par les patients, à utiliser auprès des schizophrènes et d'une population mixte.
Lehman's QoL Interview	Oui	Passable à bonne	Bonne	Bien documentée, les échelles objectives manquent un peu de constance, tient compte de tous les cas graves et chroniques.
Life-As-A-Whole Index (échelle unidimensionnelle)	Non	Passable	Passable	Échelle unidimensionnelle, rapide à administrer.
Life Experiences Checklist	Non	Passable	Passable	Facile à administrer.
Life Satisfaction Index	Oui	Passable à bonne	Passable à bonne	Souvent utilisé auprès de patients atteints de déficience intellectuelle et pourrait également être appliqué auprès de populations psychiatriques pour obtenir une mesure de leur bien-être.
Medical Outcomes Study (MOS) SF-36	Oui	Bonne	Bonne	Très couramment utilisé, ne s'applique pas spécifiquement aux malades mentaux, mais pourrait servir auprès de patients déprimés.
Multifaceted Lifestyle Satisfaction Scale	Non	Passable à bonne	Passable à bonne	Doit être validé avant d'être utilisé auprès de malades mentaux. Utilisé auprès des sujets atteints de déficience intellectuelle.
Nottingham Health Profile	Oui	Passable à bonne	Passable	Pose un problème en ce sens que les répondants ne signalent «aucun» problème dans toutes les échelles, de sorte que les scores obtenus par des sujets plus normaux pourraient être minimaux.

Instrument de mesure de la qualité de vie	Utilisé auprès d'une population psychiatrique	Fiabilité	Validité	Observations
QoL in Depression Scale	Oui	Bonne	Bonne	Très grande validité apparente pour les patients; facile à administrer, ne s'applique qu'à des sujets souffrant de dépression.
QoL Enjoyment and Satisfaction Questionnaire	Oui	Bonne	Bonne	Solidité de l'évaluation et grande pertinence clinique pour une population de malades déprimés.
QoL Index (cinq échelles globales)	Non	Passable à bonne	Passable à bonne	S'administre très rapidement et fait appel à cinq échelles d'évaluation clinique globale.
QoL Index for Mental Health	Oui	Bonne	Passable à bonne	Instrument nouveau et prometteur, échelles de mesure des objectifs et des symptômes utiles pour les comparaisons patient/thérapeute, utilisé auprès de populations mixtes de cas graves et chroniques.
QoL Interview Schedule	Oui	Passable à bonne	Passable à bonne	Certaines échelles manquent de cohérence interne; instrument utilisé auprès de populations mixtes de cas chroniques et graves.
QoL Inventory	Oui	Passable à bonne	Bonne	Fait une grande place aux jugements de valeur, évaluation de l'écart entre l'importance et la satisfaction.
QoL Questionnaire (Shalock)	Non	Passable à bonne	Passable à bonne	Conçu pour l'évaluation des problèmes de développement.
QoL Questionnaire/Interview (Bigelow)	Oui	Passable à bonne	Bonne	Fortement axé sur l'emploi, contient des échelles d'évaluation de la consommation/de l'abus de substances et de la tolérance au stress. Les échelles semblent manquer quelque peu de constance. Utilisé auprès de populations mixtes.
QoL Scale	Oui	Bonne	Passable à bonne	Comprend diverses échelles qui mettent l'accent sur les dimensions intrapsychiques et qui sont utiles aux évaluations cliniques – vise les populations de schizophrènes.
QoL Self-Assessment Inventory	Oui	Passable à bonne	Passable à bonne	Nouvel instrument prometteur, perfectible. Utilisé auprès de patients schizophrènes et de populations mixtes de cas chroniques et graves.
Inventaire systémique de la qualité de vie	Non	Passable à bonne	Passable à bonne	Fiabilité accrue par l'utilisation d'aides visuelles. Son utilisation auprès de malades mentaux devrait être mieux validée. Démarche novatrice et agréable, fondée sur des interviews interactives.

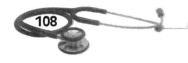

Les déterminants sociaux de la santé: une synthèse

Instrument de mesure de la qualité de vie	Utilisé auprès d'une population psychiatrique	Fiabilité	Validité	Observations
Quality of Well-being Scale	Non	Bonne	Bonne	Indice de l'état de santé bien conçu aux fins de la gestion des soins (calcul de coûts et planification), ne s'applique pas spécifiquement à la santé mentale.
Satisfaction with Life Scale	Oui	Bonne	Bonne	Cinq échelles globales portent sur le volet de jugement dans l'évaluation de bien-être ; administration rapide.
Schedule for the Evaluation on Individual QoL	Non	Bonne	Bonne	Rend très bien compte de la cohérence des réponses données par la même personne. Les facteurs liés au jugement influeront sur la validité des résultats.
Sickness Impact Profile	Oui	Bonne	Bonne	Couramment utilisé, deux aspects (psychosocial et physique) concernent les malades mentaux; utilisé auprès de sujets déprimés.
SmithKline Beecham QoL Scale	Oui	Bonne	Bonne	Évaluation (*Ideal-Self, Sick-Self* et *Self-Now*) de fonctionnement global sur les plans physique et social.

Source : Atkinson, Mark J., et Sharon Zibin (1996). *Évaluation de la qualité de vie des personnes atteintes de troubles mentaux chroniques : Analyse critique des mesures et des méthodes*, Ottawa, Direction générale de la promotion et des programmes de santé, Santé Canada.

4.6 Les indicateurs de soins de santé primaires

L'Organisation mondiale de la santé a adopté il y a trois décennies une approche axée sur les soins de santé primaires (SSP). Les soins de santé primaires constituent le premier type de soins que cherchent à obtenir les individus qui ont besoin de services de santé. Or, comme bon nombre de facteurs sociaux, économiques et culturels influent sur la santé et le bien-être, les soins de santé primaires comprennent bien davantage que le simple traitement des maladies. Ils incluent aussi des programmes de promotion de la santé et d'amélioration de la qualité de la vie en général.

L'approche axée sur les soins de santé primaires s'intéresse aux facteurs qui, dans l'environnement social, physique, économique et culturel des collectivités, touchent leur santé, de l'alimentation à la qualité de l'environnement en passant par le revenu. Les soins de santé primaires sont les soins essentiels (promotion, prévention, traitement, réadaptation et soutien) visant à prévenir la maladie et à promouvoir la santé. Il s'agit à la fois d'une philosophie de soins de santé et d'une approche de prestation de services de santé[33]. Les principes des soins de santé primaires sont l'accessibilité, la participation publique, la promotion de la santé, une technologie adéquate et la coopération inter-sectorielle. Selon la *Déclaration d'Alma-Ata* :

> *Les soins de santé primaires sont des soins de santé essentiels fondés sur des méthodes et des techniques pratiques, scientifiquement valables et socialement acceptables, rendus universellement accessibles à tous les individus et à toutes les familles de la communauté avec leur pleine participation et à un coût que la communauté et le pays puissent assumer à tous les stades de leur développement dans un esprit d'autoresponsabilité et d'autodétermination[34].*

En effet, les soins de santé primaires constituent la base du système de soins de santé. Lorsque les collectivités ont besoin de soins de santé, elles cherchent habituellement des services de santé primaires. Elles consultent un médecin de famille, une infirmière, une clinique médicale, tentent d'accéder à une ligne Info-Santé, rencontrent un travailleur en santé mentale ou sollicitent les conseils d'un pharmacien[35].

En tant que point de départ à l'intérieur du continuum de soins, les soins de santé primaires mettent en relief la promotion de la santé et la prévention des maladies et font appel aux autres services de soins de santé lorsque des soins spécialisés sont nécessaires. Les besoins en soins de santé primaires sont différents dans chaque communauté. Le but du renouvellement des soins de santé primaires est d'améliorer la qualité, l'accessibilité et la durabilité des soins de santé de première ligne en vue d'assurer que la population canadienne reçoive les soins les plus pertinents, par le fournisseur le plus approprié, au moment et à l'endroit précis où elle en a besoin. Le renouvellement des soins de santé primaires constitue aussi un élément clé pour atteindre, dans l'ensemble, des soins de santé efficaces, en temps opportun et de qualité.

L'Institut canadien d'information sur la santé a conçu une série d'indicateurs de SSP dans le cadre de la *Stratégie nationale d'évaluation du Fonds pour l'adaptation des SSP* afin de les mesurer adé-quatement. Les gouvernements fédéral, provinciaux et territoriaux, les régies régionales, les dispensateurs de SSP, les chercheurs et un certain nombre d'organismes ont participé à un processus de consultation afin d'élaborer des indicateurs de SSP réalistes et quantifiables. Une liste de 30 indicateurs de SSP sur l'accès, les soins recommandés ainsi que l'organisation et la prestation de services et a été dressée[36].

Les indicateurs sur l'accès portent sur la capacité des patients d'accéder aux services de SSP et à les utiliser. Ils incluent des aspects tels que la facilité pour prendre un rendez-vous, la capacité de communiquer avec le dispensateur de SSP et l'existence de programmes qui répondent aux besoins particuliers

33. Muldoon, Laura K, William E. Hogg et Miriam Levitt (2006).« Primary care (PC) and Primary Health care (PHC) – What is the difference ? », *Canadian Journal of Public Health*, 97(5), p. 409-411.
34. Organisation mondiale de la santé (2008). *Commission des déterminants sociaux de la santé*. Aide-mémoire 3 : Principaux concepts, Genève.
35. Starfield, Barbara (1998). *Primary Care : Balancing Health Needs, Services and Technology*, 2nd Ed., New York, Oxford University Press.
36. Institut canadien d'information sur la santé (2008). *Recueil de graphiques sur les indicateurs de soins de santé primaires (SSP). Un exemple de l'utilisation des données sur les SSP pour l'établissement de rapport sur les indicateurs*, Ottawa, ICIS, p. 4.

des populations vulnérables. Les indicateurs sur l'accès portent sur l'accès à un dispensateur de SSP tels un médecin de famille, un omnipraticien ou un infirmier. La prestation de services doit encourager l'utilisation axée sur les besoins des patients en minimisant les obstacles linguistiques parmi tant d'autres. L'ICIS considère quatre indicateurs sur l'accès aux SSP: la population ayant un dispensateur régulier de SSP, les organismes de SSP acceptant de nouveaux patients, les difficultés à accéder à des SSP de routine, la barrière linguistique entre les dispensateurs de SSP et les patients.

Les indicateurs sur les soins recommandés sont liés aux services cliniques offerts par les organisations de SSP. Ils sont basés sur l'opinion scientifique émergente concernant les meilleures pratiques en matière de services cliniques pour des problèmes de santé sélectionnés[37]. Les indicateurs sur les soins recommandés pour le traitement et les préventions primaire et secondaire s'intéressent aux groupes de maladies suivants: la grippe, le cancer du col de l'utérus, les maladies cardiovasculaires et le diabète. Les stratégies de prévention primaire se concentrent essentiellement sur la prévention de l'apparition d'une maladie tandis que celles axées sur la prévention secondaire visent généralement à adopter des pratiques reconnues de gestion des maladies lorsque le patient souffre d'une affection particulière. Par exemple, un patient atteint d'une maladie rénale ou coronarienne peut recourir à la prévention secondaire pour éviter toute forme d'aggravation.

Les indicateurs sur les soins recommandés jugés les plus importants par les intervenants, sont: le vaccin contre la grippe pour les personnes de 65 ans et plus, le dépistage du cancer du col de l'utérus, le dépistage des risques pour la santé, le dépistage des facteurs de risque modifiables chez les adultes atteints de diabète, le contrôle de la glycémie pour le diabète, le contrôle des facteurs de risque de tension artérielle pour l'hypertension et les conditions propices aux soins ambulatoires. L'institut a d'ailleurs fait ressortir, dans *Indicateurs de santé 2008*, que l'indicateur des taux d'hospitalisations liées à des conditions propices aux soins ambulatoires peut

signaler d'éventuels problèmes d'accès aux SSP ou de qualité des services offerts.

Les indicateurs sur l'organisation et la prestation de services traitent de la variété des services de SSP offerts, du soutien technologique, des interactions entre les dispensateurs de SSP et les patients et des dépenses. Ce type d'indicateurs rend compte des façons de faire les plus efficaces et efficientes dans l'organisation et l'offre de services et sert de référence aux gouvernements afin qu'ils puissent assurer une prestation de soins de qualité en répondant aux besoins des patients de façon satisfaisante. Un certain nombre d'organismes de SSP s'orientent dorénavant vers un modèle axé sur la prévention des maladies chroniques, sur l'intégration des patients dans la gestion des soins, sur l'utilisation accrue des technologies de l'information et sur une meilleure collaboration entre les dispensateurs de SSP. Parmi les indicateurs sur l'organisation et la prestation de services, il y a: la gamme de services de SSP, la satisfaction des patients des soins reçus par les dispensateurs de SSP, les programmes en SSP pour les patients atteints d'affections chroniques, la participation du patient à la planification du traitement en SSP, les ententes de soins conjoints avec d'autres organismes de soins de santé, les dispensateurs de SSP travaillant au sein d'équipes ou de réseaux interdisciplinaires de SSP, le registre des patients en SSP atteints d'affections chroniques et l'intégration de systèmes d'information et de communication dans les organismes en SSP.

Les indicateurs de SSP sur l'accès, les soins recommandés ainsi que l'organisation et la prestation de services permettent de comprendre les interactions entre les divers aspects des SSP et de pallier au manque de données exhaustives au Canada et à l'étranger. Pour ce qui est des champs d'application futurs, un engagement pancanadien visant la standardisation des données permettrait de suivre les changements dans l'accès, la coordination, la qualité de soins recommandés et la prestation de services. La standardisation des données aux niveaux régional et provincial permettrait d'établir des comparaisons non seulement au niveau national, mais également à l'étranger.

---

37. Institut canadien d'information sur la santé (2008). *Recueil de graphiques sur les indicateurs de soins de santé primaire (SSP). Un exemple de l'utilisation des données sur les SSP pour l'établissement de rapport sur les indicateurs*, Ottawa, ICIS, p. 4.

Tableau 31: Liste des indicateurs de soins de santé primaires

Accès	Soins recommandés	Organisation et prestation de services
– Population ayant un dispensateur régulier de SSP	– Vaccin contre la grippe pour les personnes de 65 ans et plus	– Gamme de services de SSP
– Organismes de SSP acceptant de nouveaux patients	– Dépistage du cancer du col de l'utérus	– Satisfaction des patients quant aux soins reçus par les dispensateurs de SSP
– Difficultés d'accéder à des SSP de routine	– Dépistage des risques pour la santé	– Programmes en SSP pour les patients atteints d'affections chroniques
– Difficultés d'accéder à des SSP immédiats pour un problème de santé urgent mais mineur les soirs et les week-ends	– Dépistage des facteurs de risque modifiables chez les adultes atteints de diabète	– Participation du patient à la planification du traitement en SSP
– Organismes de SSP qui assurent des services à la population en dehors des heures normales d'ouverture	– Contrôle de la glycémie pour le diabète	– Ententes de soins conjoints avec d'autres organismes de soins de santé
– Difficulté d'accéder à des renseignements ou à des conseils sur la santé en SSP	– Dépistage des facteurs de risque modifiables chez les adultes atteints de coronaropathie	– MF OP IP travaillant au sein d'équipes ou de réseaux interdisciplinaires de SSP
– Barrière linguistique entre les dispensateurs de SSP et les patients	– Surveillance de la prise de médicaments antidépresseurs	– Registre des patients en SSP atteints d'affections chroniques
– Programmes de SSP spécialisés destinés aux populations vulnérables ou ayant des besoins particuliers	– Dépistage des facteurs de risque modifiables chez les adultes atteints d'hypertension	– Utilisation des alertes médicamenteuses en SSP
	– Contrôle de la tension artérielle pour l'hypertension	– Intégration de systèmes d'information et de communication dans les organismes en SSP
	– Traitement de la dyslipidémie	– Coûts opérationnels des services de SSP par habitant
	– Traitement de la dépression	– Mode de rémunération des dispensateurs de SSP
	– Conditions propices aux soins ambulatoires	

Source: Institut canadien d'information sur la santé (2008). *Recueil de graphiques sur les indicateurs de soins de santé primaires (SSP). Un exemple de l'utilisation des données sur les SSP pour l'établissement de rapport sur les indicateurs*, Ottawa, p. 4.

Les déterminants sociaux de la santé: une synthèse

Tableau 32 : Cadre conceptuel des indicateurs de santé

État de santé	Bien-être	Problèmes de santé	Fonction humaine	Décès
Déterminants non médicaux de la santé	Comportements sanitaires	Conditions de vie et de travail	Ressources personnelles	Facteurs environnementaux
Rendement du système de santé	Acceptabilité	Accessibilité	Pertinence	Compétence
	Continuité	Efficacité	Efficience	Sécurité
Caractéristiques de la collectivité et du système de santé	Collectivité	Système de santé	Ressources	

Source : Institut canadien d'information sur la santé (2008). *Recueil de graphiques sur les indicateurs de soins de santé primaires (SSP). Un exemple de l'utilisation des données sur les SSP pour l'établissement de rapport sur les indicateurs*, Ottawa, p. 4.

En se basant sur les recommandations consensuelles d'un groupe d'experts internationaux, l'Organisation de coopération et de développement économiques (OCDE) présente une sélection de 27 indicateurs clés couvrant les domaines de la promotion de la santé, la prévention des maladies, le diagnostic et le traitement dans les soins primaires.

Tableau 33 : Vingt-sept indicateurs clés en promotion de la santé, prévention et SSP

Promotion de la santé	Prévalence de l'obésité
	Activité physique
	Taux de tabagisme
	Prévalence du diabète
	Taux de gonorrhée et chlamydiae
	Taux d'avortements
Prévention des maladies	Détermination prénatale du groupe sanguin et des anticorps
	Dépistage prénatal du VIH
	Dépistage prénatal de la bactériurie
	Maladies vaccinables
	Taux de faible poids à la naissance
	Vaccination des adolescents

Prévention des maladies	Dépistage de l'anémie chez les femmes enceintes
	Dépistage de la gonorrhée chez les femmes enceintes
	Dépistage de l'hépatite B chez les femmes enceintes
	Inscription relative à l'hépatite B dans le dossier médical avant l'accouchement
	Vaccination contre l'hépatite B des groupes à risque
	Vaccination contre la grippe des groupes à risque
	Vaccination antipneumococcique des groupes à risque
Diagnostic et traitement dans les soins primaires	Taux d'hospitalisation pour insuffisance cardiaque congestive
	Première visite au premier trimestre
	Conseil d'arrêt du tabac aux asthmatiques
	Mesure de la tension artérielle
	Remesure de la tension artérielle en cas d'hypertension
	Premières analyses de laboratoire pour l'hypertension
	Hospitalisation des patients ambulatoires à risque

Source : Organization for Economic Co-operation and Development (2004). *Selecting Indicators for the Quality of Health. Promotion, Prevention and Primary Care at the Health System Level in OECD Countries*, Paris.

Grahique 7 : Cadre conceptuel des indicateurs de santé

ÉTAT DE SANTÉ
Comment se portent les Canadiens ?
L'état de santé peut être mesuré au moyen de divers indicateurs, dont le bien-être, les problèmes de santé, l'incapacité ou les décès.

| Bien-être | Problèmes de santé | Fonction humaine | Décès |

DÉTERMINANTS NON MÉDICAUX DE LA SANTÉ
On sait que les déterminants non médicaux de la santé peuvent influencer la santé et, dans certains cas, l'utilisation des services de santé.

| Comportements sanitaires | Conditions de vie et de travail | Ressources personnelles | Facteurs environnementaux |

RENDEMENT DU SYSTÈME DE SANTÉ
Comment se porte le système de santé ?
Ces indicateurs mesurent divers aspects de la qualité des soins.

| Acceptabilité | Accessibilité | Pertinence | Compétence |
| Continuité | Efficacité | Efficience | Sécurité |

CARACTÉRISTIQUES DE LA COLLECTIVITÉ ET DU SYSTÈME DE SANTÉ
Ces mesures présentent une information contextuelle utile, mais elles ne sont pas des mesures directes de l'état de santé ou de la qualité des soins.

| Collectivité | Système de santé | Ressources |

ÉQUITÉ

Source : Institut canadien d'information sur la santé (2007). *Indicateurs de santé 2007*, Ottawa, p. 15.

© Guérin, éditeur ltée

Chapitre 4 — Les grands indicateurs transversaux de santé : facteurs d'évolution et essai de prospective

115

En bref

L'espérance de vie

L'espérance de vie à la naissance est un indicateur universel de l'état de santé des populations qui représente la durée de vie moyenne d'une personne. Elle est souvent comparée à l'espérance de vie en bonne santé ou années de vie en bonne santé, pour mesurer le nombre d'années qu'une personne à la naissance peut s'attendre à vivre en bonne santé. La condition de bonne santé est définie par l'absence de limitations d'activités ou d'incapacités.

La mortalité

C'est le nombre (un nombre est un concept caractérisant une unité, une collection d'unités ou une fraction d'unité.) de décès annuels rapporté au nombre d'habitants d'un territoire donné. Par extension, c'est le nombre de morts survenues au sein d'une population dénombrable d'organismes vivants dans des conditions données et pendant une durée déterminée. La mortalité et ses principales causes médicales peuvent être basées soit sur une cause initiale, soit sur une cause associée. La codification des causes de décès s'opère en fonction des règles de la 10ᵉ division de la CIM. La mortalité prématurée ou la mortalité évitable renvoie au nombre d'années potentielles de vie perdues. Les maladies cardiovasculaires représentent la première cause de mortalité dans le monde.

La morbidité

Par définition, la morbidité réfère au nombre d'affections existant chez un individu, connues de lui ou non, diagnostiquées ou non. Le handicap et l'incapacité sont des indicateurs de morbidité ou de santé fonctionnelle. Ils constituent une limitation d'activités ou une restriction de participation rattachée à un état physique ou mental, une déficience ou un problème de santé. Le degré de sévérité de la maladie se mesure avec une échelle de sévérité, déterminée en fonction du degré d'incapacité. Plus la personne est dépendante, plus son incapacité est sévère.

Mesure de la qualité de vie

La mesure de la qualité de vie traite du bien-être et permet de mesurer la façon dont les patients perçoivent leur état de santé. Il existe plusieurs outils génériques (le SF-36, le SF-12, le Profil de Duke, le WHOQOL et EUROQOL) qui explorent les grandes dimensions de la santé (santé physique et capacités fonctionnelles, santé psychologique et bien-être, vie sociale et spirituelle et bien-être strictement matériel). Le questionnaire SF-36 est le standard de la mesure de la qualité de vie en relation avec les capacités fonctionnelles.

Les soins de santé primaires (SSP)

Les soins de santé primaires sont ceux qui constituent la porte d'entrée dans le système de soins. L'Organisation mondiale de la santé les définit comme « des soins de santé essentiels fondés sur des méthodes et une technologie pratiques, scientifiquement viables et socialement acceptables, rendus universellement accessibles aux individus et aux familles dans la communauté par leur pleine participation et à un coût que la communauté et le pays puissent assumer à chaque stade de leur développement dans un esprit d'autoresponsabilité et d'autodétermination ». Ceci dit, les interprétations de cette définition divergent énormément et il n'est pas rare de voir, dans la littérature, plusieurs auteurs utiliser de façon interchangeable soins de santé primaires et soins de première ligne, même si ces deux termes recouvrent des réalités différentes mais complémentaires.

Les indicateurs de SSP permettent de suivre la progression de l'état de santé des populations et le rendement du système de santé selon l'accès, les soins recommandés ainsi que l'organisation et la prestation de services. Les indicateurs sur l'accès des services de SSP portent sur la capacité des patients à y accéder et à les utiliser. Ceux sur les soins recommandés font référence aux services offerts par les organisations de SSP. Les indicateurs sur l'organisation et la prestation de services considèrent la variété des services de SSP offerts.

Bibliographie

ADAMS, David L. (1969). «Analysis of a Life Satisfaction Index», *Journal of Gerontology*, 24(4), p. 470-474.

Association internationale des démographes de langue française (1998). *Morbidité, mortalité : problème de mesure, facteurs d'évolution, essai de prospective*, Paris, Presses Universitaires de France.

Affaires indiennes et du Nord Canada (2005). *Données ministérielles de base*, Ottawa.

BOSSUYT, Nathalie, et Herman VAN OYEN (2000). *Espérance de vie en bonne santé selon le statut socio-économique en Belgique*, Institut scientifique de la Santé publique, Louis Pasteur.

CASES, Chantal, Eric JOUGLA et Sandrine DANET (2008). «Indicateurs synthétiques de santé», *ADSP*, n° 64, septembre, p. 5-10.

ELIZUR, Dov (1990). «Quality Circles and Quality of Work Life», *International Journal of Manpower*, 11 (6), p. 3-7.

EYLENBOSCH, Willy J., et Norman NOAH D. (1988). *Surveillance in Health and Disease*, Oxford, Oxford University Press.

FRENDO, Lise, et Tom de BRUYN (2005). *Les inégalités socioéconomiques de la santé : quels indicateurs pour en rendre compte ?* Notes exploratoires de travail, Platform Indicators for Sustainable Development, Science Policy Interface.

Institut canadien d'information sur la santé (2003). *Classification internationale des maladies*, Ottawa.

Institut canadien d'information sur la santé (2007). *Indicateurs de santé*, Ottawa.

Institut canadien d'information sur la santé (2008). *Recueil de graphiques sur les indicateurs de soins de santé primaire (SSP)*, Ottawa.

Institut de recherche et documentation en économie de la santé (2008). *Données de cadrage. Indicateurs de santé : définitions*, Paris.

JAMMAL, Amal, Robert ALLARD et Geneviève LOSLIER (1998). *Dictionnaire d'épidémiologie*, Edisem/Maloine.

Jerusalem Institute for Israel Studies (1992). «Systemic Quality of Life and SQOL index», *Statistical Yearbook : Jerusalem*, p. 104-1-5 ; 122.S

LEPLÈGE, Alain, et autres (2007). «La mesure de la qualité de vie des patients atteints de cancer», *Bulletin du Cancer*, vol. 94, n° 5, p. 495-498.

MELENNEC, Louis (2000). *Évaluation du handicap et du dommage corporel*, Elsevier Masson.

MULDOON, Laura K., Hogg WILLIAM E. et Miriam LEVITT (2006). «Primary care (PC) and primary health care (PHC) – What is the difference ?», *Canadian Journal of Public Health*, 97(5), p. 409-411.

OECD (2004). *Selecting Indicators for the Quality of Health. Promotion, Prevention and Primary Care at the Health System Level in OECD Countries*, Paris.

OCDE (2007). *Éco-Santé 2007*, Statistique de l'OCDE, Paris.

OMS (1981). *Élaboration d'indicateurs pour la surveillance continue des progrès réalisés dans la voie de la santé pour tous d'ici l'an 2000*, Genève.

OMS (1988). *Classification internationale des handicaps : déficiences, incapacités et désavantages. Un manuel de classification des conséquences des maladies*, Paris, CTNERHI-INSERM.

OMS (2002). *Rapport sur la santé en Europe 2002*, Publications régionales, Série européenne, n° 97, Danemark, 165 p.

OMS, Commission des déterminants sociaux de la santé (2008). *Aide-mémoire 3 : Principaux concepts*, Genève.

PAVOT, William, et Ed DEINER (1993). «Review of the Satisfaction with Life Scale», *Psychological Assessment*, 5, p. 164-172.

PERON, Yves, et Claude STROHMENGER (1985). *Indices démographiques et indicateurs de santé des populations : Présentation et interprétation*, Ottawa.

RAPLEY, Mark (2003). *Quality of Life Research : a Critical Introduction London, Thousand Oaks*, SAGE Publications, 286 p.

Santé Canada (1999). *Plan d'entreprise quinquennal de l'Agence de la santé publique du Canada 1999*, Ottawa, Agence de la santé publique du Canada, rapport inédit.

Santé Canada (2000). *Les indicateurs de la santé périnatale au Canada : Manuel de référence*, Ottawa, ministre des Travaux publics et des Services gouvernementaux Canada.

SHYE, Samuel (1998). «The systemic life quality model: a comparative analysis of concepts and scales», *Megamot*, 39, (1-2), p. 149-169.

SIRGY, Joseph, Don R. RAHTZ et Lee DONG-JIN (2004). *Community Quality-of-life Indicators: Best Cases*, Dordrecht Boston, Kluwer Academic Publishers, 251 p.

STARFIELD, Barbara (1998). *Primary care: Balancing Health Needs, Services and Technology*, 2nd Ed., New York, Oxford University Press.

Statistique Canada (2006). *Espérance de vie en fonction de la santé, à la naissance et à 65 ans, selon le sexe et le groupe de revenu, Canada et provinces, données occasionnelles (années) (tableau CANSIM 102-0121)*, Ottawa.

Statistique Canada (2007). *Enquête sur la participation et les limitations d'activités de 2006 : rapport technique et méthodologique*, Ottawa, 50 p.

Statistique Canada (2001). *Indicateurs de la santé. Définition et sources des données*, Ottawa.

WHOQOL group (1993). «Study protocol for the World Health Organization Project to Develop a Quality of Life Assessment Instrument (WHOQOL)», *Quality of Life Research*, 2, p. 153-159.

WHO (1998). *Health Promotion Glossary*, Geneva, Switzerland, 36 p.

YLIEFF, Michel, David DI NOTTE et Ovide FONTAINE (2008). *Définition opérationnelle de la qualité de vie*. Note de synthèse et proposition d'un instrument, Service de Psychologie de la Santé Unité de Psychologie clinique du Vieillissement, Université de Liège.

Chapitre 5

Nature et spécificités des inégalités sociales de santé

Peut-on promouvoir la santé des plus pauvres sans agir sur les conditions de misère dans lesquelles ils vivent? La pauvreté, qu'elle soit absolue ou relative, est un fléau impitoyable qui est ressentie comme une maladie. Pauvreté et santé sont interreliées : une excessive pauvreté conduit à la mauvaise santé et une mauvaise santé peut être génératrice d'une situation de pauvreté.

Face à l'accumulation de données probantes à l'effet que l'état de santé est meilleur lorsque le statut social et économique est élevé et que les écarts en ce qui concerne l'égalité du revenu sont minces, la plupart des chercheurs ont conclu que ces facteurs jouent un rôle déterminant en matière de santé.

Après avoir terminé l'étude de ce chapitre, vous devriez être en mesure :

- D'explorer les causes des inégalités sociales de santé et leurs théories explicatives ;
- De vous familiariser avec le terme de gradient social et de cerner les nombreux facteurs qui exercent une influence sur la santé ;
- De saisir l'interaction complexe et les liens de causalité entre la pauvreté et la santé ;
- D'identifier les obstacles auxquels font face les hommes et les femmes à faible revenu et de connaître l'approche genre et développement ;
- De connaître les moyens d'action susceptibles d'être examinés par les pouvoirs publics afin de contrer les inégalités.

Dans les mégalopoles du tiers-monde et de plus en plus dans certaines nations industrialisées, les plus nantis vivent plus longtemps alors que les pauvres y meurent des décennies plus tôt. Le combat quotidien pour la survie, à savoir la faim, l'absence de droits et le manque de formation, en particulier des femmes et des filles, des habitations pitoyables, une eau insalubre et des eaux usées contaminées, ainsi que la criminalité, le bruit et la pollution, rendent les gens malades. La maladie rend pauvre et la pauvreté rend malade, il n'y a pas de doute. En effet, les recherches suggèrent que les pauvres sont plus fréquemment malades et n'ont souvent aucun accès aux services de soins. L'argent et le temps font défaut, car un individu malade n'est pas en mesure de travailler. Les pauvres vivent au jour le jour, et le fruit du travail journalier sert aussi de pain quotidien. Or, une maladie empêche de travailler. Et qui ne gagne rien ne peut se nourrir. Ainsi, la maladie devient rapidement synonyme de catastrophe, pas seulement pour les malades eux-mêmes, mais pour toute leur famille. «Une maladie légère coûte un poulet, une maladie grave entraîne la ruine», dit un proverbe asiatique.

Le lien étroit qui existe entre la santé et le statut social est grandement connu, tout comme le fait que les personnes des classes sociales plus élevées sont en meilleure santé et vivent plus longtemps que celles des classes sociales moins élevées. Cela est vrai, que l'on utilise le revenu, l'éducation ou un autre indicateur socioéconomique et quel que soit le résultat pour la santé utilisé. La santé s'améliore avec l'augmentation de la classe sociale. Alors, non seulement les membres les plus démunis de la société ont-ils une mauvaise santé, mais l'état de santé diminue au fur et à mesure que l'on descend dans l'échelle socioéconomique, ce qui a des répercussions sur l'ensemble de la population.

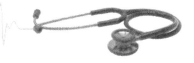

Ce chapitre propose en guise d'introduction un aperçu du concept de pauvreté, notamment des trois approches les plus courantes, soit l'approche de la pauvreté absolue, l'approche de la pauvreté relative et l'approche de la pauvreté subjective. Ensuite, les inégalités sociales de santé, à l'intérieur d'un pays ou de différents pays, sont présentées comme l'une des conséquences inéluctables des inégalités socioéconomiques des populations. Le concept de gradient social de santé établit le lien existant entre l'état de santé d'une personne et sa position dans la hiérarchie sociale.

Afin de comprendre les inégalités sociales de santé, l'analyse des disparités sociales n'est guère suffisante. Il faut revenir à d'autres déterminants sociaux de la santé comme les facteurs psychologiques et sociaux : le stress, la petite enfance, l'exclusion sociale, le travail, le chômage, le soutien social, les dépendances, l'alimentation et les transports. Il existe aussi des déterminants structurels et des déterminants intermédiaires qui sont susceptibles d'exercer une influence sur l'état de santé. Les théories explicatives des inégalités sociales de santé traitent de la relation entre la situation économique et la santé selon quatre hypothèses principales : l'hypothèse du revenu absolu, l'hypothèse de la pauvreté absolue, l'hypothèse de la position relative et l'hypothèse néomatérialiste.

L'interaction entre la santé et la pauvreté, en l'occurrence l'influence du revenu et des inégalités de revenu sur la morbidité et la mortalité, amène à évoquer la féminisation de la pauvreté sous l'angle du genre, de la pauvreté et de la santé. L'approche genre et développement se révèle une approche sexo-spécifique qui met l'accent sur les relations inégales de pouvoir entre les hommes et les femmes comme facteur majeur conditionnant la situation de pauvreté des femmes. Elle se donne pour objectif de corriger les relations inégalitaires entre les sexes en intervenant sur la culture. Dans la même veine, l'équité en santé est un objectif qui vise à contrer les inégalités et doit être comprise au sens large, en termes de distribution de la richesse et de partage des bénéfices. En définitive, une analyse plus poussée des principaux déterminants sociaux de santé offre des moyens d'action aux pouvoirs publics en les incitant à jouer un rôle clé dans la création d'environnements favorables à la santé dans l'élaboration et la mise en œuvre de politiques publiques.

5.1 La pauvreté : un concept multidimensionnel

L'usage qui est fait du concept de pauvreté démontre à quel point les mots n'ont pas seulement de sens, mais qu'ils ont surtout des emplois. La pauvreté est un concept polysémique, une notion plurielle et multidimensionnelle. L'acception qui est généralement donnée de ce concept est négative en ce sens qu'elle réfère à la misère. En tant que mal chronique qui n'a cessé de ruiner les sociétés humaines, le phénomène s'est aggravé au fil des années. En fait, il semble avoir plus de pauvres aujourd'hui que le monde n'en comptait il y a quelques années, en dépit de l'augmentation de la richesse collective. Mais comment définir la pauvreté ? L'histoire du concept démontre que la diversité des définitions qui lui sont données reste au cœur de nombreux débats théoriques empiriques et institutionnels[1].

Dans les pays riches, la pauvreté est souvent assimilée à la déprivation et à l'exclusion sociale. Dans les pays pauvres et en développement, elle réfère à la misère et à une insuffisance chronique de ressources monétaires. En dépit de l'engouement autour de ces approches multidimensionnelles, il ne semble pas y avoir de réel consensus quant à la manière dont on doit définir et mesurer la pauvreté dans ses manifestations non monétaires, matérielles ou non[2]. Définir qui nous considérons comme étant pauvres dans notre société peut être une tâche difficile. Nos valeurs en tant que société sont implicites dans notre façon de définir la pauvreté, et de telles définitions peuvent avoir d'importantes répercussions pour la politique sociale.

À l'échelle internationale, le Canada apparaît comme un pays riche qui est régulièrement classé par les Nations Unies à la tête des nations possédant l'indice de développement humain le plus élevé, ou parmi les plus élevés. Le Canadien moyen aurait donc une qualité de vie supérieure à la plupart des autres habitants de la planète. À la faveur de la période de développement social qu'il connaît depuis la fin de la Deuxième Guerre mondiale il y a plus de 50 ans, le Canada est devenu une société postindustrielle dotée d'un cadre social solide. Pourtant presque un enfant sur cinq vit dans la pauvreté au Canada. Et si cet enfant vit avec un parent seul, il y a 50 % de chance qu'il vive dans la pauvreté.

1. Phipps, Shelley, et Peter Burton (1995). «Sharing Within Families: Implications for the Measurement of Poverty among Individuals in Canada», *The Canadian Journal of Economics*, 28:1, p. 177-204.
2. Hagenaars, Aldi, et Klaas De Vos (1988). «The Definition and Measurement of Poverty», *Journal of Human Resources*, 23:2, p. 212.

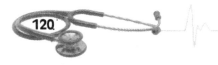

La dernière décennie a été caractérisée par la réduction des dépenses en lien avec les programmes sociaux et par une érosion du filet de sécurité sociale. Sous l'effet de cette érosion, le taux de pauvreté connaît une relative croissance au pays. De nombreux chercheurs définissent la pauvreté comme un phénomène dynamique qui peut être considéré selon trois approches : l'approche de la pauvreté absolue, l'approche de la pauvreté relative et l'approche de la pauvreté subjective[3].

La pauvreté absolue est établie en relation avec un seuil. Si ce que l'individu possède se situe sous ce seuil, il est considéré comme étant pauvre. Ce minimum absolu a été défini pour la première fois en 1901 et il existe différentes mesures en Amérique de Nord pour évaluer ce seuil minimum officiel. Par exemple, aux États-Unis, des budgets alimentaires adéquats minimums ont été établis. Ressources humaines et Développement des compétences Canada (RHDCC) a récemment instauré une mesure du panier de consommation qui permet d'évaluer les progrès accomplis dans une période de temps. Par contre, il est ardu d'établir une définition objective du seuil minimum des biens nécessaires pour tous les pays. À titre d'exemple, l'électricité figure désormais parmi les biens essentiels au Canada, mais ce n'est pas forcément le cas aujourd'hui dans de nombreux pays en développement.

La pauvreté relative peut être décrite comme le fait de posséder moins de biens essentiels que les autres membres de la société ou d'avoir un revenu moindre. La notion de comparaison est introduite. Le niveau de vie varie selon le type de ménage, les sociétés et l'époque. L'approche de la pauvreté relative date d'au moins 200 ans et a l'avantage d'être simple et transparente. Il n'est pas impératif de déterminer quels sont les biens nécessaires. D'un point de vue statistique, la pauvreté relative correspond à «un revenu inférieur au revenu médian dans une proportion de 50 ou de 40 %», ce qui indique l'ampleur de la pauvreté et non pas seulement sa fréquence. Cette approche serait apparemment la plus pertinente, selon plusieurs chercheurs, pour déterminer la pauvreté dans les pays riches.

La pauvreté subjective fait appel au mental de l'individu et au sentiment que le nombre de ressources dont il bénéficie pour se débrouiller n'est pas suffisant. Ce seuil est déterminé par différentes enquêtes et différents sondages réalisés avec les individus eux-mêmes. Le seuil de pauvreté subjective est proportionnel au revenu et plus élevé que le seuil de faible revenu établi par Statistique Canada. Cependant, cette vision compte plus de partisans et d'adeptes en Europe qu'en Amérique du Nord.

Dans l'élaboration du concept de pauvreté, il faut tenir compte du revenu permanent, qui est plus fiable et constant que le revenu courant, mais aussi de la valeur du patrimoine familial, du changement de statut familial, du genre, du sexe, de l'ethnie et de l'âge, de l'invalidité et de l'époque. En effet, il a été démontré au Canada que le revenu moyen réel est demeuré le même depuis le milieu des années 1980 alors que le nombre d'heures travaillées a considérablement augmenté. De plus, les femmes monoparentales sont davantage pauvres que les femmes mariées; elles ont généralement un revenu sous le seuil de la pauvreté et sortent rarement de cet état. C'est aussi le cas des Autochtones et des minorités visibles qui connaissent de nombreuses situations de pauvreté.

Peu importe la définition que porte le terme «pauvreté», il n'en demeure pas moins que celui-ci est étroitement lié à la santé. La relation de causalité entre la pauvreté et la santé a souvent été négligée dans les recherches traditionnelles, en raison de la difficulté à isoler le concept de pauvreté. Cependant, les recherches épidémiologiques actuelles accordent une plus grande importance à la pauvreté dans l'étiologie de la santé déficiente. La pauvreté pourra donc être analysée selon une approche multidisciplinaire, plurifactorielle et holistique. Une mesure plus fiable du concept de pauvreté devra être établie et ne pas se résumer à l'interprétation d'un groupe cible dans le cadre d'un programme ou d'une politique spécifique. D'autres suggestions ont été proposées, telles que la division des enjeux sur la pauvreté en composantes précises (milieu urbain versus milieu rural), ou l'élaboration d'initiatives servant à expérimenter et à créer des liens entre la pauvreté, la santé et les différentes approches mesurant les effets. Le phénomène d'exclusion sociale pourrait aussi être étudié, car il est une des résultantes de la pauvreté, qu'elle soit aiguë ou chronique. Dans le premier cas, la pauvreté de l'individu est temporaire et due à une maladie ou à une perte d'emploi dans 50 % des cas. À l'opposé, la pauvreté chronique comprend l'idée de permanence. Évidemment, ces

---

3. Ruggles, Patricia (1990). *Drawing the Line: Alternative Poverty Measures and Their Implications for Public Policy*, Washington: The Urban Institute Press, p. 33-38.

deux types de pauvreté, se situant sur un même continuum, engendrent différentes conséquences sur la santé, dont quelques-unes ont été étudiées.

La pauvreté représente non seulement des conditions de vie, mais aussi une expérience qui dépend des sociétés à l'intérieur desquelles évoluent les individus. Être pauvre dans un quartier d'ouvriers semble moins éprouvant que de l'être dans un milieu riche. Dans les recherches, il ne faut pas seulement considérer les limites engendrées par la pauvreté, mais aussi tenir compte du niveau d'expérience de chaque personne. En définitive, la pauvreté est bien plus qu'un état social. Elle comporte aussi un volet psychologique et sociologique. Dans certains cas, la pauvreté est l'un des facteurs contrevenant à l'obtention d'une bonne santé.

La morbidité et la mortalité ne se déroulent pas de la même façon selon les différentes populations. De ce fait, les populations moins favorisées ont moins de chances que les populations riches de terminer leurs jours à la maison, en raison des coûts élevés et de la faiblesse du réseau social. Les pauvres risquent davantage que les riches de tomber en convalescence ou d'être déclarés invalides à cause des mauvaises conditions de travail, autant sur le plan physique que psychologique. Le nombre de maladies respiratoires et cardiovasculaires est aussi nettement plus élevé, car les mauvaises habitudes de vie, comme la consommation d'alcool et de tabac, sont présentes en plus forte proportion chez les personnes pauvres.

5.2 La pauvreté: comment la mesurer?

Depuis quelques décennies, la controverse sur la mesure de la pauvreté s'est intensifiée. Notre temps ne parle que de lutte contre la pauvreté, et la réduction des inégalités se situe parmi les thèmes dominants de l'actualité sociopolitique et économique. La lutte contre la pauvreté par les gouvernements se propose d'ouvrir la voie à la mise en place des programmes socioéconomiques ciblés en faveur des groupes à revenu modeste et des personnes les plus défavorisées. Les esprits n'ont cessé de s'échauffer

depuis que des organismes de lutte contre la pauvreté et certains experts ont annoncé dans les médias que la pauvreté gagne du terrain au Canada. Lorsqu'on parle de pauvreté, il faut bien définir qui est pauvre et qui ne l'est pas. Pouvoir véritablement mesurer la pauvreté permettrait non seulement d'analyser l'incidence du phénomène, mais aussi son ampleur afin que les pouvoirs publics puissent mettre en place des mesures appropriées. En effet, pour un pays ou une société donnée, les statistiques sur la pauvreté sont essentielles si on veut bien saisir l'ampleur et la nature de cette réalité. En effet, il est important de connaître l'ampleur et la nature de ce phénomène si on veut faire les choix et poser les gestes les plus judicieux en la matière[4].

Plusieurs organisations, aussi bien au Canada qu'à l'étranger, veulent tout naturellement savoir combien de personnes et de familles vivent dans la pauvreté et comment leur nombre évolue. Devant ce besoin, différents groupes ont, à différents moments, élaboré des mesures diverses censées diviser la population en deux groupes: les gens pauvres et ceux qui ne le sont pas. En dépit des efforts déployés par les chercheurs, aucune définition de la pauvreté n'a encore été acceptée à l'échelle internationale, contrairement à d'autres mesures comme celle de l'emploi, du chômage, du produit intérieur brut, des prix à la consommation et du commerce international, notamment.

Mais pour lutter efficacement contre la pauvreté, il faut disposer de données qui permettent d'évaluer le niveau, les tendances et les caractéristiques des personnes en situation de pauvreté et de précarité. La pauvreté revêt plusieurs formes, on le sait et le foisonnement des vocables utilisés pour désigner le phénomène (besoin, manque, dénuement, misère, indigence, privation, exclusion, détresse, etc.) prouve, si besoin est, que différentes modalités de repérage peuvent être utilisées[5].

Déterminer un seuil de pauvreté est un exercice relativement arbitraire et délicat, surtout dans un contexte où il n'existe aucun consensus sur ce qu'est la pauvreté. Les avis des experts s'opposent constamment tant il est difficile de trancher si la pauvreté doit être mesurée en termes absolus (incapacité totale de subvenir à ses besoins fondamentaux) ou en termes relatifs (vous êtes pauvre si vos moyens

4. Morasse, Julie Alice (2005). *Inventaire des indicateurs de pauvreté et d'exclusion sociale*, Institut de la statistique du Québec et ministère de l'Emploi et de la Solidarité sociale, Québec, 97 pages.
5. Osberg, Lars (2007). *The Evolution of Poverty Measurment–with Special Reference to Canada*, document de recherche, Halifax.

sont modestes comparativement à ceux d'autres personnes au sein de votre population). Parmi les seuils de pauvreté proposés, il y a eu notamment des mesures relatives (vous êtes pauvre si vos moyens sont modestes comparativement à ceux d'autres personnes au sein de votre population) et des mesures absolues (vous êtes pauvre si vous n'avez pas les moyens d'acheter un panier particulier de biens et services jugés essentiels). Les deux approches font appel à des choix subjectifs et aboutissent forcément à des choix arbitraires.

Au Canada, la pauvreté est mesurée selon une approche fondée sur ce qu'on a appelé le panier de consommation. Le seuil de pauvreté serait donc fondé sur le revenu nécessaire pour acheter les articles contenus dans ce panier[6]. Divers indicateurs de pauvreté sont utilisés au Canada, mais le gouvernement n'en a officiellement approuvé aucun. Parmi les indicateurs les plus utilisés, il y a: la mesure du panier de consommation (MPC), les seuils de faible revenu (SFR) et la mesure du faible revenu (MFR)[7].

La mesure du panier de consommation (MPC)

La mesure du panier de consommation permet de déterminer le revenu nécessaire à un ménage afin qu'il puisse subvenir à ses besoins vitaux, c'est-à-dire ceux qui sont nécessaires à une vie décente dans une communauté donnée. Cette mesure est calculée pour une famille de quatre personnes, puis est ajustée à d'autres tailles de famille. Elle comprend les coûts de loyer, les coûts de nourriture suffisants pour assurer une alimentation nutritive, les coûts de vêtements et chaussures et les frais de transports. D'autres dépenses comme celles liées aux activités récréatives sont également prises en considération. Ce qui est important avec la mesure du panier de consommation, c'est de savoir si les personnes ont les moyens matériels de faire face à leurs besoins en termes de biens et de services, incluant l'éducation et les soins de santé, qui permettent de construire et de maintenir le capital humain.

Le coût des biens et services visés par la mesure du panier de consommation est calculé pour une famille de référence composée d'un homme et d'une femme adultes âgés entre 25 et 49 ans et de deux enfants, une fille de 9 ans et un garçon de 13 ans. La raison de ce choix est la suivante: malgré la récente hausse de la proportion de personnes vivant dans des configurations familiales non conventionnelles (familles monoparentales, couples sans enfant et personnes seules), la famille de deux parents et de deux enfants représente toujours la plus grande partie de la population canadienne[8]. La mesure du panier de consommation est un peu controversée, car elle est d'abord fondée sur des opinions subjectives de spécialistes qui déterminent ce qu'elle doit inclure. Ceci dit, cette approche n'est pas une mesure absolue de la pauvreté. Son but est de permettre de déterminer quel est le niveau de vie acceptable et non quels sont les moyens de subsistance essentiels.

Les seuils de faible revenu (SFR)

Les seuils de faible revenu sont les revenus sous lesquels une famille d'une taille donnée consacre une plus grande part de son revenu aux nécessités de la vie, c'est-à-dire la nourriture, le logement et l'habillement, que la famille moyenne. Ces seuils définissent comme ménages à faible revenu ceux qui dépensent un pourcentage beaucoup plus élevé de leur revenu qu'un ménage moyen de taille équivalente pour les besoins essentiels – nourriture, logement et vêtements[9].

L'idée de base qui a conduit à cette mesure est la suivante: un individu ou une famille qui consacre plus de 20 points de pourcentage de son revenu que l'individu ou la famille moyenne à l'achat des trois nécessités que sont l'alimentation, le logement et l'habillement est un individu ou une famille à faible revenu. Par exemple, si on observait que la famille moyenne canadienne (deux enfants, deux adultes) consacrait 45 % de son revenu à ces trois postes de dépenses, alors on considérerait que les familles qui consacrent 65 % ou plus de leur revenu à ces trois postes de dépenses seraient considérées à faible revenu[10].

6. Statistique Canada (2008). *Les seuils de faible revenu de 2007 et les mesures de faible revenu de 2006*, Document de recherche, Division de la statistique du revenu, Ottawa.
7. Ressources humaines et développement social Canada (2008). *Le faible revenu au Canada de 2000 à 2004 selon la mesure du panier de consommation*, sp-682-07F.
8. Citro, Constance F., et Robert Michael (1995). *Measuring Poverty: A New Approach*, Washington, D.C., National Academy Press, p. 45.
9. Cotton, Catherine (2001). *Développements récents relativement aux seuils de faible revenu*, Statistique Canada, Série de documents de recherche - Revenu, 75F0002MIF-01003.
10. Cotton, Catherine, Yves St-Pierre et Maryanne Webber (2000). *Devrait-on revoir les seuils de faible revenu? Un sommaire des commentaires reçus en réponse au document de discussion de Statistique Canada*, Statistique Canada, Série de documents de recherche - Revenu, 75F0002MIF-00011.

Les seuils de faible revenu (SFR) sont de loin l'approche la mieux établie et la plus largement reconnue à Statistique Canada pour estimer le faible revenu. Afin de rendre compte des différences de coûts des nécessités entre les diverses tailles de communauté et de famille, les SFR sont calculés pour cinq tailles de communauté et sept tailles de famille. Même si elle reste une mesure très bien établie, les seuils de faible revenu restent complexes à expliquer. En outre, même si les trois domaines de dépenses identifiés (alimentation, logement et habillement) sont élémentaires, ils sont loin d'être exhaustifs dans la vie d'une famille. Les seuils de faible revenu s'obtiennent à l'aide d'une méthodologie logique et bien définie qui permet de déterminer qui s'en tire beaucoup moins bien que la moyenne. Bien entendu, s'en tirer beaucoup moins bien que la moyenne ne signifie pas nécessairement qu'on soit pauvre. Ceci dit, les seuils de faible revenu restent des outils utilisés par divers spécialistes pour examiner les caractéristiques des familles qui, toutes proportions gardées, sont les plus démunies au Canada.

La mesure du faible revenu (MFR)

Ni les seuils de faible revenu ni la mesure du panier de consommation ne permettent la comparaison avec d'autres pays. C'est pourquoi la mesure du faible revenu est aussi utilisée. La mesure du faible revenu est une variante de la définition de Statistique Canada, mais c'est la méthode la plus répandue ailleurs dans le monde, ce qui permet des comparaisons internationales. En effet, la mesure du faible revenu est une mesure purement relative de la pauvreté qui est utilisée dans de nombreuses comparaisons internationales. Elle définit explicitement le faible revenu comme un revenu très inférieur à la moyenne, fixé à la moitié du revenu médian d'un ménage équivalent[11]. Cette mesure est particulièrement simple à comprendre et reflète bien l'importante dimension d'inégalité du faible revenu. En outre, elle facilite les comparaisons internationales et montre clairement comment le Canada s'en sort par rapport aux autres pays. Enfin, la mesure du faible revenu ne nous indique pas directement si les pauvres ont un revenu suffisant pour subvenir à leurs besoins essentiels, mais elle nous permet de savoir qu'ils sont considérablement à l'écart des normes sociales en ce qui a trait au revenu disponible pour acheter des biens et des services dans une économie de marché[12].

Cependant, le principal désavantage de la mesure du faible revenu est qu'elle ne tient pas compte des fluctuations du coût de la vie et des différentes collectivités à l'échelle du pays.

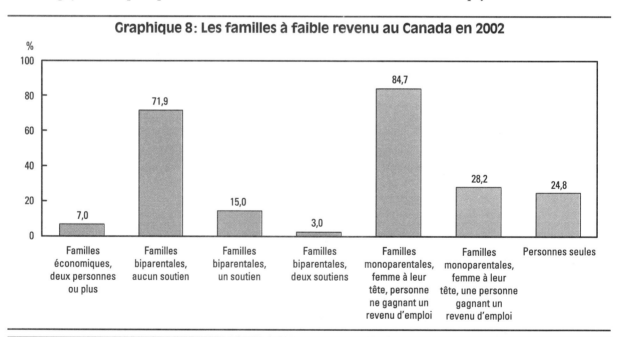

Graphique 8 : Les familles à faible revenu au Canada en 2002

Source : Statistique Canada (2002). *Analyse du revenu au Canada*, Ottawa, numéro de catalogue 75-203-XIF.

11. Giles, Philip (2004). *Mesure du faible revenu au Canada*, Statistique Canada, Série de documents de recherche - Revenu, 5F0002MIF2004011.
12. Wolfson, Michael C., et Evans John M. (1989). *Seuils de faible revenu de Statistique Canada : Problèmes et possibilités méthodologiques*, Statistique Canada, document de travail.

Graphique 9: Taux de faible revenu chez les enfants, les adultes en âge de travailler, et les personnes âgées, 1980 à 2002

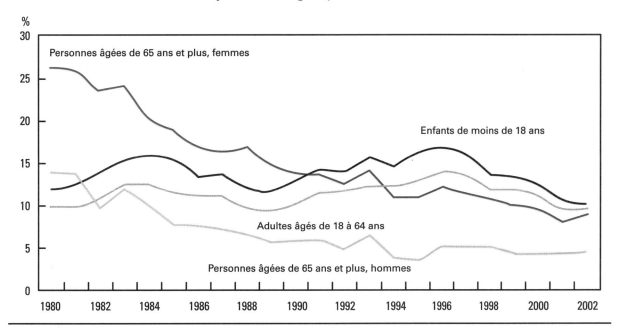

Source: Statistique Canada (2002). *Analyse du revenu au Canada*, Ottawa, numéro de catalogue 75-203-XIF.

Graphique 10: Personnes ayant eu un faible revenu pendant au moins une année durant une période de six ans, 1996-2001

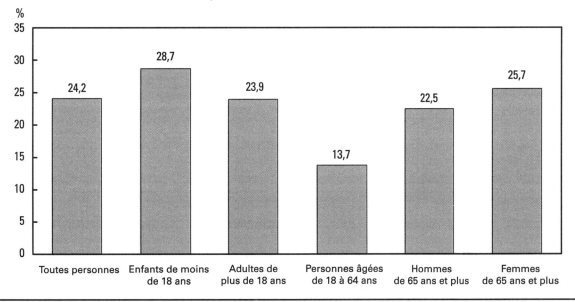

Source: Statistique Canada (2002). *Analyse du revenu au Canada*, Ottawa, numéro de catalogue 75-203-XIF.

5.3 Les inégalités sociales de santé : une question de vie ou de mort

Les inégalités sanitaires sont les causes inéquitables et évitables de problèmes de santé face auxquelles les populations, à l'intérieur d'un pays ou de différents pays, ne sont pas sur un pied d'égalité. Ces inégalités sanitaires sont le reflet des inégalités que l'on peut constater en général dans une société et entre différentes sociétés. Par ailleurs, les conditions socioéconomiques dans lesquelles se trouvent les individus déterminent le risque de tomber malade et les mesures à prendre pour prévenir ou traiter la maladie lorsqu'elle survient. Concrètement, on parle d'inégalités de santé lorsqu'il existe des différences prononcées entre divers groupes sociaux en matière de santé. Ces inégalités se traduisent habituellement par des taux de mortalité et de morbidité différents entre riches et pauvres et surtout par une présence forte de maladies et de comportements nuisibles à la santé chez ces derniers. En dépit des efforts déployés par certains gouvernements et malgré le fait que la richesse collective à l'échelle planétaire n'a jamais été aussi importante que par le passé, les inégalités sociales de santé se sont accrues depuis les dernières décennies. En effet, il a été observé, surtout au cours des années 1990, que cet écart entre les différents groupes sociaux s'est accentué, et ce, malgré les progrès en matière de santé publique.

Le plus inquiétant, c'est que les inégalités de santé semblent avoir un caractère précoce. En effet, on constate que de plus en plus d'enfants issus de parents pauvres font les frais d'une mauvaise santé. Par exemple, dès l'âge de cinq ans, certains jeunes présentent des caries et des symptômes d'obésité, qui sont prédicateurs de problèmes cardiovasculaires futurs. La persistance des inégalités sociales de santé est le fait de multiples causes : différences d'exposition aux facteurs de risque, notamment dans le travail, problèmes de ressources économiques et culturelles conduisant à d'autres priorités quotidiennes, cumuls de difficultés ou habitudes prises à des moments clés de l'existence, effets de l'environnement ou de l'entourage, sentiments de disqualification sociale pesant directement sur la santé, attitudes des professionnels dont les pratiques s'avèrent différenciées selon l'origine sociale des patients auxquels ils s'adressent.

Le contexte mondial exerce aujourd'hui une influence sur les relations internationales, les normes et politiques nationales. Les relations internationales et les politiques nationales déterminent l'organisation de nos sociétés. Les populations s'organisent selon une hiérarchie et des statuts sociaux qui sont établis en fonction du niveau de revenu et d'instruction, l'emploi, le sexe, l'origine ethnique et d'autres facteurs. L'inégale répartition des bienfaits de la croissance économique au cours des 25 dernières années explique par ailleurs la persistance de ces inégalités de santé. Par exemple, dans les années 1980, les 10 % les plus riches de la population mondiale représentaient un produit national brut 60 fois supérieur à celui des 10 % les plus pauvres. En 2005, ce rapport était de 122[13].

La réduction et l'insuffisance des montants de l'aide internationale octroyée aux pays en développement constituent l'une des causes des inégalités sanitaires. L'aide internationale reste d'autant plus insignifiante comparée au montant de la dette et des intérêts sur la dette que les pays les plus pauvres de la planète doivent rembourser aux pays les plus riches. Il en résulte une sortie nette de capitaux des pays pauvres en faveur des pays riches au lieu d'investir dans le développement des économies nationales. Par ailleurs, l'inégalité des sexes en termes de pouvoir et de responsabilités, d'accès aux ressources et aux opportunités, de droits humains et de libertés fondamentales a un effet néfaste sur la santé de millions de femmes et de jeunes filles. Le statut social et le niveau d'instruction des femmes a pourtant un impact sur la santé et la survie des enfants, car le manque de ressources économiques et financières ainsi que le manque de connaissances entraînent souvent la mauvaise santé. Il appert que dans les ménages appartenant au deuxième quintile le plus riche, le taux de mortalité des moins de cinq ans est plus élevé que dans ceux appartenant au premier quintile[14].

C'est en Grande-Bretagne dans les études qui y sont menées (*Rapport Black* en 1980) qu'a émergé, pour la première fois, l'analyse des facteurs susceptibles d'éclairer les inégalités de santé évoquées plus haut. Le concept de gradient de santé est alors apparu pour désigner le lien existant entre l'état de santé d'une personne et sa position dans la hiérarchie sociale. C'est un concept d'une importance capitale

---

13.   Organisation mondiale de la santé (2008). *Combler le fossé en une génération. Instaurer l'équité en santé en agissant sur les déterminants sociaux*, Commission des déterminants sociaux de la santé, Rapport final, 28 août, Genève.
14.   *Ibid.*

Les déterminants sociaux de la santé : une synthèse

qui permet d'examiner comment interagissent les facteurs individuels de risque, les facteurs sociaux et économiques, et enfin, les facteurs professionnels. Il reste que les inégalités sociales de santé ne concernent pas seulement les personnes les plus défavorisées, en situation de précarité ou de pauvreté, et ne se réduisent pas à une simple opposition entre les riches et les pauvres.

Les épidémiologistes ont pu observer des écarts pour l'ensemble de la hiérarchie sociale. Les inégalités sociales de santé suivent une distribution socialement stratifiée au sein de la population. Chaque catégorie sociale présente un niveau de mortalité et de morbidité plus élevé que la classe immédiatement supérieure[15]. Il n'existe pas une définition universelle des inégalités sociales de santé dans le domaine de la santé publique ou de la promotion de la santé. Les inégalités sociales de santé se résument aux différences systématiques, évitables et importantes dans le domaine de la santé observées entre des groupes sociaux.

D'après Marie-José Moquet, les avancées de la recherche dans le domaine de l'épidémiologie clinique ont permis d'identifier clairement plusieurs facteurs de risque comme la consommation de drogues licites ou illicites. Par exemple, la consommation d'alcool ou de tabac sont responsables de nombreuses pathologies et des premières causes de décès en France (cancer, pathologies cardiovasculaires, etc.). Ceci dit, les comportements individuels à risque ne sont pas le facteur prédominant pour expliquer les inégalités sociales de santé, et le fait d'inciter les populations à ne pas adopter ce type de comportements ne suffirait pas à lui seul pour enrayer les inégalités. Différents travaux de recherche, notamment les travaux de chercheurs britanniques, ont démontré que le mode de vie expliquerait un tiers des écarts constatés[16].

D'autres facteurs sociaux, pour lesquels un lien direct n'est pas forcément établi, apparaissent statistiquement liés à l'état de santé. Ces facteurs, appelés déterminants sociaux de la santé, semblent agir en interaction complexe et avoir un lien avec la répartition sociale des comportements défavorables à la santé. Les travaux de recherche en épidémiologie sociale apportent un éclairage nouveau sur les déterminants sociaux qui remet fondamentalement en question l'approche biomédicale de la santé en interpellant les fondements sociaux de la société. Les inégalités sociales de santé constituent ainsi l'une des facettes (et une conséquence) des inégalités sociales[17].

Dans son rapport intitulé *Les déterminants sociaux de la santé: les faits*, l'OMS examine les principaux déterminants sociaux de la santé actuels: les inégalités sociales de santé, le stress, la petite enfance, l'exclusion sociale, le travail, le chômage, le soutien social, les dépendances, l'alimentation et les transports[18]. L'organisation présente aussi un modèle descriptif fondé sur les interactions des déterminants structurels des inégalités sociales de santé avec des déterminants intermédiaires de l'état de santé[19]. Les déterminants structurels sont liés au contexte politique et économique du pays. Ils exercent une influence sur la stratification sociale et économique et donc sur la répartition sociale de la population en fonction du revenu, de l'éducation, de la profession, du sexe et de ses origines ethniques. La gouvernance, les politiques macroéconomiques, les politiques sociales, les politiques publiques, la culture et les valeurs de la société font partie des déterminants structurels. Ces déterminants ont un impact sur la distribution inégale des déterminants intermédiaires.

Les déterminants intermédiaires de l'état de santé renvoient aux conditions matérielles, psychologiques, aux comportements, aux facteurs biologiques et génétiques, ainsi qu'au rôle et à l'accès au système de santé. Les conditions matérielles considérées sont le logement, la qualité du quartier, la consommation potentielle et l'environnement physique du travail. Les facteurs psychosociaux renvoient au stress des conditions de vie et de travail, aux relations sociales et au soutien social. Les comportements concernent l'alimentation, l'activité physique et la consommation

15. Michel, Éliane, Éric Jougla et Françoise Hatton (1996). «Mourir avant de vieillir», *Insee Première*, n° 429, février, 4 pages.
16. La cohorte de Whitehall I a été constituée en 1967-1969. Elle incluait 19 015 hommes fonctionnaires britanniques âgés de 40 à 69 ans, qui ont fait l'objet d'un examen clinique et leur mortalité a été suivie jusqu'en 1987. En 1985, une nouvelle cohorte Whitehall II a inclus 10 308 sujets. Travaux de M. Marmot.
17. Moquet, Marie-José (2008). «Inégalités sociales de santé: des déterminants multiples», Dossier «Comment réduire les inégalités sociales de santé», *La santé de l'Homme*, n° 397, septembre-octobre, p. 17-19.
18. Organisation mondiale de la santé (2004). *Les déterminants sociaux de la santé: les faits*, Deuxième édition, Genève.
19. Organisation mondiale de la santé (2008). *Combler le fossé en une génération. Instaurer l'équité en santé en agissant sur les déterminants sociaux*, Commission des déterminants sociaux de la santé, Rapport final, 28 août, Genève.

de drogues licites, qui ont une répartition socialement stratifiée entre les différents groupes sociaux.

Il existe différentes théories explicatives selon l'importance accordée à l'un ou l'autre des déterminants. Certaines privilégient le rôle des conditions de naissance et de vie dans la petite enfance qui, lorsqu'elles sont défavorables, poseraient les fondements des inégalités. D'autres se fondent sur l'effet cumulatif de déterminants sociaux et économiques défavorables se combinant et interagissant au cours de la vie[20]. Ces courants ne sont pas exclusifs l'un de l'autre et sont même plutôt complémentaires.

L'impact de la petite enfance sur les inégalités mesurées à l'âge adulte est important. Il a été démontré dans une étude récente que le milieu familial et l'état de santé des parents influent sur l'état de santé des enfants à l'âge adulte. Si le niveau d'éducation de la personne est supérieur à celui de ses parents, il s'avère toutefois possible de compenser une situation défavorable[21]. La mise en œuvre de programmes de prévention précoce dans la petite enfance est un moyen de réduire les inégalités de santé à l'âge adulte en apportant un soutien aux parents et en intervenant auprès des enfants. Le développement des compétences telles la maîtrise du langage, la lecture, la lutte contre l'échec scolaire, l'estime de soi permet de renforcer les capacités d'agir et de contrôle sur sa propre destinée.

Les recherches sur l'impact de la petite enfance sur les inégalités accordent une grande importance aux facteurs psychosociaux, par opposition à la prédominance des facteurs matériels dans la genèse des inégalités sociales de santé. Les facteurs psychosociaux renvoient à la capacité d'agir des personnes, notamment à la capacité de participer pleinement à la vie sociale, au sentiment de maîtrise de sa propre destinée. Plus la personne appartient à une catégorie sociale élevée, plus ses capacités sont élevées. Les travaux de Whitehall révèlent que le sentiment de maîtrise de sa destinée est un facteur explicatif des différences de l'état de santé des populations[22].

En définitive, de nombreux déterminants sociaux exercent un impact positif ou négatif sur la santé. La prédominance d'un déterminant sur l'autre dépend des courants théoriques et de l'objet d'étude. Il est donc presque impossible de les hiérarchiser. En outre, la manière dont les inégalités produites par les sociétés s'expriment dans les corps, comment le social se transcrit dans le biologique[23] ou, autrement dit, comment le social « passe sous la peau » reste encore largement inexpliqué. Il faut donc poursuivre les travaux de recherche en approfondissant les facteurs explicatifs et leurs liens dans la genèse des inégalités sociales de santé. Les résultats de la recherche sont fondamentaux dans l'élaboration de nouvelles stratégies d'actions efficaces de lutte contre les inégalités. La réduction des inégalités sociales de santé nécessite cependant la mise en œuvre de politiques publiques intersectorielles. Afin d'atteindre l'équité en santé, il faut avant tout que les groupes vulnérables victimes de discrimination soient en mesure de clamer leurs droits humains fondamentaux en contestant et en combattant les injustices et les fortes disparités dans la répartition et l'accès aux ressources sociales. Les inégalités de pouvoir se répercutent en outre dans les grands domaines de la politique, de l'économie, du social et du culturel qui forment un ensemble dans lequel les individus sont, à des degrés divers, admis ou non.

La politique gouvernementale et l'économie, l'éducation, le logement, l'emploi, les transports et la politique sanitaire sont susceptibles d'exercer une influence sur la santé et l'équité en santé, même si la santé n'est pas l'axe principal des politiques dans ces secteurs. Il importe que les politiques gouvernementales soient cohérentes, s'harmonisent et n'entrent pas en contradiction avec les principes de l'équité en santé. Par exemple, une politique commerciale qui encourage la production, la commercialisation et la consommation d'aliments riches en graisses et en sucres au détriment de la production de fruits et légumes est contraire à une politique d'alimentation saine en faveur de la santé.

20. Aïach, Pierre, et Didier Fassin (2004). « L'origine et les fondements des inégalités sociales de santé », *La Revue du praticien*, 20 (54), p. 2221-2227.
21. Devaux, Marion, et autres (2007). « Inégalités des chances en santé : influence de la profession et de l'état de santé des parents », *Questions d'économie de la santé*, n° 118, février.
22. Marmor, Michael G., et autres (1991). *Health Inequalities among British Civil Servants: the Whitehall II Study*, Department of Epidemiology and Public Health, University College and Middlesex School of Medicine, London.
23. Fassin, Didier, et autres (2000). « Connaître et comprendre les inégalités sociales de santé », dans Leclerc A., et autres (dir.). *Les inégalités sociales de santé*, Paris, Inserm-La Découverte, coll. Recherches, 2000, p. 13-24.

Les déterminants sociaux de la santé : une synthèse

5.4 Les théories explicatives des inégalités socioéconomiques de santé

Dans l'ouvrage intitulé *Répercussions de la pauvreté sur la santé*, Shelley Phipps consacre une section aux théories explicatives des inégalités socioéconomiques de santé. Les quatre hypothèses suivantes établissant le lien entre la situation économique et la santé sont ainsi résumées : l'hypothèse du revenu absolu, l'hypothèse de la pauvreté absolue, l'hypothèse de la position relative et l'hypothèse néomatérialiste[24].

D'après l'*hypothèse du revenu absolu*, plus le revenu personnel augmente, plus l'état de santé s'améliore. Néanmoins, cette corrélation s'opère selon un taux décroissant[25]. Si une partie du revenu des riches était redistribuée parmi les pauvres, l'état de santé moyen de la population s'améliorerait. Cela signifie que si un riche en santé donne son salaire aux pauvres afin d'améliorer leur santé, leur état de santé moyen s'améliorera, celui-ci étant influencé grandement par le revenu. D'un point de vue global, cela laisse présumer que si la répartition des revenus se faisait d'une façon plus égalitaire entre les groupes sociaux et entre les pays, les populations bénéficieraient d'un meilleur état de santé collectif[26]. En d'autres termes, c'est l'inégalité des revenus qui cause des variations dans l'état de santé des populations.

L'*hypothèse de la pauvreté absolue* est une variante de l'hypothèse du revenu absolu, mais elle comporte une connotation plus draconienne. La santé est affectée par de faibles niveaux de vie, mais jusqu'à un certain point. Sous le seuil de la pauvreté, l'impact des revenus et du statut socioéconomique est moindre, voire même inexistant. Contrairement à l'hypothèse du revenu absolu, celle de la pauvreté absolue indique que même si le revenu des populations se situant en-dessous du seuil de pauvreté augmente, leur niveau de santé demeure identique. Les mauvaises conditions socioéconomiques et habitudes de vie des pauvres figurent parmi les facteurs d'explications. À

ce titre, une alimentation inadéquate, des soins de santé moins accessibles et disponibles, un environnement malsain, la consommation excessive de tabac, la sédentarité et le stress sont des exemples qui font partie du quotidien des populations moins favorisées, ce qui empêche toute forme de corrélation entre l'augmentation salariale et l'amélioration de leur état de santé.

L'*hypothèse de la position relative* est aussi appelée hypothèse psychosociale. Elle est expliquée par Russell Wilkinson comme étant «la position d'un individu à l'intérieur d'une hiérarchie sociale, indépendamment de son niveau de vie, qui permet de comprendre le lien entre inégalité socio-économique et santé[27]». Selon cette hypothèse, la quantité de stress est directement liée à la position occupée par l'individu dans la société. Plus un individu est pauvre, plus son niveau d'angoisse est élevé. Le fait de se situer en bas de l'échelle, soit au dernier échelon de la société, engendre un malaise social et déclenche en même temps des processus biologiques nuisibles pour la santé[28]. Par ailleurs, l'inégalité des revenus empêche toute forme de cohésion sociale pour les individus pauvres qui ne savent pas forcément à quel groupe s'identifier et appartenir.

Selon l'*hypothèse néomatérialiste*, les inégalités en matière de revenus découlent de l'économie, de la politique, de l'histoire et de la culture des sociétés. Ces variations matérielles causeraient les inégalités de santé. La métaphore de l'avion illustre les hypothèses néomatérialiste et psychosociale. Les passagers en première classe sont mieux traités que ceux en classe économique : ils mangent mieux et ont plus d'espace. Après plusieurs heures, les passagers de la classe économique ressentiront cette différence de traitement liée à leur condition, ce qui affectera d'une manière ou d'une autre leur bien-être. Le plaisir de voyager en avion pourra même s'en trouver diminué et cela engendrera des émotions négatives pour avoir été moins bien traités.

24. Phipps, Shelley (2003). *Répercussions de la pauvreté sur la santé*, Institut canadien d'information sur la santé, p. 17.
25. Preston, Samuel (1975). «The Changing Relation between Mortality and Level of Economic Development», *Population Studies*, 29, p. 231-248.
26. Deaton, Angus (2001). *Health, Inequality and Economic Development*, Princeton, Woodraw Wilson School, Development Studies, p. 5.
27. Wilkinson, Russell (1996). *Unhealthy Societies: the Affliction of Inequality*, Londres, Routledge Press.
28. Voir Brunner, Eric, et Michael Marmot (1999). «Social Organization, Stress and Health», dans Marmot M., et Richard G. Wilkinson (éditeurs), *Social Determinants of Health*, Oxford, University Press.

La pauvreté en images

Copyright, Corbis Bettmann.

Copyright, Horizon.

Les déterminants sociaux de la santé:
une synthèse

Chapitre 5 — Nature et spécificités des
inégalités sociales de santé

Les déterminants sociaux de la santé:
une synthèse

5.5 L'interaction entre santé et pauvreté

Généralement, la pauvreté résulte de conditions de départ défavorables (mauvais accès à la formation, santé déficiente, etc.), et parfois d'accidents (destruction de biens, accident de santé, perte d'emploi, etc.). Mais cela engendre souvent un cercle vicieux. La pauvreté oblige à se loger à bas prix, donc dans des quartiers ayant une mauvaise réputation, où il y a peu de travail et une offre éducative dégradée, une criminalité sinon plus élevée du moins plus violente, une prévention médicale moins active, etc. Les chances de trouver un revenu par le travail sont moindres, la tentation est plus forte de faire appel au travail illégal, à des sources de revenu illusoires (loteries et paris) ou dangereuses (crime, drogue) ou encore dégradantes (prostitution); les risques d'accidents sont plus importants, et l'exploitation par les mafias, ou groupes organisés, sont des facteurs de désocialisation, voire d'une insécurité à la fois personnelle et globale. Ce phénomène touche évidemment les enfants et les adolescents[29] qui, dans un tel contexte commencent leur vie avec un handicap, même si le pire n'est nullement certain pour eux[30].

L'Organisation mondiale de la santé reconnaît que la part la plus importante des problèmes de santé est imputable aux conditions sociales en général. Certaines façons par lesquelles la pauvreté contribue à la mauvaise santé sont évidentes. La privation absolue amenant la mauvaise alimentation entraîne la vulnérabilité aux infections et aux maladies chroniques, et les maisons surpeuplées peuvent accroître la transmission des maladies[31]. Le fait que la pauvreté conduise à la mauvaise santé ne surprendra personne. Il suffit de penser aux privations matérielles et au cercle vicieux qu'elles entraînent. Un grand nombre d'analyses et d'études empiriques utilisant diverses mesures du revenu et de la santé et portant sur divers échantillons démontrent, à différents points dans le temps, un lien très étroit entre le revenu et la morbidité et la mortalité[32]. En effet, quelle que soit la façon de mesurer la pauvreté, par le revenu, la scolarité, le statut social ou autre, on voit une association entre celle-ci et la santé. Ce lien existe peu importe le niveau de pauvreté. Les personnes pauvres sont plus souvent malades et, en général, récupèrent moins vite que les personnes plus riches.

La pauvreté apparaît comme un important déterminant de la santé. Si l'idée a graduellement fait consensus auprès des spécialistes et des pouvoirs publics au cours des dernières années, il faut souligner que peu en tiennent compte. On estime qu'une part considérable des dépenses en santé (de 25 à 30 %) est liée aux conditions engendrées par la pauvreté. Mais le lien entre pauvreté et santé va au-delà du simple fait que les gens les plus pauvres ont une moins bonne santé et que les gens les plus riches ont une meilleure santé. En effet, la relation est beaucoup plus complexe qu'elle n'y paraît. Par exemple, les recherches ont démontré que le degré de contrôle que les gens ont sur leur vie est lié à leur richesse et à leur santé. Ceci est particulièrement vrai pour ce qui est de la question du stress et des choix à faire. Certains chercheurs ont en effet avancé que la pauvreté agit comme un facteur de stress. Par conséquent, elle aurait un effet direct sur la santé. On observe que les personnes défavorisées ont un accès limité aux conditions favorables à la santé telles qu'un emploi, un logement, un environnement sécuritaire et de la nourriture saine et en quantité suffisante. Les enfants nés et élevés dans des conditions de pauvreté auront plus de problèmes de santé durant leur vie que les enfants de milieux favorisés. Une maladie peut aussi nuire à la capacité de travailler et, conséquemment, diminuer le revenu. Ainsi, un cercle vicieux peut se créer.

C'est donc un euphémisme d'affirmer que les gens qui disposent de ressources financières suffisantes, une meilleure scolarisation et un statut social plus élevé ont tendance à avoir plus de contrôle et plus de choix sur des choses comme l'endroit où ils vivent, leur salaire et leurs conditions de travail. De plus en plus d'études socioépidémiologiques suggèrent que la pauvreté a des effets à la fois biologiques et sociaux sur la vie des gens. Lorsque les individus ont moins de contrôle et d'options,

29. Rainville, Bruno, et Satya Brink (2001). *L'insécurité alimentaire au Canada, 1998-1999*, Ottawa, Direction générale de la recherche appliquée, Politique stratégique, Ressources humaines et Développement social Canada.
30. Association canadienne de santé publique (2001). *Health Impacts of Social and Economic Conditions: Implications for Public Policy*, Ottawa.
31. Marmot, Michaell G. (1994). « Social Differentials in Health within and between Populations », *Daedalus*, 123, p. 197-216.
32. Mullahy, John, Stephanie Robert et Barbara Wolfe (2001). *Health, Income and Inequality*. Review and Redirection for the Wisconsin Russell Sage Working Group, p. 5-6.

leurs corps sont plus vulnérables aux maladies et ils ont de la difficulté à gérer le stress qui en découle. Leur système immunitaire et leur système hormonal deviennent donc moins résistants en raison de ces conditions non favorables. Nous entendons parler depuis longtemps du lien entre les conditions de vie des gens et leur santé. Cependant, jusqu'à tout récemment, il y avait très peu de données probantes à l'appui de ces suppositions. Maintenant, les recherches montrent que non seulement les conditions économiques ont une influence sur la santé, mais aussi sur la façon dont cela se produit.

De façon générale, la dynamique de la pauvreté est duale et la population se divise en deux groupes distincts : d'une part, les personnes pour lesquelles la pauvreté est une situation temporaire (environ 50 % de celles qui sont considérées comme pauvres en tout temps) et, d'autre part, celles pour qui la pauvreté est chronique (environ 40 % des personnes[33]. Les personnes qui ont généralement un revenu moindre que le reste de la population sont deux fois plus enclines à contracter des maladies chroniques telles que les rhumatismes, le diabète, les problèmes cardiovasculaires, le cancer et l'hypertension artérielle. Au Canada par exemple, les hommes autochtones souffrent trois fois plus de diabète que les non-autochtones. Chez les femmes, ce ratio est de cinq pour un. En outre, les maladies chroniques sont nettement plus fréquentes dans les régions les plus pauvres du pays. C'est ainsi que 10,1 % des adultes âgés de 15 à 64 ans vivant dans les provinces de l'Atlantique rapportent un diagnostic d'hypertension artérielle, tandis que la moyenne nationale est de 6,8 %. Dans cette même région, 17 % des enfants âgés de 0 à 13 ans souffrent d'asthme, comparativement à 12,7 % pour l'ensemble des enfants canadiens[34]. Dans le même ordre d'idée, UNICEF Canada révélait, à la fin juin, que les enfants autochtones canadiens ont un taux de vaccination 20 fois inférieur à celui des autres, qu'accéder à des soins de santé leur est plus difficile et que plusieurs souffrent de maladies chroniques, de problèmes respiratoires, de diabète et d'obésité. « L'éloignement géographique, le manque d'accès aux services et les conflits de compétences » entre les différents paliers de gouvernement expliquent que les enfants d'origine aborigène visitent moins souvent le médecin.

D'autres exemples permettent d'illustrer comment le revenu a un effet sur la santé et le développement des personnes. En effet, en fonction des ressources dont ils disposent les individus vivant dans la pauvreté sont plus susceptibles de développer des maladies que les personnes de milieux plus favorisés. Vivre dans la pauvreté tend à compromettre la santé et le développement immédiat et à long terme des personnes, de telle sorte qu'elles sont plus susceptibles de souffrir de déficiences physiques ou de handicaps et d'être victimes d'accidents[35]. La pauvreté continue de mettre en danger les populations de notre planète. On estime qu'environ 20 % de la population mondiale survit dans une situation de pauvreté absolue, avec des revenus inférieurs à un dollar par jour. Presque la moitié de la population mondiale arrive à vivre avec moins de deux dollars par jour, et différentes études montrent que ces chiffres continuent d'empirer. En termes absolus, le monde compte plus de pauvres qu'il y a 50 ans. Les pays les plus pauvres représentent 20 % de la population mondiale et disposent seulement d'un peu moins de 2 % des revenus mondiaux.

Il est de plus en plus évident que la pauvreté est plus qu'une carence de revenus et qu'elle ne peut pas être définie seulement en fonction des revenus. D'autre part les inégalités et les iniquités sanitaires qui en résultent sont de plus en plus importantes. En ce qui concerne les « probabilités », ceux qui vivent dans une pauvreté absolue risquent cinq fois plus de mourir avant leur cinquième année de vie; et deux fois et demie plus de mourir entre 15 et 59 ans que ceux qui appartiennent à des groupes de revenus plus élevés. Les différences concernant la mortalité maternelle sont encore plus dramatiques. Le risque de mourir durant la grossesse dans certaines populations de l'Afrique subsaharienne, où presque la moitié de la population vit en pauvreté absolue est de un sur douze alors qu'il est de un sur quatre mille en Europe. La pauvreté entrave des opportunités économiques, politiques, sociales, culturelles, civiques et physiques pour le développement d'une vie saine et digne. Elle affecte beaucoup d'aspects de la vie des populations : carences, insatisfaction des besoins primaires, insuffisance de revenus, privation de biens et de services, notamment de services essentiels comme l'éducation et la santé.

---

33. Finnie, Ross (2000). « The Dynamics of Poverty in Canada: What We Know, What We can Do ? », *C.D. Howe Institute*, commentary n° 145, septembre.
34. Enquête longitudinale nationale sur les enfants et les jeunes de Statistique Canada (2006).
35. Burstein, Meyer (2005). *Combating the Social Exclusion of At-Risk Groups*, Policy Research Initiative, gouvernement du Canada.

Encadré 4 : La santé : le bien le plus précieux

1. Pour bien des personnes pauvres, le corps est l'atout le plus précieux. Il est indivisible et non assuré, c'est-à-dire que les risques de lésions ou d'invalidité peuvent avoir des conséquences désastreuses pour leur survie et leur bien-être. À la suite d'un accident ou d'une maladie, le corps peut devenir un lourd fardeau pour une famille pauvre (qui doit encore être nourrie et soignée). Les personnes pauvres sont plus exposées que les autres aux risques de blessure et de maladie et sont moins capables ou désireuses que les autres de suivre un traitement et de le payer; et si elles suivent un traitement, ce dernier sera peut-être moins efficace.

   Message – Des traitements gratuits, accessibles et efficaces peuvent représenter une mesure très rentable de lutte contre la pauvreté. Il est beaucoup plus facile d'aider les personnes pauvres à éviter de s'appauvrir qu'à remonter la pente lorsqu'elles se sont appauvries.

2. Beaucoup de personnes pauvres ne suivent pas de traitement parce qu'elles craignent d'être traitées cavalièrement et d'être humiliées par le personnel de santé.

   Message – Dans le cadre de toute politique de lutte contre la pauvreté, il est essentiel d'apprendre au personnel de santé à accueillir les personnes pauvres et à les traiter de façon équitable et avec respect.

3. Au regard du bien-être, les coûts d'opportunité du temps des personnes très pauvres sont souvent beaucoup plus élevés que pour les personnes moins pauvres, et particulièrement pour les femmes qui, depuis une dizaine d'années, sont de plus en plus souvent le soutien de famille (cette tendance semble mondiale). Pourtant, ce sont les personnes qui sont pauvres et qui en ont l'air qui sont marginalisées dans les centres de traitement et que l'on fait attendre pendant que ceux qui sont mieux vêtus ou qui ont de l'influence passent avant tout le monde. Par exemple, une pauvre femme qui est au bord du désespoir et qui doit travailler d'arrache-pied tous les jours pour gagner suffisamment d'argent pour se nourrir et nourrir ses enfants pourrait souffrir de la faim, car pendant qu'elle attend pour faire soigner un de ses enfants, elle ne gagne pas d'argent.

   Message – Les personnes très pauvres devraient être traitées en priorité ou, du moins, au même titre que les autres.

Source : Neufeld, Victor, et Nancy Johnson (2001). *Une santé branchée sur la recherche : Perspectives du Conseil de la recherche en santé pour le développement*, Ottawa, CRDI.

5.6 Genre, pauvreté et santé : une approche sexospécifique

L'approche genre met l'accent sur les relations inégales de pouvoir comme facteur majeur conditionnant la situation des femmes. Le genre fait référence aux rôles et responsabilités, dévolus aux hommes et aux femmes, qui sont façonnés au sein de nos familles, de nos sociétés et nos cultures[36]. Il s'agit d'une construction sociale des rôles féminins et masculins qui varie en fonction des époques et des cultures. Les systèmes de différenciation sociale comme le statut politique, la classe sociale, l'origine ethnique, les handicaps physiques et mentaux, l'âge et plusieurs autres facteurs doivent également être considérés dans une analyse de genre, car ils sont susceptibles de modifier les rôles qui incombent aux hommes et aux femmes et les rapports sociaux de sexe.

L'approche genre et développement se donne pour objectif de corriger les relations inégalitaires entre les hommes et les femmes afin que celles-ci puissent participer pleinement au développement, prendre activement part aux processus décisionnels et accéder aux bénéfices et ressources du développement au même titre que les hommes. De plus en plus de chercheurs intègrent l'aspect genre dans l'analyse de la pauvreté afin d'avoir une vision plus globale de ses causes[37]. L'approche genre et développement différencie deux types de besoins : les besoins

---

36. Organisation des Nations Unies pour l'éducation, la science et la culture (2003). Cadre de mise en œuvre de la stratégie de l'UNESCO en matière de généralisation de l'analyse selon le genre pour 2002-2007, Paris, p. 17.
37. Hoffman, Elizabeth, et Marius-Gnanou Kamala (2003). « L'approche genre dans la lutte contre la pauvreté : l'exemple de la microfinance », dans *Développement socialement durable et la pauvreté*, PUB.

pratiques et les intérêts stratégiques. Les besoins pratiques immédiats concernent la satisfaction des besoins fondamentaux (accès à l'eau, à la nourriture, aux soins de santé, au logement et au revenu) tandis que les intérêts stratégiques remettent en question la position de subordination des femmes vis-à-vis des hommes dans la société. Les analyses selon le genre mettent en évidence un certain nombre de difficultés auxquelles sont confrontées les femmes, notamment les difficultés d'accès à la sphère politique, aux postes décisionnels et à un revenu stable, l'inégalité d'accès et de contrôle sur les ressources et la répartition inégale des bénéfices.

Le genre, la pauvreté et la santé sont étroitement liés. On parle d'ailleurs bien souvent de féminisation de la pauvreté. En effet, le genre est un déterminant de la santé et de la richesse. La richesse, dans le sens d'absence ou d'insuffisance au niveau de l'emploi, du revenu et du statut social, est aussi un déterminant de la santé. Inversement, la santé est un déterminant de la richesse. Quand le genre et la pauvreté sont combinés, il peut y avoir en l'occurrence un effet additif sur la santé. Par exemple, le nombre disproportionné de femmes pauvres dans le monde ou le fait que les hommes pauvres soient fortement susceptibles de faire un travail physique dangereux démontrent comment le genre peut augmenter le risque de pauvreté et comment la pauvreté peut accroître l'effet du genre.

Sur le plan opérationnel, l'approche genre et développement vise à identifier et à distinguer les besoins pratiques et les intérêts stratégiques des femmes afin qu'elles puissent sortir de leur situation de pauvreté. Les organisations internationales, comme les agences des Nations Unies ou la Banque mondiale, et les organisations non gouvernementales internationales font de plus en plus référence au concept de genre. Ces organisations veillent également à intégrer, de façon systématique, la problématique des rapports sociaux entre les hommes et les femmes à la planification des politiques, à la programmation, à la mise en œuvre et à l'évaluation des activités dans tous les domaines de compétences. Le genre est un axe transversal que l'on doit retrouver dans tous les programmes et projets de développement.

L'OMS reconnaît explicitement que le genre a un impact important sur la santé. Afin d'entériner son engagement en faveur de l'égalité des sexes, elle a publié en 2002 la déclaration en matière

d'*Intégration d'approches soucieuses d'équité entre les sexes dans l'action de l'OMS* et sa politique en matière de genre. L'organisation s'est dorénavant donné comme règle de bonne pratique de santé publique d'adopter une démarche respectueuse de la différence entre les sexes dans tous les aspects de son action. La possession du meilleur état de santé qu'il est capable d'atteindre constitue l'un des droits fondamentaux de tout être humain, quelles que soient sa race, sa religion, ses opinions politiques, sa condition économique ou sociale. La question du genre dans le domaine de la santé a longtemps été négligée en dépit de sa grande importance. Mais aujourd'hui, le genre est de plus en plus reconnu comme un facteur qui détermine les différences d'état de santé entre les femmes et les hommes. Le but de la politique de l'OMS en matière de genre est de contribuer à améliorer la santé des femmes et des hommes par le biais de recherches, de politiques et de programmes qui tiennent dûment compte des différences entre les sexes et favorisent l'équité et l'égalité entre les femmes et les hommes. De ce fait, l'OMS s'engage à analyser les différences entre les sexes et à résoudre les problèmes lors de la planification, de la mise en œuvre et de l'évaluation des politiques, programmes, projets et activités pour atteindre les quatre objectifs suivants:

– améliorer la couverture, l'efficacité et l'efficience des interventions sanitaires;

– promouvoir l'équité et l'égalité entre les femmes et les hommes tout au long de la vie et veiller à ce qu'aucune intervention ne soit la cause d'iné-galités dans les rapports sociaux entre les femmes et les hommes;

– fournir des informations qualitatives et quantita-tives au sujet de l'influence de la différenciation homme/femme sur la santé et les prestations de santé;

– conseiller les États membres sur les moyens à mettre en œuvre pour planifier, exécuter et évaluer leurs politiques, programmes et projets dans le respect des différences entre les sexes.

L'analyse de genre dans l'ensemble des activités de l'OMS permettra d'atteindre les objectifs de la politique en matière de genre. Cette politique concerne tous les domaines d'activité de l'organisation: la recherche, la planification, la mise en œuvre, la surveillance et l'évaluation des programmes, la gestion des ressources humaines et la budgétisation. L'orientation et le soutien requis sont assurés par l'unité Genre de l'OMS, en collaboration avec des agents de liaison responsables des questions de genre. Chaque responsable de programme est tenu de recueillir des données ventilées par sexe, de les analyser, de réfléchir aux moyens de tenir compte des différences entre les sexes dans leurs domaines d'action respectifs et d'entreprendre la préparation de matériels au contenu bien précis. Grâce à cette politique, les spécificités et les différences entre chaque sexe seront automatiquement prises en considération dans toutes les activités auxquelles est associée l'OMS dans différents domaines techniques[38].

Dans plusieurs pays, encore aujourd'hui, en raison du statut des femmes, du partage traditionnel des tâches et de la position que celles-ci occupent dans la société, certaines d'entre elles sont particulièrement touchées par certaines maladies (santé mentale, sida dans certaines pays en développement, etc.).

5.7 L'objectif aujourd'hui : l'équité en santé

Il n'existe pas de définition universelle de l'équité en matière de santé, car cette notion est définie par la société et touche aux valeurs sociales. Selon Amartya Sen, récipiendaire du prix Nobel d'économie (1998), l'équité en santé doit être une caractéristique centrale de la justice dans les accords sociaux en général. L'équité en santé ne concerne pas seulement la santé prise isolément, mais doit être abordée dans le cadre plus large de l'impartialité et de la justice des accords sociaux, y compris ceux qui concernent la distribution économique, en accordant une attention particulière au rôle de la santé dans la vie et la liberté de l'homme. Pour l'épidémiologiste Rene Loewenson[39], il faut

accorder une attention particulière aux mesures visant l'abolition des différences inutiles, injustes et inévitables entre les différentes populations et entre les groupes d'une même population ayant un statut socioéconomique différent.

Pour ce faire, une compréhension adéquate et précise de la situation est requise. Les moyens qui vont avoir une influence sur la répartition sociale des ressources attribuées au système de santé doivent aussi être ciblés. Toutefois, il ne faut pas oublier qu'il revient aux décideurs politiques d'affecter les différents montants d'argent. La répartition des ressources sociales, politiques et économiques devrait plutôt être entre les mains des citoyens, car ce sont eux qui dénoncent les injustices. Les politiques sociales devraient également accorder davantage de programmes et d'argent aux populations les plus défavorisées. Les politiques de promotion de la santé et de prévention devraient aussi être plus adaptées et plus accessibles pour ce type de population.

L'adoption de nouvelles stratégies favoriserait la participation active de tous les secteurs en encourageant les efforts pour combattre les facteurs causant un mauvais état de santé, telle la pauvreté. En effet, dans des cas plus extrêmes, la pauvreté représente un obstacle majeur contribuant à l'iniquité, ce qui empêche toute forme de développement équitable de la santé. L'équité requiert un ensemble de moyens pour évaluer les divergences entre les groupes les plus pauvres et les plus riches qui reposent sur la collaboration intersectorielle. Les politiques nationales doivent considérer les exclus de façon prioritaire afin de les appuyer. Certaines organisations internationales, telles que l'OMS, l'UNICEF et la Croix Rouge, sont réellement en mesure de contribuer à une réduction de l'extrême pauvreté et à la promotion de l'équité à l'échelle mondiale.

L'équité exige la prise en compte des divers besoins des populations et la reconnaissance des écarts, l'engagement moral de tout un chacun, spécialement

---

38. Pour de plus amples informations sur la prise en compte par l'OMS de la dimension genre, vous pouvez consulter son rapport intitulé *Inclure des hommes et des garçons dans la lutte contre les inégalités de genre en matière de santé : enseignements tirés des programmes d'intervention*, son rapport en anglais intitulé *Gender Analysis in Health – A Review of Selected Tools*, sur les outils permettant de promouvoir l'intégration des questions de genre aux politiques de l'organisation, son guide sur les indicateurs de la santé reproductive, son rapport sur la violence contre les femmes, le résumé de son rapport "So what?" sur l'incidence réelle sur les résultats de l'intégration du facteur genre dans les programmes, ainsi que sa brochure sur l'égalité des sexes et l'autonomisation des femmes comme vecteur de santé maternelle.

39. Cité par Jonson, Maureen (2004). *Le défi de l'équité en Afrique*, Ottawa, Centre de recherches pour le développement international, p. 111.

des décideurs politiques, car les inégalités socio-économiques et politiques ont des répercussions sur la santé. De plus, les innovations technologiques de la médecine scientifique contribuent à creuser les écarts. L'extrême pauvreté et l'exclusion sociale constituent des violations des droits de l'homme et du citoyen, tels que les a inscrits le père Joseph Wresinski[40] sur le parvis des Libertés et des droits de l'homme à Paris.

Dans l'espoir d'atteindre l'équité, la solidarité, la participation et le contrôle de la communauté pour décider tout ce qui concerne les questions de santé, le bien-être et la qualité de vie sont nécessaires. Les personnes vivant dans la pauvreté deviendront les partenaires les plus importants dans cette collaboration, car ce sont les premiers experts en pauvreté. Malgré plusieurs mesures préventives, la pauvreté continue de faire rage de manière aiguë dans certains pays pour lesquels les modèles économiques n'ont pas fonctionné. Les organisations internationales n'ont pas le pouvoir de dénoncer les mécanismes d'exclusion et de lutter contre eux.

5.8 Inégalités de santé et politiques publiques : des pistes pour l'action

L'OMS a examiné les principaux déterminants sociaux de la santé actuels et le rôle que les pouvoirs publics peuvent jouer dans la création d'un environnement favorable à la santé. Les connaissances relatives aux 10 déterminants suivants, soit les inégalités sociales de santé, le stress, la petite enfance, l'exclusion sociale, le travail, le chômage, le soutien social, les dépendances, l'alimentation et les transports, doivent permettre aux gouvernements d'élaborer et de mettre en œuvre des politiques publiques et des actions agissant sur les déterminants sociaux de santé[41].

Tableau 34 : Synthèse des principaux déterminants sociaux de la santé de l'OMS

Déterminants sociaux de la santé	État des connaissances	Pistes d'action
Inégalités sociales de santé	Dans chaque société, l'espérance de vie est plus courte et la plupart des maladies sont plus fréquentes au bas de l'échelle.	Les politiques sociales doivent : • Comprendre, outre les filets de protection sociale traditionnels, des tremplins pour compenser les transitions de la vie qui ont pu affecter la santé (changements affectifs et matériels de la petite enfance, premier emploi, etc.). • Réduire les taux d'échec scolaire, l'insécurité et le chômage et améliorer l'habitat. • Permettre aux citoyens de jouer un rôle utile dans les domaines de la vie pour une meilleure situation sanitaire en luttant contre l'insécurité, l'exclusion et la pauvreté.

---

40. Le père Joseph Wresinski était un prêtre diocésain français, fondateur du Mouvement des droits de l'homme.
41. Organisation mondiale de la santé (2004). *Les faits. Les déterminants sociaux de la santé*, deuxième édition.

Déterminants sociaux de la santé	État des connaissances	Pistes d'action
Stress	Le stress est source d'inquiétude et d'anxiété et empêche de faire face aux problèmes de l'existence. Il nuit à la santé et peut être à l'origine d'un décès prématuré.	• La qualité de l'environnement social et la sécurité matérielle sont souvent aussi importantes pour la santé que l'environnement physique. Le sentiment d'appartenance, la participation et la valorisation de l'individu sont plus propices à la bonne santé que l'exclusion, l'ignorance et l'exploitation. • Les programmes sociaux doivent prendre en compte les besoins psychosociaux et matériels qui sont des sources d'anxiété et d'insécurité.
Petite enfance	Pour un bon départ dans la vie, un accompagnement de la mère et de l'enfant est indispensable : les premières phases du développement et de l'éducation influencent la santé de l'individu tout au long de la vie.	• Accroître le niveau général d'instruction et assurer l'égalité des chances en matière d'instruction dans le but d'améliorer la santé des mères et des enfants à long terme. • Assurer une bonne alimentation et une éducation sanitaire, mettre en place des services de santé et des soins préventifs de qualité et mobiliser les ressources adéquates avant la première grossesse pour réduire les risques de maladies et de malnutrition. • Favoriser des relations harmonieuses entre les parents et leurs enfants pour qu'ils puissent connaître et répondre à leurs besoins affectifs et cognitifs.
Exclusion sociale	La vie est courte quand elle est de piètre qualité. La pauvreté provoque souffrance et amertume. L'exclusion sociale et la discrimination entraînent des décès prématurés.	• Assurer un revenu minimum garanti, une législation sur le salaire minimum et un accès aux services. • Prendre des mesures pour réduire la pauvreté et l'exclusion sociale. • La législation doit protéger les minorités et les groupes vulnérables contre la discrimination et l'exclusion sociale. • Garantir l'accès aux soins de santé, services sociaux et logements. • Les politiques de l'emploi, de l'éducation et de la protection des familles doivent réduire la stratification sociale.

Chapitre 5 — Nature et spécificités des inégalités sociales de santé

Déterminants sociaux de la santé	État des connaissances	Pistes d'action
Travail	Le stress au travail augmente le risque des maladies. Les personnes qui maîtrisent leur stress sont en meilleure santé.	• L'amélioration des conditions de travail améliore la santé des individus et la productivité. • Encourager la participation des employés aux processus de prise de décision en mettant en place les mécanismes nécessaires. • Valoriser les employés sur les plans financiers, d'estime et de réalisation de soi. • Aménager les lieux de travail de façon ergonomique pour réduire l'incidence des troubles de l'appareil locomoteur. • Protéger la santé des individus sur le lieu de travail en créant les infrastructures sociales nécessaires.
Chômage	La sécurité de l'emploi est bonne pour la santé, le bien-être et la satisfaction professionnelle. Un taux de chômage élevé va de pair avec une incidence importante de maladies et de décès prématurés.	• Prévenir le chômage et la précarité du travail. • Atténuer les difficultés liées à la condition du chômeur. • Rétablir la sécurité de l'emploi.
Soutien social	L'amitié, de bonnes relations sociales et de solides réseaux d'entraide peuvent améliorer la santé en réduisant les réactions physiologiques au stress et réduire le taux de guérison de maladies.	• La réduction des inégalités sociales et économiques et la lutte contre l'exclusion renforcent la cohésion sociale et améliorent la santé. • La création de milieux de vie favorables aide les personnes à se sentir valorisées et favorise l'entraide. • La mise en place d'infrastructures locales favorisant les interactions est susceptible d'améliorer la santé mentale.
Dépendances	Certaines personnes se réfugient dans l'alcool, la drogue et le tabac et en subissent les conséquences. La consommation de ces produits est souvent associée aux mauvaises conditions socioéconomiques.	• Offrir un soutien et des soins aux personnes dépendantes et s'attaquer aux difficultés sociales qui constituent la cause profonde du problème. • Réglementer les drogues par une politique des prix et d'octroi de licences. • Recourir à l'éducation sanitaire des jeunes et aux traitements efficaces des personnes dépendantes.

Les déterminants sociaux de la santé:
une synthèse

Déterminants sociaux de la santé	État des connaissances	Pistes d'action
Alimentation	Comme l'approvisionnement alimentaire est tributaire des marchés mondiaux, la garantie d'une alimentation saine est une question politique.	• Prendre en compte la santé publique dans le domaine alimentaire afin que les populations puissent se procurer des aliments nutritifs frais et à prix abordables. • Assurer un processus démocratique pour l'ensemble des questions relatives sur les aliments et garantir la participation de toutes les parties prenantes, des consommateurs. • Promouvoir des méthodes de production agroalimentaire viables préservant les ressources naturelles de l'environnement. • Promouvoir une alimentation saine en diffusant l'information adéquate.
Transports	Une politique de transports soucieuse de la santé décourage le retour à l'automobile et favorise la marche à pied et le vélo, tout en améliorant les transports en commun.	• Encourager les déplacements à bicyclette plutôt qu'en voiture. • Améliorer les transports publics. • Réduire les subventions de l'État pour la construction des routes, augmenter le soutien financier aux transports en commun, augmenter le coût du stationnement ainsi que les amendes en cas d'infraction.

Source : Organisation mondiale de la santé (2004). *Les déterminants sociaux de la santé : les faits*, deuxième édition.

La pauvreté

La pauvreté est un mal chronique de société qui ne cesse de s'aggraver au fil des années. En tant que phénomène dynamique, elle est définie par un ensemble de concepts dont certains font référence à l'exclusion et la précarité et d'autres, à l'insuffisance de ressources. La pauvreté peut être absolue ou relative. La pauvreté absolue est synonyme de grande pauvreté. Les personnes qui sont incapables de subvenir à leurs besoins primaires sont considérées comme extrêmement pauvres. La pauvreté relative correspond à une situation dans laquelle les personnes ont un revenu ou un niveau de vie moins élevé comparé à l'ensemble de la population du pays. Ces deux phénomènes de pauvreté varient selon le niveau de développement de chaque pays. Au Nord comme au Sud, les personnes qui vivent dans les pires conditions socioéconomiques présentent un état de santé défaillant, avec des taux de morbidité et de mortalité plus élevés. Le tort à la santé n'est pas seulement causé par une privation matérielle, car la pauvreté engendre aussi des problèmes sociaux et psychologiques.

Les inégalités sociales de santé

Les inégalités sociales de santé réfèrent aux différences évitables, entre hommes et femmes, entre groupes socioéconomiques et entre territoires, qui ont un impact sur de nombreux aspects de la santé des populations. La Commission de l'Organisation mondiale de la santé sur les déterminants de la santé définit les inégalités sociales de santé comme les «causes inéquitables et évitables de problèmes de santé face auxquelles les populations [...] ne sont pas sur un pied d'égalité. Ces inégalités sanitaires sont le reflet des inégalités [...] dans une société et entre différentes sociétés». Parmi les principales causes sociales des inégalités de santé figurent aussi bien les conditions de travail et de logement que, plus largement, les disparités de mode de vie sans négliger les inégalités de recours au système de soin.

Genre et santé

Les inégalités de genre, mettant en évidence la relation de subordination des femmes par rapport aux hommes, peuvent conduire à des iniquités entre les sexes en matière de santé, d'accès aux services et soins de santé. L'approche genre appliquée au domaine de la santé permet de promouvoir des changements pour mettre un terme aux inégalités qui perpétuent les phénomènes de morbidité et de mortalité chez les femmes. Les femmes pourront ainsi jouir d'une bonne santé. Le genre est un axe transversal qui doit être intégré à l'ensemble des étapes de la planification des politiques publiques. De plus en plus d'évidences démontrent que le sexe biologique fait encourir des risques pour la santé et influe sur les comportements en matière de recours aux soins. Par exemple, le fait d'être une femme peut engendrer des inégalités supplémentaires dans certains domaines (accès à des postes de responsabilité, partage des tâches domestiques, etc.) qui ont un impact sur la santé. Dans le même ordre d'idées, les hommes semblent plus exposés à un décès prématuré que les femmes, dans une large mesure du fait des maladies cardiaques, des blessures mortelles accidentelles. Plusieurs problèmes de santé sont fonction du rang dans l'échelle sociale ou des rôles sociaux propres à chaque sexe.

Équité en santé

Il n'existe pas de définition consensuelle de l'équité en santé, car c'est une notion qui fait appel au normatif. En fait, l'équité est définie socialement et implique des enjeux de valeurs. Si l'on considère par exemple qu'il est injuste que les personnes pauvres vivent moins longtemps que les plus riches, alors il y a iniquité. Outre une nouvelle répartition des ressources en santé, l'équité suppose une nouvelle répartition des ressources sociétales à ceux qui en ont le plus besoin. Les inégalités socioéconomiques et politiques ont des répercussions négatives sur la santé. Il existe des liens entre la pauvreté, l'iniquité et la santé. Une répartition plus équitable des ressources sociales, politiques et économiques permettrait certainement d'atteindre l'équité en santé. L'équité est un axe transversal qui doit être intégré à l'ensemble des étapes de la planification des politiques publiques.

Bibliographie

AÏACH, Pierre, et Didier FASSIN (2004). «L'origine et les fondements des inégalités sociales de santé», *La Revue du praticien*, 20 (54), p. 2221-2227.

Association canadienne de santé publique (2001). *Health Impacts of Social and Economic Conditions: Implications for Public Policy*, Ottawa.

BRUNNER, Eric, et Michael MARMOT (1999). «Social Organization, Stress and Health», dans Marmot, M., et Richard, G. Wilkinson (éditeurs), *Social Determinants of Health*, Oxford, University Press.

CITRO, Constance F., et Robert MICHAEL (1995). *Measuring Poverty: A New Approach*, Washington, D.C., National Academy Press.

COTTON, Catherine, Yves ST-PIERRE et Maryanne WEBBER (2000). *Devrait-on revoir les seuils de faible revenu ? Un sommaire des commentaires reçus en réponse au document de discussion de Statistique Canada*, Statistique Canada, Série de documents de recherche - Revenu, 75F0002MIF-00011.

COTTON, Catherine (2001). *Développements récents relativement aux seuils de faible revenu*, Statistique Canada, Série de documents de recherche - Revenu, 75F0002MIF-01003.

CURTIS, Lori J., et Shelley PHIPPS (2004). «Social Transfers and the Health Status of Mothers in Norway and Canada», *Social Science and Medicine*, 58 (12):2499-2507.

DEATON, Angus (2001). Health, *Inequality and Economic Development*, Princeton, Woodraw Wilson School, Development Studies.

DEVAUX, Marion, et autres (2007). «Inégalités des chances en santé: influence de la profession et de l'état de santé des parents», *Questions d'économie de la santé*, n° 118, février.

FINNIE, Ross (2000). «The Dynamics of Poverty in Canada: What We Know, What We can Do?», *C.D. Howe Institute Commentary*, n° 145, septembre.

GILES, Philip (2004). *Mesure du faible revenu au Canada*, Statistique Canada, Série de documents de recherche - Revenu, 5F0002MIF2004011.

HAGENAARS, Aldi, et Klaas DE VOS (1988). «The Definition and Measurement of Poverty», *Journal of Human Resources*, 23:2, p. 212.

HOFFMAN, Elizabeth, et Kamala Marius GNANOU. «L'approche genre dans la lutte contre la pauvreté: l'exemple de la microfinance», dans *Développement socialement durable et la pauvreté*, PUB, 2003.

JONSON, Maureen (2004). *Le défi de l'équité en Afrique*, Ottawa, Centre de recherches pour le développement international, p. 111.

MARMOT, Michael G. (1994). «Social Differentials in Health within and between Populations», *Daedalus*, 123, p. 197-216.

MICHEL, Éliane, Éric JOUGLA et Françoise HATTON (1996). «Mourir avant de vieillir», *Insee Première*, n° 429, février.

MOQUET, Marie-José (2008). «Inégalités sociales de santé: des déterminants multiples», Dossier «Comment réduire les inégalités sociales de santé». *La santé de l'Homme*, n° 397, septembre-octobre 2008, p. 17-19.

MORASSE, Julie Alice (2005). *Inventaire des indicateurs de pauvreté et d'exclusion sociale*, Institut de la statistique du Québec et ministère de l'Emploi et de la Solidarité sociale, Québec, 2005, 97 pages.

MULLAHY, John, Stephanie ROBERT et Barbara WOLFE (2001). *Health, Income and Inequality*, Review and Redirection for the Wisconsin Russell Sage Working Group, p. 5-6.

NEUFELD, Victor, et Nancy JOHNSON (2001). *Une santé branchée sur la recherche: Perspectives du Conseil de la recherche en santé pour le développement*, Ottawa, CRDI.

OMS (2004). *Les faits. Les déterminants sociaux de la santé*, Deuxième édition, Genève.

OMS (2008). *Combler le fossé en une génération. Instaurer l'équité en santé en agissant sur les déterminants sociaux de la santé*, Commission des déterminants de la santé. Résumé analytique du rapport final, août.

OMS (2002). *Intégration d'approches soucieuses d'équité entre les sexes dans l'action de l'OMS. Politique de l'OMS en matière de genre.*

ONU pour l'éducation, la science et la culture (2003). *Cadre de mise en œuvre de la stratégie de l'UNESCO en matière de généralisation de l'analyse selon le genre pour 2002-2007.* Paris.

OSBERG, Lars (2007). *The Evolution of Poverty Measurment-with Special Reference to Canada*, document de recherche, Halifax.

PHIPPS, Shelley, et Peter BURTON (1995). «Sharing Within Families: Implications for the Measurement of Poverty among Individuals in Canada», *The Canadian Journal of Economics*, 28:1, p. 177-204.

PHIPPS, Shelley (2003). *Répercussions de la pauvreté sur la santé*, Institut canadien d'information sur la santé.

PRESTON, Samuel (1975). «The Changing Relation between Mortality and Level of Economic Development», *Population Studies*, 29, p. 231-248.

RAINVILLE, Bruno, et Satya BRINK (2001). *L'insécurité alimentaire au Canada, 1998-1999*, Ottawa, Direction générale de la recherche appliquée, Politique stratégique, Ressources humaines et Développement social Canada.

Ressources humaines et Développement social Canada (2008). *Le faible revenu au Canada de 2000 à 2004 selon la mesure du panier de consommation*, sp-682-07F.

RUGGLES, Patricia (1990). *Drawing the Line: Alternative Poverty Measures and Their Implications for Public Policy*, Washington, The Urban Institute Press.

Statistique Canada (2002). *Analyse du revenu au Canada*, Ottawa, numéro de catalogue 75-203-XIF.

Statistique Canada (2008). *Les seuils de faible revenu de 2007 et les mesures de faible revenu de 2006*, document de recherche, Division de la statistique du revenu, Ottawa.

WILKINSON, Russell (1996). *Unhealthy Societies: the Affliction of Inequality*, Londres, Routledge Press.

WOLFSON, Michael C., et Evans JOHN M. (1989). *Seuils de faible revenu de Statistique Canada: Problèmes et possibilités méthodologiques*, Statistique Canada, document de travail.

Chapitre 6

L'éducation comme déterminant de la santé : lorsque le chemin de l'école mène à la santé

Comment le niveau d'instruction influence-t-il la santé des populations? Le niveau d'instruction, le niveau d'alphabétisme et la situation socioéconomique sont des facteurs qui ont un impact positif ou négatif sur la santé des individus. Hormis les programmes d'alphabétisation, l'éducation et l'information sanitaires contribuent à la prévention et à la promotion de la santé.

Après avoir terminé l'étude de ce chapitre, vous devriez être en mesure:

- D'établir le lien entre le niveau d'instruction et la santé;
- De reconnaître l'incidence de l'analphabétisme sur la santé et de vous familiariser avec les concepts de littératie et de littératie en santé;
- D'établir un lien entre le niveau d'instruction et la situation socioéconomique;
- D'appréhender la littératie comme un continuum reflétant une gradation des compétences;
- De reconnaître l'importance de l'éducation et de l'information sanitaires en matière de promotion de la santé.

Dans ce chapitre, nous verrons de quelle façon le niveau d'instruction, comme l'un des principaux déterminants sociaux de santé, influence la santé des populations. En effet, un bon niveau d'instruction et un apprentissage continu contribuent à la santé et à la prospérité des populations. L'acquisition de connaissances et le développement des capacités permettent de résoudre des problèmes et procurent à l'individu le sentiment d'exercer un certain contrôle sur sa vie. Le niveau d'alphabétisme exerce en l'occurrence une incidence sur la santé des populations. Un faible niveau d'alphabétisme aura des effets directs et des effets indirects négatifs sur la santé.

En outre, le niveau d'instruction dépend souvent de la situation socioéconomique. Les enfants issus de milieux défavorisés ont moins de chances d'obtenir un diplôme d'études secondaires et sont généralement plus enclins au décrochage scolaire que ceux issus de milieux plus favorisés. La scolarité des parents et le revenu familial figurent parmi les variables socioéconomiques exerçant une grande influence sur la réussite scolaire des jeunes.

Par ailleurs, il existe un lien étroit entre la littératie et la littératie en santé. Les facilités de compréhension de lecture et d'écriture facilitent grandement la compréhension et l'interprétation de l'information sanitaire. La littératie en santé implique la capacité de résoudre des problèmes, d'évaluer l'information et d'agir en conséquence.

L'éducation et l'information sanitaires jouent un rôle important dans le maintien et l'amélioration de l'état de santé des populations en contribuant à modifier

les modes de vie et les mauvaises habitudes de vie, notamment les comportements à risque. L'éducation pour la santé se trouve au cœur de la prévention et de la promotion de la santé dont elle assure essentiellement le volet informatif. Des stratégies d'information, d'éducation et de communication (IEC) sont aussi susceptibles de développer des interventions pertinentes dans le but d'amener un changement d'attitude et de comportement dans un domaine particulier.

6.1 Le niveau d'instruction et la santé

Dans la plupart des travaux empiriques, le niveau d'instruction semble être un déterminant important de l'état de santé, quelle que soit la mesure utilisée[1, 2]. Dans les faits, notre niveau d'instruction a un impact sur les décisions que nous prenons dans nos vies quotidiennes, décisions qui influencent grandement notre qualité de vie: choix d'un emploi, choix alimentaires, pratique de l'activité physique, utilisation efficace des soins médicaux, etc. Le type d'emploi que nous occupons et que nous offrent nos qualifications est aussi une variable importante qui intervient dans cette relation[3, 4].

Statistiquement, l'état de santé suit le niveau d'instruction. En général, plus le niveau d'instruction est élevé, meilleurs sont la situation socioéconomique et l'état de santé. Plus les gens sont instruits, plus ils sont actifs physiquement, moins ils fument et meilleures sont leurs habitudes alimentaires. Ceci n'est pas toujours vrai sur le plan individuel, mais cela l'est sur le plan collectif: une population éduquée a un meilleur niveau de vie et une meilleure santé qu'une population moins scolarisée. L'effet le plus

important de l'éducation est de donner à chacun les connaissances et les capacités de résoudre des problèmes et le sentiment d'être capable d'influencer et de maîtriser sa vie.

Avec le revenu, le niveau d'instruction est l'un des principaux déterminants non médical de la santé qui soit modifiable. Le niveau de santé d'un individu est intimement lié à son degré d'instruction: «le niveau de scolarité est associé à presque toutes les mesures de santé de la population[5]». Dans *Pourquoi les Canadiens sont-ils en santé ou pas?*, l'Agence de la santé publique du Canada (ASPC) relève le niveau d'instruction parmi les principaux déterminants sociaux de santé. En effet, il existe une forte corrélation entre le niveau d'instruction et le statut socioéconomique. Un bon niveau d'instruction et un apprentissage continu contribuent à la santé et à la prospérité des populations. L'acquisition de connaissances et le développement des capacités permettent de résoudre des problèmes et procurent à l'individu le sentiment d'exercer un certain contrôle sur sa vie. Plus le niveau d'instruction est élevé, plus les possibilités et les opportunités d'emplois sont diversifiées, intéressantes et stimulantes. La sécurité du revenu et la satisfaction au travail s'acquièrent généralement avec un niveau de compétence élevée[6]. Le niveau de scolarité a un effet positif sur le plan des compétences en littératie et en littératie en matière de santé. Il facilite la capacité des personnes à se renseigner et à comprendre l'information sanitaire[7].

Le niveau d'instruction a également été associé à de plus grandes capacités d'adaptation, de meilleures stratégies de réduction du stress et des réseaux de soutien élargis. Le manque d'instruction est associé à des taux plus élevés de colère et de symptômes dépressifs, ainsi qu'à une faible estime de soi, tous des facteurs de risque d'accidents cardiovasculaires. Les patients instruits ont davantage tendance à

1. Auster, Richard, Irving Leveson et Deborah Sarachek (1969). «The Production of Health: an Exploratory Study», *Journal of Human Resources*, 4, p. 411-436, aussi *Essays in the Economics of Health and Medical Care*, New York, National Bureau of Economic Research, Colombia University Press, 1972, p. 135-158.
2. Silver, Morris (1972). «An Econometric Analysis of Spatial Variations in Mortality Rates by Race and Sex», *Essays in the Economics of Health and Medical Care*, New York, National Bureau of Economic Research, Colombia University Press, p. 161-209.
3. Leigh, Paul J. (1983). «Direct and Indirect Effects of Education on Health», *Social Science and Medicine*, 17, p. 227-234.
4. Kenma, Harrie J. M. (1987). «Working Conditions and the Relationship between Schooling and Health», *Journal of Health Economics*, 6, p. 189-210.
5. Ungerleider, Charles, et Daniel Keating (2002), «L'éducation comme facteur déterminant de la santé», exposé présenté à la *Conférence sur les déterminants sociaux de la santé pendant toute la durée de la vie*, tenue à Toronto en novembre, p. 1-5.
6. Agence de la santé publique du Canada (2006). «Pourquoi les Canadiens sont-ils en santé ou pas?», Extrait de *Pour un avenir en santé: Deuxième rapport sur la santé de la population canadienne et de la Stratégie pour la santé de la population: Investir dans la santé des Canadiens*, Ottawa.
7. *Ibid.*

respecter des traitements moyennement complexes. On s'attend également à ce qu'ils en tirent de plus grands avantages et soient en meilleure santé.

L'Agence de la santé publique du Canada s'est basée sur deux documents ayant servi de référence pour présenter les grandes lignes du niveau d'instruction comme facteur déterminant de la santé: *Pour un avenir en santé: Deuxième rapport sur la santé de la population canadienne et Stratégies pour la santé de la population: Investir dans la santé des Canadiens.*

De façon générale, les Canadiens qui ont un faible niveau de compétences en lecture et en écriture sont plus exposés au chômage et à la pauvreté, ils risquent davantage d'avoir une santé médiocre et de mourir plus tôt que ceux qui ont des compétences dans ces domaines. Les personnes détenant un bon niveau d'instruction vivent la plupart du temps dans des environnements physiques sains et sont plus aptes à préparer leurs enfants pour l'école que celles qui sont moins instruites. Elles ont aussi tendance à avoir de meilleures habitudes de vie: réduction du tabagisme, augmentation de l'activité physique et meilleure alimentation. L'*Enquête nationale sur la santé de la population* (1996-1997) révèle que seulement 19 % des répondants sans diplôme d'études secondaires ont déclaré que leur santé était excellente contre 30 % pour les diplômés universitaires. En outre, plus le niveau d'instruction est élevé, plus le nombre de jours de travail perdus diminue. Les personnes ayant une scolarité primaire perdent en moyenne sept jours de travail par an, en raison de maladie, blessures ou incapacité, alors que les personnes ayant une formation universitaire en perdent moins de quatre par an.

Tableau 35: Impacts de la scolarité sur la santé

Faible niveau de scolarité (non diplômés d'études secondaires)	Niveau de scolarité plus élevé (diplômés d'études secondaires)
Plus grand risque de donner naissance à un bébé prématuré, au poids insuffisant ou mort-né.	Plus de chance d'avoir un bébé de poids normal.
Risque accru de tension artérielle élevée et d'une mauvaise régulation de la glycémie.	Plus de facilité à obtenir l'information et les ressources nécessaires qui permettent de prendre des décisions sur la santé.
Deux fois plus susceptibles de déclarer avoir une mauvaise santé.	Plus de chance de trouver des emplois «mieux» rémunérés.
Une fois et demie plus susceptibles d'être obèses.	Plus de chance d'avoir des revenus plus stables, une meilleure sécurité d'emploi et une meilleure satisfaction au travail.
La démence (perte des facultés mentales) semble plus élevée chez les personnes âgées.	Plus de chance d'acquérir les connaissances et les compétences nécessaires pour résoudre des problèmes et gérer les changements (contrôle sur sa vie).

Source: Agence de la santé publique du Canada (2006). *Comment la scolarité influence-t-elle la santé?*, Ottawa.

6.2 L'incidence de la littératie sur la santé

L'alphabétisme, selon Burt Perrin, n'est pas un objectif fixe. L'alphabétisme va au-delà de savoir lire, écrire ou calculer. C'est aussi comprendre et être capable d'utiliser l'information requise pour bien fonctionner[8]. Cette définition est particulièrement intéressante parce qu'elle nous permet de prendre conscience du fait que même si la plupart des personnes savent lire, la question véritable est de savoir si leurs capacités de lecture et d'écriture leur permettent de vivre et de travailler dans notre monde d'aujourd'hui. Au sein de la nouvelle économie où les emplois gravitent autour de la technologie et de l'information, le niveau des capacités de lecture et d'écriture nécessaires pour bien fonctionner augmente. La capacité de comprendre et de suivre les recommandations orales et écrites de professionnels de santé est cruciale. Les personnes qui possèdent des capacités d'écriture et de lecture limitées ont des problèmes de fonctionnement en société et sont particulièrement vulnérables aux changements de contextes qui touchent à l'ensemble de leurs conditions de vie familiales, sociales et économiques[9].

En tant que mode de comportement adulte qui consiste à utiliser des imprimés et des écrits nécessaires pour fonctionner dans la société, atteindre ses objectifs, parfaire ses connaissances et accroître son potentiel, l'alphabétisme ou la littératie en santé peut être perçue comme cette compétence en matière de santé nécessaire à tout individu qui lui permet d'accéder à de l'information en santé, de la comprendre et de l'évaluer, puis de communiquer de l'information sur sa santé dans le but d'améliorer sa santé et celle de sa famille, de même que d'en faire la promotion tout au long de sa vie[10].

Les connaissances qu'une personne possède sur différents sujets, mais en particulier sur la santé, ont un effet important sur sa capacité de comprendre l'information écrite et l'information verbale. Par exemple, la capacité d'une personne à comprendre de l'information sur la santé peut dépendre de la mesure avec laquelle l'information se rattache à ses propres connaissances. Quatre domaines de compétences sont généralement utilisés pour mesurer l'alpha-bétisme chez les adultes: 1) la compréhension de textes suivis et l'utilisation de l'information contenue dans des éditoriaux, des reportages, des brochures, des dépliants, des manuels, etc.; 2) la compréhension de textes schématiques, c'est-à-dire le repérage et l'utilisation de l'information contenue dans des tableaux, des diagrammes, des cartes géographiques, etc.; 3) la numératie, c'est-à-dire le traitement de l'information mathématique présente dans des activités de la vie courante (établir le solde d'un compte-chèques, calculer un pourboire, etc.) et 4) la résolution de problèmes, c'est-à-dire la capacité à prendre des mesures concrètes dans des tâches complexes pour lesquelles il n'y a pas de procédure courante de résolution[11].

Le niveau d'alphabétisme a une incidence sur la santé des populations et celle-ci peut avoir des effets directs et des effets indirects[12]. Relativement peu de travaux de recherche se sont intéressés aux effets directs du niveau d'alphabétisme sur la santé. Les rares études sur la question ont permis de découvrir qu'il existe des problèmes de santé très graves liés aux faibles capacités de lecture. Certains problèmes ont d'ailleurs nécessité une hospitalisation: l'utilisation incorrecte des médicaments, le manque de respect des directives du médecin, des erreurs dans la préparation du lait maternisé, des risques pour la santé dans différents milieux de vie, etc. L'analpha-bétisme a une incidence directe sur la santé. Les personnes analphabètes ne peuvent pas lire les étiquettes des médicaments. Elles ne peuvent donc pas connaître les règles de précaution contre le sida, la grippe et d'autres maladies infectieuses. L'Orga-nisation des Nations Unies estime que l'alphabétisation est nécessaire pour l'atteinte des Objectifs du millénaire pour le développement touchant la santé maternelle et la lutte contre la propagation du VIH, et pour s'attaquer à quelques-uns des plus grands problèmes de la santé publique.

8. Perrin, Burt, et autres (1998). *Effets du niveau d'alphabétisme sur la santé des Canadiens et des Canadiennes: étude de profil*, Ottawa, Travaux publics et Services gouvernementaux Canada et Santé Canada, 26 pages.
9. Grossman, Michael (1972). «On the Concept of Health Capital and the Demand for Health», *Journal of Political Economy*, n° 80, p. 223-255.
10. Valkonen, Tapani (1988). «Adult Mortality and Level of Education: a Comparison of Six Countries» dans J. Fox (ed), *Health Inequalities in European Countries*, Gower, Aldershot.
11. Statistique Canada et OCDE (2005). *Apprentissage et réussite. Premiers résultats de l'Enquête sur la littératie et les compétences des adultes*, Ottawa et Paris, ministère de l'Industrie, OCDE, 338 pages.
12. Perrin, Burt, et autres (1998). *Effets du niveau d'alphabétisme sur la santé des Canadiens et des Canadiennes: étude de profil*, Ottawa, Travaux publics et Services gouvernementaux Canada et Santé Canada, 26 pages.

En clair, l'analphabétisme représente un obstacle à la compréhension des risques sanitaires liés aux actes médicaux. C'est le cas par exemple des personnes qui signent des formulaires de consentement liés aux actes médicaux en mauvaise connaissance de cause. Il importe que ces formulaires soient faciles à lire et simples à comprendre en adaptant le niveau de langage et la terminologie utilisée par le groupe cible afin de faciliter une décision libre et éclairée. C'est aussi le cas des erreurs commises par les mères dans la préparation du lait maternisé, ce qui présente un risque pour la santé des nourrissons. Certaines n'ont pas ou pas assez dilué les préparations concentrées tandis que d'autres ont dilué des préparations déjà prêtes.

L'analphabétisme comporte également des risques pour la santé au travail, dans la collectivité et à la maison. Les difficultés de compréhension des mises en garde relatives aux machines agricoles et à l'équipement récréatif contribuent à augmenter les dangers de la vie en zone rurale. D'ailleurs, les maladies, les épidémies et les décès violents sont nettement plus fréquents dans les endroits où le taux d'analphabétisme est élevé. Par conséquent, l'utilisation des services hospitaliers est plus courante[13]. Il appert que les principales répercussions du niveau d'alphabétisme se produisent de façon indirecte. Le niveau d'alphabétisme influence les quatre autres déterminants de la santé que sont les conditions de vie et de travail, l'environnement physique, les pratiques personnelles liées à la santé et la capacité d'adaptation, et les services de santé.

Le niveau d'alphabétisme est un déterminant de l'employabilité. D'après le rapport canadien fondé sur les résultats de l'*Enquête internationale sur l'alphabétisation des adultes*, les bénéficiaires de l'aide sociale ont des capacités de lecture inférieures aux prestataires de l'assurance emploi. L'analphabétisme représente aujourd'hui un obstacle pour entrer sur le marché du travail. En général, plus les personnes sont diplômées, plus elles travaillent et vivent dans de meilleures conditions. Le niveau d'alphabétisme joue un rôle dans le choix de l'environnement physique. Les personnes ayant un faible niveau d'alphabétisme risquent davantage de vivre dans des quartiers défavorisés et moins sécuritaires que celles qui ont un niveau de scolarité plus élevé. Les travailleurs moins qualifiés souffrent de plus d'accidents de travail que la moyenne, car la plupart travaillent dans des milieux de travail à risque, notamment le secteur de l'agriculture ou la construction. Ils ne sont pas toujours conscients des dangers auxquels ils sont exposés et des normes de sécurité, en raison de leur illettrisme, et ils ne peuvent maîtriser ni se protéger du danger.

En ce qui a trait aux pratiques personnelles liées à la santé et à la capacité d'adaptation, les personnes ayant un faible niveau d'alphabétisme souffrent davantage de stress que celles qui ont un niveau de scolarité plus élevé. Ce stress peut être provoqué par des situations de sous-emploi ou de chômage, ce qui déclenche un sentiment de vulnérabilité face au manque d'alternatives et à l'absence de contrôle sur sa vie. Dans certains cas, le stress conduit à des problèmes de santé mentale telles que la dépression ou l'anxiété. En revanche, les personnes ayant un niveau d'alphabétisme plus élevé s'adaptent mieux aux changements qui surviennent dans leur vie ou dans leur milieu de travail.

Le niveau d'alphabétisme est directement lié à l'utilisation des services de santé et au respect des directives du médecin. Un faible niveau d'alphabétisme limite la capacité des personnes à accéder au système de santé, car elles ne savent pas toujours où se diriger ni à qui s'adresser lorsqu'elles rencontrent des problèmes de santé. Les délais d'attente avant de consulter un médecin sont parfois trop longs, ce qui peut aggraver leur état de santé. L'analphabétisme comporte des effets négatifs non seulement sur la santé de la personne, mais représente également des coûts pour le système de santé et la société dans son ensemble.

Hormis le faible niveau d'alphabétisme, d'autres facteurs comme l'âge, le revenu et les facteurs environnementaux sont étroitement liés à la mauvaise santé. Les effets du niveau d'alphabétisme et du revenu sur la santé sont interdépendants. À titre d'exemple, les enfants se rendant à l'école le ventre vide éprouvent des difficultés de concentration, ce qui nuit à leur apprentissage de l'écriture et de la lecture[14]. Il existe quelques nouvelles tendances qui sont liées à la littératie et à la santé au Canada. Ces tendances sont les suivantes :

---

13. Sarginson, Rob (1997). *Literacy and Health : A Manitoba Perspective*, Literacy Partners of Manitoba.

14. Perrin, Burt, et autres (1998). *Effets du niveau d'alphabétisme sur la santé des Canadiens et des Canadiennes : étude de profil*, Ottawa, Travaux publics et Services gouvernementaux Canada et Santé Canada, p. 11.

- Un nombre de plus en plus important d'emplois exige de meilleures habiletés en lecture et en écriture, dans une économie axée sur le savoir. Les travailleurs ont besoin de meilleures capacités de lecture pour accomplir leurs nouvelles tâches ou pour occuper les nouveaux emplois. Ceux qui en seront incapables auront donc plus de difficulté à se trouver un emploi, ce qui pourrait avoir un impact sur la situation socioéconomique (revenu, capacité à se trouver un logement, habitudes de vie, etc.) et de fait, sur leur état de santé ;

- À l'ère du numérique et de l'information, l'accès à l'information sanitaire passe par la capacité à lire et à utiliser un ordinateur. Les personnes qui présentent des déficiences en matière de littératie ne pourraient donc pas accéder à de l'information cruciale en matière de santé ;

- Avec l'immigration, les nouveaux arrivants au Canada ont des besoins spéciaux en raison de leur culture et de leur langue. La capacité de lire, d'écrire, de parler et d'écouter en français ou en anglais est importante pour aller chercher de l'information sur la santé et pour savoir à qui parler pour avoir de l'aide ;

- En raison du vieillissement de la population, de nouveaux enjeux apparaissent. En effet, le nombre de personnes âgées connaîtra une croissance sans précédent dans les années à venir. Or, avec l'âge, les facultés visuelles faiblissent, ce qui paraît problématique dans la mesure où les personnes âgées prennent plus de médicaments et ont besoin de plus d'information sur la santé.

6.3 Que savons-nous sur les effets directs de la littératie sur la santé ?

Comme nous l'avons précédemment indiqué, les recherches nous permettent de savoir que les personnes qui ont des difficultés en écriture et en lecture éprouvent des problèmes pour trouver et comprendre de l'information sur la santé. Ces mêmes personnes semblent avoir plus de problèmes de santé et commettent souvent des erreurs lorsque vient le temps de prendre leurs médicaments. Enfin, il semble que ces individus ont des accidents de travail en plus grand nombre que la moyenne[15].

L'incapacité à comprendre et à interpréter l'information en matière de santé reste donc problématique, car elle peut causer d'énormes torts aux personnes en cause. C'est pourquoi il est crucial que les professionnels de la santé s'assurent que leurs patients obtiennent de l'information et comprennent ce qui est important pour leur santé. La même chose est valable en milieu de travail. Par exemple, les recherches concluent que les personnes avec un faible niveau de littératie sont souvent victimes d'accidents de travail[16]. Actuellement, il n'y a pas beaucoup de recherches qui ont été faites sur les différentes formes de littératie, comme la littératie informatique et la littératie médiatique, et la façon dont elles influent sur la santé. Si la littératie a un effet direct sur la santé des personnes, il faut souligner que plusieurs facteurs ont des effets sur le niveau de littératie des individus. Parmi ces déterminants, on peut souligner l'éducation, les aptitudes personnelles, le développement des jeunes enfants, le vieillissement, les conditions de vie et de travail, les différences entre les hommes et les femmes, la culture et la langue[17].

Beaucoup reste encore à faire afin d'améliorer la littératie en matière de santé. On sait que les pouvoirs publics ont énormément misé ces dernières années sur la communication, l'éducation et la formation sur la santé, le développement communautaire et le développement organisationnel. En effet, la communication en matière de santé est fondamentale parce que la façon dont l'information est transmise peut faire une très grande différence sur la capacité du message à atteindre les destinataires visés. L'utilisation d'un langage simple et de communications claires, la mise à contribution d'illustrations et l'utilisation de matériel audiovisuel constituent des approches prometteuses. Ces aspects sont importants parce que les études suggèrent que le niveau de langage utilisé dans les centres de santé reste inaccessible. Dans la même veine, les dépliants

---

15. Sum, Andrew, Irwin Kirsch et Robert Taggart (2002). *The Twin Challenges of Mediocrity and Inequality: Literacy in the U.S. from an International Perspective*, Policy Information Center, Center for Global Assessment, Educational Testing Service.
16. Purcell-Gates, Victoria (2003). *Affecting Change in Literacy Practices of Adult Learners: Impact of Two Dimensions of Instruction*, NCSALL Report n° 17, Cambridge MA, National Center for the Study of Adult Learning and Literacy.
17. Sum, Andrew, Irwin Kirsch et Kentaro Yamamoto (2004). *A Human Capital Concern: The Literacy Proficiency of U.S. Immigrants*, Policy Information Center, Center for Global Assessment, Educational Testing Service, mars.

d'information qui véhiculent de l'information utile et pertinente en matière de santé sont rédigés dans un langage pratiquement inaccessible à des personnes avec un faible niveau de littératie. La réalité, c'est que beaucoup de patients, contrairement à la croyance populaire, ont un niveau de littératie très bas[18].

Figure 12 : Les déterminants de la littératie

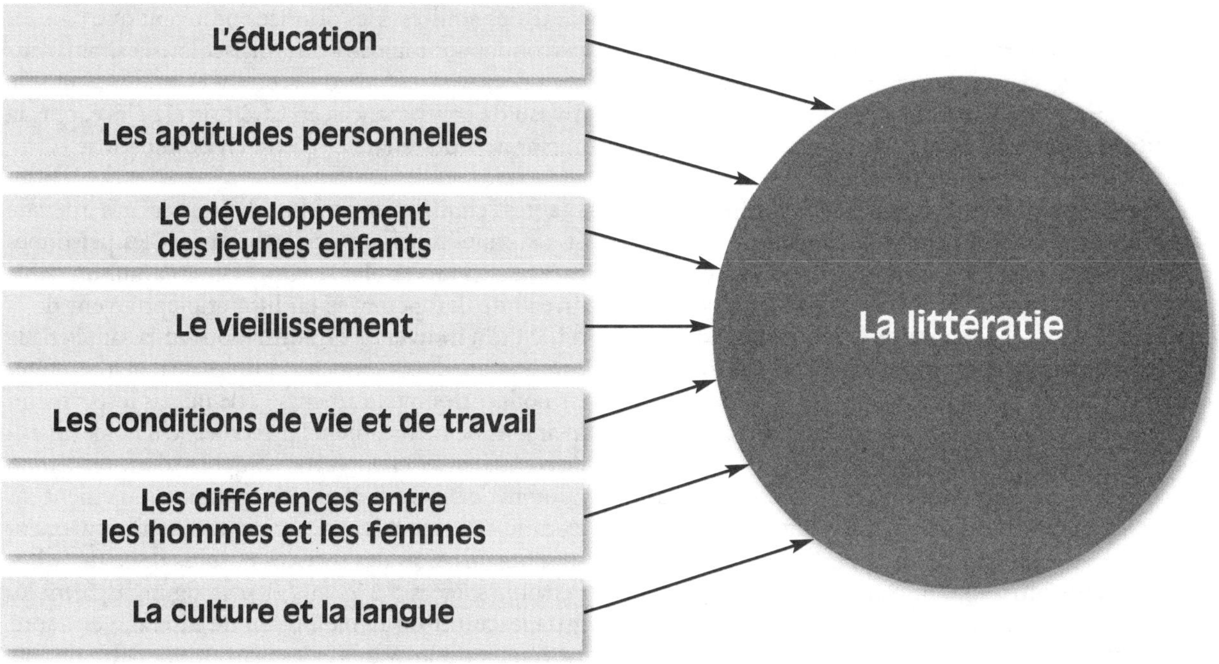

L'éducation

Les aptitudes personnelles

Le développement des jeunes enfants

Le vieillissement

Les conditions de vie et de travail

Les différences entre les hommes et les femmes

La culture et la langue

La littératie

Source : Rootman, Irving, et Barbara Ronson (2004). *La littératie et la santé au Canada : Ce que nous avons appris et ce qui pourrait aider dans l'avenir*, Rapport de recherche, Instituts de recherche en santé du Canada, p. 13.

6.4 La littératie : un continuum reflétant une gradation des compétences

La littératie peut être définie comme étant la capacité de comprendre et d'utiliser la lecture, l'écriture, la parole et d'autres moyens de communication pour participer à la société, atteindre ses objectifs personnels et donner sa pleine mesure. La littératie en santé désigne quant à elle la capacité de trouver, de comprendre, d'évaluer et de communiquer l'information de manière à promouvoir, à maintenir et à améliorer sa santé dans divers milieux au cours de sa vie[19].

Le terme « littératie » est beaucoup moins connu dans l'espace francophone que le terme « alphabétisation » qui se résume essentiellement au processus d'apprentissage de la lecture et de l'écriture. Le concept de littératie tend néanmoins à être de plus en plus utilisé dans les milieux de l'éducation et de la santé[20]. La littératie est un néologisme créé par l'OCDE pour étendre le sens du mot « alphabétisation ». La littératie se rapporte aux capacités de lecture et d'écriture que les adultes utilisent dans leur vie quotidienne. Elle désigne aussi un mode de comportements particuliers qui permet aux gens d'atteindre leurs buts, de perfectionner leurs connaissances et de réaliser leur potentiel.

18. Parker, Ruth M., et autres (1995). « The Test of Functional Health Literacy in Adults : A New Instrument for Measuring Patients' Literacy Skills », *Journal of General Internal Medicine*, 10, p. 537-541.
19. Rootman, Irving, et Deborah Gordon-El-Bihbety (2008). *Vision d'une culture de la santé au Canada*, Synthèse du Rapport du Groupe d'experts sur la littératie en matière de santé. Ottawa, Association canadienne de santé publique, p. 10.
20. Bernèche, Francine, et Issouf Traoré (2007). « Y a-t-il un lien entre la littératie et la santé ? Ce que montrent les résultats québécois de l'Enquête internationale sur l'alphabétisation et les compétences des adultes », *Zoom santé*, novembre, p. 2-4.

Dans la même optique, Renald Legendre définit la littératie comme l'aptitude à comprendre et à utiliser l'information écrite dans la vie courante, à la maison, au travail et dans la collectivité en vue d'atteindre des buts personnels et d'étendre ses connaissances et ses capacités[21].

Il existe un lien étroit entre la littératie et la littératie en santé. Celle-ci porte spécifiquement sur le bagage d'information sanitaire dont les gens ont besoin. La littératie en santé exige plus de compétences que la simple littératie, car elle implique la capacité de résoudre des problèmes, d'évaluer l'information sanitaire et d'agir en conséquence. En effet, la littératie en santé met en jeu les compétences nécessaires pour trouver, comprendre et utiliser l'information de manière à pouvoir prendre de bonnes décisions de santé[22]. Pour les patients malades, il n'est pas toujours évident d'obtenir de l'information et d'accéder aux services de santé. L'information sanitaire n'est pas toujours accessible et disponible dans un langage vulgarisé, ce qui peut limiter la compréhension des personnes et représenter en même temps un obstacle à la santé et au bien-être. Les professionnels de la santé doivent offrir une information claire et fiable afin que l'ensemble de la population puisse prendre soin de sa santé[23].

De nombreuses études démontrent que la littératie en santé, tout comme la littératie, est liée aux résultats cliniques. De faibles niveaux de littératie et de littératie en santé limitent la participation de l'individu à la société et à l'économie. Des enquêtes nationales ont démontré que 48 % des personnes de plus de 16 ans ont un faible niveau de littératie. Selon le Rapport du Groupe d'experts sur la littératie en matière de santé, les adultes ayant un faible niveau de littératie en santé seraient encore plus nombreux[24]. L'Enquête internationale sur l'alphabétisation et les compétences des adultes, la composante canadienne d'une enquête internationale, a permis de mesurer les compétences des 16 ans et plus dans le domaine de la littératie en matière de santé, soit les tâches qui se rapportent directement ou indirectement à la santé. Dans cette enquête, la littératie est conçue comme un continuum reflétant une gradation des compétences. Les résultats concluent que le niveau de compétences en littératie est lié de façon positive à l'état de santé des adultes. Les données prouvent que plus les personnes sont âgées et moins scolarisées, plus leur état de santé est médiocre. Inversement, plus le niveau de compétences en littératie est élevé, plus la personne a des chances d'être en bonne santé[25].

D'après l'enquête, les problématiques liées à la littératie et à la santé touchent particulièrement les personnes âgées de 65 ans et plus. Les personnes ayant un faible niveau de compétences en littératie éprouvent de la difficulté à trouver de l'information sur la santé et à la comprendre. Elles sont susceptibles de mal interpréter les notices des médicaments et de ne pas respecter les quantités de médicaments prescrites. Un faible niveau de compétences en littératie comporte donc un certain nombre de répercussions négatives non seulement sur la santé et le bien-être des individus, mais également sur l'organisation des services et soins de santé[26]. Les personnes âgées de 65 ans et plus figurent parmi les groupes ayant un faible niveau de littératie en santé. Les nouveaux arrivants et les personnes à faible revenu, sous-scolarisées ou ne maîtrisant ni l'anglais ni le français, font également partie des groupes à risques.

Dans les études canadiennes, le nombre de personnes de plus de 65 ans n'étant pas capable d'assimiler sans aide l'information sanitaire atteint 88 %. Ceci s'explique par le fait que les gens n'étaient pas aussi instruits autrefois qu'aujourd'hui. En plus, les fonctions cognitives diminuent en général avec l'âge. À 65 ans, 85 % des femmes et 77 % des hommes ont aussi au moins une maladie chronique, ce qui n'est pas à leur avantage. Les projections démographiques démontrent que les aînés représenteront une proportion croissante de la population à l'avenir. Les nouveaux arrivants au Canada ne parlant pas et ne comprenant pas bien l'une ou l'autre des deux langues officielles

21. Legendre, Renald (2005). *Dictionnaire actuel de l'éducation*, 3e éd. Montréal, Guérin Éditeur, p. 841.
22. Association canadienne de santé publique (2006). *Au sujet de la littératie en santé*, Ottawa.
23. Korhonen, Marja (2006). «Literacy and Health: The Importance of Higher-level Literacy Skills», *A Discussion Paper for Inuit Communities*, National Aboriginal Health Organization.
24. Rootman, Irving, et Deborah Gordon-El-Bihbety (2008). *Vision d'une culture de la santé au Canada*, Synthèse du Rapport du Groupe d'experts sur la littératie en matière de santé, Ottawa, Association canadienne de santé publique, p. 28.
25. Hedley, Carolyn N., Patricia Antonacci et Mitchell Rabinowitz (1995). *Thinking and Literacy: The Mind at Work*, Hillsdale, NJ, Lawrence Erlbaum Associates.
26. Bernèche, Francine, et Traoré Issouf (2007). «Y a-t-il un lien entre la littératie et la santé? Ce que montrent les résultats québécois de l'Enquête internationale sur l'alphabétisation et les compétences des adultes», 2003, *Zoom santé*, novembre, p. 2-4.

éprouvent des difficultés linguistiques à comprendre l'information sanitaire. Certains ont un haut niveau de littératie en santé dans leur langue maternelle tandis que d'autres ont un problème de littératie. Environ 32 % des femmes nées à l'étranger et 24 % des hommes nés à l'étranger souffrent d'illettrisme. Par ailleurs, le système de santé canadien peut aussi constituer un obstacle sur les plans communicationnel et culturel pour les nouveaux arrivants[27].

Afin de pallier cette situation dont les conséquences sociales et sanitaires sont immenses, un certain nombre de changements sur les plans des stratégies, des pratiques, des procédures et des politiques de communication sont nécessaires afin d'améliorer le niveau de littératie en santé et le bien-être de l'ensemble de la population canadienne. D'une part, il est fondamental d'accroître les niveaux de littératie en santé et, d'autre part, d'adapter le système de santé aux défis linguistiques et culturels reliés au faible niveau de compétences en littératie. En vulgarisant davantage l'information sanitaire, le système de santé pourrait obtenir de meilleurs résultats sanitaires. La réduction des écarts dans les résultats sanitaires, le statut socioéconomique, l'instruction et la littératie sont bénéfiques pour les sociétés. Une action pancanadienne concertée, misant sur les initiatives existantes, pourrait rehausser les niveaux de littératie en santé, ou du moins atténuer les effets les plus graves des lacunes. Des politiques et des programmes axés sur l'amélioration de la littératie en santé doivent être inscrits dans les stratégies canadiennes pour maintenir un système de santé durable et efficace[28].

6.5 L'éducation et l'information sanitaires

L'éducation pour la santé occupe une place importante dans la santé publique. Elle se trouve au cœur de la prévention et de la promotion de la santé dont elle assure essentiellement le volet informatif. Elle est également présente dans le domaine des soins et de la réadaptation, soit celui de l'éducation du patient[29].

L'éducation pour la santé joue un rôle central dans la réduction de la mortalité et de la morbidité évitables, l'amélioration de la qualité de vie des personnes malades et handicapées et la réduction des inégalités sociales de santé. Près des deux tiers des morts prématurées évitables chaque année se rattachent à des comportements à risque, les trois s'appelant tabagisme, alcoolisme et vitesse au volant[30]. Il existe divers moyens de protéger les populations comme la mise en œuvre de réglementations spécifiques ou de normes de sécurité des produits. Afin d'être réellement efficaces, ces formes de protection doivent être clairement expliquées aux personnes concernées et s'accompagner obligatoirement d'actions de prévention sur la prise de risque. Dans ce contexte, l'éducation pour la santé a une fin éducative qui amène les citoyens à s'interroger sur leurs attitudes et leurs comportements respectifs et sur la responsabilité personnelle. L'éducation pour la santé contribue à aider la population à choisir des modes de vie sains et des comportements qui préservent et améliorent la santé en rendant l'information accessible aux divers publics cibles. Elle ne se limite pas à la seule transmission d'informations, mais vise aussi l'analyse des attitudes et le renforcement des capacités de chacun à agir sur les éléments déterminants de sa propre santé.

L'éducation du patient requiert des stratégies faisant appel aux outils méthodologiques d'éducation pour la santé pour répondre aux besoins des personnes âgées souffrant de maladies chroniques reliées au vieillissement ou des personnes handicapées. Plusieurs stratégies de communications sont utilisées, notamment les actions médiatiques, les brochures et les dépliants informationnels, etc. L'incitation à la vaccination fait partie de l'éducation pour la santé.

27. Association canadienne de santé publique (2006). « Littératie et santé au Canada : Perspectives de la Deuxième conférence canadienne sur l'alphabétisation et la santé », *Revue canadienne de santé publique*, 97(S2).
28. Canadian Public Health Association, Human Resources and Skills Development Canada, National Literacy and Health Program (2005). *Staying the Course: Literacy and Health in the First Decade*, Summary Report of the Second Canadian Conference on Literacy and Health, Ottawa.
29. Rousille, Bernadette (1996). « L'importance pour la santé publique de l'éducation et de l'information sanitaires », *Tribune. Actualité et dossier en santé publique*, n° 16, septembre, p. XXVII.
30. Benjamins, Maureen R., et autres (2004). « Self-reported Health and Adult Mortality Risk: An Analysis of Cause-Specific Mortality », *Social Science and Medicine*, 59(6), p. 1297-1306.

La lutte contre les inégalités est un axe transversal de l'éducation pour la santé. Les mauvaises habitudes de vie et les comportements à risque comme le suicide, la consommation d'alcool, de tabac et de drogues sont nettement différenciés selon les catégories sociales. De ce fait, les campagnes médiatiques et les interventions ciblent directement les groupes les plus défavorisés afin de réduire ce type de comportements néfastes pour la santé des populations. Puisque l'éducation sur la santé agit sur des normes sociales et des habitudes de vie, elle doit donc se poursuivre dans la durée pour une plus grande efficacité. À ce titre, une intervention ponctuelle n'est pas suffisante.

Parmi les effets positifs de l'éducation pour la santé, nous pouvons citer les interventions sanitaires reliées aux aspects essentiels de notre mode de vie, notamment l'hygiène de vie, l'alimentation, l'hygiène buccodentaire, etc. Par exemple, l'hygiène de vie et l'alimentation ont permis d'accroître l'espérance de vie. L'hygiène buccodentaire a permis de réduire de moitié le nombre de caries chez l'enfant. Il revient aussi à l'éducation pour la santé d'aborder le phénomène de violence conjugale et d'autres formes de violence pouvant toucher certaines familles. D'autres interventions ont été rentables, entre autre l'attitude de la population vis-à-vis le port du préservatif. La clé du succès de l'éducation pour la santé repose sur un certain nombre de bonnes pratiques, méthodes et concepts. L'éducation pour la santé doit éviter la normalisation et la médicalisation, en adoptant des méthodes de travail rigoureuses, participatives, voire communautaires, et en se référant à des valeurs de responsabilité, de liberté, d'épanouissement ou de plaisir, car le but de l'éducation pour la santé n'est pas de nier ou de tuer le risque inhérent à la vie humaine, mais de le maîtriser et de le gérer[31].

À l'échelle internationale, l'éducation pour la santé est très employée sous la forme de stratégies et de messages d'information, d'éducation et de communication. Selon l'Organisation mondiale de la santé, « l'information, l'éducation et la communication (IEC) combinent des stratégies, des approches et des méthodes qui offrent la possibilité aux individus, aux familles, aux groupes, aux organisations et aux communautés de participer activement à l'atteinte, la protection et le maintien de leur propre santé. L'IEC renferme un processus d'apprentissage qui donne le pouvoir aux populations de prendre des décisions, de modifier leurs comportements et de changer leurs conditions sociales[32] » [traduction libre].

Les interventions les plus susceptibles d'amener un changement d'attitude et de comportement dans un domaine particulier sont sélectionnées. Un message d'IEC dans le domaine de la santé sexuelle et reproductive des jeunes expliquerait de quelle façon ils peuvent avoir des pratiques sexuelles sécuritaires, prévenir la grossesse ou les risques de contamination au VIH.

D'après l'Organisation des Nations Unies pour l'alimentation et l'agriculture (ONUAA en français, mais plus connue sous le sigle anglophone FAO), la communication sociale peut se révéler un puissant instrument d'éducation sanitaire. L'organisation, qui a déjà expérimenté cette approche dans plusieurs pays en développement, estime qu'elle fait appel à des techniques variées : la communication interpersonnelle, la communication culturelle et interculturelle, les médias de masse, la communication organisationnelle, le marketing social, la formation, le plaidoyer ou encore la mobilisation sociale. Elle s'est progressivement détachée des modèles de transmission linéaire, de l'émetteur au récepteur, pour s'orienter davantage vers une perspective constructiviste et contextuelle des interventions sanitaires. Dans cette optique, la communication est perçue comme un processus par lequel les parties en présence créent et partagent l'information entre elles, afin d'arriver à une situation de compréhension mutuelle.

La communication sociale est une communication planifiée qui comporte des objectifs et des priorités d'action visant à modifier ou prédire les attitudes, les comportements et les pratiques des populations cibles. L'idée est de les rallier au programme de promotion de la santé en intervenant sur leurs connaissances et leurs opinions. Avant d'entreprendre toute action, il s'avère nécessaire d'identifier et d'obtenir l'approbation des « gardiens légitimes de l'ordre établi » (*gate keepers*) : ordre des médecins,

---

31. Fellah, Lazhar (2000). « L'information et l'éducation pour la santé : une forme d'offre de prévention », *Revue Sciences Humaines*, n° 14, décembre, p. 15-25.
32. UNHCR/WHO/UNFPA (1999). *Reproductive Health in Refugee Situations : An Inter-Agency Field Manual. Appendix 1 : Information, Education and Communication Programmes*, Geneva, United Nations High Commissioner for Refugees, p. 112.

autorités morales, et tout détenteur du pouvoir qui pourrait se sentir menacé, par exemple, par des autorités politiques et religieuses, etc. Il faut tenir compte de l'ensemble des acteurs concernés par la santé reproductive, des différentes prises de position, des pratiques sociales actuelles et des interventions préconisées de façon à les mobiliser en les faisant évoluer dans un sens favorable aux changements souhaités.

À l'instar de l'éducation pour la santé, la communication sociale a une visée éducative. Elle a pour but de renforcer les capacités des communautés, par le partage des savoir-faire et des savoir-être, dans les actions d'éducation et de formation afin d'augmenter les connaissances techniques ainsi que les compétences des communautés et des autres acteurs du développement dans le domaine de la santé reproductive. Ceci permet à l'ensemble du réseau de partenaires d'avoir confiance dans le système, d'augmenter leur participation et leur responsabilisation et de développer un consensus véritable sur les interventions à mener en santé reproductive.

Dans la perspective évoquée, la stratégie d'information, d'éducation et de communication devra intégrer et articuler: les fonctions thérapeutiques (alternative des nouvelles pratiques, attitudes, comportements plus efficaces), didactiques et diagnostiques (rappel d'éducation sanitaire lorsque le patient présente une pathologie qui aurait pu être prévenue) avec une plateforme de partenariat et de réciprocité pour la santé, qui permettra d'adapter les messages à la réalité et aux nécessités, besoins et aspirations des communautés.

Sur le plan opérationnel, de nombreux programmes de promotion de santé ont échoué dans plusieurs pays à cause de la faiblesse de leur impact communicationnel. En effet, le discours des prestataires de services en santé est souvent trop technique, complexe et incohérent avec les valeurs et les croyances individuelles et communautaires pour permettre aux communautés d'adopter de bonnes pratiques en matière de santé. Les messages véhiculés restent donc inefficaces. Par ailleurs, la plupart des messages ignorent les contextes culturels et linguistiques des collectivités visées. Ils visent souvent à faire adopter un comportement sanitaire ou un moyen de contraception dont la personne ne perçoit pas forcément l'intérêt immédiat, ce qui empêche toute modification du statuquo.

Deux approches prometteuses en matière d'information, d'éducation et de communication (IEC) sanitaires ont fait leur apparition au cours des dernières années: l'approche programme et l'approche participative. L'approche programme peut permettre une meilleure synergie et une plus grande efficience des actions dans le domaine de l'IEC si elle s'inscrit dans un cadre institutionnel. La création d'une composante IEC dans les programmes de santé concourt à la rationalisation de la gestion des interventions et à l'amélioration de la performance des partenaires à la base. L'approche programme propose d'élaborer et de mettre en œuvre plusieurs actions, en entrevoyant des alternatives, pour arriver à un résultat fixé. Elle exige un effort théorique de préparation à la réalisation d'actions concrètes pour, en définitive, aboutir à un outil méthodologique pratique.

L'approche participative marque un changement de paradigme pour pallier les échecs des programmes de promotion sanitaire qui, pour la plupart, ont omis ou négligé les membres des communautés en tant que groupes organisés, à la fois acteurs de changement et bénéficiaires des actions de santé. Une bonne stratégie implique d'orienter les actions vers les populations bénéficiaires qui sont des partenaires et des collaborateurs à part entière dans tous les aspects liés à la promotion de la santé. Cette approche est pertinente, car elle encourage les principes de subsidiarité, de démocratie et de décentralisation du pouvoir par le transfert des responsabilités, des compétences et des capacités des planificateurs aux communautés de la base.

Les changements souhaités dans le domaine de la santé ne pourront être atteints que si les communautés concernées s'impliquent et s'engagent formellement avec les autres partenaires. La communication est la clé de ce nouveau partenariat entre les planificateurs et les communautés et implique le passage de la théorie à la pratique en se basant sur l'échange et le partage d'information entre différents niveaux.

En bref

Instruction et santé

Le niveau d'instruction et la santé sont intimement reliés. Un niveau d'instruction élevé augmente la sécurité financière, la sécurité d'emploi et la satisfaction personnelle, ainsi que l'éventail de choix et de possibilités, ce qui limite le niveau de stress psychosocial et l'apparition de maladies mentales. Le niveau d'instruction dépend en grande partie de la situation socioéconomique. Plus un individu est diplômé, plus il a tendance à être riche.

Littératie et santé

La littératie est la capacité d'un individu à comprendre et à utiliser l'information écrite dans ses tâches quotidiennes à la maison, au travail et dans la collectivité. Ce terme désigne un mode de comportement particulier permettant aux individus d'atteindre les buts qu'ils se sont fixés, de développer leurs connaissances et de réaliser leur potentiel. La littératie en santé requiert des compétences plus poussées que la simple littératie, car elle implique la capacité de lire de l'information sanitaire et de l'évaluer, de résoudre des problèmes et d'agir en conséquence. Un faible niveau de littératie influe négativement sur la santé, car les personnes avec un faible niveau de littératie sont fortement susceptibles de mal interpréter les notices des médicaments et de ne pas respecter les quantités de médicaments prescrites. Elles ont des difficultés à exprimer leurs besoins au personnel de santé et à comprendre les conseils donnés pour améliorer leur état de santé.

Éducation et information sanitaire

L'éducation pour la santé occupe une place importante dans la santé publique. Elle se trouve au cœur de la prévention et de la promotion de la santé dont elle assure essentiellement le volet informatif. Elle est également présente dans le domaine de l'éducation du patient, des soins et de la réadaptation. L'information, l'éducation et la communication (IEC) combinent des stratégies, des approches et des méthodes qui offrent la possibilité aux populations de participer activement à la protection et au maintien de leur propre santé. À travers un processus d'apprentissage, l'IEC leur donne le pouvoir de prendre des décisions, de modifier leurs comportements et de changer leurs conditions sociales.

Bibliographie

Agence de la santé publique du Canada (2006). «Pourquoi les Canadiens sont-ils en santé ou pas?», extrait de *Pour un avenir en santé: Deuxième rapport sur la santé de la population canadienne et de la Stratégies pour la santé de la population: Investir dans la santé des Canadiens*, Ottawa.

Association canadienne de santé publique (2006). «Littératie et santé au Canada: Perspectives de la Deuxième conférence canadienne sur l'alphabétisation et la santé», *Revue canadienne de santé publique*, 97(S2).

Association canadienne de santé publique (2006). *Au sujet de la littératie en santé*, Ottawa.

AUSTER, Richard, Irving LEVESON et Deborah SARACHEK (1969). «The Production of Health: an Exploratory Study», *Journal of Human Resources*, 4, p. 411-436, aussi *Essays in the Economics of Health and Medical Care*, New York, National Bureau of Economic Research, Colombia University Press, 1972, p. 135-158.

BENJAMINS, Maureen R., et autres (2004). «Self-Reported Health and Adult Mortality Risk: An Analysis of Cause-specific Mortality», *Social Science and Medicine*, 59(6), p. 1297-1306.

BERNECHE, Francine, et Issouf TRAORE (2007). «Y a-t-il un lien entre la littératie et la santé? Ce que montrent les résultats québécois de l'Enquête internationale sur l'alphabétisation et les compétences des adultes», *Zoom santé*, novembre, p. 2-4.

Canadian Public Health Association, Human Resources and Skills Development Canada, National Literacy and Health Program (2005). *Staying the Course: Literacy and Health in the First Decade*, Summary Report of the Second Canadian Conference on Literacy and Health, Ottawa.

FELLAH, Lazhar (2000). «L'information et l'éducation pour la santé: une forme d'offre de prévention», *Revue Sciences Humaines*, n° 14, décembre, p. 15-25.

GROSSMAN, Michael (1972). «On the Concept of Health Capital and the Demand for Health», *Journal of Political Economy*, n° 80, p. 223-255.

HEDLEY, Carolyn N., Patricia ANTONACCI et Mitchell RABINOWITZ (1995). *Thinking and Literacy: The Mind at Work*, Hillsdale, NJ, Lawrence Erlbaum Associates.

KENMA, Harrie J. M. (1987). «Working Conditions and the Relationship between Schooling and Health», *Journal of Health Economics*, 6, p. 189-210.

KORHONEN, Marja (2006). «Literacy and Health: The Importance of Higher-level Literacy Skills», *A Discussion Paper for Inuit Communities*, National Aboriginal Health Organization.

LEGENDRE, Renald (2005). *Dictionnaire actuel de l'éducation*, 3e éd. Montréal, Guérin Éditeur.

LEIGH, Paul J. (1983). «Direct and Indirect Effects of Education on Health», *Social Science and Medicine*, 17, p. 227-234.

PARKER, Ruth M., et autres (1995). «The Test of Functional Health Literacy in Adults: A New Instrument for Measuring Patients' Literacy Skills», *Journal of General Internal Medicine*, 10, p. 537-541.

PERRIN, Burt, et autres (1998). *Effets du niveau d'alphabétisme sur la santé des Canadiens et des Canadiennes: étude de profil*, Ottawa, Travaux publics et Services gouvernementaux Canada et Santé Canada, 26 pages.

PURCELL-GATES, Victoria (2003). *Affecting Change in Literacy Practices of Adult Learners: Impact of Two Dimensions of Instruction*, NCSALL Report n° 17, Cambridge MA, National Center for the Study of Adult Learning and Literacy.

ROOTMAN, Irving, et Barbara RONSON (2004). *La littératie et la santé au Canada: Ce que nous avons appris et ce qui pourrait aider dans l'avenir*, Rapport de recherche, Instituts de recherche en santé du Canada.

ROOTMAN, Irving, et Deborah GORDON-EL-BIHBETY (2008). *Vision d'une culture de la santé au Canada, Synthèse du Rapport du Groupe d'experts sur la littératie en matière de santé*, Ottawa, Association canadienne de santé publique.

ROUSILLE, Bernadette (1996). «L'importance pour la santé publique de l'éducation et de l'information sanitaires», *Tribune. Actualité et dossier en santé publique*, n° 16, septembre, p. XXVII.

SARGINSON, Rob (1997). *Literacy and Health: A Manitoba Perspective*, Literacy Partners of Manitoba.

© Guérin, éditeur ltée

Chapitre 6 — L'éducation comme
déterminant de la santé:
lorsque le chemin de l'école
mène à la santé

157

SILVER, Morris (1972). «An Econometric Analysis of Spatial Variations in Mortality Rates by Race and Sex», *Essays in the Economics of Health and Medical Care*, New York, National Bureau of Economic Research, Colombia University Press.

Statistique Canada et OCDE (2005). *Apprentissage et réussite. Premiers résultats de l'Enquête sur la littératie et les compétences des adultes*, Ottawa et Paris, ministère de l'Industrie, OCDE, 338 pages.

SUM, Andrew, Irwin KIRSCH et Kentaro YAMAMOTO (2004). *A Human Capital Concern: The Literacy Proficiency of U.S. Immigrants*, Policy Information Center, Center for Global Assessment, Educational Testing Service, mars.

SUM, Andrew, Irwin KIRSCH et Robert TAGGART (2002). *The Twin Challenges of Mediocrity and Inequality: Literacy in the U.S. from an International Perspective*, Policy Information Center, Center for Global Assessment, Educational Testing Service.

UNGERLEIDER, Charles, et Daniel KEATING (2002). «L'éducation comme facteur déterminant de la santé», exposé présenté à la *Conférence sur les déterminants sociaux de la santé pendant toute la durée de la vie*, tenue à Toronto en novembre, p. 1-5.

UNHCR/WHO/UNFPA (1999). *Reproductive Health in Refugee situations: An Inter-Agency Field Manual. Appendix 1: Information, Education and Communication Programmes*, Geneva, United Nations High Commissioner for Refugees, p. 112.

VALKONEN, Tapani (1988). «Adult mortality and Level of Education: a Comparison of Six Countries» dans J. Fox (ed), *Health Inequalities in European Countries*, Gower, Aldershot.

Chapitre 7

L'environnement social : un pour tous, tous pour un

Les études en santé des populations ont longtemps privilégié l'analyse des déterminants relevant du domaine médical et génétique. Ce n'est que tout récemment que les pouvoirs publics réalisent que l'augmentation de la pauvreté et de l'exclusion sociale, les inégalités socioéconomiques basées sur la discrimination raciale et sexuelle et les inégalités sanitaires se répercutent de façon négative sur l'état de santé des populations et contribuent à accroître les coûts des soins de santé. Parallèlement, des études suggèrent que les collectivités supportées par un énorme capital social ont un meilleur rendement économique et social. La formulation de politiques publiques et de partenariats inter et multisectoriels ainsi que la création et le développement de réseaux de soutiens sociaux apparaissent comme des moyens nécessaires pour lutter contre l'exclusion sociale et améliorer ainsi la santé des collectivités.

Après avoir terminé l'étude de ce chapitre, vous devriez être en mesure:

- De retracer l'origine et l'évolution des concepts de pauvreté et d'exclusion sociale et de les distinguer;
- De connaître les paradigmes et les définitions opérationnelles de l'exclusion sociale;
- D'élargir vos perspectives sur les causes et les manifestations de l'exclusion sociale;
- D'établir un lien entre exclusion sociale et santé;
- De mieux appréhender la place du capital social parmi les déterminants sociaux de la santé;
- De reconnaître l'importance des politiques publiques et des partenariats inter et multisectoriels ainsi que des réseaux de soutiens sociaux pour lutter contre l'exclusion sociale.

Dans ce chapitre, les origines et l'évolution du concept de pauvreté unidimensionnelle vers les concepts de pauvreté multidimensionnelle et d'exclusion sociale sont retracées. Les trois paradigmes les plus fréquemment utilisés pour analyser l'exclusion sociale sont explicités: le paradigme de la solidarité, le paradigme de la spécialisation et le paradigme du monopole. Ces trois paradigmes sont produits par les sociétés dans lesquelles nous vivons, ce qui implique une différence d'interprétation quant aux causes et aux sens que revêt l'exclusion pour tout un chacun. Pour faciliter l'analyse scientifique, deux définitions opérationnelles de l'exclusion sociale sont présentées. Elles permettent d'établir une distinction entre l'exclusion sociale en tant qu'attribut individuel et l'exclusion sociale en tant que propriété des sociétés.

Ensuite, les causes et les manifestations de l'exclusion sociale sont analysées. Les disparités socioéconomiques, le racisme et la discrimination raciale ainsi que la discrimination basée sur le sexe sont des facteurs en cause sur lesquels nous devons travailler. Le phénomène d'exclusion sociale touche autant les individus que les communautés. Ses manifestations sont plurielles et ses effets sont la plupart du temps cumulatifs. Le manque d'accès au marché du travail conduit souvent au manque d'accès au logement et limite par ailleurs l'accès aux services et soins de santé. Dans un même ordre d'idée, les incidences négatives sur la santé s'inscrivent dans le prolongement des diverses formes d'exclusion. Les groupes à profils raciaux, notamment les femmes immigrantes, sont particulièrement vulnérables au stress psychosocial et aux

problèmes de santé mentale. Divers facteurs influencent le processus d'exclusion tels les facteurs psychologiques, les facteurs culturels, les facteurs économiques et administratifs, les facteurs sociaux et psychosociaux et les facteurs structurels ou d'accessibilité.

Afin de lutter contre l'exclusion sociale, plusieurs stratégies ont été développées au niveau international, national et local. L'élaboration et la mise en œuvre de politiques publiques axées sur la réduction des inégalités ainsi que la création et le développement de partenariats multisectoriels et de réseaux de soutiens sociaux sont désormais plus que nécessaires à l'ère de la mondialisation. La créativité et l'innovation ont fait leurs preuves dans plusieurs domaines d'actions communautaires. Il reste que l'efficacité des efforts d'inclusion socioéconomique dépend en grande partie de la volonté politique des gouvernements.

Nous examinerons, enfin, dans quelles mesures le capital social, qui est constitué par les relations d'autorité, les relations de confiance et les normes sociales, est un important déterminant de la santé.

7.1 La pauvreté et l'exclusion sociale

Dans les années 1960-1970, on parle essentiellement du concept de pauvreté au sens de «retrait social» pour désigner une pauvreté unidimensionnelle. La pauvreté se résume à sa dimension économique, mais tend progressivement à disparaître du fait de la croissance économique et des institutions de protection sociale. Le concept d'«exclusion sociale» est utilisé pour la première fois dans l'ouvrage *Les exclus* de René Lenoir, paru en 1974. À partir des années 1975, les représentations sociales changent et débouchent sur la reconnaissance de l'existence des «nouveaux pauvres». Les concepts de pauvreté multidimensionnelle et d'exclusion sociale font alors leur apparition. Le concept de pauvreté multidimensionnelle englobe à la fois le manque de ressources économiques et les déficiences dans

plusieurs domaines socioéconomiques tels le revenu, l'emploi, l'éducation, le logement, etc., très souvent interreliés.

À ses origines, l'exclusion sociale se rapportait aux diverses catégories de gens qualifiés de cas sociaux qui ne bénéficiaient d'aucune protection sociale. Dans ce contexte, elle se réfère essentiellement à un processus de désintégration sociale. À la fin des années 1980, plusieurs organisations ont porté leur attention sur la problématique de l'exclusion sociale en s'intéressant à la réalité du chômage de longue durée et à la situation des travailleurs non qualifiés et des immigrants. Il reste que l'exclusion sociale est restée longtemps absente du débat sur le développement social dans le monde non industrialisé même si elle demeurait largement reconnue en Europe occidentale et aux États-Unis sous l'étiquette de «sous-classe[1]».

René Lenoir définit le concept d'exclusion sociale selon deux grands principes dépassant le caractère trop économique, voire monétaire du concept de pauvreté. Le premier principe repose sur une conception institutionnelle et juridique. L'exclusion sociale mine les droits sociaux de base garantis par la loi. Dans ce sens, les politiques de lutte contre l'exclusion visent l'acquisition de droits sociaux en permettant aux exclus de retrouver leur citoyenneté. Le second principe considère le contexte d'évolution technologique et sociale comme principale source d'exclusion, conformément à la définition de l'exclusion sociale de Robert Castel. L'exclusion sociale est alors définie soit comme une incapacité d'expression de la situation vécue, c'est-à-dire une anomie sociale, soit comme engendrant une culture de l'exclusion, des modes de vie spécifiques dans des groupes sociaux considérés par la société comme déviants, voire dangereux. Dans ce contexte, les politiques d'insertion ont pour but d'assurer le maintien de la cohésion sociale et la lutte contre une forme de violence des rapports sociaux. Dans la plupart des cas, l'exclusion sociale ne devient réelle, médiatique, que lorsqu'elle devient une menace pour la société. Une définition scientifique de l'exclusion sociale est peu crédible dans la mesure où elle révèle, sur une réalité sociale, les choix des groupes sociaux qui emploient ce concept. La connaissance de l'exclusion sociale n'existe qu'à travers les représentations dominantes[2].

1. Organisation internationale du travail (1998). *Exclusion sociale et stratégies de lutte contre la pauvreté*, Projet de recherche sur les modèles et les causes de l'exclusion sociale et la formulation de politiques visant à promouvoir l'intégration. Une synthèse des résultats. «Chapitre 1: Conceptualisation de l'exclusion sociale», Première édition, Genève, OIT.
2. Lenoir, René (1974). *Les exclus - Un Français sur dix*, Paris, Éditions du Seuil, collection Points Actuels, 180 pages.

De façon générale, l'exclusion peut résulter d'un refus d'intégration économique ou sociale par un individu ou un groupe. Mais il s'agit le plus souvent d'un processus subi. Dans tous les cas, le résultat est la rupture du lien social. Elle peut être choisie, c'est-à-dire le fait d'une volonté personnelle comme c'est le cas de marginaux qui rejettent librement les valeurs et les normes sociales transmises par les instances de socialisation. C'est aussi le cas de certains délinquants, criminels et déviants qui transgressent les normes sociales et de bandes de jeunes haïssant la société, des skinheads et certains membres de sectes et d'intégristes religieux. La marginalité est la principale caractéristique de l'exclusion sociale choisie. Les individus en arrivent ainsi à se mettre à l'écart parce qu'ils ne partagent pas les mêmes valeurs que la société dans laquelle ils vivent.

De nombreuses expressions sont utilisées pour définir le concept d'exclusion sociale et certaines sont employées comme synonymes ou compléments: pauvreté, précarité, exclusion, vulnérabilité, margi-nalisation, discrimination sociale, ségrégation sociale, populations fragilisées ou défavorisées, etc. Certains auteurs définissent l'exclusion sociale par rapport à son contraire, en recourant à des antonymes comme l'intégration, l'insertion ou encore la réinsertion[3]. Les concepts de pauvreté et d'exclusion sociale sont souvent interreliés, voire même confondus, car la plupart du temps l'un ne va pas sans l'autre.

On considère que les personnes vivent en situation de pauvreté si leurs revenus et ressources sont tellement inadaptés qu'ils les empêchent d'avoir des conditions de vie considérées comme acceptables dans la société dans laquelle elles vivent. Elles sont souvent exclues et marginalisées par rapport aux activités (économiques, sociales et culturelles) qui sont communes parmi les autres personnes, et leur accès aux droits fondamentaux peut être limité. Le terme d'exclusion sociale est employé pour mettre l'accent sur les processus qui poussent les gens en marge de la société, ce qui limite leur accès aux ressources et aux opportunités, restreint leur participation à la vie sociale et culturelle les faisant se sentir marginalisés, impuissants et discriminés. Un autre terme communément utilisé en relation avec la pauvreté est celui de «vulnérabilité». Les personnes sont en situation vulnérable lorsque leur bien-être personnel est en danger en raison d'un manque de ressources suffisantes, lorsqu'elles courent le risque d'être débitrices, lorsqu'elles souffrent d'une mauvaise santé, lorsqu'elles ont un faible niveau d'éducation et qu'elles vivent dans un logement et un environnement inadaptés[4].

7.2 Les trois paradigmes de l'exclusion sociale

Les acceptions de l'exclusion sociale sont extrême-ment variables selon les auteurs. En effet, l'exclusion sociale dépend de différents paradigmes ou modes de pensée se rapportant à la société. Les trois paradigmes les plus pertinents pour l'analyser sont: le paradigme de la solidarité, le paradigme de la spécialisation et le paradigme du monopole. Ces trois paradigmes font référence à des théories d'organisation de la société et ont chacun des postulats différents quant aux causes et aux sens que revêt l'exclusion.

Chaque paradigme attribue l'exclusion à une cause différente et est fondé sur une philosophie politique différente: le républicanisme, le libéralisme ou la démocratie sociale. Chacune avance une explication – économique, sociale, politique et culturelle – des multiples formes de désavantage social et englobe donc des théories de la pauvreté et du chômage de longue durée, de l'inégalité raciale ou ethnique, et de la citoyenneté[5].

Le paradigme de la solidarité pose les balises de la notion d'exclusion et la considère comme la «rupture d'un lien social, la faillite d'une relation entre la société et l'individu». En ce sens, il existe une communauté morale qui partage un ensemble de valeurs et de droits et participe à la construction de l'ordre social. Plusieurs institutions prévoient des mécanismes permettant l'intégration des individus

---

3. Doumont, Dominique, Isabelle Aujoulat et Alain Deccache (2000). *L'exclusion de la santé: Comment le processus se construit-il et quels facteurs y contribuent-ils?*, Série de dossiers documentaires, Unité d'éducation pour la santé, décembre, p. 21.

4. *Ibid.*

5. Organisation internationale du travail (1998). *Exclusion sociale et stratégies de lutte contre la pauvreté*, Projet de recherche sur les modèles et les causes de l'exclusion sociale et la formulation de politiques visant à promouvoir l'intégration. Une synthèse des résultats. «Chapitre 1: Conceptualisation de l'exclusion sociale», Première édition, Genève, OIT.

dans la société, notamment les instances gouvernementales. Par exemple, le ministère Citoyenneté et Immigration Canada s'est engagé à aider les Canadiens et les nouveaux arrivants et à tisser des liens durables avec les communautés ethniques et religieuses. Pour ce faire, il encourage ces communautés à participer pleinement à la société en améliorant leur intégration économique, sociale et culturelle, notamment à travers le Programme du multiculturalisme qui tire son mandat de la *Loi sur le multiculturalisme canadien de 1988*[6]. D'après le paradigme de la solidarité, l'exclusion reflète l'échec des individus et des communautés dans le processus d'intégration économique et d'inclusion sociale, ce qui représente une menace potentielle pour le corps social. La notion républicaine de l'État français repose essentiellement sur ce type de modèle. Dans la même veine, la plupart des régimes nationalistes ont également adopté une logique similaire.

Dans le paradigme de la spécialisation, l'exclusion «résulte du comportement des individus et de leurs échanges». La société est bâtie autour de la division du travail et des échanges dans les sphères économique et sociale, ce qui permet aux individus d'y participer selon leurs capacités et intérêts. Les individus choisissent de s'exclure eux-mêmes par choix ou peuvent être exclus à cause d'intérêts prévalant entre d'autres acteurs. Leur exclusion peut aussi résulter de la discrimination, du dysfonctionnement du marché ou de droits non respectés. La société est composée d'individus qui participent volontairement à certaines activités tandis qu'ils sont exclus d'autres domaines. Il en résulte que l'exclusion dans un champ du domaine social n'engendre pas forcément l'exclusion dans l'ensemble de la sphère sociale. Dans le paradigme de la spécialisation, l'exclusion est donc un concept beaucoup moins fort que dans celui de la solidarité.

Le paradigme du monopole considère «la société comme une structure hiérarchique dans laquelle différents groupes contrôlent les ressources». Chaque groupe protège son secteur, que ce soit en élevant des barrières ou en limitant l'accès aux emplois, aux ressources culturelles ou aux biens et services. En même temps, les actions de solidarité sont encouragées à l'intérieur d'un même groupe. L'inclusion sociale

est donc nécessairement inégale entre les individus et les communautés. Le paradigme du monopole se caractérise par sa complexité: il se produit une hiérarchie d'inclusions et d'exclusions plutôt qu'une simple opposition comme dans le modèle de la solidarité. Il existe des règles clairement établies qui déterminent l'accès aux groupes privilégiés. L'identité de l'exclu est donc socialement construite. Les mêmes mécanismes peuvent dans certains cas exclure les immigrants, dans d'autres les analphabètes ou encore les minorités religieuses qui se retrouveront dans une situation de vulnérabilité. L'exclusion, en tant que mécanisme au fondement de la structure de la société, est au cœur de ce paradigme.

Ces trois paradigmes permettent de mieux comprendre les théories explicatives de l'exclusion sociale bien qu'ils ne représentent pas une liste exhaustive des différentes conceptualisations de cette problématique. Ils font tout de même partie des modèles les plus répandus et doivent par conséquent être interprétés comme des modèles types. Il faut cependant garder en tête que chaque société se compose bien souvent d'une combinaison particulière des idées empruntées à chaque paradigme dans la réalité.

7.3 Les deux définitions opérationnelles de l'exclusion sociale

À des fins pratiques, on peut distinguer deux définitions opérationnelles de l'exclusion sociale: l'exclusion sociale en tant qu'attribut individuel et l'exclusion sociale en tant que propriété des sociétés. L'exclusion sociale en tant qu'attribut individuel se concentre sur la nature de la vie des gens. Les personnes ou les groupes exclus sont considérés comme étant dans une situation défavorisée, tout comme ceux qui disposent de bas revenus sont considérés comme désavantagés[7].

La notion d'exclusion sociale dépasse la définition étroite du concept de pauvreté unidimensionnelle

---

6. Le Programme du multiculturalisme soutient le mandat du ministère du Patrimoine canadien et de la *Loi sur le multiculturalisme canadien* en aidant les Canadiens à participer pleinement à la vie économique, politique, sociale et culturelle du pays.

7. Organisation internationale du travail (1998). *Exclusion sociale et stratégies de lutte contre la pauvreté*, Projet de recherche sur les modèles et les causes de l'exclusion sociale et la formulation de politiques visant à promouvoir l'intégration. Une synthèse des résultats. «Chapitre 1: Conceptualisation de l'exclusion sociale», Première édition, Genève, OIT.

qui considère uniquement l'insuffisance de revenus ou de biens matériels. Les personnes qui sont qualifiées de socialement exclues, au lieu d'être qualifiées de pauvres, sont en général socialement isolées et ont des rapports sociaux très restreints. D'après cette définition, les exclus de la société peuvent avoir perdu les liens avec leur famille et leur communauté, les associations venant en aide aux personnes défavorisées, les syndicats ou même la nation. Ils ont généralement des droits limités et ne sont pas en mesure de revendiquer leur capacité à les exercer.

L'exclusion sociale en tant qu'attribut individuel considère la vulnérabilité individuelle comme une situation multidimensionnelle. Elle combine les aspects du désavantage social liés à la consommation et à l'emploi, par opposition aux notions tradition-nelles de niveau de vie et de pauvreté. L'accent est mis non seulement sur la dynamique de causalité cumulative, en décrivant les réactions positives susceptibles de renforcer un désavantage et de le rendre irréversible, mais également sur les facteurs qui peuvent court-circuiter les processus de marginalisation et de désaffiliation sociale. Cette perspective fait ressortir la distribution de la hiérarchie et incite les personnes à faire appel à leurs capacités pour modifier leur position au sein de la distribution du revenu et de la hiérarchie sociale. Les politiques sociales basées sur l'assurance contre les risques et les fluctuations cycliques de l'activité économique sont développées pour faire face aux nouveaux types de désavantages sociaux.

L'exclusion sociale en tant que propriété des sociétés peut être définie de différentes manières. L'approche institutionnelle conçoit l'exclusion sociale comme une propriété du cadre institutionnel et des arrangements institutionnels en vigueur à l'intérieur desquels les individus et les groupes font des choix et exercent une occupation quotidienne qui leur permet de gagner leur vie. Dans cette acception, l'exclusion sociale prête moins d'attention aux individus qu'aux institutions et aux règles, formelles ou informelles, explicites ou tacites, qui facilitent ou limitent l'interaction humaine.

L'exclusion sociale est présente en tant que propriété structurelle d'un système socioéconomique quand: (a) une société est segmentée et que les divers segments de la société s'organisent autour de règles, institutions et processus divers qui produisent des systèmes d'encouragement et de dissuasion différents auxquels les individus répondent; et (b) les règles qui facilitent ou limitent l'accès et le droit aux biens, services, activités et ressources sont injustes, en ce sens que certaines catégories de personnes se voient refuser des chances offertes à certains autres de leurs semblables[8].

L'exclusion sociale est une propriété de la société si des formes de discrimination sexuelle, raciale ou autres existent, si les marchés, par l'intermédiaire desquels les gens assurent leurs moyens d'existence, sont segmentés, ou si les biens publics, qui en théorie sont à la disposition de tous, sont en fait semi-publics. Ces deux définitions de l'exclusion sociale revêtent différentes interprétations et elles doivent par conséquent être adaptées à la situation parti-culière de chaque pays. Au Pérou par exemple, l'exclusion sociale est l'incapacité de participer à la vie économique, culturelle et politique. En Thaïlande, elle est un processus par lequel les droits individuels, dont dépendent les moyens d'existence et les niveaux de vie, ne sont ni reconnus ni respectés. En Russie, l'exclusion sociale est une situation de destitution multiple et une caractéristique à la fois objective et subjective de la vie des gens.

L'ensemble des définitions de l'exclusion sociale partage cependant un certain nombre d'aspects communs. L'exclusion sociale est responsable d'un état de mal-être et d'inhabileté, au sens d'inéligibilité et d'incapacité, qui se répercute sur les individus ou les groupes. Elle affecte leur bien-être selon les analyses économiques de la pauvreté en freinant les possibilités de trouver un emploi, de subvenir à leurs besoins ou de revendiquer leurs droits. L'exclusion sociale est produite par la société. Elle se manifeste dans les modèles de relations sociales en refusant l'accès aux biens, services, activités ou ressources à des personnes ou des groupes auxquels devraient normalement avoir accès n'importe quel citoyen. À travers plusieurs études de cas, les recherches ont démontré que l'exclusion sociale peut être analysée à la fois comme un état et un processus. Dans les deux cas, il faut dépasser les simples mécanismes d'allo-cation de ressources pour analyser en profondeur les relations de pouvoir et les identités culturelle et sociale.

---

8.   Gottlieb, Benjamin (1981). *Social Networks and Social Support*, Beverley Hills, Sage Publications.

7.4 Les causes et les manifestations de l'exclusion sociale

Le phénomène d'exclusion sociale touche autant les individus que les communautés. Ses manifestations sont plurielles et ses effets sont souvent cumulatifs. Par exemple, les populations vivant dans des quartiers défavorisés sont susceptibles d'être victimes de discrimination dans divers domaines, que ce soit sur le plan de l'accès à l'emploi, de l'accès au logement et de l'accès aux services sociaux de qualité. La stigmatisation et l'isolement social se répercutent également sur l'état de santé. Parmi les groupes victimes de discrimination au Canada, on dénombre les peuples autochtones, les immigrants et les réfugiés, les personnes handicapées, les parents, les enfants, les jeunes hommes et les femmes vivant dans des conditions défavorables, les personnes âgées et leurs aides soignants non rémunérés, les homosexuels, les lesbiennes, les bisexuels, les transsexuels et les groupes à profils raciaux[9].

L'exclusion sociale se manifeste tant au niveau social qu'économique. On peut répertorier quatre types d'exclusion sociale : l'exclusion de la société civile, l'exclusion des biens sociaux, l'exclusion de la production sociale et l'exclusion économique. À l'instar de la conception institutionnelle et juridique de René Lenoir, l'exclusion de la société civile marque une rupture découlant de sanctions juridiques, de mécanismes institutionnels ou de discrimination pour des motifs de race, d'appartenance ethnique, de statut social, d'incapacité, d'orientation sexuelle ou de religion. L'exclusion des biens sociaux désigne le refus ou l'incapacité de la société de pourvoir aux besoins de groupes particuliers. Il peut s'agir d'habitations à loyers modiques pour soutenir les familles immigrantes ou de logements sociaux pour aider les sans-abri, de services linguistiques pour les immigrants et de mécanismes de sanction pour prévenir toute forme de discrimination. L'exclusion de la production sociale se manifeste par le manque d'occasions de contribuer à la société et de jouer un rôle social actif. L'exclusion économique équivaut quant à elle à l'inégalité d'accès aux ressources de subsistance ou même l'absence de ces ressources[10].

Au-delà des disparités socioéconomiques, les incidences sur la santé découlent de l'exclusion des systèmes sociaux, économiques, politiques et culturels. Ces systèmes d'exclusion déterminent l'accès aux ressources de la société et, par extension, l'état de santé des populations. En regardant de près, on se rend compte à quel point les processus de marginalisation, telles les disparités raciales, les inégalités de sexe ou encore la xénophobie, sont tributaires de la pauvreté, de l'inégalité des revenus, du chômage, du choix du voisinage et de l'utilisation des services de santé. Ces déterminants ont des incidences variables sur la santé des groupes touchés.

Dans les sociétés capitalistes industrialisées, l'accent est mis sur l'importance de la productivité, de la richesse et de la consommation. L'exclusion sociale est l'une des conséquences induite par la société de consommation qui contribue à creuser les écarts entre les riches et les pauvres ainsi qu'au renforcement des inégalités. Selon l'idéologie néolibérale, la marginalisation est perçue comme un échec personnel où la victime est incapable de saisir les occasions qui s'offrent à elle sur le marché. La plupart des sociétés établissent des normes ethnoculturelles qui vont de pair avec une série de privilèges économiques, politiques et sociaux. Aux États-Unis, les ghettos noirs font contraste avec les résidences huppée des Blancs. Au Canada, les peuples autochtones et les populations immigrantes connaissent de multiples formes de discrimination dans le domaine de l'emploi. Dans le contexte actuel de la mondialisation, l'État tend à être de moins en moins interventionniste et à délaisser son pouvoir de réglementation. Les politiques sont de plus en plus tributaires du marché. Le marché intervient désormais sur le plan de la réglementation sociale, ce qui accentue le fossé des privilèges et de la discrimination[11].

À la fin du 20e siècle, les processus d'exclusion sociale ont pris de l'ampleur à cause de la restructuration des économies mondiales et nationales, la déréglementation des marchés, le déclin de l'État providence, la banalisation des biens publics, une hausse des migrations et des changements en milieux de travail, une prolongation de la durée du travail, des emplois multiples et un travail non conforme. Ces

---

9. Galabuzi, Grace-Edward (2002). « L'inclusion sociale comme facteur déterminant de la santé », document présenté lors de la *Conférence sur les déterminants sociaux de la santé pendant toute la durée de vie*, tenue à Toronto en novembre, p. 1-7.

10. *Ibid.*

11. Kunz Locke, J., Anne Milan et Sylvain Schetagne (2001). *Inégalité d'accès : profil des différences entre les groupes ethnoculturels canadiens dans les domaines de l'emploi, du revenu et de l'éducation*, Toronto, Fondation canadienne des relations raciales.

facteurs socioéconomiques ont aggravé les diverses formes d'exploitation en milieux de travail en accentuant les disparités sociales et économiques basées sur la race et le sexe[12].

L'économie canadienne et le marché du travail sont de plus en plus disposés en couches raciales. Les groupes à profils raciaux connaissent des difficultés d'insertion sur le marché du travail. À cause du manque d'alternatives économiques, ils sont obligés de se tourner vers d'autres formes d'activités génératrices de revenus. Les groupes à profils raciaux sont donc surreprésentés dans l'industrie du textile et les industries connexes, l'industrie du tourisme et l'industrie du commerce de détail qui sont internationalement reconnues comme étant des complices de l'exploitation des travailleurs. Le secteur informel, dominé par l'absence de réglementation, occupe une place relativement importante dans ces industries. Les groupes à profils raciaux en pâtissent, car les emplois sont souvent mal rémunérés et de très bas niveau. Par ailleurs, ces groupes sont sous-représentés dans les secteurs à revenu élevé comme ceux de la fonction publique, de la fabrication d'automobiles et du travail des métaux au Canada[13].

La plupart des travailleurs et des groupes à profils raciaux exercent une profession de spécialisation réduite, peu rémunérée et dans des conditions de travail souvent dangereuses. L'économie canadienne et le marché du travail sont en proie à de nombreuses disparités raciales et sexuelles, à des inégalités qui sont devenues structurelles. Aussi longtemps que les gouvernements ne reconnaîtront pas l'omniprésence de ces disparités, les groupes à profils raciaux continueront de faire face à de multiples formes de discrimination dans tous les domaines de la vie. Le manque de volonté politique empêche les travailleurs immigrants de s'en sortir au profit des employeurs qui profitent de la situation en les paralysant davantage et en les privant de droits[14].

En outre, il existe de nombreuses formes de discriminations raciales en matière de logement. La migration des familles de classe moyenne, de descendance européenne, des quartiers urbains traditionnellement défavorisés vers des quartiers plus recherchés explique en partie la ségrégation résidentielle. Les quartiers défavorisés et les logements insalubres, souvent hors de prix, sont dorénavant habités par des groupes à profils raciaux à faible revenu. Il est vrai que les nouveaux immigrants cherchent volontairement à se retrouver au sein de leur communauté, mais la ségrégation résidentielle reste dominée par la discrimination chronique en matière de logement. L'Association canadienne des libertés civiles a révélé dans une étude menée en 1980 à Montréal que la race était un des principaux facteurs déterminants dans la quête d'un logement dans certains quartiers[15]. Ce phénomène prévaut aussi dans les grandes villes canadiennes[16].

Par ailleurs, certains services de police ont établi des profils axés sur la race, ce qui peut entraîner une criminalisation et une incarcération disproportionnées des groupes à profils raciaux, majoritairement des jeunes hommes de race noire, et des autochtones. L'incarcération a des effets négatifs sur la santé des prisonniers. Lorsqu'ils sont libérés de prison, leur chance de vivre une vie normale s'avère plutôt restreinte. Le profilage racial crée une situation de vulnérabilité à l'égard du crime, ce qui ne fait que confirmer les disparités raciales.

7.5 L'exclusion sociale et la santé

La pauvreté est la principale cause et résultante de l'exclusion sociale. De nombreux auteurs ont clairement démontré ses incidences sur l'état de santé[17]. D'après Russell Wilkinson, l'existence de disparités raciales relatives à l'état de santé s'inscrit dans le prolongement des disparités socio-économiques[18]. La privation a des effets négatifs sur la santé. L'expérience de l'inégalité au quotidien

12. Galabuzi, Grace-Edward (1999). *Canada's Creeping Economic Apartheid: The Economic Segregation and Social Marginization of Racialized Groups*, Toronto, CJS Foundation for Research & Education.
13. Galabuzi, Grace-Edward (2001). *Canada's Creeping Economic Apartheid: The Economic Segregation and Social Marginization of Racialized Groups*, Toronto, CJS Foundation for Research & Education.
14. De Wolf, Alice (2000). *Breaking the Myth of Flexible Work*, Toronto, Contingent Workers Project.
15. Henry, Frances, et Carol Tator (2000). *The Colour of Democracy: Racism in Canadian Society*, Toronto, Harcourt Brace.
16. Carey, Elaine (2000), «High-rise Ghettos in Toronto, Visible Minorities are Pushed into Pockets of Poverty», *Toronto Star*, 16 février.
17. Raphael, Dennis (1999). «Health Effects on Economic Inequality: Overview and Purpose», Canadian Review of Social Policy (44), p. 25-40.
18. Wilkinson, Russell (1996). *Unhealthy Societies: The Afflictions of Inequality*, New York, Routledge.

provoque un stress associé à l'exclusion, ce qui peut générer des effets psychologiques négatifs sur l'état de santé[19].

Le profilage racial qui est l'une des manifestations de l'exclusion aggrave la pauvreté qui, à son tour, exacerbe les inégalités sociales et sanitaires. On parle d'ailleurs d'inégalités sociales de santé. Les disparités raciales se manifestent sur le marché du travail et au niveau du logement. On observe donc chez les groupes à profils raciaux des taux de chômage nettement supérieurs à la norme canadienne. Afin de subvenir à leurs besoins, ils se retrouvent souvent dans l'obligation d'accepter de travailler dans des conditions dangereuses, de prolonger leurs heures de travail, voire d'exercer plusieurs emplois. À cause de la crise du logement, les groupes à profils raciaux sont également contraints de vivre dans des habitations insalubres situées dans des quartiers défavorisés et relativement peu sécuritaires. La discrimination raciale entraîne un accès inégal aux soins de santé. L'état de santé diffère par conséquent d'une communauté à l'autre.

Les enfants en mauvaise santé vivent en général dans des familles à faible revenu, des familles mono-parentales, des familles immigrantes et de réfugiés ou des familles autochtones. La discrimination provoque un stress psychosocial à l'origine de nombreux problèmes de santé comme l'hypertension, les troubles de santé mentale et la toxicomanie chez les jeunes. Plusieurs recherches ont confirmé les liens entre le statut minoritaire des collectivités ethniques, des immigrants et des groupes à profils raciaux et leur mauvais état de santé. D'ailleurs, l'état de santé des immigrants semble se détériorer à cause de leurs conditions d'exclusion sociale. Le fait de subir du racisme et de la discrimination rend les immigrants et l'ensemble des membres des groupes à profils raciaux plus vulnérables aux problèmes de santé mentale[20]. L'exclusion sociale, le racisme et les problèmes de santé mentale ont aussi un effet négatif sur le réseau de soutien social. Une étude sur les disparités entre les sexes révèle des incidences comparables sur la santé des femmes[21].

De nombreux immigrants ou nouveaux arrivants travaillent dans des conditions potentiellement dangereuses pour la santé. Les femmes à profils raciaux sont particulièrement surreprésentées dans des industries non réglementées, comme l'industrie du textile et les industries connexes, l'industrie du tourisme et l'industrie du commerce de détail. On parle souvent «d'ateliers de misère» pour faire référence à l'industrie du vêtement qui emploie des femmes contraintes de travailler de longues heures de travail peu rémunératrices. Il existe en outre une discrimination basée sur le sexe qui n'avantage pas les femmes[22]. Le travail dans le secteur informel impose un stress physique et mental à des femmes démunies, en grande proportion des chefs de famille monoparentale, qui n'ont pas d'autres alternatives économiques pour subvenir aux besoins de leur famille. Par ailleurs, la majeure partie des travailleurs issus des groupes à profils raciaux ne jouissent d'aucuns droits sociaux et ne profitent pas des congés de maladie, de l'assurance invalidité, de régime de retraite ou de congé de maternité.

Le racisme institutionnalisé auquel sont souvent confrontés les groupes à profils raciaux dans le système des soins de santé est aussi problématique. Parmi les obstacles concernant l'accès et l'utilisation des services, il est possible de citer les barrières linguistiques, les perceptions stéréotypées des pro-fessionnels de la santé envers les groupes à profils raciaux, le manque de sensibilisation aux différentes cultures et l'absence de compétences sur le plan interculturel et le financement inadéquat des services de santé communautaires.

Plusieurs rapports démontrent que la discrimination des personnes séropositives ou sidatiques aggrave leur statut racial. Les groupes à profils raciaux, particulièrement les Noirs et les autochtones, sont en outre surreprésentés dans les prisons où les taux d'infection sont supérieurs à ceux de la population carcérale générale.

Selon Catherine Fabre, aucune pathologie spécifique n'est directement reliée au phénomène d'exclusion.

19. Kawachi, Ichiro, Russell Wilkinson et Bruce Kennedy (2001). «Introduction» dans Jean Lock Kunz, Anne Milan et Sylvain Schetagne (2001). *Inégalité d'accès: profil des différences entre les groupes ethnoculturels canadiens dans les domaines de l'emploi, du revenu et de l'éducation*, Toronto, Fondation canadienne des relations raciales.
20. Hyman, Ilene (2001). *Immigration et santé*, Document de travail 01-05, Ottawa, Santé Canada, Série de documents de travail sur les politiques de santé, septembre.
21. Agnew, Vijay (2002). *Femmes, migration et citoyenneté*, Toronto, Centre de recherches féministes, Université York.
22. Yanz, Linda, et autres (1999). *Options politiques pour améliorer les normes applicables aux travailleuses du vêtement au Canada et à l'étranger*, Toronto, Maquila Solidarity Network/Condition féminine Canada.

Certains problèmes physiques et psychologiques peuvent cependant se manifester et s'accentuer dans des situations de précarité ou de pauvreté extrême. Il existe aussi des répercussions sociales rattachées à ces problèmes[23]. Pascale Heremans confirme que la prévalence de certaines affections est plus importante dans des situations d'exclusion[24]. L'exclusion est visible à travers la sélection sociale (marginalisation), la reproduction des inégalités, la diminution de l'espérance de vie, le vieillissement prématuré et la consommation de soins plus élevée et différente[25]. Pour Fernando Bertolotto, les exclus souffrent de signes de régression sanitaire et d'incidence de pathologies comme le VIH/SIDA, les hépatites, la tuberculose, les problèmes buccodentaires, les problèmes ophtalmologiques et les maladies mentales[26].

En ce qui a trait aux conditions d'accès aux services et soins de santé, Michel Joubert relève des différences parmi les classes sociales. Les populations favorisées font davantage appel aux médecins spécialistes, aux soins infirmiers à domicile, à la kinésithérapie ou encore aux soins de dentisterie que les populations défavorisées. Ces dernières recourent essentiellement aux médecins généralistes et aux soins hospitaliers. Michel Joubert constate donc une hiérarchisation dans les soins chez les populations précarisées. Le recours aux soins est établi en fonction des priorités sanitaires. Les consultations générales se font la plupart du temps aux services d'urgences hospitalières tandis que celles qui sont plus spécialisées ne font généralement pas partie de l'échelle de priorité. L'automédication demeure une pratique relativement courante. Dans ce contexte, il s'avère difficile de mettre en œuvre des actions préventives ou de prise en charge en assurant le suivi des populations défavorisées. Les conseils d'un médecin ou d'un pharmacien de quartier peuvent toutefois les aider à les orienter dans leurs démarches[27].

Divers facteurs influencent le processus d'exclusion : les facteurs psychologiques, les facteurs culturels, les facteurs économiques et administratifs, les facteurs sociaux et psychosociaux et les facteurs structurels ou d'accessibilité.

Tableau 36 : Synthèse des facteurs influençant le processus d'exclusion de la santé

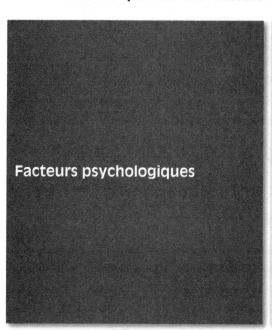

Facteurs psychologiques

Facteurs psychosociaux de stress :
- Absence ou manque de revenus, logement et travail
- Réduction de la mobilité sociale et de la liberté
- Menace pour la sécurité personnelle
- Isolement social et exclusion

Facteurs psychologiques négatifs :
- Colère
- Déception
- Désespoir
- Sentiment d'abandon

Facteurs psychologiques positifs :
- Contrôle des événements stressants
- Maîtrise et autodétermination

Obstacles psychosociaux :
- Honte de montrer son corps
- Honte d'avoir certaines maladies
- Manque d'attention portée à son corps
- Perception de la maladie

23. Fabre, Catherine (1995). « Le recours aux urgences hospitalières : un mode d'accès aux soins spécifiques des populations défavorisées », *Revue Prévenir*, (28), p. 129-135.
24. Heremans, Pascale, et Alain Deccache (1997). *Prévention, médecine générale et milieux défavorisés*. État des lieux et perspectives. Séminaire européen du 23 au 25 octobre 1997, UCL-RESO, Bruxelles, 145 pages.
25. Hoffman, Axel (1999). « Inégalités d'accès aux soins », *Santé conjuguée*, n° 8, avril, p. 36-38.
26. Bertolotto, Fernando, et Michel Joubert (1997). « L'approche des cumuls de fragilités sanitaires, sociales, juridiques et institutionnelles. Les migrants et la santé : leçons d'une évaluation », *Revue Prévenir*, (32), p. 83-102.
27. Joubert, Michel (1995). « Crise du lien social et fragmentation de l'accès aux soins », *Revue Prévenir*, (28), p. 93-104.

Facteurs culturels	Obstacles culturels : • Peur du corps médical • Honte d'être assisté • Lourdeur administrative • Barrières linguistiques et culturelles • Faible niveau d'instruction • Incapacité à recourir au système de soins
Facteurs économiques et administratifs	Facteurs d'accessibilité : • Coûts et priorités d'affectation des ressources • Complexité administrative • Exclus d'assurances • Exclus financiers
Facteurs sociaux et psychosociaux	Facteurs individuels et psychosociaux : • Histoire familiale • Réseau social • Niveau de qualification Facteurs sociaux : • Absence d'accès aux échanges sociaux • Absence d'accès au statut social • Absence d'accès aux rôles sociaux Facteurs contextuels et macrosociaux : • Restructurations industrielles • Transformations de l'activité de production
Facteurs structurels ou d'accessibilité	Obstacles sociostructurels : • Isolement • Précarité • Absence de logement • Faible niveau d'instruction • Absence professionnelle • Absence d'attribution de prestations sociales

Source : Doumont, Dominique, Isabelle Aujoulat et Alain Deccache (2000). *L'exclusion de la santé : Comment le processus se construit-il et quels facteurs y contribuent-ils ?*, Série de dossiers documentaires. Unité d'éducation pour la santé, décembre, p. 21.

7.6 Politiques publiques, partenariats multisectoriels et réseaux de soutien sociaux

Plusieurs pays, en particulier ceux de l'Europe occidentale, sont particulièrement en avance en ce qui a trait à la formulation de politiques nationales pour lutter contre l'exclusion sociale. Ceux-ci sont intervenus sur le marché du travail en mettant en œuvre des actions de lutte contre le chômage de longue durée ainsi que des programmes d'assistance et d'assurances sociales. Les liens entre ces mesures d'intervention et les politiques d'intégration sociale restent dans l'ensemble assez rares. La France a cependant essayé de prendre en considération tous ces éléments en créant le revenu minimum d'insertion (RMI), c'est-à-dire « un revenu minimum garanti, à la condition que le bénéficiaire signe un

contrat par lequel il s'engage à poursuivre une activité d'insertion[28]».

L'approche territoriale qui s'accompagne de programmes d'action au niveau local ou communautaire cherchant à élaborer des stratégies cohérentes pour contrer l'exclusion sociale est très prometteuse. Ce changement d'approche marque une innovation importante dans la conception des politiques contre l'exclusion. À juste titre, les quartiers pauvres urbains, ou les régions défavorisées, requièrent une action d'envergure sur les fronts économique, social et d'infrastructure. Les politiques locales sont plus faciles à mettre en place sur une base intersectorielle que les politiques nationales, et sont plus aptes pour stimuler les initiatives collectives. Elles supposent un partenariat et une coopération entre le gouvernement central et les administrations et associations locales, les syndicats, les entreprises et divers autres organismes non gouvernementaux.

Les expériences au niveau national et local font ressortir le fait que l'analyse des politiques ne relève pas uniquement du ressort de l'État intervenant dans l'intérêt général des populations, mais suscite la participation d'une grande variété d'acteurs sociaux ou d'agents de changement.

Au Canada, les gouvernements provinciaux et territoriaux jouent un rôle déterminant dans l'élaboration de politiques d'inclusion socio-économique. Par exemple, les ministres de la santé du gouvernement fédéral, des provinces et des territoires ont entériné l'approche de la santé de la population en 1994. Celle-ci a d'ailleurs été énoncée dans le rapport intitulé *Stratégies d'amélioration pour la santé de la population: investir dans la santé des Canadiens*. L'approche de la santé de la population vise principalement à maintenir et à améliorer la santé de la population canadienne ainsi qu'à réduire les inégalités sanitaires entre les différents groupes[29].

L'ensemble des facteurs influant sur la santé de la population ainsi que les interactions entre ces facteurs doivent impérativement être pris en compte lors de la planification des interventions. Il importe donc d'adopter une approche inter et multisectorielle dans la lutte contre l'exclusion sociale et les inégalités socioéconomiques et sanitaires, car la majeure partie de ces facteurs ne relève pas uniquement des ministères de la santé ou d'autres instances œuvrant dans le domaine de la santé. La collaboration inter et multisectorielle permet d'avoir une vision globale de l'exclusion sociale dans le but d'influencer les déterminants sociaux de santé et de garantir la mise en œuvre de politiques publiques qui contribuent à la santé de la population.

L'augmentation de la pauvreté et de l'exclusion sociale, des inégalités socioéconomiques et sanitaires se répercutent de façon négative sur l'état de santé de la population et contribuent à faire augmenter les coûts des soins de santé au Canada. Les écarts entre les riches et les pauvres ne cessent de se creuser à l'ère de la mondialisation. De nombreux auteurs ont montré à maintes reprises que les inégalités socio-économiques ont un impact négatif sur la santé. En effet, la détérioration de l'état de santé générale de la population est proportionnelle aux inégalités.

Il est impératif d'élaborer des politiques s'inspirant d'un cadre d'inclusion sociale pour réparer les injustices produites par la société. Ce cadre aurait pour fonction d'identifier les inégalités structurelles responsables de la marginalisation et de réaffirmer les droits sociaux en misant sur la protection sociale[30]. Selon Ronald Labonté, la lutte contre l'exclusion sociale mérite qu'on explore ses causes en identifiant les règles socioéconomiques et les puissances politiques qui créent des groupes exclus ou des groupes sociaux favorisés plutôt que de s'attarder sur les groupes exclus ou leurs conditions de vie[31].

Afin de lutter contre l'exclusion sociale, l'auteur apporte une série de recommandations que le secteur de la santé doit prendre en compte dans le tableau de la page suivante.

---

28. Organisation internationale du travail (1998). *Exclusion sociale et stratégies de lutte contre la pauvreté*. Projet de recherche sur les modèles et les causes de l'exclusion sociale et la formulation de politiques visant à promouvoir l'intégration. Une synthèse des résultats. «Chapitre 3: Implication au niveau des politiques», première édition, Suisse, OIT.

29. Guildford, Jannette (2000). *Plaidoyer pour l'inclusion socioéconomique*, Santé Canada, Région de l'Atlantique, Direction générale de la santé de la population et de la santé publique.

30. Galabuzi, Grace-Edward (2002). «L'inclusion sociale comme facteur déterminant de la santé», document présenté lors de la *Conférence sur les déterminants sociaux de la santé pendant toute la durée de vie*, tenue à Toronto en novembre, p. 1-7.

31. Labonté, Ronald (2002). «Social Inclusion/Exclusion: Dancing the Dialectic», exposé présenté lors de la *Conférence sur les déterminants sociaux de la santé pendant toute la durée de vie*, tenue à Toronto en novembre.

Tableau 37: Synthèse des recommandations adressées au secteur de la santé

Immigrants et groupes à profils raciaux	Que les services de santé appropriés soient plus accessibles aux immigrants et aux groupes à profils raciaux et que ces services soient adaptés à la réalité culturelle et à la langue, peu importe les besoins en matière de santé, y compris des mesures de protection de la santé mentale.
Racisme institutionnalisé	Que le racisme présent dans les politiques et les pratiques soit questionné et que des restrictions légales en matière de racisme soient mises en place.
Travailleurs	Que des travailleurs dans le domaine de la santé soient formés pour développer une approche adaptée à la réalité culturelle des patients et que d'autres activités soient tenues pour contrer le processus d'exclusion sociale et ses incidences.
Minorités visibles	Que des travailleurs issus des minorités visibles soient embauchés pour œuvrer dans le domaine de la santé.
Communautés minoritaires	Que les communautés minoritaires obtiennent de l'aide pour qu'elles puissent ériger des réseaux de soutien.
Travailleurs à profils raciaux et nouveaux immigrants	Que les travailleurs à profils raciaux et les nouveaux immigrants soient à l'abri des milieux de travail discriminatoires et peu sécuritaires
Incidences de l'exclusion sociale	Qu'une étude soit menée auprès d'un groupe cible afin de mesurer les incidences des multiples facettes de l'exclusion sociale sur l'état de santé de ce groupe.
Inclusion et participation	Que des groupes à profils raciaux soient habilités à participer à l'élaboration de politiques et de programmes visant les multiples facettes de l'exclusion sociale.

Source: Galabuzi, Grace-Edward (2002). «L'inclusion sociale comme facteur déterminant de la santé», document présenté lors de la *Conférence sur les déterminants sociaux de la santé pendant toute la durée de vie*, tenue à Toronto en novembre.

Dans ce contexte, le partenariat, l'innovation et le leadership apparaissent essentiels pour arriver à des politiques efficaces de lutte contre l'exclusion sociale et la marginalisation économique. En Europe, de nouvelles alliances ont été forgées entre les ministères des États et des partenariats ont été conclus avec le secteur privé, le milieu syndical et les organisations communautaires au niveau local et national. Le *Scottish Social Inclusion Network* illustre cette assertion. Ce réseau rassemble plusieurs intervenants qui travaillent dans le domaine de l'inclusion sociale, provenant de la fonction publique nationale, des gouvernements locaux et du milieu communautaire. Les membres du réseau travaillent ensemble à identifier des problèmes et à formuler des solutions.

La particularité des nouveaux partenariats repose sur l'aspect intégrant dans l'élaboration de politiques tant dans la démarche que dans les politiques elles-mêmes. Ils encouragent la créativité et l'innovation afin d'entrevoir de nouvelles pistes de solution. Par exemple, en Suède, des femmes vivant en zone rurale ont décidé de construire de nouvelles maisons pour conserver les services locaux que les pouvoirs publics menaçaient de supprimer, en raison du faible nombre d'habitants. De nouvelles personnes se sont installées dans la communauté, ce qui a permis de garder les services locaux essentiels. En Irlande, des collectivités rurales ont créé des centres multiservices afin de promouvoir l'éducation, la culture et le développement économique. Au Royaume-Uni, la *Social Exclusion Unit* a élaboré une stratégie pour les quartiers défavorisés des centres urbains. À travers ces exemples, on constate que les nouveaux partenariats sont axés sur la flexibilité et la souplesse. La collaboration au niveau communautaire permet de résoudre certains problèmes locaux et offre l'avantage de fonctionner dans divers contextes culturels, sociaux et politiques.

L'efficacité des efforts d'inclusion socioéconomique dépend toutefois en grande partie de l'engagement politique des décideurs, que ce soit au niveau de l'élaboration de politiques publiques favorables à l'inclusion sociale ou d'une nouvelle politique de santé. En collaboration avec d'autres décideurs, le secteur de la santé peut agir comme porte-parole dans des secteurs comme le logement, le transport et la planification urbaine. En Grande-Bretagne, l'appui du premier ministre Tony Blair à la *Social Exclusion Unit* a grandement contribué à son succès. Son leadership a en même temps permis de sensibiliser le public à la problématique de l'exclusion sociale et de convaincre les décideurs politiques de la nécessité d'une telle unité.

Afin d'arriver à une compréhension approfondie du phénomène d'exclusion sociale, d'autres sujets de recherches devront être approfondis. Il faudra à l'avenir davantage se pencher sur la santé mentale des immigrants, les rapports entre les races et entre le statut socioéconomique et l'état de santé, les différences d'utilisation des services de soins de santé entre les immigrants et les Canadiens de naissance. Morton Beiser signale que ces sujets de recherche devront reconnaître l'incidence du racisme et du statut d'immigrant sur l'exclusion sociale comme facteurs sociaux déterminants de la santé pour être réellement bénéfiques[32].

7.7 Liens entre capital social et santé

La notion de capital social fut utilisée pour la première fois par le sociologue français Pierre Bourdieu en 1980 lorsque ce dernier référait à ce type de ressource dont disposent les collectivités et les groupes sociaux afin d'accroître leur statut social et pouvoir ainsi bénéficier de privilèges matériels ou symboliques reliés à ce statut[33]. En fait, il s'agit d'un ensemble de ressources accumulées à des fins socialement utiles qui permet à un individu, grâce à ses réseaux de relations, de mieux se positionner dans la compétition sociale[34]. Pour l'auteur, le capital social se situerait dans le sillage de la classe sociale, faisant ainsi partie, au même titre que le capital économique et le capital culturel, avec lequel il coïncide souvent, des facteurs qui déterminent le pouvoir dont disposent les individus et, par la suite, leurs chances de réussir dans la vie[35]. En moins de

32. Beiser, Morton (1998). *Puis la porte s'est ouverte: problèmes de santé mentale des immigrants et des réfugiés au Canada*, Rapport du Groupe canadien chargé d'étudier les problèmes de santé mentale des immigrants et des réfugiés, Ottawa, Santé et Bien-être social Canada.
33. Bourdieu, Pierre (1980). «Le capital social», *Actes de la recherche en sciences sociales*, p. 2-3.
34. Méda, Dominique (2002). «Le capital social: un point de vue critique», *Alternatives économiques/L'Économie Politique*, n° 14, p. 36-47.
35. Bevort, Antoine (2006). *Le Capital social - performance, équité et réciprocité*, Paris, La Découverte-Mauss.

quelques décennies, sociologues, anthropologues, philosophes et économistes s'y sont intéressés et la notion semble avoir conquis toutes les places fortes de la recherche sur les grandes questions sociales, politiques, économiques, sanitaires et même écologiques[36].

Ceci dit, il faut bien se garder de considérer le capital social comme réducteur à un carnet d'adresses. Les travaux de Putnam à cet égard sont souvent cités. En effet l'approche que fait l'auteur du capital social est plutôt particulière puisqu'elle est centrée sur les communautés et non sur les individus qui les composent. Selon Putnam, le capital social fait référence aux « aspects de la vie collective qui rendent la collectivité plus productive, soit la participation, la confiance et la réciprocité[37] ». Concrètement, plus une collectivité compte de réseaux d'entraides et d'associations de bénévoles, et dans la mesure où ses membres se font confiance, plus le sentiment d'appartenance à la communauté grandit et plus celle-ci est en bonne santé. Dans le même ordre d'idée, les travaux de Nan Lin vont renforcer la position selon laquelle le capital social est tributaire de l'investissement d'un individu dans ses relations avec les autres. L'auteur met ici en évidence le principe de la réciprocité des échanges dans un réseau d'acteurs[38].

L'importance du capital social est bien reconnue dans le domaine de la santé, en particulier dans les études anglo-saxonnes. La trame de fond de ce concept est que les collectivités fonctionnent bien ou de façon médiocre en fonction de la manière dont leurs membres interagissent. Il met l'accent sur la dimension sociale de la vie et la façon dont elle est vécue dans des lieux particuliers[39]. Les travaux sur cette question permettent d'identifier un certain nombre d'éléments qui composent le capital social d'une collectivité : les relations sociales, c'est-à-dire la façon dont les gens collaborent entre eux, les réseaux sociaux, c'est-à-dire le degré avec lequel ceux-ci se connectent entre eux, les normes et les valeurs

sociales, c'est-à-dire le degré avec lequel ils se respectent mutuellement, la confiance, et enfin les ressources, c'est-à-dire la mesure dans laquelle les individus s'entraident et tendent à partager les ressources[40].

Afin de mieux illustrer l'importance du capital social en matière de santé, nous donnerons l'exemple qui suit. En août 2003, une canicule a frappé l'Europe, entraînant une surmortalité exceptionnelle. En France, où le nombre de décès a été de 15 000 personnes entre le 1er et le 20 août 2003, les citoyens et les pouvoirs publics, horrifiés, ont découvert les effets meurtriers d'un phénomène que nul n'avait prévu. La canicule a frappé plus particulièrement les personnes les plus fragiles dans la société, les malades, les handicapés, des patients sous certains traitements médicamenteux et, surtout, les personnes âgées, aussi bien à leurs domiciles que dans les maisons de retraite et les hôpitaux. Plusieurs de ces personnes âgées sont disparues dans des conditions tragiques, frappées d'hyperthermie dans la solitude de leur domicile surchauffé ou dans les maisons de retraite excessivement vitrées et transformées en serres, accueillies dans un état trop souvent désespéré, dans des services d'urgence débordés[41].

Sans vouloir faire une analyse simpliste et simplificatrice de cette tragédie, on peut émettre l'hypothèse que les personnes qui sont mortes de cette canicule étaient plutôt socialement isolées, ne rencontrant donc personne pour leur dire qu'il fallait boire, et, tout simplement, quitter leur domicile afin d'aller chercher de l'aide ou s'installer dans des endroits beaucoup plus adaptés à leurs conditions. Dans nos sociétés modernes caractérisées par l'expansion de la vie solitaire, l'éclatement des familles, le développement de l'indifférence aux autres, le déclin de la morale civique, la montée des incivilités et le triomphe d'un individualisme grossier, une situation comme celle qui précède vient nous rappeler l'importance du capital social[42].

36. Coleman, James S. (1988). « Social Capital in the Creation of Human Capital », *American Journal of Sociology*, 94, p. 95-120.
37. Putnam, Robert (1999). « Le déclin du capital social aux États-Unis », *Lien social et politique-RIAC*, 41, p. 14.
38. Lin, Nan (1995). « Les ressources sociales : une théorie du capital social », *Revue française de sociologie*, 36, 4, p. 685-704.
39. Lévesque, Maurice et Deena White (1999). « Le concept de capital social et ses usages », *Lien social et politique-RIAC*, 41, p. 23-33.
40. Mauss, Marcel (1968). *Sociologie et anthropologie*, 4e éd., Paris, Presses universitaires de France.
41. Létard, Valérie, Hilaire Flandre et Serge Lepeltier (2004). *La France et les Français face à la canicule : les leçons d'une crise*, Rapport d'information n° 195 du Sénat, France.
42. Ponthieux, Sophie (2006). *Le Capital social*, Paris, Éditions La Découverte.

Les preuves sont aujourd'hui faites que les collectivités qui s'en sont les mieux tirées sont celles où il y a des complicités entre les personnes, ce qui crée un sentiment d'identité. Tout cela fait appel à la qualité du milieu et de la vie. Les communautés qui ont une capacité de s'en sortir, une capacité de résilience sont celles qui ont un fort capital social. La crise du verglas qu'a connu la province du Québec fournit bien des exemples à ce propos. Dans un contexte marqué par la mondialisation de l'économie et les flux démographiques transnationaux auxquels le Canada n'échappe pas, les pouvoirs publics vont devoir se réapproprier cette notion de capital social[43]. En effet, l'accueil et l'intégration des immigrants au Canada doit relever aujourd'hui un certain nombre de défis qui tournent autour de leur intégration au marché du travail, aux normes et aux valeurs de la société d'accueil. En outre, divers enjeux comme ceux relatifs aux problèmes de discrimination ethnique dans différentes sphères de la vie sociale et domestique doivent également être examinés. Depuis les travaux de Mark S. Granovetter, l'efficacité des liens faibles par rapport aux liens forts dans la recherche d'emploi a été démontrée maintes fois[44].

Le concept de capital social vient aussi nous rappeler que c'est l'insertion des individus dans leurs réseaux sociaux, aux normes sociales qui régulent leur vie quotidienne. Cela permet de mieux élaborer le message qu'on veut faire passer et de cibler les relais sociaux sur lesquels on peut s'appuyer. Ce message est particulièrement important pour les autorités en santé publique. L'échec de certaines campagnes de promotion de la santé indique que les messages véhiculés, en plus de ne pas parler à tout le monde, n'utilisent pas les canaux appropriés: l'école, la famille, les réseaux sociaux, etc. doivent être mis à contribution.

Le sociologue Pierre Bourdieu dans son approche du capital social a distingué deux typologies de réseaux sociaux: la première, qui se manifeste par l'inter-connaissance, c'est-à-dire les acteurs connus au premier niveau du réseau. Quant à la deuxième, elle se traduit par une forme d'interreconnaissance, où les personnes se situant à l'extérieur du réseau premier deviennent accessibles par un tiers appartenant aux deux réseaux[45]. L'exemple de l'insertion professionnelle, qui est un important déterminant de la santé, constitue également une bonne illustration de l'importance du capital social. En effet, les retombées de l'interconnaissance et de l'interreconnaissance peuvent être immenses, particulièrement pour les jeunes qui viennent de compléter leurs études et qui cherchent à s'insérer sur le marché de l'emploi. Combien de fois les étudiants à l'université se sont-ils fait rappeler l'importance de bien construire leur réseau et de le respecter?

43. Charbonneau, Johanne, et Michèle Vatz-Laaroussi (2001). «L'accueil et l'intégration des immigrants: à qui la responsabilité? Le cas des jumelages entre familles québécoises et familles immigrantes», *Lien social et Politiques*, 46, p. 111-124.
44. Granovetter, Mark S. (1973). «The Strength of Weak Ties», *American Journal of Sociology*, 78, p. 1360-1380.
45. Deschenaux, Frédéric, et Claude Laflamme (2009). «Réseau social et capital social: une distinction conceptuelle nécessaire illustrée à l'aide d'une enquête sur l'insertion professionnelle de jeunes Québécois», *Sociologies* [En ligne], Théories et recherches, mis en ligne le 2 juin.

L'exclusion sociale

L'exclusion sociale décrit les processus qui conduisent les personnes aux marges de la société, en limitant leur accès aux ressources et aux opportunités, et qui portent atteinte à leur participation à une vie normale. Les exclus, particulièrement les autochtones, les immigrants et les femmes, éprouvent le sentiment d'être marginalisés, impuissants et victimes de discrimination. Les partenariats multisectoriels et les réseaux de soutien sociaux sont des stratégies de lutte contre l'exclusion sociale.

Paradigmes de l'exclusion sociale

L'Organisation internationale du travail retient trois paradigmes de l'exclusion sociale : le paradigme de la solidarité, le paradigme de la spécialisation et le paradigme du monopole. Le paradigme de la solidarité considère l'exclusion comme la rupture d'un lien social. Dans le paradigme de la spécialisation, les individus choisissent de s'exclure par choix selon leurs champs d'intérêt. Le paradigme du monopole considère que l'appartenance à la société est donc nécessairement inégale dans la mesure où le contrôle des ressources dépend d'une structure hiérarchique. Ces trois paradigmes font référence à des théories d'organisation de la société.

Définitions opérationnelles de l'exclusion sociale

Il existe deux définitions opérationnelles de l'exclusion sociale. L'exclusion sociale en tant qu'attribut individuel considère la vulnérabilité individuelle comme une situation multidimensionnelle. L'exclusion sociale en tant que propriété des sociétés peut être appréhendée selon une perspective institutionnelle ou structurelle.

Causes et manifestations de l'exclusion sociale

Les inégalités structurelles sont à l'origine de l'exclusion sociale. Celle-ci se manifeste sur les plans économique et social. Ses effets sont souvent cumulatifs. On parle d'exclusion de la société civile, des biens sociaux, de la production sociale et de l'exclusion économique. Les populations victimes de discrimination, notamment les autochtones, les immigrants, les homosexuels et les femmes, connaissent des difficultés d'accès à l'emploi, aux logements et aux services sociaux de qualité.

Exclusion sociale et santé

L'exclusion sociale a des effets négatifs sur la santé. La discrimination raciale et sexuelle provoque un stress psychosocial à l'origine de nombreux problèmes de santé (hypertension, troubles de santé mentale et toxicomanie). Plusieurs facteurs contribuent au processus d'exclusion de la santé : les facteurs psychologiques, culturels, économiques et administratifs, sociaux et psychosociaux, structurels ou d'accessibilité.

Bibliographie

AGNEW, Vijay (2002). *Femmes, migration et citoyenneté*, Toronto, Centre de recherches féministes, Université York.

BEISER, Morton (1998). *Puis la porte s'est ouverte: problèmes de santé mentale des immigrants et des réfugiés au Canada*, Rapport du Groupe canadien chargé d'étudier les problèmes de santé mentale des immigrants et des réfugiés, Ottawa, Santé et Bien-être social Canada.

BERTOLOTTO, Fernando, et Michel Joubert (1997). «L'approche des cumuls de fragilités sanitaires, sociales, juridiques et institutionnelles. Les migrants et la santé: leçons d'une évaluation», *Revue Prévenir*, (32), p. 83-102.

BEVORT, Antoine (2006). *Le Capital social - performance, équité et réciprocité*, Paris, La Découverte-Mauss.

BOURDIEU, Pierre (1980). «Le capital social», *Actes de la recherche en sciences sociales*, p. 2-3.

CHARBONNEAU, Johanne, et Michèle VATZ-LAAROUSSI (2001). «L'accueil et l'intégration des immigrants: à qui la responsabilité? Le cas des jumelages entre familles québécoises et familles immigrantes», *Lien social et Politiques*, 46, p. 111-124.

CAREY, Elaine (2000). «High-rise Ghettos in Toronto, Visible Minorities are Pushed into Pockets of Poverty», *Toronto Star*, 16 février.

COLEMAN, James S. (1988). «Social Capital in the Creation of Human Capital», *American Journal of Sociology*, 94, p. 95-120.

DESCHENAUX, Frédéric, et Claude LAFLAMME (2009). «Réseau social et capital social: une distinction conceptuelle nécessaire illustrée à l'aide d'une enquête sur l'insertion professionnelle de jeunes Québécois», *Sociologies* [En ligne], Théories et recherches, mis en ligne le 2 juin.

DE WOLF, Alice (2000). *Breaking the Myth of Flexible Work*, Toronto, Contingent Workers Project.

DOUMONT, Dominique, Isabelle AUJOULAT et Alain DECCACHE (2000). *L'exclusion de la santé: Comment le processus se construit-il et quels facteurs y contribuent-ils?*, Série de dossiers documentaires. Unité d'éducation pour la santé, décembre, p. 21.

FABRE, Catherine (1995). «Le recours aux urgences hospitalières: un mode d'accès aux soins spécifiques des populations défavorisées», *Revue Prévenir*, (28), p. 129-135.

GALABUZI, Grace-Edward (1999). *Canada's Creeping Economic Apartheid: The Economic Segregation and Social Marginization of Racialized Groups*, Toronto, CJS Foundation for Research & Education.

GALABUZI, Grace-Edward (2002). «L'inclusion sociale comme facteur déterminant de la santé», document présenté lors de la *Conférence sur les déterminants sociaux de la santé pendant toute la durée de vie*, tenue à Toronto en novembre, p. 1-7.

GOTTLIEB, Benjamin (1981). *Social Networks and Social Support*, Beverley Hills, Sage Publications.

GRANOVETTER, Mark S. (1973). «The Strength of Weak Ties», *American Journal of Sociology*, 78, p. 1360-1380.

GUILDFORD, Jannette (2000). *Plaidoyer pour l'inclusion socioéconomique*, Santé Canada, Région de l'Atlantique, Direction générale de la santé de la population et de la santé publique.

HENRY, Frances, et Carol TATOR (2000). *The Colour of Democracy: Racism in Canadian Society*, Toronto, Harcourt Brace.

HEREMANS, Pascale, et Alain Deccache (1997). *Prévention, médecine générale et milieux défavorisés. État des lieux et perspectives*, Séminaire européen 23 au 25 octobre 1997, UCL-RESO, Bruxelles, 145 pages.

HOFFMAN, Axel (1999). «Inégalités d'accès aux soins», *Santé conjuguée*, n° 8, avril, p. 36-38.

HYMAN, Ilene (2001). *Immigration et santé*, Document de travail 01-05, Ottawa, Santé Canada, Série de documents de travail sur les politiques de santé, septembre.

JOUBERT, Michel (1995). «Crise du lien social et fragmentation de l'accès aux soins», *Revue Prévenir*, (28), p. 93-104.

KAWACHI, Ichiro, Russell WILKINSON et Bruce KENNEDY (2001). «Introduction» dans, Jean Lock Kunz, Anne Milan et Sylvain Schetagne (2001). *Inégalité d'accès: profil des différences entre les groupes ethnoculturels canadiens dans les domaines de l'emploi, du revenu et de l'éducation*, Toronto, Fondation canadienne des relations raciales.

KUNZ Locke, J., Anne MILAN et Sylvain SCHETAGNE (2001). *Inégalité d'accès : profil des différences entre les groupes ethnoculturels canadiens dans les domaines de l'emploi, du revenu et de l'éducation*, Toronto, Fondation canadienne des relations raciales.

LABONTE, Ronald (2002). « Social Inclusion/Exclusion : Dancing the Dialectic », exposé présenté lors de la *Conférence sur les déterminants sociaux de la santé pendant toute la durée de vie*, tenue à Toronto en novembre.

LENOIR, René (1974). *Les exclus – Un Français sur dix*, Paris, Éditions du Seuil, collection Points Actuels, 180 pages.

LETARD, Valérie, Hilaire FLANDRE et Serge LEPELTIER (2004). *La France et les Français face à la canicule : les leçons d'une crise*, Rapport d'information n° 195 du Sénat, France.

LEVESQUE, Maurice, et Deena White (1999). « Le concept de capital social et ses usages », *Lien social et politique-RIAC*, 41, p. 23-33.

LIN, Nan (1995). « Les ressources sociales : une théorie du capital social », *Revue française de sociologie*, 36, 4, p. 685-704.

MAUSS, Marcel (1968). *Sociologie et anthropologie*, 4e éd., Paris, Presses universitaires de France.

MEDA, Dominique (2002). « Le capital social : un point de vue critique », *Alternatives économiques | L'Économie Politique*, n° 14, p. 36-47.

OIT (1998). *Exclusion sociale et stratégies de lutte contre la pauvreté*, Projet de recherche sur les modèles et les causes de l'exclusion sociale et la formulation de politiques visant à promouvoir l'intégration. Une synthèse des résultats. « Chapitre 1 : Conceptualisation de l'exclusion sociale », première édition, Genève, OIT. « Chapitre 3 : Implication au nivau des politiques », première édition, Suisse, OIT.

PONTHIEUX, Sophie (2006). *Le Capital social*, Paris, Éditions La Découverte.

PUTNAM, Robert (1999). « Le déclin du capital social aux États-Unis », *Lien social et politique-RIAC*, 41, p. 13-22.

RAPHAEL, Dennis (1999). « Health Effects on Economic Inequality : Overview and Purpose », *Canadian Review of Social Policy*, (44), p. 25-40.

WILKINSON, Russell (1996). *Unhealthy Societies: The Afflictions of Inequality*, New York, Routledge.

YANZ, Linda, et autres (1999). *Options politiques pour améliorer les normes applicables aux travailleuses du vêtement au Canada et à l'étranger*, Toronto, Maquila Solidarity Network/Condition féminine Canada.

Chapitre 8

L'importance des politiques sociales et économiques

Les politiques sociales et économiques revêtent une importance capitale sur la santé et le bien-être des populations et ont été officiellement reconnues comme déterminants de la santé. Le secteur de l'économie sociale, les politiques familiales, les services de garde et les soins à domicile ont tous une utilité sociale.

Après avoir terminé l'étude de ce chapitre, vous devriez être en mesure:

- De reconnaître l'importance des politiques sociales et économiques comme déterminants de la santé;
- De comprendre le rôle de l'économie sociale dans plusieurs domaines relatifs à la santé et aux services sociaux;
- D'en apprendre davantage sur les politiques familiales et la conciliation travail-famille;
- De connaître les différents programmes et les différentes mesures pour soutenir les familles comme les services de garde et les soins à domicile.

En guise d'introduction, un portrait général des politiques sociales et économiques permettra de mieux comprendre les stratégies développées pour soutenir la croissance économique et encourager des emplois de qualité, grâce à des systèmes de protection sociale et des politiques d'inclusion sociale. L'expansion récente du secteur de l'économie sociale mérite qu'on s'y intéresse pour reconnaître la dimension sociale de l'économie dans son mode de fonctionnement. Les entreprises d'économie sociale œuvrent dans les domaines de l'insertion professionnelle, de l'aide domestique et de l'entretien ménager, des services de garde et des logements communautaires, parmi tant d'autres, soit toute une panoplie de services en santé et services sociaux qui incombaient autrefois aux gouvernements.

En parallèle, les politiques familiales sont élaborées selon un cadre législatif particulier et se résument en un ensemble d'orientations énoncé par le gouvernement dans le but de venir en aide aux enfants et aux familles. Par exemple, les politiques familiales dans les provinces canadiennes visent à apporter aux familles un soutien financier, à accroître le nombre de places en garderie et à instaurer un régime d'assurance parentale. Des mesures de conciliation travail-famille sont aussi implantées en milieu de travail pour aider les familles à assumer leurs rôles de parents et de professionnels. En l'absence d'une politique canadienne sur les services de garde et d'éducation de la petite enfance, le soutien gouvernemental à un réseau de services de garde constitue une mesure favorisant une meilleure équité entre les sexes et favorise l'intégration des femmes au marché du travail et à la vie professionnelle. L'accessibilité, la qualité et le financement sont les trois indicateurs les plus courants pour évaluer les services de garde et d'éducation à la petite enfance.

À l'échelle du Canada, des programmes provinciaux et territoriaux sur les soins à domicile, les soins communautaires et les soins continus permettent d'offrir une meilleure qualité de vie au patient malade en dispensant les soins à domicile plutôt que dans les établissements de longue durée.

8.1 Les politiques sociales et économiques

Les politiques sociales et les politiques économiques sont en interaction constante et s'influencent mutuellement. Dans ce sens, les politiques familiales (politiques sociales) et les politiques de soutien pour l'emploi (politiques économiques) sont des stratégies visant à soutenir la croissance économique en venant, d'une part, en aide aux familles et, d'autre part, en encourageant des emplois de qualité. Ces politiques publiques visent aussi une plus grande cohésion sociale[1].

Des taux de croissance positifs et des emplois en quantité suffisante pour tout le monde sont nécessaires pour assurer la viabilité des politiques sociales et atteindre les objectifs du développement durable. Il reste qu'un meilleur taux de croissance ne va pas forcément de pair avec une plus forte cohésion sociale. Les politiques économiques ne suffisent pas à elles seules pour réduire les inégalités et doivent impérativement s'accompagner de politiques sociales. Des systèmes de protection sociale et des politiques d'inclusion sociale doivent être mis en place afin que l'ensemble de la population puisse accéder au marché du travail et profiter de la croissance économique favorable. Pour que les groupes vulnérables puissent aussi profiter des effets bénéfiques, des politiques économiques et des politiques sociales doivent être formulées à leur intention afin de réduire les écarts entre les pauvres et les riches et de rétablir un certain équilibre économique et social.

Les pouvoirs publics ont, au cours des dernières années, déployé des efforts destinés à lutter contre la pauvreté et l'exclusion sociale. Pour ce faire, ils se sont engagés à réformer leurs systèmes de protection sociale sur la base d'échanges d'idées sur les politiques et de l'apprentissage mutuel. Les systèmes de protection sociale et les politiques d'inclusion sociale s'inscrivent dans les stratégies de lutte contre la pauvreté et de l'exclusion sociale. Nombreux sont les gouvernements aujourd'hui qui cherchent à atteindre une croissance économique soutenue, des emplois plus nombreux et de meilleure qualité et une plus grande cohésion sociale. C'est pourquoi il faut garantir que les politiques sociales et économiques interagissent de façon profitable les unes par rapport aux autres.

Certains gouvernements s'illustrent aujourd'hui comme des modèles dans la mesure où ils ont mis en place des politiques qui ont permis d'avoir une croissance économique positive et plus d'emplois, grâce à des systèmes de protection sociale et des politiques d'inclusion sociale. Parmi les stratégies mises en œuvre, nous pouvons citer: la lutte contre la pauvreté des enfants et la transmission intergénérationnelle de la pauvreté ainsi que la promotion d'une éducation de qualité pour tous les enfants, l'égalité entre les sexes, la conciliation travail-famille, l'inclusion active, l'amélioration de l'état de santé de la population, la modernisation des systèmes de protection sociale et le développement du secteur de l'économie sociale. Ce modèle de réussite n'est possible que grâce à une interaction fructueuse entre l'économique et le social.

La promotion de l'égalité entre les sexes est aussi une mesure importante, car elle contribue à faire augmenter la demande sur le marché de l'emploi, le sentiment de bien-être au travail et la productivité ainsi que la croissance économique. Des mesures de conciliation travail-famille doivent être développées afin de faciliter la réintégration des femmes sur le marché de l'emploi en mettant à leur disposition des services de garde pour enfants, en leur offrant des bénéfices et des congés parentaux, et en faisant preuve de flexibilité. Toutes ces mesures ont des effets positifs sur le marché du travail. L'offre de services de garde de longue durée permet en même temps de répondre aux changements sociodémographiques. L'accès des femmes au travail vise à garantir l'égalité des chances au niveau des opportunités d'emploi et de carrière professionnelle. Les femmes continuent d'effectuer la majeure partie des responsabilités familiales même si elles travaillent à temps plein[2].

Dans plusieurs pays, même développés, les femmes abandonnent généralement leurs activités professionnelles lorsqu'elles ont des enfants, même si elles travaillaient auparavant à temps plein. Une fois que les enfants sont suffisamment grands, elles décident alors de retourner sur le marché du travail. Mais elles ne retrouvent la plupart du temps qu'un emploi à temps partiel. En revanche, les hommes ne sont pas prêts à de tels sacrifices avec l'arrivée d'enfants. Ils

---

1. Rayssiguier, Yvette, Josianne Jégu et Michel Laforcade (2008). *Politiques sociales et de santé: Comprendre et agir*, Édition de l'École des hautes études en santé publique.
2. Villagomez, Elizabeth, et Almenara Estudios (2008). *Retour des femmes sur le marché du travail*, Rapport de synthèse, Allemagne, Commission européenne, DG Emploi, affaires sociales et égalité des chances, 36 pages.

conserve leur emploi à temps plein et consacrent une grande partie de leur temps au travail. D'après les statistiques, «une femme sur trois reste économiquement inactive longtemps après un accouchement, tandis que 80-90 % des pères gardent un emploi à temps plein[3]».

L'Allemagne par exemple a décidé de prendre le taureau par les cornes en mettant en place un programme nommé *Berufsrückkehr von Frauen* (Perspectives de réinsertion professionnelle). Celui-ci est destiné à mettre un terme aux inégalités entre les sexes. Ce programme vise à intensifier la participation des femmes au marché du travail dans le cadre d'une politique durable d'égalité des chances entre les femmes et les hommes. À cet effet, des mesures spécifiques doivent être mises en œuvre pour faciliter le retour des femmes sur le marché du travail, après une période d'absence plus ou moins longue en raison de responsabilités familiales, et des services axés sur leurs besoins particuliers doivent leur être offerts. Ces mesures doivent s'appuyer sur les politiques existantes de façon à informer les employeurs sur les avantages potentiels d'avoir au sein de leur organisation une main-d'œuvre féminine. Le programme d'action repose essentiellement sur une approche basée à la fois sur le cycle de vie et sur la vision de l'inclusion sociale et de l'intégration sur le marché du travail en tant que processus, soit une approche holistique.

Le programme d'action allemand repose sur deux axes principaux pour encourager les femmes à retourner sur le marché de l'emploi : l'approche basée sur le cycle de vie pour une meilleure conciliation travail-famille et l'égalité entre les sexes. Afin d'augmenter la participation des femmes au marché du travail, les politiques publiques doivent impérativement prendre en compte les discriminations entre les femmes et les hommes sur le marché du travail afin d'arriver à une meilleure conciliation travail-famille. Des politiques faisant abstraction des inégalités entre les sexes contribueraient à perpétuer l'iniquité sur les plans économique et social en confinant les femmes dans leurs rôles traditionnels. Cette nouvelle forme d'inclusion que certains ont appelée «inclusion active» s'érige graduellement en un modèle de réussite.

Le concept d'«inclusion active» propose un ensemble de mesures politiques qui offrent un niveau de soutien approprié pour un accès au marché de l'emploi et aux services dans le but d'alléger les difficultés qui empêchent certaines personnes et leur famille de prendre part activement à la société. L'enjeu fondamental consiste ici à s'assurer que les politiques sociales aident de façon effective les individus qui présentent un risque accru de pauvreté et d'exclusion sociale, en leur assurant un niveau de vie acceptable. L'amélioration de l'état de santé de la population est une condition nécessaire au bien-être et à la qualité de vie, à la productivité et au vieillissement actif. Pour l'OMS, le vieillissement actif est le processus consistant à optimiser les possibilités de bonne santé, de participation et de sécurité afin d'accroître la qualité de vie pendant la vieillesse. Mais pour que la vieillesse soit une expérience positive, elle doit s'accompagner du maintien de la bonne santé, de la sécurité et de la participation sociale. Par ailleurs, le secteur des soins de santé et des soins de longue durée est particulièrement novateur dans ce domaine, car il comporte un fort potentiel de croissance et contribue à l'embauche de personnel hautement qualifié.

La modernisation des systèmes de protection sociale qui repose non seulement sur la durabilité financière, mais surtout la durabilité sociale en répondant aux besoins des populations de façon appropriée, est un impératif. Pour ce faire, le système de pensions publiques et les programmes de sécurité sociale, de services sociaux et d'assistance sociale doivent assurer des prestations adéquates aux personnes les plus vulnérables. Les services de santé offerts doivent aussi être accessibles et de qualité. Enfin, il faut insister sur le fait que le développement du secteur de l'économie sociale permet, par le biais de certaines entreprises d'insertion sociale et professionnelle, de combattre la pauvreté et l'exclusion des personnes sans emploi.

8.2 L'économie sociale

Le concept d'économie sociale est utilisé pour faire référence aux organismes sans but lucratif, dont des groupes de revendication, des organismes bénévoles et autres organismes communautaires, notamment des coopératives. Ce terme ne fait pas partie du

---

3. *Ibid.*

langage courant dans les provinces anglophones du Canada anglais, mais il pourrait être synonyme de ce que d'aucuns ont appelé *voluntary and community sector* (secteur bénévole et communautaire), qui comprend des organismes pour lesquels travaillent à la fois des bénévoles et des employés rémunérés[4].

Dans leur mode de fonctionnement, les entreprises d'économie sociale reconnaissent la dimension sociale de l'économie. Elles sont souvent les mieux placées pour identifier et répondre aux besoins des collectivités dans lesquelles elles sont implantées, par le biais de la consultation et de la concertation. Le bien-fondé et l'originalité des entreprises d'économie sociale reposent sur le fait qu'elles poursuivent des objectifs de rentabilité économique sur la base d'objectifs sociaux. Elles ont donc une utilité sociale et des retombées économiques qui participent à la revitalisation de certaines collectivités, notamment en encourageant la création d'emplois par la mobilisation des ressources nécessaires[5].

L'économie sociale a un potentiel de développement et de richesse immense. En effet, elle œuvre dans des secteurs d'activité très variés offrant de multiples services étroitement liés au développement de la main d'œuvre: entreprises d'insertion professionnelle, aide domestique et entretien ménager, cuisines collectives, services de garde, logements communautaires, etc. Ce travail se réalise en partenariat avec divers acteurs sociaux issus des milieux communautaire, syndical, coopératif et féministe. Dans plusieurs pays, certaines entreprises d'économie sociale se sont spécialisées dans de nouveaux secteurs d'activités économiques: tourisme, activités culturelles, activités commerciales, environnement, etc.

Divers secteurs d'activité prioritaires sont aujourd'hui retenus dans les domaines du développement économique et de l'économie sociale: les services de soutien aux personnes, le récréotourisme, la culture et l'environnement. Ces secteurs d'activité prioritaires s'inscrivent dans la continuité des services déjà offerts par les entreprises d'économie sociale. Par ailleurs, ces secteurs représentent des opportunités de développement liées à de nouveaux potentiels, comme l'arrivée de nouveaux immigrants ou encore le développement de sites désaffectés, etc. Il faut également considérer les changements administratifs et politiques, induits par la réorganisation du développement local et régional et la réorganisation des services de santé, survenus ces dernières années. Cette nouvelle conjoncture a amené une transformation des pratiques dans plusieurs domaines. En effet, les entreprises d'économie sociale sont désormais devenues des acteurs à part entière dans de nombreux secteurs de la vie économique et sociale, particulièrement celui de la santé et des services sociaux[6].

La réorganisation des services de santé s'est opérée dans un contexte de restrictions budgétaires majeures en matière de santé. Ceci n'a pas été sans impact sur les pratiques de santé. Plusieurs activités qui incombaient autrefois au milieu hospitalier se sont déplacées vers les centres locaux de services et les organismes communautaires et, plus récemment, vers les familles des patients malades. Cette tendance s'observe non seulement sur le plan des soins de santé, mais également dans le domaine des services sociaux.

La vision que nous avons de la santé et de la prise en charge a beaucoup évolué. D'une perspective individualiste, nous sommes passés à une approche de communautarisme où la communauté est désormais responsable de la guérison du malade après l'intervention plus technique et de courte durée de l'hôpital. Cette guérison se fait à domicile et semble de plus en plus assurée par la personne malade ou par un proche de celle-ci (administration de médicaments, soins infirmiers et soins personnels).

Selon Michèle Charpentier, cette approche bien qu'intéressante s'appuie sur une vision beaucoup trop idéaliste de la famille et de la communauté, qui ne peuvent remplacer à elles seules le milieu hospitalier[7]. Dans les faits, la famille se réduit souvent aux femmes qui sont les principales dispensatrices de soins ou aidantes naturelles. Les séjours hospitaliers de courte durée obligent souvent les femmes à donner de leur

4. Vaillancourt, Yves (2000). «La politique sociale comme déterminant de la santé: la contribution de l'économie sociale», document présenté lors de la *Conférence sur les déterminants sociaux de la santé pendant toute la durée de vie*, tenue à Toronto en novembre, p. 1-6.

5. Chantier de l'économie sociale (2000). *Mémoire du Chantier de l'économie sociale à la Commission sur l'organisation des services de santé et des services sociaux*, septembre, p. 1-24.

6. Vaillancourt, Yves (2000). «La politique sociale comme déterminant de la santé: la contribution de l'économie sociale», document présenté lors de la *Conférence sur les déterminants sociaux de la santé pendant toute la durée de vie*, tenue à Toronto en novembre, p. 1-6.

7. Charpentier, Michèle (2002). *Priver ou privatiser la vieillesse? Entre le domicile à tout prix et le placement à aucun prix*, Québec, Presses de l'Université du Québec, p. 29-30.

temps libre, à s'absenter du travail, voire à démissionner de leur emploi, pour être disponibles et venir en aide au proche malade. De plus, plusieurs centres de soins manquent de ressources pour assister les aidantes naturelles à domicile.

Il est important d'établir une distinction entre le *care* et le *cure*. Le *care* rassemble une panoplie d'activités à domicile et dans la communauté ou en milieu hospitalier. Le fait de dispenser des soins met en relation la personne soignante et la personne soignée. La personne soignante est responsable du patient malade. En revanche, le *cure* se résume aux actes médicaux et infirmiers et ne fait aucunement référence à l'aspect relationnel. Dans le cadre des réformes qui touchent les systèmes de santé, les traitements (*cure*) se déplacent vers le domicile, tandis que l'aspect relationnel des soins est à peu de chose près évacué du milieu hospitalier, et se trouve de plus en plus lié au travail bénévole des soignantes. Les centres de santé sont donc contraints de se tourner vers le *cure*, ce qui remet en question la notion de prévention. Les soins à domicile prennent donc le relais sur l'affectif et le social, qui sont complètement évacués du milieu hospitalier. L'importance du *care* a pourtant été reconnue comme étant essentielle dans le processus de guérison.

L'économie sociale contribue grandement à la santé et au bien-être des populations en encourageant des structures de gouvernance plus démocratiques. Les valeurs au cœur de l'économie sociale et les règles démocratiques qui les régissent favorisent l'auto-nomisation des utilisateurs et des employés au sein des organismes qui offrent des services directs[8]. L'autonomisation des travailleurs contribue à faire augmenter la participation et la prise de décisions des utilisateurs qui étaient auparavant perçus comme de simples bénéficiaires passifs selon la politique d'aide sociale. L'autonomisation des utilisateurs marque un changement d'approche dans la façon de traiter l'utilisateur de services sociaux. L'autonomi-sation des travailleurs a de plus un impact positif sur la qualité de vie dans les milieux de travail et donc sur leur santé et leur bien-être[9].

Au cours des dernières décennies, un nombre de plus en plus croissant d'organismes de l'économie sociale

ont mis en place des pratiques novatrices destinées à offrir des activités d'intégration au travail aux personnes ayant des troubles mentaux. En outre, nombre de ces organismes ont aidé de nombreuses personnes à participer à des ateliers de groupes et acquérir diverses compétences professionnelles, ce qui leur a permis d'avoir un meilleur contrôle sur leur vie et leur santé. Les entreprises de l'économie sociale offrent en outre des services domestiques (ménage et entretien, préparation des repas à domicile, visite par des intervenants aux personnes malades, services de conciergerie, etc.) à des personnes âgées et malades (toxicomanie, VIH, troubles mentaux, etc.) ou invalides, de façon temporaire ou permanente[10].

8.3 L'importance des politiques familiales

Une politique familiale se dote d'un certain nombre d'orientations, de lignes directrices et de mesures économiques, sociales et juridiques pour soutenir les familles, notamment les familles éprouvant des besoins particuliers. En tant qu'ensemble d'orienta-tions énoncé par un gouvernement dans le but d'aider les familles, les politiques familiales visent souvent à venir en aide aux familles qui ont des enfants mineurs. D'autres politiques publiques de soutien des personnes âgées et handicapées sont formulées pour améliorer leur quotidien. Les politiques familiales sont aussi étroitement en lien avec la santé, l'éducation, le travail, etc. et elles se recoupent avec les politiques sociales et économiques mises en œuvre dans ces domaines d'intervention.

De façon générale, les mesures mises en place par les pouvoirs publics s'articulent autour de programmes et d'investissements comme le soutien financier aux enfants et aux familles, l'accroissement du nombre de places en service de garde et l'instauration du régime d'assurance parentale, etc. La priorité aux familles se reflète également dans les mesures destinées à l'égalité entre les femmes et les hommes. L'objectif est d'agir en faveur d'une répartition plus

8. Fast, Janet, et autres (2001). *L'incidence économique des politiques en matière de santé, de sécurité du revenu et de travail sur les prestataires bénévoles de soins aux personnes âgées en perte d'autonomie*, étude réalisée pour Condition féminine Canada, Ottawa.
9. Vaillancourt, Yves (2000). «La politique sociale comme déterminant de la santé: la contribution de l'économie sociale», document présenté lors de la *Conférence sur les déterminants sociaux de la santé pendant toute la durée de vie*, tenue à Toronto en novembre, p. 1-6.
10. Keating, Nora, et autres (1999). *Soins aux personnes âgées au Canada: contexte, contenu et conséquences*, Ottawa, Statistique Canada.

équitable des responsabilités familiales et de l'implantation de mesures de conciliation travail-famille en milieu de travail.

La conciliation travail-famille demeure un enjeu important pour les familles dans plusieurs pays et évolue au rythme des changements sociodémographiques. Les femmes continuent de prendre en charge la majeure partie des tâches domestiques et de prendre soin des enfants, qu'elles exercent un emploi ou non. Elles éprouvent conséquemment plus de difficultés que les hommes à concilier les responsabilités familiales et professionnelles. La conciliation travail-famille fait ressortir un problème de fond majeur: l'inégalité entre les femmes et les hommes. Certains programmes d'assurance parentale visent justement à promouvoir une plus grande égalité entre les sexes. Le congé de paternité est une mesure visant à favoriser une plus grande implication des pères dès la naissance de l'enfant.

8.4 Les services de garde

Le soutien gouvernemental à un réseau de services de garde constitue une mesure favorisant une meilleure équité entre les femmes et les hommes et favorise amplement l'intégration des femmes au marché du travail et à la vie professionnelle.

> *Ce qu'on appelait auparavant «garde de jour», puis «garde d'enfants» est maintenant souvent désigné par «services de garde et d'éducation de la petite enfance». Ce terme est utilisé pour décrire une approche intégrée, multifonctionnelle, axée sur les politiques et les services, qui englobe tous les enfants et parents, peu importe l'emploi ou le statut socioéconomique. Au Canada, cette définition englobe les garderies et les autres services de garde réglementés – comme la garde en milieu familial dans des résidences privées – dont le principal objectif est de permettre aux mères de faire partie de la population active rémunérée. Elle inclut également les maternelles, les prématernelles et les centres préscolaires, qui sont axés principalement sur l'éducation de la petite enfance[11].*

L'institution de la Commission royale d'enquête sur la situation de la femme au Canada, par le premier ministre Lester B. Pearson le 16 février 1967, visait à répondre aux revendications des groupes de femmes. Cet aparté historique permet de comprendre dans quel contexte politique sont nés les services de garde. Le mandat de cette commission était de faire un état de la situation sur l'ensemble des sujets relatifs à la condition féminine et de formuler des recommandations dans le but d'améliorer les conditions de vie des femmes dans les champs de compétences du gouvernement fédéral. Le *Rapport de la Commission royale d'enquête sur la situation de la femme au Canada* comprend 167 recommandations dans les domaines suivants: l'équité salariale, les congés de maternité, les services de garde, les moyens de contraception, le droit de la famille, la loi sur les Indiens, l'instruction, l'accès des femmes au travail à temps partiel et aux postes décisionnels et le système de pensions. Ces recommandations, notamment la mise sur pied d'un programme national de garde d'enfants, reposaient essentiellement sur le principe de l'égalité des chances. Elles ont été soumises à la Chambre des communes le 7 décembre 1970. La commission a joué un rôle important dans la reconnaissance de la condition féminine et la défense des droits des femmes[12].

Grâce au programme national de garde d'enfants, le taux de participation des mères au marché du travail ayant des enfants d'âge préscolaire est passé à près de 70 %. Par ailleurs, les services de garde et d'éducation de la petite enfance représentent un certain nombre d'avantages sur le plan du développement pour tous les enfants. Il reste que le gouvernement du Canada n'a toujours pas formulé de politique nationale ni d'approche pancanadienne axée sur la garde et l'éducation de la petite enfance.

En mars 2003, les gouvernements fédéral, provinciaux et territoriaux ont pourtant conclu une entente historique canadienne sur les programmes et services d'apprentissage et de garde des jeunes enfants dans le but de favoriser leur bien-être. Le gouvernement du Québec adhère aux principes de l'*Initiative sur le développement de la petite enfance et de l'Initiative sur l'apprentissage précoce et les soins aux enfants*. Il a cependant souhaité conserver son autonomie gouvernementale en matière de développement social en

---

11. Friendly, Martha (2002). «Les services de garde et d'éducation de la petite enfance comme déterminant de la santé», document présenté lors de la *Conférence sur les déterminants sociaux de la santé pendant toute la durée de vie*, tenue à Toronto en novembre, p. 1-5.
12. Gouvernement du Canada (1970). *Commission royale d'enquête sur la situation de la femme au Canada*, Ottawa.

ne participant pas à la négociation de ces deux initiatives. Le gouvernement du Québec bénéficie tout de même de fonds fédéraux relativement importants lui permettant d'offrir des programmes et des services aux familles et aux enfants[13].

L'enfance, on le sait, est une étape critique dans le développement physique, mental et affectif. C'est aussi la période durant laquelle on influence fortement les bonnes habitudes de santé. Or, peu de parents aujourd'hui, dans le contexte canadien, ont aisément accès à un service de garde. L'accessibilité des services de garde pour tous est profondément remise en question. La qualité de ces services pour certaines clientèles telles que les familles vulnérables, les familles immigrantes et les enfants ayant des besoins particuliers reste en outre un problème récurrent.

D'après Martha Friendly, il y aurait «des places de garde réglementées pour environ 12 % des enfants canadiens âgés de 0 à 12 ans, ce qui ne permet pas de répondre aux besoins de 65 à 85 % des mères qui font partie de la population active rémunérée. Certains programmes des services de garde peuvent éventuellement se recouper ou se dédoubler, ce qui ne permet pas non plus de répondre aux besoins des familles, en plus d'engendrer un mauvais usage des fonds publics. À l'exception du Québec, le nombre de places en garderie n'a fait que stagner à l'échelle du Canada. Les coûts associés aux services de garde représentent aussi un obstacle en termes d'accessibilité pour les familles à faible revenu[14].

Il appert que les enfants dont les familles sont vulnérables sur le plan des ressources économiques se retrouveraient plus souvent dans des services de garde de qualité moindre ou non nécessairement réglementés[15]. Parmi les défis à relever, il faudra s'assurer qu'ils aient accès à des services de qualité en analysant l'ensemble des obstacles, notamment les obstacles culturels qui interfèrent dans le choix des familles pour certains services plutôt que d'autres. Sur le plan administratif, des règles de gestion des milieux plus souples faciliteraient amplement l'accès aux services de garde selon des observateurs du milieu[16].

La qualité des services de garde dépend des conditions de travail de la main-d'œuvre et de la reconnaissance professionnelle. Les services de garde sont à la fois des milieux de vie pour les enfants et des milieux de travail. Ils employaient plus de 40 000 personnes en 2001, principalement des éducatrices. Une recherche pancanadienne insiste sur la nécessité de reconnaître ce secteur d'emploi afin de s'assurer de la qualité des services offerts aux enfants et aux familles[17]. Les services de garde sont confrontés aux difficultés de recrutement et au taux de roulement relativement élevé, car le personnel ne reçoit pas de salaire compétitif ni d'avantages sociaux. La qualité des services ne peut que s'en trouver affectée. Les conditions de travail se sont tout de même légèrement améliorées avec l'arrivée du réseau des services de garde éducatifs, ce qui a permis de maintenir le personnel en poste. Il reste que les conditions de travail sont loin d'être attrayantes comparé à d'autres secteurs d'emploi.

Au Canada, la majorité des mères faisant partie de la population active placent leurs enfants dans des services de garde privés non réglementés dont la qualité est inconnue, contrairement aux centres de la petite enfance (CPE) qui garantissent une certaine qualité aux usagers. À l'exception du Québec, presque tous les services de garde pour les enfants de moins de cinq ans ciblent les familles à risque et ont des frais de garde relativement élevés, ce qui limite l'accessibilité aux familles à revenu modeste. D'autres programmes destinés aux enfants, comme la maternelle, ne répondent pas aux exigences du marché du travail ou sont de qualité médiocre[18].

La plupart des recherches canadiennes indiquent que la formation en éducation de la petite enfance et les salaires adéquats sont de bons indices de la qualité des programmes. Les provinces et les territoires ont de faibles exigences en matière de

13. Gouvernement du Canada (2000). *Cadre multilatéral pour l'apprentissage et la garde des jeunes enfants*, Ottawa.
14. Friendly, Martha (2002). «Les services de garde et d'éducation de la petite enfance comme déterminant de la santé», document présenté lors de la *Conférence sur les déterminants sociaux de la santé pendant toute la durée de vie*, tenue à Toronto en novembre, p. 1-5.
15. Japel, Christa, Richard Tremblay et Sylvana Côté (2005). «La qualité des services de garde à la petite enfance: Résultats de l'Étude longitudinale du développement des enfants du Québec (ELDEQ)», *Éducation et Francophonie*, vol. 33 (2), p. 7-27.
16. Cantin, Gilles, et autres (2008). *Les services de garde éducatifs à la petite enfance du Québec: recherches, réflexions et pratiques*, Québec, Presses de l'Université du Québec, p. 202.
17. Beach, Jane, et autres (2004). *Un travail à valoriser: La main d'œuvre du secteur de la garde à l'enfance*, Conseil sectoriel des ressources humaines des services de garde à l'enfance, Ottawa.
18. Goelman, Hillel, et autres (2000). *Oui ça me touche! Des milieux accueillants où l'on apprend: la qualité dans les garderies au Canada*, Centre d'études sur la famille, le travail et le mieux-être, Université de Guelph, Guelph, Ontario.

personnel de garderie et des fournisseurs de services de garde, et les salaires peu élevés sont la norme dans la plupart des endroits au Canada.

La formation du personnel des services de garde est liée à la qualité du service offert. Comme pour tout service, la qualité est la résultante d'une interaction dynamique entre plusieurs facteurs dont les ressources financières disponibles, la formation du personnel, la rémunération, etc.[19]. Ces facteurs, relevant de lois et de règlements, ne sont cependant pas suffisants à eux seuls. Les compétences des éducatrices sont essentielles pour mettre en place un environnement de qualité. Elles ont donc besoin d'être formées afin d'offrir aux enfants un climat d'apprentissage qui leur permet de s'épanouir et de s'amuser tout en apprenant. La formation de la main-d'œuvre initiale et continue est un moyen pour les éducatrices de parfaire leurs connaissances et habiletés et d'en acquérir de nouvelles. La majorité des services de garde leur offre des activités reliées au programme éducatif. Un sondage mené auprès d'éducatrices révèle que la grande majorité souhaiterait suivre des formations complémentaires sur la prévention en milieu de garde, les interventions auprès des enfants à problèmes ou ayant des besoins particuliers, ou sur les diverses formes de collaboration avec les parents[20].

Les services de garde et d'éducation à la petite enfance font partie des déterminants sociaux de santé reconnus pour les enfants et les familles. D'autres déterminants comme le revenu, une nutrition saine et équilibrée, un environnement sain et un logement décent ont également un impact direct ou indirect sur eux. De nombreuses recherches ont démontré que des services de garde et d'éducation de la petite enfance de qualité ont une incidence positive sur le développement de l'enfant[21]. Ils stimulent le développement cognitif et social et les aptitudes intellectuelles et sociales, qui sont des facteurs de réussite scolaire. Les effets positifs se prolongent tout au long de la vie et sont d'autant plus bénéfiques pour les enfants des ménages à faible revenu[22]. Dans une étude longitudinale sur les conséquences des programmes d'éducation de qualité pour les enfants issus de ménages à très faible revenu aux États-Unis, ces programmes leur ont permis d'obtenir un meilleur rendement scolaire, de diminuer le taux de criminalité juvénile et de limiter la consommation de tabac. Les enfants ayant participé à ces programmes ont généralement un revenu plus élevé à l'âge adulte. Ceci prévaut également pour les mères qui ont participé aux activités d'éducation incluant les parents et les enfants[23].

Les programmes de services de garde et d'éducation à la petite enfance offrent un certain nombre d'avantages non négligeables aux enfants et à leurs familles en particulier, ainsi qu'à la collectivité en général. La disponibilité des parents fait en sorte qu'ils peuvent travailler, continuer leurs études ou suivre une formation. Le travail permet d'accéder à un revenu et, pour certaines familles, de se sortir de la pauvreté. Des services complets (services de garde, activités récréatives, visites d'une infirmière) ont été offerts à des familles monoparentales bénéficiaires d'aide sociale dans le cadre de deux études menées en Ontario. Les résultats sont très probants :

Vingt pour cent des familles à qui l'on avait offert la gamme complète de services avaient abandonné l'aide sociale, comparativement à 10 % de celles à qui on ne les avait pas offerts. Les services récréatifs à eux seuls avaient donné lieu à 10 % de plus d'abandons de l'aide sociale, si l'on compare les parents d'enfants qui ont reçu ces services à ceux dont les enfants ne les ont pas reçus. Ces services avaient aussi eu pour effet d'améliorer la santé des mères et des enfants. Les services récréatifs s'étaient payés par eux-mêmes en permettant de réduire l'utilisation des soins de santé et des services sociaux[24].

19. Christa, Japel, et Nathalie Bigras (2007). *La qualité dans nos services de garde éducatifs à la petite enfance : la définir, la comprendre et la soutenir*, dans «Chapitre 3 : Comment augmenter la qualité des services de garde», Québec, Presses de l'Université du Québec, p. 83.
20. *Ibid.*
21. Shonkoff, Jack, et Dborah Philipps (2000). *From Neurons to Neighbourhoods. The Science of Early Childhood Development*, Washington, D.C., National Academies Press.
22. Espinoza, Linda M. (2002). *High-Quality Preschool : Why We Need It and What It Looks Like*, New Brunswick, N. J., National Institute for Early Education Research, Rutgers University.
23. Masse, Leonard N., et Steven Barnett W. (2002). *Benefit Cost Analysis of the Abecedarian Early Childhood Intervention*, New Brunswick, N. J., National Institute for Early Education Research, Rutgers University.
24. Browne, Gina, et autres (1998). *When the Bough Breaks : Provider-Initiated Comprehensive Care is More Effective and Less Expensive for Sole-Support Parents on Social Assistance - Four Year Follow-Up*, System-Linked Research Unit on Health and Social Service Utilization, Université McMaster et organismes de santé et de services sociaux affiliés.

Les programmes de services de garde et d'éducation de la petite enfance sont aussi bénéfiques pour les collectivités. Ils permettent aux enfants, issus de différents milieux sociaux, d'accepter les différences sociales, ethniques et raciales en leur apprenant à être tolérants. Les programmes communautaires de services de garde, intégrant à la fois les parents et les enfants, permettent d'encourager la participation des adultes et de renforcer les liens de solidarité au sein d'une collectivité donnée. L'accès des femmes et des enfants souffrant d'une incapacité revêt en outre une importance particulière sur le plan de l'équité et de la justice sociale.

8.5 Les soins à domicile

Les Canadiens ne jouissent pas en ce moment de soins à domicile universellement accessibles. Ces soins ne font pas partie du régime d'assurance maladie et sont considérés comme des services complémentaires de santé, non assurés aux termes de la *Loi canadienne sur la santé*. Les services offerts, les critères d'admissibilité et la tarification varient d'une province à l'autre. En vertu de la *Loi canadienne sur la santé*, les services de soins à domicile ne bénéficient pas des mêmes avantages financiers que les services hospitaliers et médicaux. Au Canada, le gouvernement fédéral apporte une contribution financière, sous forme de paiements de transfert, pour l'ensemble des programmes sociaux. Les gouvernements provinciaux et territoriaux, voire les municipalités dans certains cas, financent les services de soins à domicile, de soins communautaires et de soins continus. Il reste que cet apport financier est loin d'être suffisant pour combler l'ensemble des besoins des personnes en perte d'autonomie ou handicapées. Il revient également aux gouvernements provinciaux et territoriaux de définir les lignes directrices pour assurer la prestation de services.

Les soins à domicile et les soins communautaires varient d'un patient à l'autre, mais ont tous en commun l'amélioration de la qualité de vie. Dans certains cas, les patients ont besoin d'aide pour maintenir ou améliorer leur état de santé, rester autonome et recevoir des traitements. Les patients peuvent aussi avoir besoin de soins de réadaptation ou de soins palliatifs. Dans d'autres cas, ce sont la famille du patient et les aidants naturels qui ont besoin de recevoir de l'aide et le soutien psychologique nécessaire pour faire face à la maladie.

Et pourtant beaucoup de personnes estiment que les soins à domicile constituent une composante nécessaire du système de soins de santé intégré qu'il convient d'avoir. Ces soins sont en effet énormément utilisés par les personnes âgées. C'est pourquoi l'accès à de tels services est un aspect important pour de nombreuses personnes et ceci est encore plus vrai pour les personnes présentant de sérieux handicaps sur le plan fonctionnel et les personnes à faibles revenus.

Les expressions «soins à domicile» et «soins communautaires» sont utilisées afin de décrire les programmes qui aident les personnes à recevoir des soins chez elles plutôt que dans un hôpital ou dans un établissement de soins de longue durée, et à vivre de façon aussi autonome que possible dans la collectivité. Les soins à domicile et les soins communautaires sont dispensés par des professionnels agréés (p. ex. des infirmières), des intervenants non agréés, des bénévoles et des aidants naturels[25].

Les services de soins à domicile sont dispensés à des patients qui éprouvent des problèmes de santé plus ou moins graves allant de la déficience légère à la paralysie. Il existe une panoplie de soins à domicile offerts : les soins intensifs, les soins palliatifs, les soins infirmiers, les soins personnels (se baigner, s'habiller et se nourrir), la physiothérapie, l'ergothérapie, l'orthophonie, le service social, la diététique, l'aide aux tâches ménagères et les services de relève. Santé Canada a également mis en place un programme de jour, incluant des visites et des services de livraison de repas à domicile, pour les personnes souffrant de la maladie d'Alzheimer. Par ailleurs, certains groupes de population à risque sont censés bénéficier de services de soins à domicile sur la base de certains critères d'admission : les Premières Nations situées dans des réserves, les Inuits issus de certaines communautés, les Forces canadiennes et la Gendarmerie

---

25. Santé Canada, Système de soins de santé. Soins à domicile et soins communautaires. http://www.hc-sc.gc.ca/hcs-sss/home-domicile/commun/index-fra.php, consulté le 19 août 2009.

royale du Canada, les détenus des prisons fédérales et les anciens combattants.

Il existe notamment un programme de soins à domicile et en milieu communautaire destiné spécifiquement aux communautés des Premières Nations et des Inuits, développé par Santé Canada. Ce programme est culturellement adapté aux valeurs autochtones et se veut «respectueux des méthodes traditionnelles, holistiques et contemporaines en matière de guérison et de bien-être». Selon les termes de Santé Canada, les services doivent être «complets», «accessibles» et «efficaces» tout en respectant les besoins particuliers des autochtones en matière de santé et services sociaux. Les services et les soins offerts à domicile permettent aux personnes atteintes de maladies chroniques et aiguës de recevoir les soins nécessaires en restant dans leur communauté, ce qui permet au patient de garder un certain degré d'autonomie. Les soins offerts à domicile comprennent les soins infirmiers, les soins personnels, la préparation des repas et les soins de relève afin d'accorder à la famille du patient un moment de répit.

Les soins continus sont à la fois offerts à la maison et en milieu hospitalier. Ils requièrent parfois une attention particulière en milieu hospitalier et ne peuvent donc pas être dispensés uniquement à domicile. Afin que les patients reçoivent des traitements adéquats et gagnent en qualité de vie, ils doivent parfois accepter de recevoir les soins continus dans des logements supervisés lorsqu'ils sont capables d'être relativement autonomes ou dans des établissements de soins prolongés en cas de perte totale d'autonomie[26].

Les soins à domicile et les soins continus englobent un large éventail de services de santé fournis à domicile et au sein de la collectivité pour les convalescents, les personnes handicapées, les malades chroniques ou en phase terminale qui ont besoin de soins médicaux, infirmiers, sociaux ou thérapeutiques ou encore d'aide avec leurs activités essentielles de la vie

quotidienne. Les soins continus comprennent également le logement supervisé et les soins d'établissement de soins prolongés[27].

Les soins à domicile, les soins communautaires et les soins continus ont de fortes chances d'être en pleine expansion au Canada d'ici les prochaines années, en raison de plusieurs facteurs. Le vieillissement de la population canadienne exige de plus en plus de soins continus pour les personnes âgées. La majeure partie des patients préfèrent recevoir des soins à domicile et être entourés de leurs proches au lieu de rester seuls dans des établissements de longue durée[28]. D'ailleurs, on observe une réduction des séjours hospitaliers et une utilisation plus grande des soins ambulatoires. Les progrès de la médecine et l'évolution technologique permettront certainement dans un futur plus ou moins proche l'utilisation d'équipement de plus en plus perfectionné à domicile. Il faudra néanmoins recourir à une main d'œuvre de plus en plus spécialisée[29].

La forte demande pour recevoir des soins à domicile n'encourage pas le système de services de santé à offrir des soins en milieu hospitalier, ce qui contribue à faire augmenter la demande d'aidants naturels qui supportent le fardeau financier des personnes en perte d'autonomie ou la demande de ressources humaines spécialisées qui ne sont que très peu rémunérées[30]. Il reste que le secteur des soins à domicile et des soins communautaires n'est pas supposé prendre le relais sur les responsabilités gouvernementales en matière de santé.

Les femmes forment la majorité des aidantes non rémunérées et des bénéficiaires de services. Celles-ci consacrent en effet plus d'heures que les hommes à prendre soin de leurs proches sans rémunération. Elles doivent beaucoup plus souvent que ces derniers s'occuper de plus d'une personne ayant besoin de soutien, ce qui a naturellement un gros impact sur leur santé[31]. Dans la mesure où le fardeau qui pèse sur les femmes en matière de prestation de soins est beaucoup plus lourd, il n'est donc pas étonnant que,

26. Bernier, Jocelyne (1999). *Recommandations concernant l'impact des transformations du système de santé sur les femmes aidantes*, Régie régionale de la santé et des services sociaux de Montréal-Centre, Montréal, Centre d'excellence pour la santé des femmes.

27. Santé Canada. Soins à domicile et soins continus, http://www.hc-sc.gc.ca/hcs-sss/home-domicile/index-fra.php, consulté le 19 août 2009.

28. Armstrong, Pat, et Olga Kits (2001). *One Hundred Years of Caregiving*, unpublished paper, Ottawa, Law Commission of Canada.

29. Armstrong, Pat (1994). *Take Care: Warning Signals for Canada's Health Care System*, Toronto, Garamond Press.

30. Le Goff, Philippe (2002). *Les soins à domicile au Canada: Problèmes économiques*, Ottawa, Direction de la recherche parlementaire, Bibliothèque du Parlement.

31. Annerstedt, Lena, et autres (2000). «Family Caregiving in Dementia - an Analysis of the Caregiver's Burden and the "Breaking-point" when Home Care Becomes Inadequate», *Scandinavian Journal of Public Health*, 28(1), p. 23-31.

selon les recherches, l'aide et les soins aux proches aient un effet négatif plus important sur la santé des femmes que sur celle des hommes. L'aide qui est prodigué par les aidants naturels perturbe leur quotidien et leurs plans d'avenir. Prendre soin d'un parent malade à la maison peut donc engendrer un immense fardeau sur le plan personnel, financier et social, car certains sont obligés de laisser tomber leur emploi afin de s'occuper de leurs proches[32]. La situation est davantage préoccupante chez les réfugiés, les immigrants, les gais et lesbiennes, qui se heurtent souvent au racisme et à l'homophobie, aux barrières linguistiques et culturelles. Il leur arrive assez fréquemment de subir l'hostilité et la discrimination de la part des dispensateurs de soins[33].

La réorganisation des soins de santé dans plusieurs provinces caractérisée par une réduction des temps de séjour à l'hôpital, la désinstitutionnalisation et le déplacement des services vers le milieu de vie naturel a été lourde de conséquences pour les aidants naturels et plus particulièrement pour les femmes, car celles-ci se voient ainsi obligées d'offrir davantage de soins non rémunérés[34].

Graphique 11 : Croissance annuelle des dépenses publiques et privées par habitant pour les soins à domicile

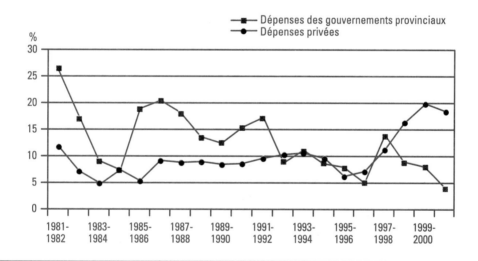

Source : Le Goff, Philippe (2002). *Les soins à domicile au Canada : Problèmes économiques*, Ottawa, Direction de la recherche parlementaire, Bibliothèque du Parlement.

32. Armstrong, Pat (1994). « Caring and Women's Work », *Health and Canadian Society*, 2(1), p. 109-118.
33. Aronson, Jane (1998). « Doing Research on Lesbians and Caregiving : Disturbing the Ideological Foundations of Family and Community Care », dans J. Ristock, et C. Taylor (Eds.). *Inside the Academy and Out : Lesbian/Gay/Queer Studies and Social Action*, Toronto, University of Toronto Press.
34. Allen, Susan M., et autres (1999), « Gender Roles, Marital Intimacy, and Nomination of Spouse as Primary Caregiver », *Gerontologist*, (Apr) 39(2), p. 150-158.

Sur le plan international, le Programme des Nations Unies sur le VIH/SIDA (ONUSIDA) note que l'apparition des soins à domicile et communautaires coïncide avec l'arrivée du VIH/SIDA. Ce type de soins permet d'offrir le soutien psychologique nécessaire aux personnes infectées ou affectées par le virus. Ils demeurent essentiels dans les pays en développement, particulièrement dans les pays à faible revenu et les pays à revenu intermédiaire qui ne disposent pas forcément d'un système de santé prenant en charge les malades. Le manque d'accessibilité au système de soins de santé, notamment à cause de l'éloignement des établissements de santé dans ces pays, oblige les personnes infectées par le VIH/SIDA à se tourner vers les soins à domicile et communautaires.

Les soins à domicile et communautaires sont très diversifiés et varient selon les patients. Ils sont la plupart du temps dispensés par des personnes issues de leur entourage: famille, amis, membres de la communauté, travailleurs sociaux et intervenants communautaires travaillant pour des organisations non gouvernementales. Ils peuvent aussi être dispensés dans une moindre mesure par des professionnels de la santé, principalement du personnel infirmier.

En bref

Les politiques sociales et économiques

Les politiques sociales permettent de lutter contre la pauvreté et l'exclusion sociale en corrigeant les inégalités socioéconomiques. Les enjeux sont généralement: le travail, l'emploi, la formation professionnelle, la conciliation travail-famille, l'égalité entre les sexes, l'éducation et la protection sociale. Les politiques économiques visent à intervenir sur l'activité économique en soutenant principalement la croissance économique, des emplois de qualité et en quantité suffisante.

L'économie sociale

L'entreprise d'économie sociale combine deux termes qui peuvent être parfois contradictoires: «économie» réfère à la production de biens ou de services de l'entreprise contribuant au profit et «sociale» renvoie à la rentabilité sociale des activités. Ce type d'entreprise permet d'améliorer la qualité de vie et le bien-être des populations en leur offrant une multitude de services dans les domaines de l'insertion professionnelle, l'aide domestique, les soins, les cuisines collectives, les services de garde, les logements communautaires, etc. Les principes de la démocratie, de la participation, de la prise en charge, de la responsabilité individuelle et collective se trouvent au cœur des activités.

La politique familiale

La politique familiale est un énoncé de mesures prises par le gouvernement à l'intention des familles. La conciliation travail-famille demeure un enjeu important pour la plupart des familles dans le monde. Les objectifs de la politique familiale québécoise s'articulent autour du soutien financier aux enfants et aux familles, de l'accroissement du nombre de places en service de garde et de l'instauration du régime québécois d'assurance parentale.

Les services de garde

Les services de garde et d'éducation de la petite enfance décrivent une approche intégrée englobant tous les enfants et les parents, peu importe leur statut socioéconomique. Il s'agit d'une mesure de conciliation travail-famille. Trois indicateurs sont utilisés: l'accessibilité, la qualité et le financement. L'accessibilité est menacée par le manque de places disponibles et les coûts des services. La qualité des services offerts dépend en grande partie des éducatrices qui n'ont pas toujours la formation ni les ressources nécessaires pour répondre aux enfants ayant des besoins particuliers. Des services de qualité ont par contre des effets positifs sur le développement cognitif de l'enfant, effets qui se prolongent à l'âge adulte. Le financement reste un problème récurrent.

Les soins à domicile

Les soins à domicile et les soins communautaires comprennent les soins de santé reçus en dehors du milieu hospitalier. Ces soins sont généralement utilisés par les personnes âgées, ce qui implique donc que l'accès à de tels services est un aspect crucial pour les aînés. Ceci est encore plus vrai pour les femmes, les personnes à faible revenu et les exclus qui sont beaucoup plus susceptibles d'avoir besoin de ces services durant leur vie. Les soins à domicile permettent d'améliorer la qualité de vie des patients en leur offrant une panoplie de soins: soins intensifs, soins palliatifs, soins infirmiers, soins personnels, physiothérapie, ergothérapie, orthophonie, service social, diététique, aide aux tâches ménagères, services de relève, etc. Ces soins sont présentement considérés comme des services non assurés aux termes de la *Loi canadienne sur la santé*.

Bibliographie

ALLEN, Susan M., et autres (1999). «Gender Roles, Marital Intimacy, and Nomination of Spouse as Primary Caregiver», *Gerontologist*, (Apr), 39(2), p. 150-158.

ANNERSTEDT, Lena, et autres (2000). «Family Caregiving in Dementia - an Analysis of the Caregiver's Burden and the "Breaking-point" when Home Care Becomes Inadequate», *Scandinavian Journal of Public Health*, 28(1), p. 23-31.

ARMSTRONG, Pat (1994). «Caring and Women's Work», *Health and Canadian Society*, 2(1), p. 109-118.

ARMSTRONG, Pat (1994). *Take Care: Warning Signals for Canada's Health Care System*, Toronto, Garamond Press.

ARMSTRONG, Pat, et Olga Kits (2001). *One Hundred Years of Caregiving*, Unpublished paper, Ottawa, Law Commission of Canada.

ARONSON, Jane (1998). «Doing Research on Lesbians and Caregiving: Disturbing the Ideological Foundations of Family and Community Care», dans J. Ristock, et C. Taylor (Eds.), *Inside the Academy and Out: Lesbian/Gay/Queer Studies and Social Action*, Toronto, University of Toronto Press.

BEACH, Jane, et autres (2004). *Un travail à valoriser: La main d'œuvre du secteur de la garde à l'enfance*, Conseil sectoriel des ressources humaines des services de garde à l'enfance, Ottawa.

BERNIER, Jocelyne (1999). *Recommandations concernant l'impact des transformations du système de santé sur les femmes aidantes*, Déposées à la Régie régionale de la santé et des services sociaux de Montréal-Centre, Montréal, Centre d'excellence pour la santé des femmes.

BROWNE, Gina, et autres (1998). *When the Bough Breaks: Provider-Initiated Comprehensive Care is More Effective and Less Expensive for Sole-Support Parents on Social Assistance - Four Year Follow-Up*, System-Linked Research Unit on Health and Social Service Utilization, Université McMaster et organismes de santé et de services sociaux affiliés.

CANTIN, Gilles, et autres (2008). *Les services de garde éducatifs à la petite enfance du Québec: recherches, réflexions et pratiques*, Québec, Presses de l'Université du Québec.

Chantier de l'économie sociale (2000). *Mémoire du Chantier de l'économie sociale à la Commission sur l'organisation des services de santé et des services sociaux*, Québec, septembre.

CHARBONNEAU, Johanne, et Michèle VATZ-LAAROUSSI (2001). «L'accueil et l'intégration des immigrants: à qui la responsabilité? Le cas des jumelages entre familles québécoises et familles immigrantes», *Lien social et Politiques*, 46, p. 111-124.

CHARPENTIER, Michèle (2002). *Priver ou privatiser la vieillesse? Entre le domicile à tout prix et le placement à aucun prix*, Québec, Presses de l'Université du Québec.

CHRISTA, Japel, et Nathalie BIGRAS (2007). *La qualité dans nos services de garde éducatifs à la petite enfance: la définir, la comprendre et la soutenir*, dans «Chapitre 3: Comment augmenter la qualité des services de garde», Québec, Presses de l'Université du Québec.

ESPINOZA, Linda M. (2002). *High-Quality Preschool: Why We Need It and What It Looks Like*, New Brunswick, N. J., National Institute for Early Education Research, Rutgers University.

FAST, Janet, et autres (2001). *L'incidence économique des politiques en matière de santé, de sécurité du revenu et de travail sur les prestataires bénévoles de soins aux personnes âgées en perte d'autonomie*, étude réalisée pour Condition féminine Canada, Ottawa.

FRIENDLY, Martha (2002). «Les services de garde et d'éducation de la petite enfance comme déterminant de la santé», *document présenté lors de la Conférence sur les déterminants sociaux de la santé pendant toute la durée de vie*, tenue à Toronto en novembre, p. 1-5.

GOELMAN, Hillel, et autres (2000). *Oui ça me touche! Des milieux accueillants où l'on apprend: la qualité dans les garderies au Canada*, Centre d'études sur la famille, le travail et le mieux être, Université de Guelph, Guelph, Ontario.

GRANOVETTER, Mark S. (1973). «The Strength of Weak Ties», *American Journal of Sociology*, 78, p. 1360-1380.

Gouvernement du Canada (1970). *Commission royale d'enquête sur la situation de la femme au Canada*, Ottawa.

Gouvernement du Canada (2000). *Cadre multilatéral pour l'apprentissage et la garde des jeunes enfants*, Ottawa.

JAPEL, Christa, Richard TREMBLAY et Sylvana CÔTÉ (2005). «La qualité des services de garde à la petite enfance : Résultats de l'Étude longitudinale du développement des enfants du Québec (ÉLDEQ)», *Éducation et Francophonie*, vol. 33 (2), p. 7-27.

KEATING, Nora, et autres (1999). *Soins aux personnes âgées au Canada : contexte, contenu et conséquences*, Ottawa, Statistique Canada.

LE GOFF, Philippe (2002). *Les soins à domicile au Canada : Problèmes économiques*, Ottawa, Direction de la recherche parlementaire, Bibliothèque du Parlement.

MASSE, Leonard N., et Steven Barnett W. (2002). *Benefit Cost Analysis of the Abecedarian Early Childhood Intervention*, New Brunswick, N. J., National Institute for Early Education Research, Rutgers University.

RAYSSIGUIER, Yvette, Josianne JEGU et Michel LAFORCADE (2008). *Politiques sociales et de santé : Comprendre et agir*, Édition de l'École des hautes études en santé publique.

SHONKOFF, Jack, et Dborah PHILIPPS (2000). *From Neurons to Neighbourhoods. The Science of Early Childhood Development*, Washington, D.C., National Academies Press.

VAILLANCOURT, Yves (2000). «La politique sociale comme déterminant de la santé : la contribution de l'économie sociale», document présenté lors de la *Conférence sur les déterminants sociaux de la santé pendant toute la durée de vie*, tenue à Toronto en novembre, p. 1-6.

VILLAGOMEZ, Elizabeth, et Almenara ESTUDIOS (2008). *Retour des femmes sur le marché du travail*, Rapport de synthèse, Allemagne, Commission européenne, DG Emploi, affaires sociales et égalité des chances, 36 pages.

Chapitre 9

Politiques sanitaires et organisation des services de santé : le système de santé en question

L'amélioration des politiques de santé, du financement, du paiement et de la gestion des systèmes de santé, de la prestation et de l'utilisation des services et soins de santé, des pratiques et des interventions, et de la prise en compte des besoins des communautés culturelles visent à renforcer le système de santé en améliorant l'allocation des ressources. Les priorités de santé publique accordent une importance particulière aux problèmes de santé et rendent légitimes les interventions en santé publique.

Après avoir terminé l'étude de ce chapitre, vous devriez être en mesure :

- De connaître les différents modes de financement des systèmes de santé ;
- De connaître les éléments d'un système de santé intégré ;
- De comprendre les choix des priorités de santé publique et la prévention ;
- De reconnaître l'importance de la prise en compte de la diversité culturelle dans la planification des services de santé.

Les services de santé de qualité font partie des déterminants de la santé, car ils sont souvent nécessaires pour prévenir la maladie et, surtout, la traiter une fois qu'elle s'est installée. Les études suggèrent que les services de santé auraient une incidence de 10 % sur la santé et qu'ils permettraient de réduire, plus ou moins dans la même proportion, la morbidité. L'accès universel à des soins de qualité est un important déterminant de la santé, et ceci est encore plus vrai pour les populations défavorisées. La réduction des inégalités de santé et l'offre de soins à des populations passent nécessairement par des services de santé universels de qualité. Or, ces problématiques sont aujourd'hui confrontées à un défi de taille : l'organisation et le financement des systèmes de santé.

La problématique du financement des systèmes de santé soulève de nombreuses polémiques et concerne de près les politiques de santé et les réformes des systèmes de santé. D'une part, les pays développés sont confrontés à des difficultés de financement de leurs systèmes de santé à cause de l'augmentation des coûts engendrée par la hausse de la demande de services de santé. D'autre part, les pays en développe-ment doivent faire face au manque de ressources financières et de personnel de santé qualifié. Dans les deux cas, les dépenses en santé ne sont guère suffisantes pour répondre aux besoins grandissants de la population en matière de santé, qu'il s'agisse de SSP ou d'autres types de soins. Des sources de financement autres (participation financière des usagers et systèmes de mutuelles de santé) se développent en parallèle au financement public. L'assurance maladie privée gagne en importance, mais questionne profondément le principe de l'équité en santé en laissant les groupes les plus vulnérables en dehors de ce système.

L'allocation des ressources change d'un pays à l'autre et en fonction des choix de priorités en santé publique. Un système de santé intégré repose sur une meilleure allocation des ressources et des bénéfices en santé. L'exemple du financement d'un système intégré de santé pour les Premières Nations et les Inuits jette les bases d'un financement adéquat et d'un système de santé intégré garantissant des services et soins accessibles, équitables, efficaces et culturellement adaptés aux besoins des communautés autochtones.

Les priorités en santé publique varient selon les problèmes de santé rencontrés au niveau national. Les problèmes de santé sont souvent en lien avec le stade de développement des pays. On observe d'ailleurs certaines constantes qui se retrouvent dans les pays développés (maladies cardiovasculaires, alcoolisme, tabagisme, toxicomanie, etc.) et les pays en développement (malnutrition, mortalité infantile, mortalité maternelle, etc.). Afin d'atteindre la « santé pour tous », des objectifs de santé et des politiques en prévention et promotion de la santé sont formulés. Il ressort cependant que les inégalités sociales de santé apparaissent comme étant le principal déterminant social de santé et le dénominateur commun à l'ensemble des pays. La lutte contre les inégalités sociales de santé doit donc constituer le principal cheval de bataille des gouvernements et figurer en tant que priorité de santé publique à l'échelle internationale.

L'hétérogénéité des populations oblige désormais à considérer la culture dans la planification des services et soins de santé en adaptant culturellement les programmes de prévention et de promotion de la santé aux minorités ethniques (populations immigrantes ou autochtones). Les facteurs culturels associés à l'ethnicité exercent une grande influence sur la santé. Dans ce contexte, l'ensemble des déterminants de la santé doivent être mieux appréhendés afin d'être en mesure de comprendre les problèmes de santé à caractère multiculturel ou la relation particulière qu'entretiennent les minorités ethniques avec le système de santé. Les professionnels de la santé doivent acquérir une meilleure connaissance des particularités culturelles des minorités ethniques et développer des compétences culturelles pour intervenir dans des contextes multiculturels.

9.1 Une politique de financement de la santé

La santé a toujours été une valeur importante dans les sociétés humaines. Patrimoine ou capital sociétal pour les uns, produit des comportements et des conditions de vie pour les autres, elle a occupé une place centrale à travers les cultures et les âges parce qu'elle est la condition de toutes les autres conditions d'exercice de la vie[1]. Depuis quelques décennies, le champ de la santé connaît un regain d'intérêt au point de devenir une priorité sociale fondamentale pour tous les gouvernements à l'échelle planétaire qui continuent d'y consacrer une part importante de leurs ressources[2]. Symbole d'une démocratie solidaire et témoin du niveau de développement d'une collectivité, la santé est longtemps apparue comme un bien particulier auquel il est difficile d'appliquer le calcul économique car elle se situerait hors du champ de l'économie[3]. C'est d'ailleurs ce qui explique le dilemme qui oppose le paradigme de la rationalisation des coûts, propre à la science économique, à celui des besoins sociaux et humains, propres aux sciences de la vie. D'ailleurs, la théorie économique elle-même considère la santé comme un champ qui s'inscrit dans la catégorie des services collectifs et des biens publics. En tant que bien non marchand, certains estiment que la santé ne peut donc théoriquement pas faire l'objet d'une discrimination entre ceux qui en bénéficient, car elle est indivisible et non exclusive et, qui plus est, sa disponibilité et son accessibilité ne devraient pas être réduites parce qu'il y aurait trois consommateurs au lieu d'un[4].

Mais au-delà de ces beaux principes, force est de reconnaître que la santé est devenue au cours des dernières années une lancinante énigme pour les pouvoirs publics. De nombreux experts s'accordent pour dire que les systèmes publics de santé ne sont pas viables à long terme sans des réformes profondes dans la façon dont ceux-ci sont financés[5]. En effet, si la santé n'a pas de prix, elle a un coût que de plus en plus de gouvernements ont du mal à supporter. Le champ de la santé est aujourd'hui devenu un espace politiquement structuré dans lequel se jouent des luttes de systèmes de valeurs et où des choix difficiles et peu consensuels sont nécessaires. Les données relatives à l'évolution des dépenses en santé dans les pays de l'OCDE font apparaître une constance commune : de façon générale, la croissance

1. Commission on the Future of Health Care in Canada (2002). *Building on Values: The Future of Health Care in Canada*, Saskatoon, Sask. : The Commission.
2. MacKinnon, Janice C. (2004). « The Arithmetic of Healthcare », *CMAJ*, 171, p. 603-604.
3. Cutler, David M., et autres (2006). « The value of Medical Spending in the United States, 1960-2000 », *New England Journal of Medecine*, 355, p. 920-927.
4. Jones, Andrew M., et autres (2007). *Applied Health Economics*, London, Routledge.
5. Imbeau, Louis, Kina Chenard et Adriana Dudas (2002). *Les conditions de la viabilité d'un système public de santé au Canada*, Étude n° 11, mémoire présenté à la Commission sur l'avenir des soins de santé au Canada.

réelle des dépenses en santé dans les pays membres a été plus rapide que celle de leur PIB. En 2006 par exemple, la part des dépenses en santé est passée en moyenne de l'ordre de 8,9 % du PIB contre 8,4 % en 2000 et 5,3 % en 1970[6]. Cette progression des dépenses n'est a priori pas problématique en soi, car les sommes record investies en santé tiennent à plusieurs raisons. Les soins et services de santé constituent un secteur à forte intensité de main-d'œuvre, ce qui implique des coûts élevés pour un personnel hautement qualifié (médecins, infirmières, personnel de soutien et, de plus en plus, gestionnaires et administrateurs). En outre, la santé met en œuvre des technologies onéreuses, compte-tenu des progrès dans l'imagerie, la thérapie génique, la pharmacologie et la biotechnologie. Par ailleurs, même si le phénomène ne semble avoir joué qu'un rôle relativement limité, il faut s'attendre à ce que le vieillissement de la population, en raison de la structure des coûts liés à l'âge, accentue à la hausse les dépenses de santé[7].

L'augmentation des dépenses de santé pose, à long terme, la question de leur soutenabilité par le financement public. Encore aujourd'hui, plusieurs gouvernements peinent à trouver le juste équilibre entre les objectifs contradictoires que constituent des enjeux comme la qualité des soins, l'accessibilité, l'universalité, l'équité du système, la liberté des acteurs (médecins et patients) et la maîtrise des dépenses correspondantes. Des questions beaucoup plus délicates vont apparaître et il faudra résoudre les nombreux dilemmes éthiques qui vont se poser à nous, lorsque viendra par exemple le temps de décider s'il faut toujours opérer de la cataracte des gens qui n'ont qu'une légère perte de vision, comme c'est parfois le cas, ou encore comment poser des gestes empreints d'humanité et de compassion lorsque les dépenses sont extrêmement lourdes. En fait, il faudra à l'avenir commencer par se questionner sur ce à quoi nous accordons le plus d'importance en matière de soins de santé, de prestation des services ou de liens entre les prestateurs de soins et les patients.

L'exercice a été entrepris dans plusieurs pays, et des réformes destinées à améliorer la productivité des systèmes de santé, le contrôle de l'offre ou encore la réduction de la demande de soins ont été initiées. Dans plusieurs pays, les gouvernements ont essayé d'augmenter le fardeau fiscal afin de contrôler la pression inflationniste du système, mais ils ont dû se raviser en raison de l'impopularité d'une telle politique. D'autres avant eux ont choisi d'imposer des contraintes sur l'offre, mais ils ont tôt fait de se rendre compte que cette approche pouvait conduire à un «apartheid médical». Les plus intrépides ont fait le pari de réformes structurelles qui ont tantôt pris une tournure radicale par la mise en œuvre de changements majeurs sur une courte période (approche big-bang), tantôt séquentielle (par l'adoption d'un plan de mise en place des changements par étapes) ou incrémentielle (en prônant de légers ajustements dans le rôle de certains professionnels clés de santé[8]). Le système de santé au Canada a historiquement joué un rôle crucial dans l'édification de la nation. Universel et accessible jadis, il faut reconnaître qu'il a très bien servi les collectivités. Même si les Canadiens n'ont jamais été en meilleure santé et qu'ils ont collectivement au cours du dernier siècle bénéficié de changements sociaux fondamentaux, conjugués à une vague déferlante de mesures nationales de santé publique, on est bien forcé de se rendre aujourd'hui à une triste évidence: la pérennité du système canadien de santé est gravement menacée: pénurie de ressources humaines, manque de médecins et d'infirmiers, épuisement professionnel du personnel médical, accroissement des erreurs médicales, exclusion du système de soins d'une partie de la population, rationnement des soins, services d'urgence surchargés, insatisfaction du public, profondes inégalités d'accès en matière de santé et d'accès aux services; bref, la liste des maux qui minent le système de santé est longue[9].

L'accroissement exponentiel des besoins, les profondes mutations qui ont affecté l'organisation des soins de santé, les contraintes fiscales et financières, de même que les multiples contingences socio-économiques et politiques forcent donc aujourd'hui les gouvernements à se réajuster et à faire des choix difficiles et déchirants, afin de remplir adéquatement leur rôle de puissance publique et de pivot de l'organisation sociale et économique. Ce serait un

---

6. OECD (2007). *OECD Health Data 2007*, Paris.
7. Wilensky, Gail R. (1995). «Incremental Health System Reform: Where Medicare Fits In», *Health Affairs*, 14(1), p. 173-181.
8. Gauld, Robin D.C. (2000). «Big Bang and the Policy Prescription: Health Care Meets the Market in New Zealand», *Journal of Health Politics, Policy and Law*, 25(5), p. 815-844.
9. Canadian Institute for Health Information (2006). *Waiting for Health Care in Canada: What We Know and What we Don't Know*, Ottawa.

euphémisme d'affirmer que la situation a dégénéré en crise comme l'a si bien reconnu en juin 2005 la Cour suprême du Canada dans une décision qui marquera encore, pour plusieurs générations, les annales judiciaires. C'est dans ce contexte de crise cumulative de financement, de l'offre et de la qualité de soins de santé et de contraintes budgétaires, que se pose aujourd'hui l'épineuse mais nécessaire question des issues de secours pour le système de santé au Canada. Autrement dit, comment les gouvernements peuvent-ils sortir de cette impasse programmée qui semble de plus en plus inéluctable? Dans quelles mesures les pouvoirs publics peuvent-ils assurer les soins de santé dont la population a besoin et qu'elle demande, et cela de façon efficiente et à un coût supportable? Sur quelles bases et à quelles conditions il est encore possible de préserver le système canadien de santé dans un contexte où la santé au Canada accapare une si grande partie de la richesse nationale, c'est-à-dire près de 40 % des budgets provinciaux[10] et où des pays avec des populations aussi en bonne, voire en meilleure santé dépensent beaucoup moins en soins?

La régulation des prix et du volume d'activité dans le secteur de la santé est-elle une option à considérer? Le déplacement des coûts sur les patients est-il équitable et socialement acceptable dans une démocratie solidaire comme la nôtre? Les mesures de plafonnements budgétaires constituent-elles comme le prétendent certains un pacte avec le diable? Peut-on encore, dans le contexte actuel, se permettre de déconnecter les soucis fiscaux des gouvernements et le fonctionnement du secteur de la santé? Est-il normal ou souhaitable, lorsqu'on peut faire autrement, de subordonner la prestation de soins au seul souci de l'équilibre financier de gouvernements qui, par ailleurs, ne font pas un usage exemplaire de l'argent des contribuables? C'est à ces questions que répond cet article. Son propos est que les gouvernements, au cours des dernières années, ont exagérément simplifié le compliqué, ce qui a eu pour effet d'aggraver la complexité. Umberto Eco disait que «à tout problème complexe, il y a une solution simple. Mais, elle est généralement mauvaise». Une partie des réponses aux maux qui minent le système de santé au Canada, à notre avis, se trouve d'une part

dans l'analyse même de son fonctionnement et des réformes qui l'ont façonné; d'autre part, une redéfinition du modèle sanitaire en santé publique est nécessaire, car ce dernier semble aujourd'hui incapable de faire face aux bouleversements culturels, sociaux, démographiques et épidémiques qui sont ceux de notre époque.

La problématique du financement des systèmes de santé est au cœur des débats d'actualité, des politiques de santé et des réformes partout dans le monde. À juste titre, le mode de financement du système de santé est un facteur déterminant de l'état de santé et du bien-être de la population. Dans de nombreux pays, particulièrement dans ceux à faible revenu, les dépenses en santé ne sont guère suffisantes pour assurer un accès équitable aux services de base et aux SSP. Plutôt que d'élaborer un modèle organisationnel de financement de la santé, le Bureau régional de l'OMS a récemment proposé une démarche pour aider les pays à élaborer leur propre politique de financement de la santé. Cette démarche repose essentiellement sur des valeurs et des objectifs communs facilement adaptables à la réalité des différents pays. Parmi les recommandations figurent la nécessité de faire face aux risques associés à la fragmentation du dispositif de financement en s'assurant que les mécanismes de financement soient conformes aux objectifs de la politique[11].

La problématique du financement des systèmes de santé touche particulièrement les pays en développement depuis leur accession à l'indépendance: crise, politiques d'ajustements structurels, dette externe, perte de monopole dans l'allocation des ressources, accroissement démographique, etc. L'accès universel aux SSP est reconnu comme un droit humain fondamental, mais les gouvernements sont confrontés au manque de ressources pour garantir un accès équitable aux services et soins de santé. Les services de santé des pays en développement sont financés soit par des sources publiques (ressources locales et aides internationales) soit pour près de 50 % par la participation des individus. Il reste que la mobilisation de ressources supplémentaires doit non seulement s'accompagner d'une meilleure gestion et utilisation des ressources, mais également d'une

---

10. Il faut rappeler que cet état de fait rend la situation peu supportable pour les gouvernements et se révèle même critique pour le bon fonctionnement des États de façon générale, lorsqu'on sait que d'autres causes toutes aussi méritoires telles l'éducation, l'environnement, etc. et contribuant aussi à la santé disposent de moins de fonds des contribuables.

11. Kutzin, Joseph (2008). *Politique de financement de la santé: un guide à l'intention des décideurs*, mémorandum sur le financement de la santé, Division des systèmes de santé des pays, Copenhague, Bureau régional de l'OMS pour l'Europe, 28 pages.

baisse des coûts des interventions en santé pour améliorer la performance du système de santé et l'équité. Les sources de financement peuvent provenir de fonds publics, de fonds des ménages, de fonds extérieurs ou d'autres ressources. Les possibilités de financement doivent être examinées en fonction de plusieurs critères comme l'équité, l'efficacité et la pérennité[12].

Tableau 38: Synthèse des trois piliers de la politique de financement de la santé

Premier pilier	Définir un ensemble d'objectifs de la politique de financement de la santé.
Deuxième pilier	Établir un cadre conceptuel pour l'analyse de l'organisation et des fonctions des services de santé.
Troisième pilier	Prendre conscience de la façon dont les facteurs contextuels essentiels, en particulier des contraintes budgétaires, affectent l'aptitude d'un pays à atteindre les objectifs de sa politique ou à mettre en œuvre certains types de réformes.

Source: Kutzin, Joseph (2008). *Politique de financement de la santé: un guide à l'intention des décideurs*, mémorandum sur le financement de la santé, Division des systèmes de santé des pays, Copenhague, Bureau régional de l'OMS pour l'Europe, p. 25.

Tableau 39: Quelques critères d'évaluation des sources de financement

Équité	C'est un critère fondé sur la notion de justice sociale. L'équité renvoie aux principes suivants: accès aux soins préventifs et curatifs selon le niveau de revenus. Une source de financement et des modalités de mise en œuvre qui favoriseraient la concrétisation de ces principes seraient équitables. Une source de financement qui aurait pour conséquence, directe ou indirecte, de limiter, pour les pauvres, l'accès aux soins ne serait pas équitable. Ainsi, le paiement direct par l'usager n'est peut-être pas la formule à promouvoir.
Efficacité	Certaines sources peuvent nécessiter de lourdes formalités administratives pour leur mise en œuvre. Leur coût va réduire les montants réellement disponibles pour les soins.
Pérennité	Une source de financement est pérenne si elle est relativement stable et durable, sans interruption subite. Si elle est fondée sur des contrats et des engagements pluriannuels fermes ou mieux encore sur des ressources locales renouvelables, les risques d'interruption ou de fluctuations seront limités.

Source: Flori, Yves-Antoine (2000). «Financement des politiques de santé», *ADSP*, n° 30, mars, p. 32.

---

12. Flori, Yves-Antoine (2000). «Financement des politiques de santé», *ADSP*, n° 30, mars, p. 31.

Dans les pays à faible revenu, trois orientations ont dominé les politiques de financement de la santé. Au début des années 1960, la *première orientation* a cherché à développer des programmes axés sur les stratégies de lutte contre les fléaux de l'époque ainsi que l'accessibilité et la gratuité des SSP pour tous. L'absence de financement adéquat n'a cependant pas permis de répondre à l'ensemble des problèmes de santé de la population ni de garantir l'accessibilité universelle et la qualité des soins. C'est dans ce contexte que la *Déclaration d'Alma-Ata*, basée sur la gratuité des SSP, a été adoptée en 1978 afin d'atteindre l'objectif de « santé pour tous ».

Considérant l'échec des politiques de santé et le manque de financement récurrent, la *deuxième orientation* a encouragé dans les années 1980 le paiement des usagers en sollicitant leur participation financière sous la forme de « recouvrement de coûts » dans le but d'améliorer le système de soins. Le partage des coûts remet cependant en question les principes inscrits dans la *Déclaration d'Alma-Ata*, car seule une partie minime de la population peut se permettre de débourser les frais. Les interventions en santé se sont par la suite orientées vers un « système de santé de district » afin de garantir l'accès aux SSP à la population locale.

Depuis les années 1990, la *troisième orientation* a mis en évidence le lien entre la santé et les actions de développement, dans le contexte de l'atteinte des Objectifs du Millénaire pour le Développement (OMD), mais aussi entre la santé et les stratégies de lutte contre la pauvreté. Le financement de la santé fait partie intégrante du système de protection sociale, que ce soit par le biais de mécanismes d'assurances, de dispositifs de prépaiement communautaire ou d'une couverture universelle[13].

La participation financière des usagers concerne les utilisateurs des services de santé. Elle s'effectue généralement sous la forme de paiement direct ou de systèmes de mutuelles dans la plupart des pays en développement. Par définition, « les contributions financières des utilisateurs sont une modalité de recouvrement des coûts selon laquelle l'utilisateur paie [un maximum de 5 %], intégralement ou partiellement, pour les biens et services de santé auxquels il a recours ». L'*Initiative de Bamako* est à l'origine de cette modalité de financement, lancée en 1997 sous l'égide de l'OMS et de l'UNICEF, pour garantir l'accessibilité aux SSP et l'équité en santé. Cette initiative visait principalement à relancer les systèmes de SSP sur la base d'un financement communautaire dans le secteur de la santé par le biais du recouvrement des coûts. La pérennité des paiements directs repose sur un ensemble de conditions qui doivent être réunies pour offrir les services préventifs et curatifs : la gestion transparente et l'allocation des ressources, le montant de la contribution financière et l'amélioration de la qualité des services. Les paiements directs ne permettent toutefois pas d'investir dans l'achat d'équipements ou de médicaments ni de financer des soins continus[14].

Les systèmes de mutuelles permettent de pallier ce manque de ressources financières. Il existe des mutuelles publiques (sécurité sociale et assurances obligatoires), des mutuelles privées à but lucratif et des mutuelles privées (mutuelles de santé, mutuelles d'enseignants, mutuelles villageoises) à but non lucratif (assurances privées).

L'impasse du financement public dans le système de santé public a conduit à l'émergence du développement du secteur de santé privé. Le statut de l'assurance maladie privée diffère selon les fonctions exercées au sein des systèmes de santé des pays de l'OCDE. Il existe cinq catégories de régimes d'assurances : l'assurance primaire principale, l'assurance primaire substitutive, l'assurance duplicative, l'assurance complémentaire et l'assurance supplémentaire[15].

---

13. Audibert, Martine, Jacky Mathonnat et Eric de Roodenbeke (2004). « Quels systèmes de santé ? Financement de la santé dans les pays à faibles revenus : questions récurrentes, nouveaux défis », *Médecine tropicale*, 64, p. 562-560.

14. Flori, Yves-Antoine (2000). « Financement des politiques de santé », *ADSP*, n° 30, mars, p. 34.

15. Petkantchin Valentin (2005). *Le financement de la santé par l'assurance maladie privée*, Les notes économiques, Collection « Santé », Montréal, Institut économique de Montréal, novembre, p. 1.

Tableau 40 : Les catégories d'assurance maladie privée

Primaire principale	Couvre les soins médicaux de personnes qui n'ont pas légalement accès au régime public.
Primaire substitutive	Couvre les soins médicaux de personnes qui ont le choix de substituer une assurance privée à la couverture publique.
Duplicative	Couvre les soins médicaux de personnes qui continuent à avoir un accès au régime public (et qui sont obligées d'y contribuer avec leurs impôts), mais souhaitent être traitées dans un secteur privé parallèle.
Complémentaire	Couvre la part des charges de l'assuré (copaiements ou coassurances) dans l'assurance maladie publique.
Supplémentaire	Couvre les extras ou les services non assurés par le régime public.

Source : Petkantchin Valentin (2005). *Le financement de la santé par l'assurance maladie privée*, Les notes économiques, Collection « Santé », Montréal, Institut économique de Montréal, novembre, p. 3.

Les prestataires privés gagnent aussi en importance dans les pays à faible revenu en raison du manque de ressources publiques, de la mauvaise qualité des services offerts et des incitatifs à la libéralisation économique. Il reste que les assurances privées sont inaccessibles pour une grande partie de la population et permettent surtout de répondre aux besoins des populations les plus aisées, en plus de cumuler des désavantages. Par exemple, le surtraitement (pays d'Amérique du Sud), la surmédicalisation et le non-respect des règles de prescription (pays d'Asie) constituent des problèmes majeurs dans le secteur privé. Une césarienne plutôt qu'un accouchement naturel, le fait de référer un patient à un spécialiste ou la prescription de médicaments coûteux sont synonymes de recettes supplémentaires pour le médecin qui touche des honoraires ou le distributeur. « Les avantages supposés de la privatisation sont difficiles à démontrer, car les données disponibles ne permettent pas de conclure à une meilleure efficacité et à une plus grande qualité des soins dans le privé que dans le public[16] ».

Le recours au système d'assurances privées soulève en même temps la question de l'équité en santé :

> *Pour la majorité de la population [...], l'amélioration de la situation sanitaire est le résultat de soins accessibles à tous et à un coût abordable, qui sont financés par les recettes publiques et mis en œuvre grâce à l'octroi de moyens aux échelons inférieurs du système de santé[17].*

Plusieurs analyses se sont intéressées à comprendre la relation entre les dépenses de santé et l'état de santé des populations. Les résultats démontrent que l'efficience et l'efficacité des dépenses en santé ont plus d'incidence que le montant du financement octroyé. La plupart des pays en développement n'ont toutefois pas de véritables stratégies de financement et le rôle de l'État reste à clarifier en matière de financement public et de mission des services de santé. Les notions de bien public, d'équité, de pauvreté, d'externalités et de coût catastrophique sont désormais considérées dans les critères de

---

16. Programme des Nations Unies pour le Développement (2003). *Rapport mondial sur le développement humain. Les Objectifs du Millénaire pour le Développement : Un pacte entre les pays pour vaincre la pauvreté humaine*, « Chapitre 5 : Le financement privé dans les secteurs de la santé, de l'éducation et de l'eau », Paris, Economica, p. 113.
17. *Ibid.* p. 117.

financement afin d'améliorer la performance des systèmes de santé. Il existe donc un certain nombre d'avancées significatives dans plusieurs pays même si la prise en charge des catégories sociales les plus démunies et la pérennité des stratégies de financement restent toujours en retrait. Par ailleurs, l'augmentation de l'aide extérieure pourrait avoir un effet sur l'équilibre macroéconomique (appréciation du taux de change réel, forte inflation, frein des exportations et de la croissance). Dans ce contexte, la réduction de l'augmentation du revenu pourrait exercer un impact direct et indirect négatif sur l'état de santé des populations[18].

9.2 Le système de santé canadien: quelques défis

Le système canadien de soins de santé a toujours donné lieu à des débats enflammés en raison de sa particularité. Combinaison des plans de santé de 10 provinces et de 3 territoires qui fonctionnent indépendamment, mais qui répondent et dépendent à la fois du gouvernement fédéral, le système de santé canadien est soumis à un ensemble de conditions que les provinces et territoires doivent respecter[19]. Parmi celles-ci, mentionnons la gestion publique du régime, son intégralité, son universalité, sa transférabilité et son accessibilité[20]. Mais on sait aussi que ces conditions sont de plus en plus remises en question, la dernière en date étant la décision de la plus haute instance judiciaire du pays qui s'attaque de façon explicite à la gestion publique du système d'assurance maladie afin de permettre, en parallèle, le développement d'un système d'assurance privée. La caricature du dinosaure à la dérive utilisée par certains pour caractériser le système de santé canadien peut sembler inutilement provocatrice. Mais elle décrit à notre avis une situation bien réelle, dans un contexte où les systèmes de santé, dans l'immense majorité des pays industrialisés, présentent de plus en plus de dysfonctionnements et apparaissent de moins en moins viables. Au Canada, les pouvoirs publics constituent la source principale du financement de l'assurance maladie. Cette intervention de l'État se justifie parce que ses tenants estiment que les gouvernements doivent pouvoir remédier à l'épineuse question de l'équité sociale qui est intrinsèquement liée au fonctionnement d'un marché privé de l'assurance. L'argument principal est que les firmes privées refuseraient de couvrir les personnes qui constituent un haut risque ou tenteraient tout simplement de les contraindre à payer une prime relativement élevée pour compenser ce risque. La problématique de l'équité d'accès, indépendamment de la capacité des individus à payer a donc amené les gouvernements à fournir une protection universelle à tous leurs résidents par l'entremise de régimes provinciaux d'assurance santé cofinancés par les autorités fédérales et les autorités provinciales ou territoriales.

Ceci ne veut pas dire pour autant que le secteur privé soit totalement absent du domaine de la santé au Canada. Même si des firmes d'assurances privées existent, leur étendue demeure limitée et elles ne peuvent théoriquement pas couvrir des services fournis en vertu des régimes provinciaux. Contrairement à certains pays, la prestation directe des soins de santé aux citoyens demeure le fait du secteur privé. D'ailleurs, les groupes de pressions qui militent pour une ouverture plus grande du système de santé au secteur privé oublient trop souvent que les citoyens canadiens règlent majoritairement au moyen de fonds privés une plus grande partie de leurs dépenses que la moyenne des pays industrialisés. Cela est également vrai pour ce qui est des dépenses en médicaments, la proportion du financement privé au Canada étant supérieure à celle de la plupart des pays avec des niveaux de développement comparables[21]. En outre, l'immense majorité des professionnels de la santé sont en pratique privée, même si les soins médicaux et hospitaliers qui y sont fournis ainsi que la rétribution de ces services font l'objet de réglementations gouvernementales.

Les maux qui minent le système de santé au Canada sont trop complexes pour se résumer à un débat public versus privé, car les solutions, rarement simples et linéaires, ne sont jamais de l'ordre de la simplification. La nature du financement de la santé sera toujours une question épineuse et des études plus poussées sont nécessaires pour examiner comment

---

18. Audibert, Martine, Jacky Mathonnat et Eric de Roodenbeke. (2004). « Quels systèmes de santé? Financement de la santé dans les pays à faibles revenus: questions récurrentes, nouveaux défis », *Médecine tropicale*, 64, p. 562-560.
19. Health and Welfare Canada (1984). *Canada Health Act*, Ottawa, Government of Canada.
20. Voir *Encadré 5* à la page 202.
21. Deber, Raisa B. (2000). « Getting What we Pay for: Myths and Realities about Financing Canada's Health Care System », *Health Law in Canada*, 21(2), p. 9-56.

et à quelles conditions l'assurance publique et l'assurance privée pourraient associer leurs efforts pour aider à renforcer nos systèmes de santé. C'est pourquoi il est fondamental de déterminer quel est le cadre réglementaire approprié, car l'avenir appartient aux systèmes de santé intégrés capables de fonctionner de façon cohérente pour le plus grand bénéfice des individus. Si, depuis la révolution hygiéniste, les Canadiens ont vu une amélioration de leur état de santé général et que leur système de santé est loin d'être le pire parmi les pays de l'OCDE, il faut bien admettre que d'autres pays ont de meilleurs résultats. Même si des progrès immenses ont été accomplis sur des indicateurs traditionnels, beaucoup de pays ont rattrapé, voire dépassé le Canada, en termes de résultats et de prévalence de grandes pathologies. Bien entendu, la comparaison des systèmes de santé est complexe et ne vise aucunement à éprouver la supériorité d'un système sur l'autre. Chaque système doit être évalué en fonction des ressources dont il dispose et non pas de celles qui auraient pu être consacrées à la santé, mais qui ont servi à un autre usage. Ceci dit, une telle comparaison a néanmoins le mérite de permettre d'observer des corrélations qui ne peuvent être interprétées comme la preuve de relations causales et d'examiner des singularités qui ne sont pas facilement interprétables, mais qui permettent de réfuter formellement certaines relations causales.

Aussi imparfaites ou incomplètes qu'elles soient, certaines données dont on dispose aujourd'hui permettent de connaître la situation du système de santé canadien et de réviser des idées préconçues. Si le Canada fait mieux que la moyenne des pays de l'OCDE à certains égards, il faut souligner que les indicateurs, dans bien de cas, ne sont guère reluisants, et ce, pour plusieurs raisons :

- Les dépenses en santé selon les données de 2008 pour le Canada représentaient, en 2006, 10 % de son PIB, ce qui dépasse la moyenne de 8,9 % enregistrée dans les pays de l'OCDE. Le pays dépense également en moyenne 3 678 dollars US en santé *per capita*, comparativement à une moyenne de 2 824 dollars US. Et pourtant, le système de santé canadien affiche des performances inférieures à celles d'autres pays qui en dépensent beaucoup moins comme le Danemark ou la Nouvelle-Zélande.

- Plus de 70 % des dépenses en santé au Canada proviennent de fonds publics, comparativement à 73 % dans la moyenne des pays de l'OCDE. En fait, l'assurance privée représente 13 % des dépenses de santé au Canada, soit deux fois plus que la moyenne des pays développés. Clairement, le privé est davantage présent dans le domaine de la santé au Canada, ce qui fait que l'argument selon lequel une meilleure place au secteur privé permettrait d'insuffler une meilleure productivité et une plus grande efficacité en prend un peu pour son rhume.

- L'un des problèmes les plus urgents du système canadien de soins de santé est celui d'assurer une bonne planification des ressources humaines. Plus d'un million de personnes travaillent dans ce système, assurant les soins quotidiens à la population. Ils en forment l'épine dorsale, et la prestation de soins accessibles et de grande qualité dépend de la présence au bon endroit des bonnes personnes aux bonnes compétences. Les récentes données indiquent que le nombre de médecins par rapport à la population est demeuré inchangé au Canada depuis 1990. En effet, le nombre de médecins par 1 000 habitants est de 2,1 ce qui reste en dessous de la moyenne de 3,1 enregistrée dans les pays de l'OCDE.

- Le nombre d'infirmières en 2006 est de 8,8 par 1 000 habitants, ce qui est également plus bas que le taux moyen de 9,7 des pays de l'OCDE. Il n'est donc guère surprenant que l'on se scandalise que les salles d'opération soient sous-utilisées et que les hôpitaux invoquent régulièrement le manque d'infirmières. Même si le Canada a réussi à gérer la décroissance dans ce secteur en réduisant sensiblement le contingentement universitaire, ceci ne suffira pas à régler la situation à long terme et le pays continuera encore longtemps à pâtir de cette situation.

- L'espérance de vie, qui a toujours été considérée comme une mesure utile du bien-être, et qui est en partie fonction du niveau de vie et de la qualité des soins de santé disponibles dans un pays donné est de 80,4 ans au Canada. Si ce taux est légèrement au-dessus de la moyenne de l'OCDE qui est de 78,9 ans, il demeure nettement inférieur à celui d'autres pays comme la Suisse, l'Australie, l'Islande ou encore le Japon où on enregistre de gains nettement supérieurs.

- Les dépenses en médicaments, délivrés sur ordonnance augmentent au Canada à l'instar des

Chapitre 9 — Politiques sanitaires et organisation des services de santé : le système de santé en question autres pays, à un rythme plus rapide que les autres catégories principales de dépenses de santé. En fait, la part du total des dépenses de santé consacrée aux médicaments a connu la plus forte croissance au cours des 20 dernières années et elle continue de devancer la plupart des autres secteurs de la santé, y compris le secteur hospitalier. Avec une somme de 639 dollars US par personne en 2006, le Canada arrive en deuxième position, tout derrière les États-Unis (843 dollars US)[22].

Encadré 5 : Les cinq principes sur lesquels repose la *Loi canadienne sur la santé*

GESTION PUBLIQUE : Les régimes provinciaux et territoriaux doivent être sans but lucratif et être gérés et exploités par un organisme public qui rend des comptes au gouvernement provincial ou territorial.

INTÉGRALITÉ : Les régimes provinciaux et territoriaux doivent assurer tous les services médicalement nécessaires offerts par les hôpitaux, les praticiens et les dentistes qui exercent en milieu hospitalier.

UNIVERSALITÉ : Les régimes provinciaux et territoriaux doivent protéger toutes les personnes assurées selon des modalités uniformes.

ACCESSIBILITÉ : Les régimes provinciaux et territoriaux doivent fournir à toutes les personnes assurées un accès raisonnable aux services hospitaliers et médicaux médicalement nécessaires sans frais ni autres mesures restrictives.

TRANSFÉRABILITÉ : Les régimes provinciaux et territoriaux doivent protéger toutes les personnes assurées lorsqu'elles déménagent dans une autre province ou dans un autre territoire au Canada et lorsqu'elles voyagent à l'étranger. Les provinces et les territoires limitent la protection offerte dans le cas de services dispensés à l'étranger. Ils peuvent exiger l'approbation préalable de services non urgents dispensés à l'extérieur de leur province ou de leur territoire.

Source : Santé Canada (2005). *Le système de santé au Canada*, Ottawa, p. 6.

9.3 La problématique de l'accroissement des dépenses en santé : déconstruire des mythes tenaces et profondément erronés

L'accroissement des dépenses en santé ont conduit les différents niveaux de gouvernement (provincial, territorial et fédéral) au Canada à mettre en œuvre des stratégies afin d'encadrer, limiter et rationner le niveau de ces dépenses jugées excessives qui, malheureusement, ne vont pas s'estomper ou encore moins ralentir de façon significative dans les années qui viennent. Le secteur de la santé représente de toute évidence une branche d'activité importante dans l'économie canadienne. Mais il est indéniable que les pouvoirs publics ne peuvent continuer à y consacrer davantage de ressources qu'il n'est nécessaire, dans la mesure où les augmentations inutiles des dépenses de santé limitent aussi les possibilités budgétaires des gouvernements à se consacrer à d'autres objectifs sociaux, y compris ceux qui auraient pu avoir une incidence positive plus forte sur l'état de santé de la population. Sur fond d'une crise structurelle, systémique et complexe d'une médecine qui absorbe une part considérable de ses ressources, le système de santé au Canada doit aujourd'hui faire face à ses vieux démons et gérer les tensions économiques, institutionnelles et organisationnelles qui minent à la fois l'ambition et les efforts des pouvoirs publics de proposer une infrastructure sanitaire à la hauteur des attentes de citoyens et des moyens disponibles. L'objectif des gouvernements au cours des dernières années fut donc d'essayer de réduire les coûts administratifs du système de santé et de reporter les économies ainsi réalisées sur le diagnostic, les thérapies et les soins préventifs. Mais de plus en plus de recherches sur la question suggèrent que les pouvoirs publics ne doivent pas se borner à considérer les problèmes immédiats de finances et de déficits publics, mais qu'ils doivent se pencher sur la question plus vaste

---

22. OECD (2007). *OECD Health Data 2007*, Paris.

de l'efficience de la fourniture des soins de santé et de ses implications pour le bilan économique global[23].

Dans un système comme le nôtre qui exclut totalement ou en grande partie les mécanismes de marché dans la détermination de l'allocation des ressources et dans l'adéquation de l'offre et des besoins, les objectifs en matière de prestation de soins devraient s'articuler sur des critères comme l'efficience, l'équité et la distribution et l'éthique. La première exprime la capacité du système à proposer ses services pour un maximum de satisfaction compte tenu des contraintes économiques, politiques et structurelles. L'efficience suppose aussi la recherche de nouvelles formes d'organisation sociosanitaire susceptibles d'améliorer la productivité des moyens de santé. Ceci suppose que l'amélioration des résultats en matière de santé implique que les gouvernements s'interrogent pour savoir si l'accroissement des ressources fournies aux services de santé en général ne prive pas de ces mêmes ressources d'autres programmes plus efficaces. Quant à la deuxième, elle résulte de la logique de répartition des ressources en santé selon l'origine (ethnie, genre, âge, etc.) et les moyens des individus et englobe des aspects comme le respect de la dignité de la personne, la confidentialité, l'autonomie de l'individu, la rapidité et la qualité de la prise en charge et l'accès à des réseaux d'aide. En d'autres termes, les citoyens doivent avoir accès à un minimum incompressible de soins de santé, et le traitement ne doit pas être fonction uniquement du revenu, mais plutôt des besoins réels de soins. De plus, il faut que les individus se voient offrir une certaine protection contre les conséquences financières de la maladie, et le paiement de cette protection doit être lié au revenu et non pas fondé sur le risque individuel. Enfin, la dimension éthique se rapporte au principe fondamental de justice sociale qui devrait caractériser tout système de santé[24].

On ne peut nier aujourd'hui le fait que les questions liées au système de santé au Canada se sont rapidement intégrées dans une problématique économique, pour devenir elles-mêmes des catégories économiques,

dans un contexte où le système est resté cantonné sur un modèle de gestion de l'offre caractérisé par l'absence de dispositif de régulation qui tienne compte d'une réalité qui se développe. Un ensemble complexe de facteurs cumulés a contribué à l'augmentation des dépenses en santé. Mais l'état actuel des connaissances ne permet pas de les identifier tous et d'en déterminer l'importance relative. Les prédictions démographiques estiment que d'ici 2031, l'arrivée des bébé-boumeurs ferait passer la proportion des 65 ans et plus de 13 % à 22 % au Canada[25]. Bien que plusieurs invoquent l'argument du vieillissement de la population pour justifier l'accroissement des dépenses en santé et l'urgence de nouvelles réformes, il semble que l'effet attendu du vieillissement de la population ne soit pas aussi dramatique. Les estimations réalisées par Oxley et MacFarlan[26] suggèrent que les effets liés au vieillissement, à l'augmentation des revenus et à l'extension de la couverture des assurances n'expliquent qu'une partie de la croissance globale des dépenses. Evan et autres[27] renchérissent en faisant remarquer que les prédictions sur le système de santé faites à partir des données actuelles ne sont pas fiables. En effet, selon les données de 1970, on aurait dû assister à une augmentation importante du nombre de jours d'hospitalisation, mais, en réalité, on a assisté à une chute des hospitalisations des deux tiers. Il ne suffit donc pas de prendre les données actuelles et de les projeter dans l'avenir. On doit aussi prendre en considération l'évolution des habitudes de vie, les découvertes de traitements plus efficaces et la mise en place de nouvelles politiques. Dans les faits, il semble possible de contenir l'effet du vieillissement de la population par des interventions préventives, de meilleurs traitements, et une emphase plus importante sur la réadaptation.

Selon Zhihong et autres[28], les nouvelles technologies ayant émergé depuis une vingtaine d'années sont en partie responsables de l'augmentation des coûts en santé. En particulier, les technologies reliées à l'imagerie médicale (*MRI, CT scan, PET scan*) utilisées de plus en plus pour établir les diagnostics sont extrêmement coûteuses. Même si la génétique humaine et les traitements qui en découlent sont

23. Naylor, David C. (1999). «Health Care in Canada: Incrementalism Under Fiscal Duress», *Health Affairs*, 18(3), p. 9-26.
24. Sting, Michael, et Donna Wilson (1996). «Efficiency versus Equality: Health Reform in Canada» Fernwood Publishing, Halifax, and Regional Centre for Health Promotion and Community Studies, University of Lethbridge.
25. Hebert, Réjean (2003). «The Big Boom: What CIHR's Canadian Longitudinal Study on Aging Means to the Baby Boomer», *Healthcare*, 6(3), p. 19-20.
26. Oxley, Howard, et Maitland MacFarlan (1994). «Health Care Reform: Controlling Spending and Increasing Efficiency», OECD Working Paper Series, Economics Department: 149, Paris, OECD.
27. Evans, Robert G., et autres (2001). «Apocalypse No: Population Aging and the Future of Health Care Systems», *Canadian Journal of Aging*, 20, p. 160-191.
28. Zhihong, Karen (2006). *Reforming the Canadian Healthcare System*, A Report by the Vancouver Board Trade.

prometteurs, ils se révèlent tous coûteux. L'imperfection du marché qui caractérise les technologies médicales et le fait que les pouvoirs publics en soient les principaux acheteurs n'incitent nullement les fournisseurs à être compétitifs et à diminuer les prix. Mais il est indéniable que l'allongement de l'espérance de vie lié au vieillissement de la population et l'accroissement des nouvelles technologies ne suffisent pas à justifier une augmentation du financement du système de santé publique[29]. L'existence de ces technologies n'implique pas qu'il faille les utiliser à tout prix. S'il est indéniable que certaines innovations médicales peuvent contribuer à la réduction des coûts en permettant des traitements plus rapides et efficaces et en contribuant à l'amélioration de la productivité dans des domaines tels que la diminution des erreurs médicales, la réduction des soins non justifiés, mais aussi l'amélioration de la qualité des soins de santé et le recours à d'autres technologies (d'imagerie, par exemple) qui sont extrêmement dispendieuses. Il incombe donc aux administrateurs de gérer l'utilisation des nouvelles technologies et de sélectionner celles qui sont à la fois abordables et indispensables. Les défis auxquels doit faire face le système de santé au Canada sont d'abord liés à une meilleure gestion des ressources. Un aspect qui semble avoir été particulièrement déterminant dans l'accroissement des dépenses en santé semble être la révolution médicale qui regroupe les technologies, techniques, médicaments, équipements et actes utilisés pour les soins de santé.

La préoccupation à dominante économique et budgétaire des gouvernements pour une maîtrise médicalisée des dépenses en santé souffre également d'une erreur de logique. En effet, il est peu probable que les citoyens, qui sont couverts par une assurance maladie universelle qui leur garantit des soins plus ou moins accessibles, ainsi que le paiement ou le remboursement direct de la majeure partie de leurs dépenses, décident volontairement de limiter leur consommation. Par ailleurs, à cette forte demande en soins de santé répond une offre médicale et paramédicale en pleine expansion. Les professionnels de la santé se demandent logiquement pourquoi ils n'offriraient pas tous les services qu'exigent à la fois leurs clients, qui sont toujours solvables du fait de l'assurance dont ils disposent, et le respect de leur éthique professionnelle devenue beaucoup trop élastique. Il n'est d'ailleurs guère surprenant de constater que les autorités publiques se heurtent à la fois à la résistance des malades et des médecins à cet égard. En clair, même s'il est difficile de faire des projections des dépenses en santé pour les gouvernements au Canada pour les 20 prochaines années, dans la mesure où certains facteurs restent incertains, les projections linéaires lorsqu'on extrapole l'évolution des deux dernières décennies jusqu'en 2023, révèlent que l'importance des dépenses publiques en santé va croître, non seulement sur le plan de l'absolu, mais certainement aussi en proportion du revenu national si la croissance économique se poursuit.

En affinant notre analyse et en dépit du fait que les effets du vieillissement sur les dépenses en santé au Canada soient encore minimes, il convient de rappeler que la structure par âge de la population jouera un rôle déterminant à long terme, considérant le fait que le stock de santé se dégrade avec l'âge et que les dernières années de l'existence sont celles où se multiplieront toutes sortes de pathologies et où la demande de soins se fait plus accrue. Du point de vue des personnes âgées, la survie et les dépenses caractérisant la fin de vie sont particulièrement importantes et rationnelles, ce qui vient nous conforter dans nos prévisions. La nature des soins de santé que les personnes âgées exigeront ou qui leur seront proposés constitue aussi un facteur important. Les études réalisées aux États-Unis démontrent que la majeure partie de l'augmentation des dépenses relatives aux groupes d'âge relativement élevée correspond à une utilisation plus poussée des technologies coûteuses.

Il est impérieux pour les gouvernements de rechercher un meilleur équilibre entre les soins en régime hospitalier et les soins ambulatoires, étant donné que la technologie médicale facilite désormais le traitement des malades en dehors du cadre hospitalier. Il faut faire preuve d'ingéniosité et d'imagination afin de trouver des réponses alternatives qui ne passent pas nécessairement par le rationnement des soins. En outre, les prestataires de soins de santé devront veiller à ce que les technologies médicales ne soient pas utilisées de façon abusive dans des domaines où les avantages marginaux sont faibles et les coûts élevés. C'est déjà par exemple le cas avec l'utilisation de la chimiothérapie au-delà d'un certain point. En même temps, il faut veiller aux effets pervers d'une telle démarche en évitant que ces technologies ne soient pas sous-utilisées dans les

---

29. Donaldson, Cam, Mitton Craig et Currie Gillian (2002). «Managing Medicare: the prerequisite to spending or reform», *CD Howe Institute Commentary*, 157, p. 1-21.

domaines où il est possible d'obtenir un bon rapport coût-efficacité, comme c'est le cas lorsque des thrombolytiques sont administrés à bref délai après un infarctus. L'innovation dans les technologies de santé a été l'un des facteurs explicatifs de l'augmentation des dépenses observé dans le passé, et nous pensons que le moment est venu de la soumettre à un examen plus rigoureux et minutieux, afin de faire des choix conséquents et éclairés et pour que seules les applications qui procurent des améliorations appréciables soient intégralement financées par les ressources des contribuables.

Le système canadien de santé s'est particulièrement détérioré au cours des dernières décennies, et ce, en dépit de l'injection de milliards de dollars additionnels par les gouvernements. Cette situation amène à se demander si une augmentation des dépenses suffira, comme le souhaitent diverses associations professionnelles et groupes de pression. Il nous semble que d'autres changements sont requis, dans un contexte où la réduction des dépenses en santé s'est surtout faite de façon implicite par une rationalisation économique et par des mesures coercitives. Même si l'on fait le pari que des ressources financières supplémentaires seraient nécessaires, il est illusoire de penser que nos pouvoirs publics pourraient actuellement les combler. C'est pourquoi ceux-ci réfléchissent de plus en plus à la possibilité de nouer des partenariats entre le secteur public et le secteur privé afin de réduire la charge globale qui pèse sur les finances de l'État. Mais sur cette question, il est important de souligner que les débats sont encore vifs entre les partisans d'un recours au privé et les défenseurs d'un système intégralement financé par l'État.

9.4 Vers un système intégré de santé: mieux allouer les ressources

Comment répondre le mieux possible aux besoins des usagers, compte tenu des ressources disponibles? Comment doit s'effectuer la prise de décision particulièrement dans les systèmes de santé largement financés par les fonds publics? Quel niveau d'investissement la société doit-elle consentir à son système de santé, relativement aux priorités de l'État (éducation, infrastructure, culture, etc.)? Faut-il permettre la coexistence d'un réseau privé parallèle à un service d'assurance médicale public? Comment former et éduquer tous les intéressés pour leur permettre de participer à la compréhension et au choix des enjeux liés à l'allocation des ressources? De quels moyens devons-nous nous doter pour nous prémunir contre les dérapages[30]?

L'allocation des ressources, tout comme les priorités de santé publique, diffère d'un pays à l'autre selon la place accordée à la santé et à la responsabilité des individus et des populations dans l'adoption de modes de vie sains. Ces choix de société suscitent parfois de nombreux débats sur le rôle que doit jouer l'État dans le domaine social et les responsabilités régaliennes.

Un système de santé intégré est un réseau de services de santé chargé de fournir des services spécifiques subventionnés par l'État, qui comprennent au moins ceux actuellement précisés dans le régime d'assurance maladie (soit soins médicaux et soins hospitaliers), de même que d'autres services subventionnés par l'État, dont ceux touchant les médicaments, la réadaptation, les soins à domicile et de longue durée, la santé mentale et la prévention des maladies et la promotion de la santé, entre autres[31].

Les expériences canadiennes et étrangères ont mis en évidence la nécessité d'inclure une gamme de services dans l'enveloppe de ressources afin que les professionnels de santé soient en mesure de dispenser plusieurs types de soins selon leurs champs de compétence. Un système de santé intégré permettrait de garantir l'accessibilité, la rentabilité et l'adaptation des soins de santé aux besoins des communautés autochtones. Il reste que certaines communautés autochtones ne sont pas encore prêtes pour adopter cette nouvelle stratégie de financement, qui les amènera vers une gestion et un contrôle des services de santé autonomes et une plus grande autonomie gouvernementale[32].

L'équité dans les soins de santé figure parmi les principaux défis du financement d'un système intégré de santé pour les communautés autochtones et par extension de tous les réseaux publics, car elle implique la révision en profondeur des mécanismes d'allocation des ressources qui doivent être distribuées de

30. Grimaud, Marie-Angèle, Michèle Saint-Jean et André-Pierre Contandrioupoulos (2006). «Allocation des ressources en santé: une problématique complexe», *Ruptures, revue transdisciplinaire en santé*, vol. 11, n° 1, p. 10-14.
31. Fondation canadienne de la recherche sur les services de santé (1999). *Systèmes intégrés de santé au Canada: trois synthèses de politiques. Questions et réponses*. Ottawa, Fondation canadienne de la recherche sur les services de santé, p. 2.
32. *Ibid.*

façon équitable. L'état de santé, la croissance démographique et l'ensemble des facteurs et des déterminants sociaux de santé qui exercent une incidence sur l'utilisation des services et soins de santé doivent être considérés pour répondre aux besoins réels en santé des communautés autochtones.

L'équité peut revêtir de multiples significations, selon qu'elle se rapporte à la santé elle-même, à l'utilisation des soins de santé ou à l'accessibilité de ces derniers. Le concept de l'équité horizontale part du principe où chacun doit être traité de façon équitable, car tous les humains sont égaux en droit. L'utilisation égale pour des besoins égaux est un exemple du principe de l'équité horizontale. Les préférences des individus en matière de soins de santé ne sont cependant pas identifiées. Elles sont pourtant susceptibles d'influer directement sur l'utilisation des services et soins de santé. Plusieurs facteurs doivent être considérés pour garantir un accès équitable aux populations : le statut socioéconomique, la culture, la géographie, etc. En revanche, l'équité verticale concède que des personnes bénéficient de traitements différents sous prétexte qu'elles sont différentes. La pondération des gains en santé permet de mesurer les différences d'état de santé parmi les populations. Ces deux définitions restent dans l'ensemble très théoriques et relativement difficiles à mettre en pratique[33].

Le financement d'un système de santé intégré pour les Premières Nations et les Inuits, au moyen de la péréquation, devrait s'assurer de la disponibilité des services de santé avant d'allouer les ressources aux communautés autochtones. Il faudrait ainsi rajuster les fonds alloués en fonction de facteurs en vertu desquels les services rendus dans une communauté sont plus ou moins coûteux que dans une autre. Deux approches d'allocation des ressources peuvent être utilisées : celle pour réduire les écarts au niveau des coûts de prestation des services et celle pour corriger les iniquités en matière de santé qui engendrent des besoins non comblés[34].

9.5 Les choix des priorités de santé publique et la prévention

Apparues généralement avec les réformes des systèmes de santé, les priorités de santé sont déterminées de façon différente selon les pays, en associant à des degrés plus ou moins importants les usagers, les experts, les professionnels de santé ou encore les assureurs. L'Assemblée mondiale de la santé, l'organe directeur suprême de l'OMS, s'est fixée en 1977 comme objectif social de faire accéder d'ici l'an 2000 tous les habitants du monde à un niveau de santé qui leur permette de mener une vie socialement et économiquement productive : la santé pour tous d'ici l'an 2000[35]. L'OMS a explicitement formulé le concept d'objectifs de santé. La *Déclaration d'Alma-Ata* (1978) soutient que l'accès universel au SSP est un moyen d'atteindre la santé pour tous. La *Stratégie mondiale de la santé pour tous d'ici l'an 2000*, officiellement lancée en 1979, incite les États membres à formuler des stratégies nationales, régionales et mondiales[36].

Quelques années plus tard, le Bureau régional de l'OMS a adopté 38 objectifs pour l'an 2000, accompagnés d'indicateurs de résultats. Les pays scandinaves ont été des précurseurs en matière d'identification de priorités de santé publique et d'élaboration de programmes de santé. Les priorités de santé publique s'articulent autour de deux axes principaux : l'identification d'objectifs de santé publique prioritaires et les prestations publiques des soins de santé[37]. Une priorité de santé est un problème de santé considéré comme grave au vu de certains indicateurs, et sur lequel les pouvoirs publics doivent concentrer leur action par des études, des recherches, des groupes de travail, mais aussi par des politiques structurelles[38].

Il n'existe pas de définition universelle du concept de prévention ni du contenu sur lequel doit porter une politique de prévention. Chaque pays a donc la responsabilité de sélectionner des priorités en fonction de leurs caractères de gravité, de fréquence,

33. Jan, Stephan, et Virginia Wiseman (1996). « Equity in Health Care : Some Conceptual and Practical Issues », Australian New Zealand Journal Public Health, vol. 1, n° 1, p. 13-15 dans Lemchuk-Favel, Laurel (1999). *Financement d'un système intégré de santé pour les Premières nations et les Inuits*, Document de travail, 22 février, Ottawa, Santé Canada, p. 10.

34. Lemchuk-Favel, Laurel (1999). *Financement d'un système intégré de santé pour les Premières Nations et les Inuits*. Document de travail, 22 février, Ottawa, Santé Canada, p. 10.

35. Organisation mondiale de la santé (1981). *Stratégie mondiale de la santé pour tous d'ici l'an 2000*, Genève.

36. *Ibid.*

37. Lequet-Slama, Diane (2000). « Les choix des priorités de santé publique en Europe », *ADSP*, n° 31, juin p.70 ; Lequet-Slama, Diane. « Prévention et choix des priorités de santé publique dans quelques pays européens », *Collection Études*, n° 4, septembre.

38. Douste-Blazy, Philippe, ministre délégué à la santé. Discours prononcé lors d'une Conférence de presse du Haut Comité de la santé publique, mercredi 21 décembre 1994. Dans Coeuret-Pellicier, Mireille. « Émergence d'une priorité nationale de santé publique. L'exemple du suicide », *ADSP*, n° 23, juin 1998, p. 2.

d'impact socioéconomique, de perception sociale et de faisabilité[39] et de mettre en œuvre les actions de prévention nécessaires.

Les défis en matière de santé sont aujourd'hui nombreux. Le suicide est une problématique particulièrement alarmante au niveau régional. Les accidents de la route, le handicap et la dépendance, les cancers, la toxicomanie, les maladies cardio-vasculaires et l'hypertension artérielle, les ITS, les mauvais traitements des enfants, les accidents domestiques et au travail s'ajoutent à la problématique du suicide selon un ordre décroissant[40]. On retrouve cependant des problématiques ou des priorités de santé publique tout à fait similaires dans les pays développés: activité physique, nutrition et saine alimentation, santé environnementale, santé en milieu de travail, allaitement, problèmes de santé (maladies cardiovasculaires, maladies transmissibles et non transmissibles, ITS…), problèmes sociaux (alcoolisme, tabagisme, toxicomanie, violence…), etc.

Cependant, la lutte contre la pauvreté constitue le défi pour les autorités en matière de santé publique. En effet, de nombreuses analyses ont démontré que les inégalités sociales de santé découlent en grande partie des inégalités socioéconomiques. La pauvreté engendre bien souvent la mauvaise santé, la morbidité et la mortalité. Les actions en faveur de la prévention et de la promotion de la santé contribuent en revanche à améliorer l'état de santé des groupes les plus vulnérables et à réduire la situation de pauvreté[41]. La lutte contre les inégalités sociales de santé doit donc constituer le principal cheval de bataille des gouvernements et figurer en tant que priorité de santé publique à l'échelle internationale.

En septembre 2000, les chefs d'État se sont réunis à l'occasion du Sommet du Millénaire et ont adopté la *Déclaration du Millénaire* des Nations Unies dans laquelle ils se sont engagés à «réduire, de moitié, de 1990 à 2015, l'extrême pauvreté et la faim» dans le monde (objectif 1), soit «la proportion de la population dont le revenu est inférieur à un dollar par jour» (cible 1) et «la proportion de la population des personnes qui souffrent de la faim» (cible 2). L'annulation totale de la dette des pays les plus pauvres a également fait l'objet de revendications de la part des pays en développement.

Après avoir énoncé les valeurs et principes, la *Déclaration du Millénaire* consacre plusieurs sections pour réduire les écarts entre les pays riches et les pays pauvres. Cette déclaration s'est ensuite concrétisée sous la forme de priorités de développement à atteindre, d'ici 2015, que l'on appelle les Objectifs du Millénaire pour le Développement (OMD). Les huit OMD s'appuient sur une série d'accords internationaux et d'engagements pris précédemment par les gouvernements. Ils visent à: réduire l'extrême pauvreté et la faim (objectif 1), assurer l'éducation primaire pour tous (objectif 2), mettre un terme aux inégalités entre les sexes (objectif 3), remédier à la mortalité prématurée à travers la réduction de la mortalité infantile (objectif 4) et de la mortalité maternelle (objectif 5), combattre le VIH/SIDA, le paludisme et la tuberculose (objectif 6), lutter contre la dégradation de l'environnement et des ressources naturelles (objectif 7) et jeter les bases d'un partenariat mondial pour le développement (objectif 8). Chaque objectif comprend une ou plusieurs cibles.

Les pays développés se sont engagés à travers les OMD à lutter contre l'extrême pauvreté et la faim en amenant un certain nombre de solutions: aide au développement, réduction de la dette, accès aux médicaments et vaccins essentiels, accès au marché, accès à la technologie et au transfert de technologies. Les OMD placent la santé et le niveau d'instruction au cœur du développement humain. L'amélioration de l'état de santé des populations et l'accès à l'éducation de base sont deux conditions nécessaires à l'atteinte des OMD. L'OMS dénonce par contre le fait que l'importance de se doter de «systèmes de santé efficaces» ne soit pas clairement mentionnée dans les OMD. Comment est-il possible, en l'absence de services de santé accessibles, efficaces et intégrés, de répondre aux objectifs de santé (objectifs 4, 5 et 6)? La santé sexuelle et reproductive, les maladies transmissibles ou non transmissibles requièrent pourtant des soins continus, voire des soins palliatifs.

L'atteinte des OMD dépend en grande partie de l'amélioration des systèmes de santé dans le monde. Dans un rapport intitulé *La santé et les Objectifs du Millénaire pour le Développement*, l'OMS présente des statistiques sur la progression des objectifs de santé et de leurs cibles. Parmi les raisons expliquant le retard dans l'atteinte des objectifs de santé figure

---

39. Verpillat, Patrice (1996). «État de santé et priorités de santé publique. Synthèse des conférences régionales», *ADSP*, n° 17, décembre, p. 17.
40. *Ibid.*
41. Brücker, Gilles (2000). «Santé pour tous: un objectif qui reste à atteindre pour les plus vulnérables», *ADSP*, n° 30, mars, p. 1.

Chapitre 9 — Politiques sanitaires et organisation des services de santé: le système de santé en question

la faiblesse des systèmes de santé : inaccessibilité, iniquité, manque de ressources humaines qualifiées, manque de ressources financières, etc. Le rapport répertorie cinq objectifs essentiels pour atteindre les objectifs de santé[42] :

Encadré 6 : L'OMS et les Objectifs du Millénaire pour le Développement

1. Réduire le nombre de femmes qui meurent en donnant naissance ;

2. Permettre à davantage d'enfants de survivre durant les deux premières années de la vie ;

3. Essayer d'empêcher la catastrophe du VIH/SIDA ;

4. S'assurer que les gens aient accès aux médicaments indispensables ;

5. Améliorer la santé sous toutes ses formes et contribuer ce faisant à réduire la pauvreté.

Source : Organisation mondiale de la santé. L'OMS et les Objectifs du Millénaire pour le Développement.

Encadré 7 : La santé et les Objectifs du Millénaire pour le Développement

1. Renforcer les systèmes de santé ;

2. Veiller à ce que l'on accorde à la santé un degré de priorité élevé dans les politiques économiques et de développement général ;

3. Élaborer des stratégies de santé qui répondent aux besoins divers et changeants des pays ;

4. Mobiliser davantage de ressources pour la santé dans les pays pauvres ;

5. Améliorer la quantité et la qualité des données sanitaires pour éclairer la prise de décision et favoriser la transparence aux niveaux international et national.

Source : Organisation mondiale de la santé (2005). *La santé et les Objectifs du Millénaire pour le Développement*, Genève, 83 pages.

9.6 Culture et santé publique

L'introduction de la dimension culturelle dans les pratiques en santé est une condition préalable à la mise sur pied d'un véritable système de santé publique pluraliste. Avec l'ouverture des frontières, les groupes de populations sont devenus hétéroclites et appartiennent désormais souvent à une ou plusieurs minorités ethniques. C'est le cas des terres d'immigration comme le Canada, l'Angleterre ou encore la France. Dans une société pluraliste, la compréhension des problèmes de santé passe par une meilleure appréhension de l'ensemble des déterminants de la santé, particulièrement les facteurs culturels. Il devient dès lors plus que nécessaire pour les professionnels de la santé d'acquérir une meilleure connaissance des particularités des minorités ethniques en apprenant à intervenir dans des contextes multiculturels[43].

La nécessité d'introduire aujourd'hui le thème de la culture renvoie « à l'histoire des approches du binôme

---

42. Organisation mondiale de la santé (2005). *La santé et les Objectifs du Millénaire pour le Développement*, Genève, 83 pages.
43. Agence de santé publique du Canada (1996). *Pour une compréhension commune : une clarification des concepts clefs de la santé des populations*, Document de travail. Gravel, Sylvie, et autres (2000). *Culture, santé et ethnicité : vers une santé publique pluraliste*, Rapport synthèse, Montréal, Régie régionale de la santé et des services sociaux, Direction de la santé publique, vol. 4, n° 3.

santé/maladie dans les sciences humaines» et «au développement d'une perspective multidimensionnelle pour traiter les pratiques de santé[44]». Il n'est désormais plus possible de concevoir la santé comme une simple lutte entre le médecin et la maladie étant donné la complexité et l'interdépendance des déterminants de la santé. L'Agence de la santé publique du Canada relève l'incidence de plusieurs facteurs culturels et ethniques sur la santé:

Encadré 8: Incidence de plusieurs facteurs culturels et ethniques sur la santé

- La façon dont les gens interagissent avec le système de santé;

- Leur participation aux programmes de prévention et de promotion de la santé;

- Leur accès à l'information en matière de santé;

- Leurs choix de modes de vie sains;

- Leur compréhension de la santé et de la maladie, et leurs priorités en matière de santé et de condition physique.

Source: Agence de la santé publique du Canada (1996). *Pour une compréhension commune: une clarification des concepts clefs de la santé des populations*, document de travail.

La culture et l'ethnicité résultent d'une combinaison de facteurs conjoncturel, historique, social, politique, géographique et économique et du vécu de tout un chacun. La culture a une incidence sur l'ensemble des composantes du bien-être social et économique qui ont à leur tour un impact sur la santé physique et mentale des minorités ethniques, notamment dans les cas d'isolement social à cause des barrières linguistiques ou de diverses formes d'exclusion ressenties, la violence conjugale fondée sur des caractéristiques ethnoculturelles, de discrimination raciale dans les domaines de l'emploi, de l'éducation, du logement et des services sociaux.

Plusieurs auteurs abondent dans le même sens et reconnaissent que certains facteurs associés à l'ethnicité exercent une influence sur la santé. Chaque minorité ethnique possède ses croyances, ses valeurs, ses pratiques et ses particularités biologiques et génétiques qui constituent autant d'éléments façonnant son identité. Ces aspects culturels représentent des déterminants de la santé, car ils sont en lien avec l'utilisation des services de santé et la conception de la maladie, les habitudes de vie et

l'environnement. Il existe donc une dynamique complexe entre la culture et la santé. La tradition médicale exerce une influence particulière sur la santé. Que l'on soit de tradition médicale taoïste ou vaudou, la façon d'aborder la santé et la maladie, ainsi que la façon d'en définir ses déterminants sont très variables. Les comportements en lien avec la prévention et la promotion de la santé tout comme l'utilisation des services de santé diffèrent également selon les traditions médicales[45].

> *La façon de conceptualiser l'incidence de la culture* [peut être abordée] *soit dans une perspective causale de déterminations des réactions, comportements et pratiques, soit dans une perspective compréhensive comme une mise en sens des pratiques étudiées, soit dans une perspective écologique comme milieu intersubjectif et transsubjectif de l'orientation des pratiques*[46].

Par ailleurs, la trajectoire migratoire se répercute également sur la façon d'utiliser les soins de santé et les services sociaux, soit l'expérience de la personne immigrante avec les programmes et services de santé. Certaines personnes immigrantes, notamment celles

---

44. Jodelet, Denise (2006). «Culture et pratique de santé», *Nouvelle Revue de Psychologie*, n° 1, p. 219.

45. Gravel, Sylvie, et autres (2000). *Culture, santé et ethnicité: vers une santé publique pluraliste*. Rapport synthèse, Montréal, Régie régionale de la santé et des services sociaux, Direction de la santé publique, vol. 4, n° 3, mai, p. 3.

46. Jodelet, Denise (2006). «Culture et pratique de santé», *Nouvelle Revue de Psychologie*, n° 1, p. 232.

en provenance des pays en développement, avaient dans leur pays d'origine relativement peu de services et de soins de santé offerts et peuvent par conséquent se retrouver totalement désorientées en arrivant dans leur nouveau pays d'accueil. Par exemple, au Canada, le système de santé se caractérise par la parcellisation des services et la lourdeur administrative, ce qui peut être particulièrement déconcertant et éprouvant pour les nouveaux arrivants. On retrouve cependant dans la plupart des pays du monde la pratique de la médecine occidentale et de la médecine traditionnelle qui peuvent parfois être associées dans le traitement des maladies. Dans ce contexte, le personnel de santé doit être de plus en plus à l'écoute des patients immigrants pour les conseiller et les orienter au sein du système de santé tout en leur prodiguant des soins adéquats[47].

Encadré 9: Illustration d'obstacles à l'adaptation culturelle

- Banalisation de la différence culturelle au profit des besoins universels de l'être humain;

- Résistance de certains professionnels qui considèrent qu'il incombe aux immigrants de s'adapter;

- Moyens insuffisants pour adapter culturellement et de façon équitable pour rendre compte de la pluralité ethnique;

- Conditions inégales de négociation dans le cadre d'un partenariat pour les minorités ethniques;

- Coûts reliés à la traduction et à l'adaptation du matériel d'enquête ou de promotion.

Source: Gravel, Sylvie, et autres (2000). *Culture, santé et ethnicité: vers une santé publique pluraliste.* Rapport synthèse, Montréal, Régie régionale de la santé et des services sociaux, Direction de la santé publique, vol. 4, n° 3, mai, p. 3.

Raymond Massé souligne l'importance d'adapter culturellement aux populations des programmes de prévention des maladies et de promotion de la santé en se basant sur les savoirs populaires relatifs à la santé et à la maladie. Il s'agit avant tout de s'intéresser à la culture et à l'ethnicité du patient plutôt que de considérer ses croyances comme folkloriques. L'auteur propose de développer l'«interculturalité» et l'«ethnicisation» des services dans les institutions et les formations de santé publique afin de mieux répondre aux besoins des communautés culturelles[48].

L'essor de l'immigration au Canada exige que les services de santé adaptent leurs programmes et services, notamment ceux de première ligne. Le défi est de tenir compte de la nouvelle hétérogénéité des populations, d'intégrer des valeurs et des savoir-faire diversifiés dans l'élaboration des programmes et de la prestation de soins et de services, tout en respectant les valeurs des divers acteurs impliqués et les normes des institutions de la société d'accueil[49].

L'intervention de première ligne dans un contexte interculturel requiert un personnel de santé culturellement compétent et relativement bien formé afin de développer des programmes et des services de qualité et culturellement adaptés à une population de plus en plus hétérogène. La prise en compte de la culture dans les soins infirmiers ne peut reposer que sur une approche holistique: une «conception selon laquelle l'organisme représente un tout formé de la tête, du corps et de l'esprit[50]».

De nombreux chercheurs en travail social de l'*American Association of Colleges of Nursing* ont reconnu l'importance de la culture dans la pratique des soins infirmiers, sans pour autant réduire la diversité culturelle à des stéréotypes. Des soins

---

47. *Ibid*, p. 233.
48. Massé, Raymond (1995). *Culture et santé publique. Les contributions de l'anthropologie à la prévention et la promotion de la santé*, Montréal, Gaëtan Morin Éditeur.
49. Vissandjee, Bilkis, et autres (2004). «La diversité culturelle montréalaise: une diversité de défis pour la santé publique», Santé publique, vol. 17, n° 3, p. 417-428.
50. Brunner, Lilian Soltis, et autres (2006). *Soins infirmiers en médecine et en chirurgie.* «Chapitre 7: Individu, famille et maladie. Approche holistique de la santé et des soins de santé», De Boek, 4e édition, p. 126.

infirmiers culturellement adaptés doivent impérativement prendre en compte le sexe du patient et le genre, soit les facteurs biologique et socioculturel. D'autres facteurs comme l'environnement social et économique, l'orientation sexuelle du patient et la présence d'incapacités particulières doivent en outre être considérés[51].

Le personnel infirmier doit faire appel à ses qualités personnelles, notamment ses connaissances et ses compétences culturelles, pour cerner les écarts culturels avec le patient. La sensibilité culturelle est une compétence essentielle à développer, car elle permet d'offrir des soins personnalisés sur le plan thérapeutique[52]. L'Association des infirmières et infirmiers du Canada (AIIC) a établi une terminologie culturelle en expliquant de quelle façon la sensibilité culturelle, la compétence culturelle et les soins transculturels peuvent aider le personnel infirmier à offrir des soins culturellement adaptés.

Tableau 41 : Terminologie culturelle

Sensibilité culturelle	– La sensibilité culturelle est le moyen d'accroître l'efficacité avec laquelle le personnel infirmier dispense des soins en dépit d'obstacles culturels, comme une orientation de contrôle. – Une orientation humaniste de la sensibilité culturelle met en valeur la compréhension, le respect, l'épanouissement personnel et la communication. – On peut définir des soins sensibilisés sur le plan culturel comme le fait de connaître le patient au complet par l'évaluation culturelle et la communication, la prestation de soins fondés sur le respect, l'acceptation, la flexibilité, l'ouverture, la compréhension et la sensibilité aux besoins culturels... ce qui produit des soins holistiques sensibilisés.
Compétence culturelle	– La compétence culturelle décrit l'acquisition, par les prestataires de soins de santé, d'une sensibilisation, de connaissances et de compétences culturelles au cours de contact avec d'autres cultures.
Soins transculturels	– Les soins transculturels décrivent les compétences des professionnels de la santé et comprennent l'évaluation culturelle, le respect de l'individu et l'intégration de ces valeurs culturelles aux soins. La sensibilité culturelle est à la prestation des soins transculturels.

Source : Association des infirmières et infirmiers du Canada (2000). «Diversité culturelle, changements et défis», *Zoom sur les soins infirmiers. Enjeux et tendances dans la profession infirmière au Canada*, Division des politiques, de la réglementation et de la recherche de l'Association des infirmières et infirmiers du Canada, n° 7, février, p. 3.

Madeleine Leininger mentionne dans son étude sur les soins infirmiers transculturels que la culture reflète un ensemble d'aspects culturels (valeurs, croyances, codes culturels, habitudes de vie, etc.) qui se transmettent de génération en génération. Ces modèles culturels contribuent à façonner nos attitudes et nos comportements : les soins infirmiers transculturels se fondent sur le concept de culture et sur les rapports à établir entre, d'une part, les soins de santé et, d'autre part, les croyances, les normes et les pratiques des personnes, de leurs proches et de leurs amis[53].

---

51. Brunner, Lilian Soltis, et autres (2006). *Soins infirmiers en médecine et en chirurgie*. «Chapitre 7 : Individu, famille et maladie. Approche holistique de la santé et des soins de santé», De Boek, 4e édition, p. 127.
52. *Ibid.*
53. Leininger, Madeleine (2001). *Culture Care Diversity and Universality: A theory of Nursing*, New York, National League for Nursing Press.

L'AIIC a identifié quatre responsabilités clés du personnel infirmier pour prodiguer des soins culturellement adaptés: l'évaluation culturelle, le savoir culturel, la communication verbale et non verbale et le partenariat. Ce n'est qu'en maîtrisant la terminologie culturelle et en s'acquittant des responsabilités clés que l'atteinte de l'efficacité culturelle devient alors possible. L'efficacité culturelle demeure essentielle à l'évaluation positive de l'état de santé des groupes ethniques et à l'atteinte de bons résultats pour la santé.

Tableau 42: Quatre responsabilités du personnel infirmier

Évaluation culturelle	• Examen des attitudes et des valeurs personnelles du personnel infirmier sur la santé, la maladie et les soins de santé. Lorsqu'il comprend la différence entre ses valeurs et ses croyances personnelles et celles de ses clients, il est en mesure d'appréhender la force des deux. • Le plan de soins peut alors devenir respectueux des deux parties et efficace.
Savoir culturel	• Connaissance des croyances et des valeurs sanitaires des clients et leurs incidences sur leurs réactions aux soins de santé et croyances au sujet des aspects suivants: soins administrés, rôle des prestataires de soins de santé et de l'hospitalisation, méthodes d'accouchement, agonie, intervention de la famille, spiritualité, coutumes, rites, alimentation, thérapies traditionnelles. • Le savoir culturel encourage l'exploration respectueuse et ouverte des attitudes, croyances, perceptions et buts des patients.
Communication verbale et non verbale	• La communication verbale et non verbale peut constituer un obstacle à l'accessibilité des services. • Les expressions faciales, le langage corporel et le contact oculaire doivent être bien compris. • Les interprètes spécialisés en soins de santé peuvent être d'une grande utilité pour interpréter à la fois les mots et le sens de l'information sur la santé.
Partenariat	• Le partenariat entre prestataires, patients et organismes subventionnels est essentiel pour intégrer un système qui incorpore aux services de santé des pratiques culturellement diverses, tout en optimisant les résultats pour le patient. • Les partenaires peuvent définir des besoins en soins de santé, des buts mutuels pour les personnes et les collectivités et aider le patient à choisir.

Source: Association des infirmières et infirmiers du Canada (2000). «Diversité culturelle, changements et défis», *Zoom sur les soins infirmiers. Enjeux et tendances dans la profession infirmière au Canada*, Division des politiques, de la réglementation et de la recherche de l'Association des infirmières et infirmiers du Canada, n° 7, février, p. 3.

En bref

Services de santé

Les services de santé sont ceux conçus pour entretenir et favoriser la santé, pour prévenir la maladie et pour restaurer la santé. Des services de santé de qualité et accessibles constituent un moyen de réduire les inégalités en matière de santé. Ceci dit, des services de santé mêmes disponibles pour tous ne sont pas à eux seuls suffisants pour promouvoir la santé. C'est la combinaison des effets de chacun de ces déterminants qui peut faire une différence en termes d'amélioration de la santé des populations.

Financement des systèmes de santé

Plusieurs des fonctions des systèmes de soins de santé dépendent d'un financement adéquat. Sans la mise en place de mécanismes de financement viables, les idées novatrices appliquées au renforcement de l'infrastructure des soins de santé primaires qui sert de base aux systèmes de santé ne donneront aucun résultat. Le financement de la santé vise à doter le système de soins de santé des ressources appropriées afin de lui permettre d'offrir aux populations les services et soins de santé nécessaires. Le financement public assume en partie ou totalement les dépenses des soins de santé, ce qui permet aux populations de ne pas s'endetter. Il existe plusieurs mécanismes de financement: financement public (système national de santé, assurance maladie obligatoire), financement privé (assurance maladie privée), contribution financière des usagers, mutuelles de santé, etc.

Système de santé intégré

Un système de santé intégré repose sur une meilleure allocation des ressources et des bénéfices en santé, notamment par le biais d'un financement intégré et la recherche de l'équité en santé, afin d'offrir une gamme de services accessibles, équitables, efficaces et culturellement adaptés aux différents besoins de l'ensemble de la population.

Priorités de la santé publique

Les priorités de la santé publique sont hiérarchisées selon des critères explicites et sont formulées sous la forme d'objectifs de santé, accompagnés d'indicateurs. Elles se caractérisent par l'attribution d'un budget, l'élaboration d'un programme de santé particulier ou encore des stratégies de prévention et de promotion de la santé. Les priorités de santé publique se déclinent aux niveaux national, régional et international. L'atteinte des Objectifs du Millénaire pour le Développement (OMD) nécessite la mobilisation et la participation de l'ensemble de la communauté internationale dans l'espoir de réduire les écarts entre les pays riches et les pays pauvres. Les inégalités sociales de santé restent l'un des principaux déterminants sociaux de santé et les pouvoirs publics doivent poursuivre leurs efforts en leur accordant un haut niveau de priorité dans les politiques publiques.

Culture et santé publique

L'intégration de la culture au sein de la planification des services et soins de santé fait partie des préoccupations de santé publique dans les sociétés pluralistes. La culture exerce une incidence sur les représentations sociales de la santé et de la maladie. Les rapports entre la culture, la santé et la maladie permettent de mieux cerner les attitudes et les comportements des populations en matière de santé. L'identification et la reconnaissance d'un problème de santé passent par une meilleure connaissance et compréhension des problèmes de santé à caractère multiculturel. L'analyse multifactorielle et l'approche interculturelle de la santé sont des prérequis à l'élaboration de programmes de prévention et de promotion de la santé culturellement adaptés aux minorités ethniques.

Bibliographie

Agence de la santé publique du Canada (1996). *Pour une compréhension commune: une clarification des concepts clefs de la santé des populations*, Document de travail.

AUDIBERT, Martine, Jacky MATHONNAT et Eric DE ROODENBEKE (2004). «Quels systèmes de santé? Financement de la santé dans les pays à faibles revenus: questions récurrentes, nouveaux défis», *Médecine tropicale*, 64, p. 562-560.

BRUCKER, Gilles. «Santé pour tous: un objectif qui reste à atteindre pour les plus vulnérables». *ADSP*, n° 30, mars 2000, p. 1.

BRUNNER, Lilian Soltis, et autres (2006). *Soins infirmiers en médecine et en chirurgie*, «Chapitre 7: Individu, famille et maladie. Approche holistique de la santé et des soins de santé», De Boek, 4e édition.

Canadian Institute for Health Information (2006). *Waiting for Health Care in Canada: What We Know and What we Don't Know*, Ottawa.

Commission on the Future of Health Care in Canada (2002). *Building on Values: The Future of Health Care in Canada*, Saskatoon, Sask.: The Commission.

CUTLER, David M., et autres (2006). «The Value of Medical Spending in the United States, 1960-2000», *New England Journal of Medecine*, 355, p. 920-927.

DEBER, Raisa B. (2000). «Getting what we Pay for: Myths and Realities about Financing Canada's Health Care System», *Health Law in Canada*, 21(2), p. 9-56.

DONALDSON, Cam, Craig MITTON et Currie GILLIAN (2002). «Managing Medicare: the Prerequisite to Spending or Reform», *CD Howe Institute Commentary*, 157, p. 1-21.

COEURET-PELLICIER, Mireille. «Émergence d'une priorité nationale de santé publique. L'exemple du suicide», *ADSP*, n° 23, juin 1998, p. 2.

EVANS, Robert G., et autres (2001). «Apocalypse No: Population Aging and the Future of Health Care Systems», *Canadian Journal on Aging*, 20, p. 160-191.

FLORI, Yves-Antoine (2000). «Financement des politiques de santé», *ADSP*, n° 30, mars, p. 34.

Fondation canadienne de la recherche sur les services de santé (1999). *Systèmes intégrés de santé au Canada: trois synthèses de politiques. Questions et réponses*, Ottawa, Fondation canadienne de la recherche sur les services de santé.

GAULD, Robin D.C. (2000). «Big Bang and the Policy Prescription: Health Care Meets the Market in New Zealand», *Journal of Health Politics, Policy and Law*, 25(5), p. 815-844.

GRAVEL, Sylvie, et autres (2000). *Culture, santé et ethnicité: vers une santé publique pluraliste*, Rapport synthèse, Montréal, Régie régionale de la santé et des services sociaux, Direction de la santé publique, vol. 4, n° 3.

GRIMAUD, Marie-Angèle, Michèle SAINT-JEAN et André-Pierre CONTANDRIOUPOULOS (2006). «Allocation des ressources en santé: une problématique complexe», *Ruptures*, revue transdisciplinaire en santé, vol. 11, n° 1, p. 10-14.

Health and Welfare Canada (1984). *Canada Health Act*, Ottawa, Government of Canada.

HEBERT, Réjean (2003). «The Big Boom: What CIHR's Canadian Longitudinal Study on Aging Means to the Baby Boomer», *Healthcare*, 6(3), p. 19-20.

IMBEAU, Louis, Kina CHENARD et Adriana DUDAS (2002). *Les conditions de la viabilité d'un système public de santé au Canada*, Étude n° 11, mémoire présenté à la Commission sur l'avenir des soins de santé au Canada.

JAN, Stephan, et Virginia WISEMAN (1996). «Equity in Health Care: Some Conceptual and Practical Issues», *Australian and New Zealand Journal of Public Health*, vol. 1, n° 1, p. 13-15, dans Lemchuk-Favel, Laurel. *Financement d'un système intégré de santé pour les Premières Nations et les Inuits*, Document de travail, 22 février 1999, Ottawa, Santé Canada.

JODELET, Denise (2006). «Culture et pratique de santé», *Nouvelle Revue de Psychologie*, n° 1, p. 232.

JONES, Andrew M., et autres (2007). *Applied Health Economics*, London, Routledge.

KUTZIN, Joseph (2008). *Politique de financement de la santé: un guide à l'intention des décideurs*, memorandum sur le financement de la santé, Division des systèmes de santé des pays, Copenhague, Bureau régional de l'OMS pour l'Europe, 28 pages.

LEININGER, Madeleine (2001). *Culture Care Diversity and Universality: A theory of Nursing*, New York, National League for Nursing Press.

LEMCHUK-FAVEL, Laurel (1999). *Financement d'un système intégré de santé pour les Premières Nations et les Inuits*. Document de travail, 22 février, Ottawa, Santé Canada.

LEQUET-SLAMA, Diane (2000). « Les choix des priorités de santé publique en Europe ». *ADSP*, n° 31, juin, p.70.

MACKINNON, Janice C. (2004). « The Arithmetic of Healthcare », *CMAJ*, 171, p. 603-604.

MASSE, Raymond (1995). *Culture et santé publique. Les contributions de l'anthropologie à la prévention et la promotion de la santé*, Montréal, Gaétan Morin Éditeur.

NAYLOR, David C. (1999). « Health Care in Canada: Incrementalism Under Fiscal Duress », *Health Affairs*, 18(3), p. 9-26.

OECD (2007). *OECD Health Data 2007*, Paris.

Organisation mondiale de la santé (1981). *Stratégie mondiale de la santé pour tous d'ici l'an 2000*, Genève.

Organisation mondiale de la santé (2005). *La santé et les Objectifs du Millénaire pour le Développement*, Genève, 83 pages.

OXLEY, Howard, et Maitland MACFARLAN (1994). « Health Care Reform: Controlling Spending and Increasing Efficiency », *OECD Working Paper Series*, Economics Department: 149, Paris, OECD.

PETKANTCHIN, Valentin (2005). *Le financement de la santé par l'assurance-maladie privée*, Les notes économiques, Collection « Santé », Montréal, Institut économique de Montréal, novembre, p. 1.

Programme des Nations Unies pour le Développement (2003). *Rapport mondial sur le développement humain. Les Objectifs du Millénaire pour le Développement: Un pacte entre les pays pour vaincre la pauvreté humaine*, « Chapitre 5: Le financement privé dans les secteurs de la santé, de l'éducation et de l'eau », Paris, Economica.

STING, Michael, et Donna WILSON (1996). « Efficiency versus Equality: Health Reform in Canada », Fernwood Publishing, Halifax, and Regional Centre for Health Promotion and Community Studies, University of Lethbridge.

VERPILLAT, Patrice (1996). « État de santé et priorités de santé publique. Synthèse des conférences régionales », *ADSP*, n° 17, décembre, p. 17.

VISSANDJEE, Bilkis, et autres (2004). « La diversité culturelle montréalaise: une diversité de défis pour la santé publique », *Santé publique*, vol. 17, n° 3, p. 417-428.

WILENSKY, Gail R. (1995). « Incremental Health System Reform: Where Medicare Fits In » *Health Affairs*, 14(1), p. 173-181.

ZHIHONG, Karen (2006). *Reforming the Canadian Healthcare System*, A Report by the Vancouver Board Trade.

Chapitre 10

Changements climatiques et aménagement urbain, quels liens avec la santé?

Les changements climatiques représentent un nouveau risque pour la santé des populations et modifient la façon dont les pouvoirs publics doivent envisager la santé des populations. En parallèle, l'étalement urbain s'accompagne également d'un certain nombre de conséquences néfastes sur l'environnement et sur la santé.

Après avoir terminé l'étude de ce chapitre, vous devriez être en mesure de:

- Reconnaître l'importance des effets des changements climatiques sur la santé des populations;
- Déterminer les effets des principales sources de pollution sur la santé;
- Prendre conscience de l'émergence des contaminations d'origine hydrique et alimentaire et des maladies à transmission vectorielle;
- Connaître les phénomènes d'étalement urbain et ses conséquences sur l'environnement et la santé.

Dans ce chapitre, nous aborderons l'impact des changements climatiques sur la santé humaine. De nombreuses activités humaines, qu'elles soient industrielles, agricoles ou domestiques, sont responsables des changements climatiques et de la dégradation de l'environnement survenant à l'échelle de la planète: augmentation des gaz à effet de serre, réchauffement de la planète, perturbation des écosystèmes, températures extrêmes, phénomènes météorologiques exceptionnels, diminution de la couche d'ozone, pollution de l'air, de l'eau et des sols, etc.

Ces menaces environnementales représentent un risque majeur pour la santé des populations et contribuent à l'émergence de pathologies diverses: maladies cardio-vasculaires et respiratoires, cas de cancers, malformations congénitales, maladies infectieuses. Les contaminations d'origine hydrique et alimentaire ainsi que les maladies à transmission vectorielle et zoonoses feront l'objet d'une analyse plus élaborée.

Par ailleurs, l'impact du développement de l'urbanisme, plus précisément des phénomènes liés à l'étalement urbain, entraîne de nombreuses consé-quences sur l'environnement et sur la santé publique qui affectent la qualité de vie et le bien-être. En raison de l'éloignement, l'utilisation de l'automobile et des réseaux routiers produit divers phénomènes de pollution et conduit à la sédentarité des populations.

10.1 Environnement et santé: le système climatique mondial

Les changements climatiques entraînent à l'échelle internationale de nouveaux risques en matière de santé et d'environnement. Cela pourrait constituer le défi majeur qu'auront à relever plusieurs générations à venir. L'activité humaine exerce aujourd'hui une influence considérable sur le système climatique mondial, ce qui entraîne de nombreuses répercussions sur la santé des populations. L'activité humaine contribue à faire augmenter la concentration de gaz, ce qui amplifie l'effet de serre. Les gaz à effet de serre regroupent principalement le dioxyde de carbone (combustibles fossiles et incendies de forêt), le méthane (agriculture et exploitation pétrolière),

l'oxyde nitreux et d'autres hydrocarbures qui retiennent la chaleur[1]. Les changements climatiques s'accompagnent non seulement d'un réchauffement général du climat, mais également de phénomènes météorologiques exceptionnels: tornades, foudre, inondations, tempêtes d'hiver, vagues de chaleur, raz-de-marée, ouragans et sécheresse, parmi tant d'autres[2].

Les phénomènes de catastrophes naturelles ont engendré la mort de millions de personnes. De nombreuses maladies sont associées aux changements climatiques. L'émergence de maladies d'origine alimentaire et hydrique comme les maladies diarrhéiques sont en lien avec l'abondance des précipitations qui contaminent l'approvisionnement en eau. Les maladies à transmission vectorielle comme le paludisme et la dengue sont accentuées sous l'effet des inondations favorisant la reproduction des moustiques dans les eaux stagnantes. Les effets des changements climatiques sur la morbidité et la mortalité commencent déjà à se ressentir à l'échelle planétaire et seront encore plus prononcés au cours des prochaines années.

Les facteurs climatiques sont un déterminant important de diverses maladies à transmission vectorielle, d'un grand nombre de maladies entériques et de certaines maladies d'origine hydrique. La relation entre les variations d'années en années du climat et des maladies infectieuses est particulièrement évidente chez les populations vulnérables et lorsque les variations climatiques sont marquées[3].

Figure 13: Voies par lesquelles le changement climatique affecte la santé humaine

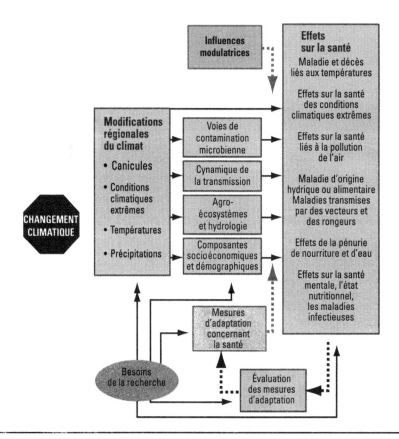

Source: Organisation mondiale de la santé (2004). *Changement climatique et santé humaine. Risques et mesures à prendre*, Genève, p. 11.

1. Organisation mondiale de la santé (2004). *Changement climatique et santé humaine. Risques et mesures à prendre*, Genève, p. 6.
2. Sante Canada (2004). *Les changements climatiques et la santé: bilan de recherche*, Ottawa, p. 6.
3. *Ibid*, p. 14

Les déterminants sociaux de la santé: une synthèse

Les effets des changements climatiques sur la santé humaine se répartissent de façon inégale sur la planète. Il existe des populations plus vulnérables que d'autres, notamment celles qui vivent dans les pays en développement, dans les états insulaires, dans les zones côtières, arides ou de haute montagne et densément peuplées. Les déplacements de populations sont de plus en plus fréquents. Les extrêmes de température (vagues de froid et de chaleur) occasionnent des décès supplémentaires chez les personnes âgées, les personnes souffrant de maladies cardiovasculaires ou respiratoires, les nouveau-nés et les personnes ayant une santé fragile[4]. Les phénomènes météorologiques exceptionnels ont aussi une incidence sur la santé mentale des populations et des travailleurs et contribuent à la détérioration de l'infrastructure de santé publique[5].

Les effets potentiels de l'amincissement de la couche d'ozone indiquent que le rayonnement ultraviolet est à l'origine de plusieurs cas de cancers de la peau et de graves coups de soleil chez les Blancs.

Tableau 43: Résumé des effets possibles du rayonnement solaire ultraviolet sur la santé humaine

Effets	Symptômes
Effets sur la peau	Mélanome malin Cancer de la peau non mélanocytaire Coups de soleil Lésions chroniques dues au soleil Photodermatose
Effets sur les yeux	Photokératite aiguë et photo conjonctivite Dystrophie cornéenne modulaire Ptérygion Cancer de la cornée et de la conjonctive Opacité du cristallin Mélanome de l'uvée Rétinopathie solaire aiguë Dégénérescence maculaire
Effets sur l'immunité et les infections	Suppression de l'immunité à médiation cellulaire Vulnérabilité accrue aux infections Affaiblissement de l'immunisation prophylactique Activation des infections virales latentes

4. Organisation mondiale de la santé (2004). *Changement climatique et santé humaine. Risques et mesures à prendre*, Genève, p. 14.
5. Santé Canada (2004). *Les changements climatiques et la santé: bilan de recherche*, Ottawa, p. 6.

Effets	Symptômes
Autres effets	Production cutanée de vitamine D (prévention du rachitisme, de l'ostéomalacie et de l'ostéoporose)
	Bienfaits possibles pour les cas d'hypertension, de cardiopathie ischémique et de tuberculose
	Possibilité de risque décru de schizophrénie, cancer du sein et cancer de la prostate
	Prévention possible du diabète de type 1
	État de santé altéré (cycle veille/sommeil, dépression saisonnière, humeur)
Effets indirects	Effets sur le climat, les disponibilités alimentaires, les vecteurs de maladies infectieuses et les phénomènes de pollution

Source : Organisation mondiale de la santé (2004). *Changement climatique et santé humaine. Risques et mesures à prendre*, Genève, p. 20.

Encadré 10 : Le Canada face aux changements climatiques

Le changement climatique entraîne non seulement un réchauffement général du climat, mais également des phénomènes météorologiques plus variables et violents, notamment des tornades, de la foudre, des inondations, des tempêtes d'hiver, des vagues de chaleur, des raz-de-marée, des ouragans et de la sécheresse. Le réseau permet d'examiner les incidences de ce type de phénomènes météorologiques sur les questions liées à la santé mentale, aux blessures, à l'état de préparation, au déplacement de populations, à la détérioration de l'infrastructure de santé publique et aux risques pour la santé des travailleurs. Les membres du réseau définissent les secteurs de recherche critiques et élaborent conjointement des stratégies efficaces qui, en bout de ligne, permettront aux collectivités du Canada de s'adapter avec succès en cas de catastrophes naturelles ou de conditions météorologiques exceptionnelles.

Le changement climatique représente un défi environnemental complexe pour le Canada et le monde entier. Les membres des milieux scientifiques internationaux ont déterminé que l'on pouvait s'attendre à ce que l'accroissement rapide de la teneur en gaz à effet de serre de l'atmosphère entraîne une augmentation de la température à la surface de la terre, un changement de climat, une modification de l'environnement, de même qu'un risque pour notre santé. Force est de constater que l'activité humaine, particulièrement les activités liées à la consommation d'énergie et à la déforestation, accélère le changement.

On convient généralement qu'au cours du XXIᵉ siècle, la température moyenne à la surface de la terre passera de 1,4 à 5,8 degrés Celsius. Cependant, cette hausse de température ne sera pas répartie uniformément à l'échelle du globe. On prévoit un réchauffement plus important et plus rapide dans certaines régions, y compris dans le Nord canadien. Le Canada est vulnérable à un large éventail d'impacts du changement climatique.

Reconnaissant que les pays du monde entier devaient collaborer afin de relever avec succès le défi lié au changement climatique, le Canada a appuyé la Convention cadre des Nations Unies sur le changement climatique et a ratifié le Protocole de Kyoto, en s'engageant à atteindre des objectifs précis liés à la réduction des émissions de gaz à effet de serre. Le Plan du Canada sur les changements climatiques du gouvernement fédéral comporte une série d'initiatives qui permettront au Canada de prendre des mesures afin de réaliser ses objectifs en matière de changement climatique, particulièrement en ce qui a trait à la réduction des émissions de gaz à effet de serre.

Source : Son Excellence la très honorable Adrienne Clarkson, gouverneure générale du Canada. Discours du Trône, 2002.

10.2 Les effets de la pollution de l'air, de l'eau et des sols sur la santé

Il est très complexe pour les analystes politiques, sur les plans pratique et éthique, de mesurer et d'évaluer les effets de la pollution sur la santé. Les méthodes d'analyse économique ne sont pas encore véritablement au point dans ce domaine, ce qui ne permet pas d'utiliser une méthode stricte d'évaluation. Certains sont d'avis qu'il n'est pas possible d'un point de vue éthique d'associer une valeur monétaire à la morbidité ou à la mortalité. Les gouvernements prennent pourtant des décisions politiques pour intervenir ou investir dans le domaine de la santé. L'amélioration de l'état de santé des populations est d'ailleurs souvent citée en référence pour justifier de tels investissements[6].

La question aujourd'hui est de savoir si les fonds doivent aller à la réduction de la pollution de l'air ou si l'on devrait plutôt les dépenser en approvisionnement en eau et en assainissement. Est-ce que la priorité doit être accordée à l'éducation et aux soins de santé ou d'autres préoccupations urgentes ? Le fait d'associer une valeur monétaire à la morbidité ou à la mortalité engendrée par la pollution de l'air pourrait être employé comme outil de gestion pour démontrer les coûts de l'inaction. Les effets de la pollution de l'air et de l'eau sur la santé des êtres humains sont bien connus. La pollution de l'air peut provoquer une irritation des yeux, des douleurs à la poitrine, des bronchites chroniques et des crises d'asthme sur une base régulière. Le manque d'approvisionnement en eau, l'absence d'hygiène et un mauvais assainissement peuvent avoir un impact significatif sur l'incidence de la morbidité ou de la mortalité associée à la diarrhée, aux nématodes intestinaux, etc.

Les études épidémiologiques permettent de mesurer les effets de la pollution de l'air et de l'eau sur la santé d'une population dans un endroit particulier en établissant une relation dose-réponse (gradient biologique) entre les variables environnementales et les effets sur la santé observés. Ce type d'étude reste cependant relativement coûteux et les données ne sont pas toujours disponibles. Il peut donc arriver parfois que la recherche soit menée dans d'autres sites, ce qui peut limiter la représentativité et la généralisation des résultats. Il est encore plus compliqué d'appliquer la méthode de la relation dose-réponse à la quantification de la pollution de l'eau, car il ne s'agit pas réellement de mesurer la qualité de l'eau ambiante, mais plutôt l'accès à l'eau potable et à l'assainissement, en lien avec le niveau de revenu et d'éducation des familles[7].

La prise de conscience des effets de la pollution des sols sur la santé est relativement récente. Les activités industrielles et agricoles sont en grande partie responsables de la pollution des sols. On dénombre les activités ferroviaires, portuaires et aéroportuaires, les activités agricoles et horticoles, les activités pétrolières, minières et gazières, les activités chimiques et pétrochimiques ainsi que les activités militaires. Plusieurs contaminants peuvent se retrouver dans les sols pollués comme les substances chimiques classées cancérigènes (arsenic, benzène, chrome, dioxines, hydrocarbures, solvants chlorés, etc.) et les substances neurotoxiques (plomb, mercure, etc.) qui comportent un certain nombre d'incidences négatives sur la santé.

Les effets directs sur la santé sont observables auprès de la population située dans le périmètre de la contamination des sols et des nappes phréatiques. L'exposition directe, selon le degré d'exposition, la nature du polluant, le bagage biologique et les habitudes de vie, et le système immunitaire de l'individu est plus ou moins affectée. Les populations rurales vivent le plus souvent à proximité d'un site industriel et consomment davantage des produits de la terre que les populations urbaines. Les enfants sont aussi vulnérables à cause de leurs déficiences immunitaires et de leurs comportements à risque : contact avec le sol, ingestion de la terre, etc. Les effets indirects renvoient à la consommation de produits contaminés.

Les phénomènes de dégradation des sols sont hétérogènes et complexes, car leurs effets sont différés. On répertorie la dégradation physique (désertification, érosion, etc.), la dégradation chimique (acidification, contamination par des pesticides ou autres micropolluants, salinisation, etc.) et la dégradation biologique (déminéralisation, perte de la biodiversité, etc.). La pollution chimique, engendrée par l'utilisation de pesticides et d'engrais ou la pratique de l'épandage, représente un grand risque pour la santé des populations. Les polluants se

---

6.   World Bank Group (1998). *Pollution Prevention and Abatement Handbook. The Effects of Pollution on Health*, Washington.

7.   *Ibid.*

retrouvent la plupart du temps dans les cultures, les eaux souterraines et les eaux de surface. Certains pesticides sont d'ailleurs considérés comme des neurotoxiques hautement cancérigènes, ce qui mène à s'interroger sur les pratiques agricoles. Les risques sanitaires passent par la consommation d'aliments ou d'eau contaminés. Certaines études épidémiologiques ont démontré un impact négatif sur la santé des populations telles l'augmentation de cas de cancers et l'apparition de troubles de la reproduction[8].

Tableau 44 : Évaluation environnementale et santé humaine

Aspects	Caractéristiques
Agents dangereux	– Agents microbiologiques : virus, bactérie – Agents chimiques : métaux lourds et produits chimiques organiques
Facteurs environnementaux	– Changements dans la qualité de l'eau, des aliments, de l'air, du terrain, du sol ou de la capacité d'en disposer – Pratique de gestion des déchets – Sécurité physique – Vecteurs de maladie
Conditions d'exposition	– Voie d'exposition humaine : aliments, air, eau, etc. – Exposition du public – Exposition professionnelle – Détermination des groupes à risques élevés
Effets sur la santé physique	– Mortalité – Morbidité : maladies transmissibles ou non, effets aigus et chroniques – Blessures et accidents – Effets sur les futures générations – Effets sur les groupes à risques élevés – Exacerbation d'une maladie existante (asthme) – Effets cumulatifs
Effets sur les services de santé	– Augmentation des besoins des services de santé – Déplacement des services de santé traditionnels

8. Doumont, Dominique, et France Libion (2006). *Impact sur la santé des différents polluants : quels effets à court, moyen et long terme ?*, Série de dossiers techniques, Université Catholique de Louvain - Unité d'éducation pour la santé (UCL - RESO), vol. 1, p. 20.

Aspects	Caractéristiques
Autres effets sur la santé	– Répercussions sur le revenu, la situation économique et l'emploi – Répercussions sur les recettes municipales et les industries locales – Déplacement des populations – Répercussions sociales et collectives (culture et mode de vie) – Incidence sur les services (éducation, réseaux de soutien social) – Répercussions sur l'état psychologique : stress, anxiété, nuisance, inconfort – Effets bénéfiques sur la santé

Source : Davis, Katherine, et Barry Sadler (1997). *Évaluation environnementale et santé humaine : perspectives, approches et orientations*, document d'information pour l'étude internationale sur l'efficacité de l'évaluation environnementale, Ottawa, Santé Canada, 44 pages.

Il existe plusieurs méthodes d'estimation des coûts de la pollution environnementale sur la santé, en lien avec l'analyse économique : l'approche des coûts de la maladie (*cost of illness approach*), l'approche du capital humain (*human capital approach*), l'approche de la différence de risques (*wage differential approach*) et l'approche de l'évaluation contingente (*contingent valuation approach*).

Dans un article portant sur la méthode de comparaison et de regroupement d'études sur le coût des maladies, Bernard Choi et Anita Pak mettent en évidence que l'approche des coûts de la maladie donne une traduction économique de l'ampleur des problèmes posés par une affection donnée. Ce type d'étude évalue les coûts directs (médicaux et non médicaux) de la maladie proprement dite, et les coûts indirects associés à la perte de productivité imputable à la morbidité ou à la mortalité précoce[9].

L'approche du capital humain quant à elle évalue les coûts indirects associés à la maladie et à la mort précoce en termes de perte de productivité. Cette approche applique les revenus moyens actuels par âge et par sexe au temps commercialisable perdu et impute la valeur commerciale du temps perdu[10]. Par exemple, le nombre de jours de travail (ou de travail non rémunéré) perdus est multiplié par le salaire journalier selon l'âge et le sexe. L'approche du capital humain considère les revenus et les activités domestiques. Elle fait par contre totalement abstraction des coûts reliés à la douleur et à la souffrance de la maladie, au temps libre et au bénévolat qui sont pourtant des activités productives qui ne transparaissent pas dans les revenus.

D'autres auteurs proposent une nouvelle approche des méthodes du capital humain et des coûts de friction pour évaluer les pertes de production liées à la maladie. Ces auteurs estiment qu'elles se rejoignent sur la base de deux critères : l'absence au travail (maladie ou décès) et l'évaluation de l'employé (analyse coût-efficacité, coût-utilité, etc.). Ces deux méthodes peuvent donc être employées de

9. Choi, Bernard, et Anita Pak (1992). «Méthode de comparaison et de regroupement d'études sur le coût des maladies : exemples des maladies cardiovasculaires», *Maladies chroniques au Canada*, vol. 23, n° 2, p. 52-65.
10. Rice, Dorothy P., Thomas A. Hodgson et Andrea Kopstein N. (1985). «The Economic Costs of Illness : A Replication and Update», *Health Care Financing Review*, 7, p. 61-68. Rice, Dorothy P., et Thomas A., Hodgson. «The Value of Human Life Revisited (editorial)», *American Journal of Public Health*, 1982, 72, p. 536-538 ; dans Choi, Bernard, et Anita Pak. «Méthode de comparaison et de regroupement d'études sur le coût des maladies : exemples des maladies cardiovasculaires», *Maladies chroniques au Canada*, printemps 2002, vol. 23, n° 2, p. 53.

manière différenciée au lieu d'être systématiquement opposées tout en évitant les sur ou les sous-comptabilisations des effets de la maladie[11].

L'approche sur la disposition ou propension à payer (*willingness-to-pay approach*) tient compte de la somme d'argent que les individus sont prêts à payer pour diminuer leur risque de blessure, de maladie ou de décès[12]. L'évaluation des coûts se fait en demandant aux individus ce qu'ils seraient prêts à payer pour éviter une situation indésirable. Cette approche reste cependant dans l'ensemble subjective, car la disposition à payer repose sur l'opinion des individus qui ne sont pas toujours en mesure de répondre à cette question, notamment les enfants et les personnes âgées.

L'approche de l'évaluation contingente est très similaire à celle sur la disposition à payer. Elle permet de mesurer des bénéfices liés à l'introduction d'un programme par le biais du montant financier que les individus indiquent être prêts à payer pour accéder à ce programme. L'intérêt d'une telle approche en santé réside dans le fait que la mesure du bénéfice sanitaire par le consentement à payer est censée refléter les préférences des individus et peut, à ce titre, être intégrée à une analyse de type coût-bénéfice[13].

Tableau 45 : Méthodes d'estimation des effets de la pollution sur la santé

Méthodes d'estimation	Exemples
Capital humain	– Prévention due à la mort prématurée engendrée par l'exposition à la pollution de l'air ou de l'eau
Coûts de la maladie	– Absence au travail – Augmentation des dépenses personnelles (médicales ou autres) dues aux effets de la pollution de l'air ou de l'eau sur la santé
Dépenses préventives	– Achat de bouteille d'eau pour prévenir les effets de la pollution de l'eau sur la santé – Installation de climatiseurs pour prévenir les effets de la pollution de l'air sur la santé à domicile (pollution intérieure)
Différences de risques	– Évaluation de la réduction des risques pour la santé selon les professions
Évaluation contingente	– Questionnement direct pour amener un changement potentiel de la qualité de l'air ou de la santé

Source : World Bank Group (1998). *Pollution Prevention and Abatement Handbook. The Effects of Pollution on Health*, Washington.

11. Sultan-Taïeb, Hélène, Philippe Tessier et Sophie Béjean (2009). « Capital humain et coûts de friction. Quels critères de choix pour l'évaluation des pertes de production ? », *Revue économique*, vol. 60, n° 2.
12. Haddix, Anne C., Steven M. Teutsch et Phaedra Corso (2003). *Prevention Effectiveness: A Guide to Decision Analysis and Economic Evaluation*, New York, Oxford University Press.
13. Allenet, Benoît (1996). *La mesure du bénéfice en santé par la méthode de l'évaluation contingente : application au domaine du médicament*, Travaux Universitaires - Thèse nouveau doctorat (N° 96 LYO1 0017). Discipline : Sciences économiques, Sailly J.-C. (Directeur de thèse), 518 pages.

Les déterminants sociaux de la santé : une synthèse

10.3 Les contaminations d'origines hydrique et alimentaire

Les changements climatiques laissent présager des températures extrêmes et des pluies abondantes pour les années à venir, ce qui pourrait contribuer à la contamination de l'approvisionnement en eau par le débordement des services d'hygiène publique et favoriser l'émergence des maladies d'origine hydrique. La contamination des cours d'eau est également susceptible d'augmenter les taux d'incidence des maladies infectieuses. Les algues toxiques et les microbes se multiplient dans l'eau contaminée, sous l'effet de la chaleur. Les crustacés sont à leur tour contaminés, ce qui engendre une hausse des cas d'intoxications alimentaires[14].

Les maladies infectieuses d'origine hydrique constituent un problème de santé publique de premier ordre dans les pays en voie de développement. Dans les pays développés, des épidémies d'origine hydrique peuvent également survenir et avoir un impact majeur sur la santé publique. Ces maladies appelées «maladies de l'eau sale» sont causées par une eau qui a été contaminée par des déchets humains, animaux ou chimiques. Les sources hydriques comprennent l'eau de consommation (incluant les glaçons) et recréative (baignade en milieu aquatique naturel ou artificiel, sports nautiques), quelle que soit la voie d'exposition (c'est-à-dire ingestion, inhalation, contact mucocutané, etc.).

Les infections alimentaires comme la salmonellose, la listériose, la campylobactériose, la yersiniose, la toxoplasmose et les infections virales sont aussi en pleine expansion dans les pays développés. Les principales sources de contamination proviennent de l'environnement, de la matière première animale ou végétale, de l'homme ou d'un autre aliment par contamination croisée. La consommation d'aliments contaminés par des bactéries ou leurs toxines peut survenir dans des crèches, des hôpitaux, des restaurants, à l'école ou à la maison. Les infections alimentaires surviennent le plus souvent dans le milieu de la restauration collective. Certaines infections alimentaires peuvent se manifester sous la forme de maladies émergentes ou d'épidémies. Plusieurs facteurs sont responsables des contaminations d'origines alimentaire et hydrique: les facteurs technologiques, les facteurs sociaux et comportementaux, les facteurs individuels et les facteurs microbiologiques.

L'évolution technologique, se caractérisant par l'industrialisation et les réseaux internationaux de distribution, n'est pas toujours à l'abri d'une faille. Les mesures de surveillance et de prévention doivent être renforcées afin d'être en mesure de développer des méthodes de contrôle d'agents pathogènes dans des chaînes de production beaucoup plus élaborées. Les facteurs sociaux et comportementaux mettent en évidence les changements des habitudes alimentaires. Les populations des pays développés consomment un certain nombre d'aliments susceptibles d'être associés à une contamination alimentaire: les produits à base de lait cru, les fromages au lait cru, les aliments consommés crus comme les fruits et légumes, les fruits de mer, les œufs crus ou des aliments relativement peu cuits comme la viande. Les viandes, les volailles et les préparations non cuites à base d'œufs crus sont des vecteurs de germes selon les recherches épidémiologiques.

Les facteurs individuels révèlent que certaines couches de la population sont de moins en moins résistantes aux infections. Le risque et la gravité des maladies sont supérieurs chez les personnes âgées ou les personnes immunodéficientes (atteintes d'immunodépression, de pathologie maligne, de cirrhose) dont le système immunitaire n'est pas suffisamment résistant pour combattre les processus infectieux. Par ailleurs, l'analyse des facteurs microbiologiques démontre que certains agents pathogènes transmis des animaux aux humains sont désormais devenus résistants aux antibiotiques, ce qui pose un problème de contrôle et de thérapie.

Compte tenu de l'ensemble des facteurs contribuant à l'émergence des contaminations d'origines alimentaire et hydrique, l'élaboration et la mise en œuvre de stratégies de prévention de leur transmission et le contrôle de ces infections reste un objectif prioritaire, pour limiter les coûts humain et financier et atteindre la sécurité alimentaire. Des mesures spécifiques devraient être adressées à l'intention des personnes vulnérables, particulièrement les populations très exposées ou à haut risque.

La relation entre la consommation d'aliments à risque et les contaminations d'origines alimentaire et hydrique a majoritairement été documentée lors

---

14. Santé Canada (2004). *Les changements climatiques et la santé: bilan de recherche*, Ottawa, p. 8.

de cas de toxi-infections collectives d'origine alimentaire ou hydrique déclarées. Les recherches sur les maladies d'origines alimentaire et hydrique demeurent insuffisantes et les approches interdisciplinaires sont aujourd'hui plus que nécessaires pour régler les problèmes de santé complexes. Le contexte écologique des maladies et les sources des contaminants ne sont pas encore bien compris. Les effets potentiels des changements climatiques sur la santé des individus sont donc difficiles à déterminer. Les effets du climat sur les contaminants contenus dans l'eau et les aliments et sur la qualité de l'eau d'estuaire ou de bassins hydrographiques et les conséquences sur la santé ont fait l'objet de très peu de recherches. Très peu d'études se sont intéressées à la transmission d'agents pathogènes dans le cadre du transport du bétail et de la transformation des aliments.

Par ailleurs, certains facteurs de vulnérabilité aux maladies d'origines alimentaire et hydrique, notamment ceux en lien avec les changements climatiques, gagnent à être connus dans les populations, les écosystèmes et les infrastructures. Certains comportements pourraient ainsi être modifiés afin de réduire la vulnérabilité aux maladies d'origine alimentaire, en lien avec les pratiques culturelles et sociales intervenant dans la manipulation et la transformation des aliments.

10.4 Les maladies à transmission vectorielle et zoonoses

Les maladies à transmission vectorielle sont transmises aux humains et aux animaux par l'intermédiaire d'arthropodes hématophages, notamment les moustiques, les tiques et les puces. Les zoonoses sont transmissibles des espèces animales aux humains. Santé Canada remarque que les maladies du virus du Nil occidental et de Lyme, transmises par les moustiques et les tiques, ont provoqué de nombreux problèmes de santé chez les populations de certaines régions du Canada. Des maladies transmises par les rongeurs ont également fait leur apparition. Les changements climatiques s'accompagnent du prolongement des saisons, d'une hausse de température et d'une abondance de précipitations parmi tant d'autres, ce qui occasionne les conditions propices à l'établissement et à la prolifération de maladies à transmission vectorielle dans certaines régions. Ces conditions pourraient entraîner des changements favorables aux espèces porteuses ou au développement des agents pathogènes.

La hausse des températures apparaît également comme un facteur susceptible d'accélérer l'aire de distribution de certaines maladies transmises par les insectes, les tiques et les animaux. Dans ce contexte, certaines maladies à transmission vectorielle et zoonoses pourraient se manifester et se propager dans des régions où elles ne sont pas normalement présentes. Parmi certaines maladies d'intérêt, on peut citer:

- les maladies zoonotiques telles la leptospirose, le syndrome pulmonaire de Hantavirus et la rage;

- les maladies à transmission vectorielle d'intérêt telles la babésiose, les encéphalites arbovirales (virus du Nil occidental, encéphalite de Saint-Louis, encéphalite de La Crosse et encéphalite équine de l'est) et la tularémie;

- les maladies exotiques à transmission vectorielle telles la dengue, le paludisme et le virus de Lyme.

Tableau 46 : Maladies zoonotiques d'intérêt

Maladies zoonotiques	Vecteurs	Symptômes
Leptospirose	– Contact avec l'urine des rongeurs infectés (rats) – Contact avec l'urine des chiens infectés	– Douleurs musculaires – Fièvre élevée – Graves maux de tête – Douleurs abdominales – Jaunisse – Dommage aux reins – Méningite – Insuffisance hépatique – Détresse respiratoire
Syndrome pulmonaire de Hantavirus (SPH)	– Inhalation de matières sèches aérosolisées contaminées par les excréta (salive, urines, fèces) des rongeurs infectés	– Fatigue – Fièvre – Maux de tête
Rage	– Morsures ou griffures par les animaux infectés	– Infection sérieuse du cerveau et du cordon médullaire

Source : Institut national de santé publique (2006). *Maladies zoonotiques et à transmission vectorielle. Examen des initiatives actuelles d'adaptation aux changements climatiques au Québec*, gouvernement du Québec, p. 2-3.

Tableau 47 : Maladies à transmission vectorielle d'intérêt

Maladies à transmission vectorielle	Vecteurs	Symptômes
Babésiose	– Morsure de la tique Ixodes scapularis – Morsure de rongeurs – Transfusion sanguine	– Fièvre – Hémolyse intravasculaire – Hémoglobinurie – Insuffisance rénale

Maladies à transmission vectorielle	Vecteurs	Symptômes
Encéphalites arbovirales (virus du Nil occidental (VNO))	– Piqûre de moustiques qui s'alimentent d'oiseaux infectés	– Fièvre – Maux de tête – Douleurs musculaires – Rougeurs – Encéphalite – Méningite – Létalité dans 3 à 15 % des cas
Encéphalite de Saint-Louis (ESL)		– Maladie inflammatoire affectant le cerveau, la moelle épinière et les méninges – Létalité dans 2 à 20 % des cas
Encéphalite de La Crosse		– Céphalées sévères – Fièvre – Vomissements – Léthargie – Convulsions
Encéphalite équine de l'est		– Létalité dans 30 à 35 % des cas
Tularémie	– Piqûre de moustiques	– Fièvre – Ganglions douloureux – Complications pulmonaires – Létalité dans 1 à 2 % des cas

Source : Institut national de santé publique (2006). *Maladies zoonotiques et à transmission vectorielle. Examen des initiatives actuelles d'adaptation aux changements climatiques au Québec*, gouvernement du Québec, p. 2-3.

Tableau 48: Maladies exotiques à transmission vectorielle d'intérêt

Maladies exotiques à transmission vectorielle	Vecteurs	Symptômes
Dengue	Piqûre de moustiques	– Fièvre – Maux de tête – Douleurs musculaires
Paludisme	Piqûre de moustiques	– Fièvre – Maux de tête – Nausées – Vomissements – Léthargie – Crises épileptiques – Coma – Insuffisances rénales et respiratoires
Virus de Lyme	Morsure de tiques infectées	– Troubles dermatologiques – Troubles arthritiques – Troubles cardiaques – Troubles neurologiques – Troubles oculaires

Source: Institut national de santé publique (2006). *Maladies zoonotiques et à transmission vectorielle. Examen des initiatives actuelles d'adaptation aux changements climatiques au Québec*, gouvernement du Québec, p. 2-3.

Les maladies à transmission vectorielle et les zoonoses, tout comme les contaminations d'origines alimentaire et hydrique, ont peu retenu l'attention des chercheurs. On ne peut dès lors prévoir les dangers préjudiciables à la santé au rythme des changements climatiques. Les phénomènes météorologiques exceptionnels ont un impact sur le système de santé publique qui n'est pas toujours en mesure de répondre aux besoins des populations en cas d'épidémies de maladies infectieuses. Par exemple, une hausse des précipitations peut engendrer la contamination de l'approvisionnement d'eau et ainsi favoriser la reproduction des moustiques[15].

Les connaissances sur les maladies transmises par les moustiques, les tiques, les rongeurs et les animaux

15. Santé Canada (2004). *Les changements climatiques et la santé: bilan de recherche*, Ottawa, p. 9.

Chapitre 10 — Changements climatiques et aménagement urbain, quels liens avec la santé?

en lien avec le climat restent à approfondir. Quel est le rôle du climat dans la propagation du virus du Nil occidental? L'impact des changements climatiques sur des maladies à transmission vectorielle et des maladies exotiques à transmission vectorielle qui ne sont pas encore présentes dans certaines régions du monde doivent être étudiées, en raison des déplacements d'animaux et d'importation vectorielle involontaire. Les zoonoses chez les espèces sauvages, notamment les mammifères marins, demeurent pour l'instant méconnues.

Afin de faire face aux effets potentiels des changements climatiques, les systèmes de surveillance environnementaux et épidémiologiques devront être de plus en plus performants. Ces systèmes de surveillance devront être en mesure de détecter, d'une part, les agents pathogènes chez les espèces animales et chez les humains et de déterminer, d'autre part, lorsque le climat représente un indice de maladies éventuelles.

10.5 L'étalement urbain

Appelé autrefois expansion urbaine, l'étalement urbain existe dans tous les pays et se caractérise par le développement de surfaces urbanisées en périphérie des grandes villes. Ses causes sont multiples et on évoque généralement la croissance urbaine et les constructions lointaines dans les villes pour expliquer le phénomène. Cette expansion est intimement liée à la croissance démographique dans les grands centres urbains, croissance qui s'accompagne par une grande densité[16]. Historiquement, ce sont les théoriciens de l'ère hygiéniste qui préconisaient une faible densité de population, dans un contexte où l'industrialisation des villes et l'urbanisation ont commencé par générer d'énormes problèmes de santé publique. Il faut dire que le développement des modes de transports a contribué à accélérer le phénomène. La motivation première des personnes qui choisissent d'aller vivre en périphérie des grandes villes est d'abord d'échapper

au coût exorbitant du loyer et la possibilité de disposer de plus d'espace et de s'éloigner du stress qui caractérise la ville[17]. Le choix d'un cadre de vie plus agréable, calme, serein et proche de la campagne et le désir de profiter des bienfaits de la grande ville sans en supporter les contraintes constituent des déterminants importants qui influencent le choix de certaines personnes à choisir la banlieue[18].

Ceci dit, ce choix n'est pas sans conséquences. L'éloignement du lieu de travail et la concentration d'individus dans les banlieues provoquent une sorte de migration pendulaire qui crée des embouteillages dont l'impact écologique n'est pas négligeable. Le Canada est un pays très urbanisé avec près de 80 % de la population vivant en milieu urbain. Selon Statistique Canada, en 2006, 4 Canadiens sur 5 vivaient dans un centre urbain de 10 000 personnes ou plus. Cette proportion est semblable à celle des États-Unis, mais supérieure à celle des autres pays du G8, à l'exception du Royaume-Uni où le pourcentage de la population résidant en milieu urbain avoisine les 90 %[19]. Très souvent, cette croissance soutenue de la population des villes entraîne un développement rapide des territoires situés en périphérie des municipalités centrales et qui deviendront des municipalités de banlieue. Cet étalement urbain pose de nombreux défis pour les régions métropolitaines, notamment sur le plan des transports, des services à la population et de l'environnement.

En raison de l'importance du nombre de personnes qui vivent dans les villes, celles-ci ont commencé par s'étendre à des régions autrefois campagnardes. C'est le cas de grandes villes comme Montréal, Toronto, Vancouver et Calgary. Ce phénomène d'étalement urbain n'est pas sans conséquences. En plus de contribuer à la hausse de la consommation d'énergie, en raison notamment du flot de voitures qui quittent chaque jour les banlieues vers les villes, il faut aussi souligner qu'il engendre la perte de terres agricoles, la pollution de l'air, des sols et de l'eau. Selon Santé Canada, l'étalement urbain affecte la santé des jeunes, des personnes âgées et celles avec une santé fragile[20].

16. Grosjean, Gilles (1999). *La densité urbaine: du programme au projet urbain*, Lausanne, IREC/EPFL, 165 pages.
17. APUMP (2003). *La ville étalée en perspective: actes du Colloque transnational sur l'étalement urbain*, Nîmes, Éd. Champ social, 293 pages.
18. Piron, Olivier (2007). «Les déterminants économiques de l'étalement urbain», Études foncières, nº 129, septembre-octobre.
19. Statistique Canada (2006). *Recensement de 2006: Portrait de la population canadienne en 2006: Dynamique de la population infraprovinciale*, Série «Analyses», numéro de catalogue: 97-550-XWF2006001.
20. Santé Canada (2007). *Les gens, les lieux, la santé*, Ottawa, ISSN 1496-466 X.

L'étalement urbain a des conséquences sur les personnes qui vivent en banlieue. Elle est à la source de nombreux problèmes de santé, tels que l'hypertension, l'arthrite, le diabète et les maladies cardiorespiratoires. L'environnement dans lequel vivent les individus, on le sait, exerce un effet sur notre santé. L'accroissement des infrastructures de transport et le développement du transport automobile amènent une hausse du taux de pollution de l'air et de la pollution sonore[21]. En banlieue, les services sont habituellement éloignés des lieux de résidence, ce qui amène souvent les banlieusards à utiliser leurs voitures afin de se rendre au travail, chez leur médecin, le dentiste, à l'épicerie, etc. Cet environnement peu propice à la marche ou encore à l'usage de la bicyclette rend les personnes habitant en banlieue physiquement peu actives. Plusieurs études ont réussi à établir un lien entre l'étalement urbain et certaines maladies comme l'obésité, le diabète et l'asthme. Certaines études ont par exemple démontré qu'il y a plus de personnes présentant un problème d'embonpoint dans les quartiers à faible densité de population que dans les centres urbains[22].

La circulation d'un flot important de voitures des banlieues vers les villes implique également le déversement de plusieurs substances sur la chaussée : hydrocarbures, huiles, graisses et divers métaux qui proviennent de la carrosserie. Tous ces polluants déposés sur les voies de circulation sont lessivés par la pluie ou lors de la fonte de la neige vers les cours d'eau avoisinants. Des études révèlent que divers métaux lourds comme le cuivre, le plomb, le fer, le zinc et autres se retrouvent dans les eaux qui approvisionnent les puits d'eau potable que l'on retrouve en milieu rural. On s'imagine aisément les risques pour la santé publique. La santé mentale des banlieusards est aussi source d'inquiétudes. Ceux-ci, en effet, passent chaque jour de longues heures enfermés dans leurs automobiles, ce qui affecte leur humeur et hausse leur niveau de stress. La quasi-absence de parcs dans les banlieues affecte également la santé mentale de ses résidents. Ces espaces permettent d'offrir aux personnes âgées des endroits

où ils peuvent se rencontrer, discuter de leur quotidien et briser leur isolement[23].

L'expansion urbaine est devenue un phénomène planétaire, et ses effets ne se limitent pas à la perturbation de quartiers ou à la dégradation de la mobilité et de la santé des populations. Lorsque l'environnement habité se développe en fonction de la voiture, ceux qui en sont dépourvus sont perdants[24]. Les études suggèrent par exemple que les jeunes qui vivent en banlieue sont souvent livrés à la dépendance des adultes qui doivent les conduire presque partout. Ceux-ci n'ont pas l'opportunité de développer une bonne forme physique, à l'instar de ceux qui ont encore la chance de circuler à pied ou à vélo. Aujourd'hui, les infrastructures de transports et les routes se développent sans cesse, repoussant les limites des villes, provoquant le bitumage des fermes et des forêts, dégradant l'approvisionnement local en eau et gaspillant les ressources énergétiques. Dans ce contexte, l'étalement urbain apparaît comme une véritable menace pour notre planète. Le transport automobile par exemple est de loin la source d'émissions de carbone dont la croissance est la plus forte. Ceci augmente l'effet de serre dont les conséquences sur l'environnement et la santé humaine sont immenses[25].

Le nouveau rapport que les hommes ont développé avec le territoire, le changement de la place du travail dans nos sociétés et l'adhésion à une nouvelle culture ont favorisé l'émergence d'une société paradoxale dans un contexte de forte transition urbaine[26]. Mais ce mode de développement révèle aujourd'hui ses limites, et ce, à plusieurs niveaux :

– l'étalement urbain engendre une espèce de ségrégation sociospatiale et d'agrégation dont les conséquences sur le tissu social sont négatives ;

– l'évolution du tissu urbain favorise la saturation des réseaux routiers et des problèmes de congestion qui ont des effets sur la qualité de l'environnement au sens large (consommation

21. Bauer, Gérard, et Jean-Michel Roux (1976). *La rurbanisation ou la ville éparpillée*, Paris, Seuil.
22. Wiel, Marc (1999). *La transition urbaine*, Liège, Mardaga.
23. Fortin, Andrée, Carole Després et Geneviève Vachon (2002). *La banlieue revisitée*, Québec, Éditions Nota bene.
24. Dupuy, Gabriel (1999). *La dépendance automobile*, Paris, Anthropos.
25. Kauffmann, Vincent, Christophe Jemelin et Jean-Marie Guidez (2001). *Automobile et modes de vie urbains : quel degré de liberté ?*, Aubervilliers, La Documentation française.
26. Tellier, Luc-Normand, et Yves Bussière (2000). « Le couple mobilité-immobilité au coeur de l'étalement urbain : le cas Montréalais », *Les cahiers scientifiques du transport*, n° 37, p. 31-58.

d'énergie, bruit, qualité de l'air, pollution, mutation des paysages, etc.);

– les modes de vie des populations sont graduellement modifiés au profit du «tout-automobile» qui, on le sait, favorise le développement de certaines maladies.

C'est pourquoi les pouvoirs publics doivent prendre des mesures concrètes pour freiner l'étalement urbain. Les avantages de ce phénomène semblent bien en-dessous des coûts de santé qu'il engendre et ces derniers sont beaucoup trop importants pour être ignorés. Il ne s'agit pas aujourd'hui de «supprimer» la banlieue, mais la réfléchir de façon à bâtir des villes fonctionnelles. Il faut élaborer une vision plus claire de ce à quoi les collectivités urbaines devraient ressembler dans les années à venir. Les enjeux dont il faut absolument tenir compte comprennent la vitesse de la croissance urbaine, les choix d'infrastructure et de transport, les technologies et les bâtiments écoénergétiques, la salubrité de l'air et de l'eau, et l'utilisation durable des terres.

Les déterminants sociaux de la santé: une synthèse

Changements climatiques et santé

Les changements climatiques sont attribuables à l'activité humaine et représentent une menace grandissante pour la santé publique. L'augmentation des gaz à effet de serre, des phénomènes météorologiques exceptionnels et des températures extrêmes bouleverse le système climatique mondial. L'amincissement de la couche d'ozone participe également au réchauffement dû aux gaz à effet de serre. Les changements et la variabilité climatiques ont une incidence sur la santé et le bien-être des populations. Les contaminations d'origines hydrique et alimentaire ainsi que les maladies à transmission vectorielle et les zoonoses sont sensibles aux conditions climatiques.

Phénomènes de pollution

La pollution désigne la dégradation de l'environnement par l'introduction de substances polluantes, ce qui engendre une perturbation des écosystèmes. On dénombre plusieurs types de pollution environnementale : la pollution de l'air, la pollution de l'eau et la pollution des sols. Des effets directs (réchauffement climatique, contamination des cours d'eau et dégradation des sols) et des effets indirects sur la santé (asthme, diarrhée et cancer) sont associés à chaque phénomène de pollution.

Étalement urbain

L'étalement urbain désigne le développement des surfaces en périphérie des grandes villes. L'éloignement occasionne de nombreux déplacements en voiture et l'augmentation des embouteillages, ce qui contribue à accroître la demande dans les infrastructures routières. Le développement d'activités commerciales et industrielles est lié à l'étalement urbain. Il en résulte des phénomènes de pollution de l'air, de l'eau et sonore ainsi que des impacts sur la santé physique (hausse de la sédentarité) et mentale (impacts psychosociaux).

Bibliographie

ALLENET, Benoît (1996). *La mesure du bénéfice en santé par la méthode de l'évaluation contingente: application au domaine du médicament*, Travaux Universitaires - Thèse nouveau doctorat (N° 96 LYO1 0017). Discipline: Sciences économiques, Sailly J.-C. (Directeur de thèse), 518 pages.

APUMP (2003). *La ville étalée en perspective: actes du Colloque transnational sur l'étalement urbain*, Nîmes, Éd. Champ social, 293 pages.

BAUER, Gérard, et Jean-Michel ROUX (1976). *La rurbanisation ou la ville éparpillée*, Paris, Seuil.

CHOI, Bernard, et Anita PAK (1992). «Méthode de comparaison et de regroupement d'études sur le coût des maladies: exemples des maladies cardiovasculaires», *Maladies chroniques au Canada*, vol. 23, n° 2, p. 52-65.

DOUMONT, Dominique, et France LIBION (2006). *Impact sur la santé des différents polluants: quels effets à court, moyen et long terme?*, Série de dossiers techniques, Université Catholique de Louvain - Unité d'éducation pour la santé (UCL - RESO), vol. 1, p. 20.

DUPUY, Gabriel (1999). *La dépendance automobile*, Paris, Anthropos.

FORTIN, Andrée, Carole DESPRES et Geneviève VACHON (2002). *La banlieue revisitée*, Québec, Éditions Nota bene.

GROSJEAN, Gilles (1999). *La densité urbaine: du programme au projet urbain*, Lausanne, IREC/EPFL, 165 pages.

HADDIX, Anne C., Steven M. TEUSCH et Phaedra CORSO (2003). *Prevention Effectiveness: A Guide to Decision Analysis and Economic Evaluation*, New York, Oxford University Press.

KAUFFMANN, Vincent, Christophe JEMELIN et Jean-Marie GUIDEZ (2001). *Automobile et modes de vie urbains: quel degré de liberté?*, Aubervilliers, La Documentation française.

Organisation mondiale de la santé (2004). *Changement climatique et santé humaine. Risques et mesures à prendre*, Genève.

PIRON, Olivier (2007). «Les déterminants économiques de l'étalement urbain», *Études foncières*, n° 129, septembre-octobre.

RICE, Dorothy P., et Thomas A. HODGSON (1982). «The Value of Human Life Revisited (editorial)». *American Journal of Public Health*, 72, p. 536-538, dans Choi, Bernard, et Anita Pak. «Méthode de comparaison et de regroupement d'études sur le coût des maladies: exemples des maladies cardiovasculaires», *Maladies chroniques au Canada*, printemps 2002, vol. 23, n° 2, p. 53.

RICE, Dorothy P., Thomas HODGSON A. et Andrea KOPSTEIN N. (1985). «The Economic Costs of Illness: A Replication and Update», *Health Care Financing Review*, 7, p. 61-68.

Santé Canada (2004). *Les changements climatiques et la santé: bilan de recherche*. Ottawa.

Santé Canada (2007). *Les gens, les lieux, la santé*, Ottawa, ISSN 1496-466 X.

Statistique Canada (2006). *Recensement de 2006: Portrait de la population canadienne en 2006: Dynamique de la population infraprovinciale*, Série «Analyses», numéro de catalogue: 97-550-XWF2006001.

SULTAN-TAÏEB, Hélène, Philippe TESSIER et Sophie BÉJEAN (2009). «Capital humain et coûts de friction. Quels critères de choix pour l'évaluation des pertes de production?», *Revue économique*, vol. 60, n° 2.

TELLIER, Luc-Normand, et Yves BUSSIÈRE (2000). «Le couple mobilité-immobilité au cœur de l'étalement urbain: le cas Montréalais», *Les cahiers scientifiques du transport*, n° 37.

WIEL, Marc (1999). *La transition urbaine*, Liège, Mardaga.

World Bank Group (1998). *Pollution Prevention and Abatement Handbook. The Effects of Pollution on Health*, Washington.

Conclusion

Depuis bientôt plusieurs décennies, les autorités en matière de santé publique partout dans le monde mènent des politiques actives contre les facteurs extérieurs qui peuvent affecter la santé des populations. La génétique et les facteurs de risque habituels connus comme l'alimentation, l'inactivité physique, le tabagisme et les comportements à risques n'apparaissent plus comme les meilleurs paramètres qui permettent d'établir si un individu demeurera en santé ou s'il sera exposé à la maladie. Les pathologies diverses qui affectent les populations ne peuvent plus exclusivement s'expliquer comme étant le résultat de mauvaises habitudes de vie. Il est important d'aller au-delà de la responsabilité individuelle qui joue un rôle, certes, et examiner l'environnement social et la façon dont celui-ci influence les décisions que nous prenons et les comportements que nous adoptons[1].

Les dernières années ont vu un changement s'opérer dans la façon dont les praticiens de la santé publique, les chercheurs et les pouvoirs publics appréhendent les facteurs à l'origine de la bonne santé. C'est en 1948, avec l'Organisation mondiale de la santé et plus tard en 1986 avec la *Charte d'Ottawa* qu'on a pris conscience du fait que «la santé est engendrée et vécue dans les divers cadres de la vie quotidienne: là où l'on apprend, où l'on travaille, où l'on joue et où l'on aime». D'ailleurs, les meilleurs facteurs de prévention de certaines affections et pathologies sont les déterminants sociaux. En effet, les circonstances dans lesquelles naissent, se développent, vivent et travaillent les individus ainsi que les outils de prévention et de traitement mis en place par nos collectivités exercent une influence capitale sur la santé des populations. Ces circonstances, pour la plupart, sont tributaires des choix sociaux et politiques, de luttes de pouvoir et des conditions matérielles qui sont celles des individus[2].

Une série de preuves est ainsi venue soutenir l'idée selon laquelle les conditions socioéconomiques des individus et des groupes a au moins autant d'incidence, sinon plus, sur l'état de santé que les soins médicaux et les comportements personnels[3]. À l'échelle canadienne, les résultats successifs des enquêtes nationales sur la santé de la population réalisées par Statistique Canada démontrent que le taux d'incidence de toutes les maladies chroniques étudiées était plus élevé chez les groupes des deux plus faibles catégories de revenu que dans les groupes des trois catégories de revenu les plus élevées. Même dans les pays comme le Canada, qui bénéficient d'un meilleur niveau de vie relatif, on se rend compte que les problèmes de santé tendent à se décupler dans certaines régions, en l'absence de l'un ou l'autre des déterminants de la santé de base tels que le revenu, le logement, l'emploi et l'éducation.

Si les plus récents travaux en promotion de la santé semblent minimiser l'importance des facteurs génétiques et biomédicaux sur l'incidence de la morbidité et de la mortalité, l'accumulation des inégalités socio-économiques entraîne quant à elle de graves conséquences sur la santé, la qualité de vie et le développement des individus. La mauvaise santé se nourrit de mauvaises conditions de vie et vice versa. En définitive, la santé est notre bien le plus précieux, car elle est essentielle à notre survie[4].

Les déterminants de santé peuvent être regroupés sous diverses catégories: éducation, ethnie, revenus, comportements à risque, facteurs génétiques, pauvreté, alimentation, conditions de travail et précarité d'emploi, logement, pollution sonore et atmosphérique, exclusion et isolation sociale, etc., analysées à

1. Navarro, Vicente, et autres (2006). «Politics and health outcomes», *The Lancet*, 368(9540), p. 1033-1037.
2. Chung, Haejoo, et Charles Muntaner (2006). «Political and Welfare State Determinants of Infant and Child Health Indicators: An Analysis of Wealthy Countries», *Social Science & Medicine*, 63(3), p. 829-842.
3. Chung, Haejoo, et Charles Muntaner (2007). «Welfare State Matters: A Typological Multilevel Analysis of Wealthy Countries», *Health Policy* 80(2), p. 328-339.
4. Baum, Fran (2007). «Cracking the Nut of Health Equity: Top Down and Bottom Up Pressure for Action on the Social Determinants of Health», *Promot Educ*, 14(2), p. 90.

différentes échelles. Ces catégories peuvent elles-mêmes être agrégées en supracatégories: déterminants sociaux, économiques, politiques, biologiques, environnementaux. Ces typologies sont utiles parce qu'elles permettent aux autorités en santé publique de décider de ce qui est important à un stade et de ce qui ne l'est pas. En effet, dans certaines situations, les déterminants économiques (pauvreté par exemple) peuvent avoir moins de poids que les déterminants culturels pour expliquer certains problèmes de santé[5]. Le cas du sida permet d'illustrer très bien ce phénomène.

Les déterminants sociaux de la santé semblent connaître un vif intérêt en cette période caractérisée par l'interdépendance et la mondialisation dans tous les sens du terme: mondialisation de l'économie, mais aussi des maladies infectieuses qui prennent des proportions pandémiques. La création en 2005 de la Commission de l'Organisation mondiale de la santé sur les déterminants sociaux de la santé a permis de réunir des preuves qui démontrent que, même si l'universel accès à des soins de santé de qualité constitue un élément important du traitement des maladies, les déterminants sociaux de la santé sont à l'origine de près de la moitié des écarts dans les indicateurs de santé entre différentes sociétés et à l'intérieur d'une même société. On observe des personnes et des groupes de personnes qui sont, en raison de leurs conditions de vie, plus vulnérables à la maladie et subissent un plus grand nombre de complications, et pour qui le processus de rétablissement est beaucoup plus long[6].

En dépit de toutes les évidences scientifiques qui mettent en exergue le rôle crucial des déterminants sociaux sur l'état de santé, il faut souligner que les gouvernements continuent malheureusement d'investir encore énormément de ressources dans la prévention et le traitement des maladies. En fait, nos systèmes de santé sont axés sur les soins curatifs et non sur les soins de santé. En fait, l'accent doit être davantage mis sur les facteurs sociaux à l'origine des problèmes de santé. Dans un contexte où la pauvreté gagne plus que jamais du terrain, et ce, en dépit de l'accroissement de la richesse collective, les effets de la mondialisation, les crises économiques et les compressions budgétaires vont contraindre de nombreuses personnes à la précarité, sans compter leurs impacts sur l'érosion du tissu social et de l'infrastructure sanitaire et éducative qui, on le sait, ont des incidences immenses sur la santé des populations.

Beaucoup reste encore à faire du côté de l'élaboration d'un nouveau modèle sanitaire davantage centré sur les individus et basé sur le respect de la dignité des personnes, la responsabilité de tous les acteurs du système, l'exercice de la citoyenneté (droits et devoirs), l'équité (dépassement des inégalités) et la participation. En dépit des acquis des trois dernières décennies sur le plan des approches en matière de santé des populations, nous demeurons largement dépourvus en matière de modèles adaptés aux actuels bouleversements culturels, sociaux, démographiques et épidémiques que sont ceux de notre époque. Et aucun bouleversement majeur n'est visible à l'horizon. Depuis l'ère hygiéniste jusqu'à l'époque de la promotion de la santé, la prévention est devenue une croyance, voire une idéologie qui tire sa principale raison d'être dans la place qu'occupe la santé dans l'échelle des valeurs de la société, parce que ce à quoi tiennent le plus les humains est la vie, et que préserver sa santé et celle de ses proches pour éviter le risque d'une mort prématurée paraît d'autant plus nécessaire, vu que la médecine est là pour promettre et, souvent, permettre d'y arriver[7].

Au moment où de plus en plus de personnes semblent jouir d'une certaine opulence dans certains pays, plusieurs études ont révélé l'existence d'un gradient socioéconomique de la santé. Cette réalité est d'ailleurs considérée par certains comme l'un des échecs les plus affligeants de nos sociétés postindustrielles. L'observation empirique indique en effet que les individus qui ont un faible statut socioéconomique (mesuré en fonction du revenu, du niveau de scolarité ou des compétences professionnelles) estiment, de manière constante, avoir une incidence plus importante de mauvaise santé et de conditions chroniques et un plus grand recours aux soins de santé que les personnes qui occupent un rang plus élevé sur l'échelle sociale. Au

---

5. Marmot, Michael G. (1998). «Improvement of Social Environment to Improve Health», *The Lancet*, 351, p. 57-60.
6. Amick, Benjamin C., et autres (1995). *Society and Health*, New York, Oxford University Press.
7. Horton, Richard (2002). «What the UK Government is (not) Doing about Health Inequalities», *The Lancet*, 360, p. 186.

cours des décennies, si les gouvernements ont fait de la promotion de la santé leur cheval de bataille, ils ont abondamment misé sur l'amélioration des systèmes de soins, en pensant que l'augmentation des dépenses en santé et l'investissement massif dans les technologies médicales parviendraient à eux seuls à garantir le mieux-être des populations[8].

On comprend maintenant qu'il existe plusieurs déterminants de la santé, qui tirent en partie leur origine des différences socioéconomiques que l'on observe entre les individus. Même si ce simple fait suggère qu'il soit possible de remédier aux inégalités socioéconomiques en matière de santé, il n'en demeure pas moins que la tâche devient compliquée lorsque vient le temps de décider à quels déterminants s'attaquer en priorité et à quels résultats on peut raisonnablement s'attendre. Les dernières années ont été caractérisées par une extrême médicalisation de la santé, ce qui entraîne la perte d'un regard général sur l'être humain. Ce modèle sanitaire qui prévaut encore aujourd'hui plonge ses racines dans une pensée sociopolitique et scientifique influencée par le cartésianisme et le positivisme, et qui a pour conséquence une négation de ce qu'est la santé holistique[9].

Symbole d'une démocratie égalitaire et témoin du niveau de développement d'une collectivité, la santé est un capital sociétal important parce qu'elle est la condition de toutes autres conditions d'exercice de la vie. Dans une société qui se veut solidaire, il est inconcevable que certains groupes comme les immigrants, les minorités visibles, les autochtones, les homosexuels, les femmes et les familles monoparentales subissent les contrecoups d'une mauvaise santé en raison d'entraves socioéconomiques. Le Canada est peut-être considéré par l'Organisation des Nations Unies comme l'un des pays du monde qui bénéficie de la meilleure qualité de vie, mais il n'est pas certain que tous ses citoyens en bénéficient. L'augmentation du taux de suicide, l'insécurité alimentaire, l'insalubrité des logements, l'isolement social, en particulier des personnes âgées et des groupes victimes d'exclusion, l'instabilité de l'emploi, le manque de soins à domicile pour les personnes malades, le faible niveau de littératie d'une frange importante de la population, l'absence de réseaux d'alimentation en eau et d'assainissement chez les Premières Nations constituent autant de phénomènes qui sont loin d'être à la hauteur de la réputation du Canada. Selon le Dr David Butler-Jones, administrateur en chef de la santé publique, « nous ne pouvons évaluer notre santé et notre bien-être collectifs en nous fondant uniquement sur les personnes qui n'ont aucun problème. Nous ne pouvons non plus nous baser sur les moyennes, car elles masquent des écarts importants entre les deux extrêmes. Nous devons aussi penser aux laissés-pour-compte, aux personnes dont l'état de santé est déficient, aux analphabètes, aux sans-abri et à ceux qui ne touchent que très peu ou pas de revenus[10] ».

S'attaquer à ces questions représente, on l'imagine, un défi titanesque. Il est fondamental que les pouvoirs publics investissent massivement dans des secteurs qui ont une incidence sur l'équité et l'état de santé des populations. Ces secteurs sont, entre autres, le logement, les services de garde et le développement de la petite enfance, l'emploi, etc. En fait, le plus important serait sans doute une intégration des déterminants sociaux de la santé dans la formulation des politiques sanitaires. L'élaboration de politiques horizontales visant à réduire l'incidence du faible revenu et celles destinées à réduire les inégalités en matière de revenu pourrait être un bon départ. En outre, l'élaboration de mesures de protection des droits de groupes en situation minoritaire revêt une importance cruciale. En fait, le plus important serait sans doute une intégration des déterminants sociaux de la santé dans la formulation des politiques sanitaires. En mobilisant le public sur cet important défi et en le sensibilisant sur ces principaux déterminants, les pouvoirs publics pourraient ainsi mobiliser les experts en santé publique, les professionnels de la santé et les travailleurs communautaires à l'élaboration d'une approche de santé publique fondée sur ces déterminants. Ceux-ci s'insèrent d'ailleurs dans les Objectifs du Millénaire pour le Développement, qui visent à atteindre d'ici 2015 un certain nombre de cibles portant sur la réduction de la pauvreté, l'équité et l'accessibilité en santé, l'éducation, l'égalité entre les sexes, la viabilité de l'environnement et les partenariats.

---

8. Macintyre, Sally (2000). « Prevention and the Reduction of Health Inequalities », BMJ, 320, p. 1399-1400.
9. Deaton, Angus (2002). « Policy Implications of the Gradient of Health and Wealth: an Economist Asks, Would Redistributing Income Improve Population Health ? », *Health Affairs*, 21, p. 13-30.
10. Agence de La santé publique du Canada (2008). *Rapport sur l'état de la santé publique au Canada 2008*, Ottawa.

L'état et la qualité de ces déterminants clés de la santé sont directement liés aux secteurs social, économique et politique. Il est donc impératif que les gouvernements, à tous les niveaux, répondent de façon adéquate à ces menaces pour la santé des collectivités en général, et des plus vulnérables en particulier. Tant que les gouvernements ne feront pas des déterminants sociaux une priorité, nos collectivités pâtiront encore longtemps d'un mauvais état de santé, car ces déterminants constituent la base d'une société en santé. Ceci dit, des recherches sur les déterminants sociaux ayant le plus d'effets sur la santé sont nécessaires, car elles aideraient éventuellement à cibler les interventions les plus rentables et prometteuses, particulièrement dans un contexte où les gouvernements, à tous les niveaux, doivent jongler avec l'allocation de ressources qui se raréfient de plus en plus.